Hans Habe

OFF LIMITS

HANS HABE

OFF LIMITS

Roman der Besatzung Deutschlands

VERLAG KURT DESCH

WIEN · MÜNCHEN · BASEL

„Auf dem Wagen der Befreiung, der sich von außen naht, reist allemalen auch die Tyrannei."

George Gordon Lord Byron

„Den Zuständen der Zeit Widerstand zu leisten, ist niemals töricht, da sich diese zwar ändern, aber nicht unbedingt bessern werden."

Georg Christoph Lichtenberg

„Wir haben nicht gesiegt, aber gekämpft; wir haben die Tyrannei nicht gebrochen, aber ihren Lauf aufgehalten; wir haben unser Land nicht gerettet, aber verteidigt; und wenn einst unsere Geschichte geschrieben werden wird, werden wir sagen können, daß wir widerstanden haben." Lajos Kossuth

„Worauf es ankommt, ist nicht, daß wir siegten, sondern daß wir widerstanden." François Mauriac

„Den Staaten, oder jedem von ihnen, oder jeder Stadt in den Staaten:
Widerstehe viel und gehorche wenig!"

Walt Whitman

DEN MÄNNERN UND FRAUEN

DIE „VIEL WIDERSTANDEN"

UND „WENIG GEHORCHTEN"

ZUGEEIGNET

DAS JAHR
1945

ERSTES KAPITEL

Ein Amerikaner besucht Dr. Wild

Die letzte Patientin war gegangen. Dr. Adam Wild hing den nicht mehr ganz weißen Ärztekittel an einen Haken auf der Tür. Die Wand des kleinen Ordinationszimmers schälte sich wie ein räudiger Hund.

Er trat ans offene Fenster und blickte hinaus.

Es war Mai und Föhnstimmung. Der Föhn kam in warmen Wellen: Juliwetter mit winterlichen Unterströmungen. In solchem Wetter werden die Kühe auf den Almen wild oder lüstern oder beides.

Der Föhn malte wie ein malendes Kind, primitiv, mit viel zu scharfen Konturen. Viel zu scharf waren die Konturen der Ruinen vor dem Fenster des Dr. Adam Wild. Es war nicht als blickte der Himmel durch die leeren Fenster, sondern als hätten die Fenster ein Stück Blau aus dem Himmel geschnitten.

Auf der anderen Seite der engen Münchner Vorstadtstraße stand kein Haus mehr. Das war fast überall so: die eine Straßenseite unversehrt, die andere weggrasiert. Der Tod zog seine Furchen gerade wie ein guter Bauer.

Dr. Wild wandte sich ab. Er durchquerte das dumpfe Wartezimmer, das nach Krankenkasse roch, und betrat den Wohnraum. Es war ein ziemlich großes Zimmer, aber es war so vollgeräumt, daß es klein wirkte. Stühle, Truhen, Vasen, Glasschränke, Statuen, selbst die Bilder so nahe beieinander, daß sie sich beinahe berührten. Frau Wilds Antiquitätenladen war ausgebombt. Das Wohnzimmer war jetzt ihr Antiquitätenladen.

Frau Wild saß in einem antiken Lehnsessel mit einem hohen, starren Rücken aus Samt, auf den ein Wappen gestickt war. In dem majestätischen Sessel wirkte sie wie eine winzige, alte Königin. Neben ihrem Sohn sah sie

9

immer kleiner aus als sie war, denn er war ein Riese: breit, massiv und schwerfällig, ähnelte er dem normannischen Schrank, neben dem er jetzt stand.

Frau Wild blickte auf aus ihrem schwarzen, antiquarischen Buch, das sie gelesen hatte. Es war seltsam, wie sich der Riese und die kleine Frau ähnelten. Beide hatten hellblaue Augen, nur waren ihre viel jünger, Inseln in einem Runzelmeer. Auch mußte sie einst genau so blond gewesen sein wie er, denn ihre Haare waren nicht weiß, sondern gelb.

„Eine Sommerhitze", sagte Frau Wild.

Sie ging zum Fenster und öffnete es. Dabei fiel ihr Blick auf die Straße.

„Ein Amerikaner", sagte sie.

Dr. Wild blickte über ihren Kopf hinweg auf die Straße. Unten hielt ein Jeep. Neben dem Fahrer saß ein Offizier. Er trug ein grünbraunes Feldhemd und eine Feldmütze. Hinten im Jeep waren drei oder vier Pappschachteln aufgestapelt. Mutter und Sohn wußten, was sie enthielten, denn in ihren Träumen kehrten diese Pappschachteln immer wieder. Die amerikanische Armee nannte sie Rationen. Für die Deutschen waren sie Träume aus Pappe.

Der Offizier blickte zum Fenster hinauf. Dann sagte er etwas zu seinem Fahrer und stieg aus.

„Ein Käufer?" fragte Frau Wild.

„Vielleicht", sagte der Doktor.

Sie ging zur Wohnungstür, der Sicherheit halber, denn die elektrische Glocke funktionierte nicht.

Die Hand des Offiziers blieb in der Luft hängen: er wollte gerade anklopfen, als Frau Wild öffnete.

Er war ein Mann von etwa dreißig, mittelgroß, schlank, mit braunen Haaren, eher hell als dunkel. Er hatte ein übersichtliches Gesicht, auf dem man sich schnell auskannte wie in einer modernen Stadt: nicht schön, aber sauber, gerade und praktisch.

„Ist Herr Dr. Wild zu Hause?" fragte der Offizier, indem er seine Feldmütze in die Hand nahm. Er sprach deutsch wie ein Deutscher.

„Bitte treten Sie ein", sagte Frau Wild.

Er musterte die alte Frau etwas verwundert, denn er war es gewohnt, daß ihm Angst begegnete oder Liebedienerei. Sie schien weder ängstlich noch servil.

Sie führte ihn ins Wohnzimmer und ließ ihn mit ihrem Sohn allein, denn er war offenbar keiner der Käufer, die Antiquitäten für Pappschachteln einhandelten.

„Mein Name ist Frank Green", sagte der Offizier. Er sprach schnell, als wollte er hinwegkommen über die Formalitäten. „Das sagt Ihnen sicher nichts, Herr Doktor. Ich habe früher Grün geheißen. Franz Grün."

„Nehmen Sie Platz", sagte Adam Wild. Aber auch der Name Franz Grün bedeutete ihm nichts.

Der Major sah sich um. Er fand nicht sofort einen Platz, auf dem er es sich bequem machen konnte. Adam war es, als suchte er Zeit zu gewinnen. Schließlich setzte er sich auf eine alte Tiroler Truhe.

„Ich bin gekommen", begann der Offizier, „um Ihnen zu danken, Herr Doktor. Sie haben meine Mutter bis zum letzten Tag betreut."

Jetzt erinnerte sich Adam.

„Frau Oberlandesgerichtsrat Grün", sagte er.

Der Offizier nickte.

„Ich weiß, was Sie für meine Mutter getan haben." Er sprach, als hätte er seine Rede vorbereitet. „Ich weiß, wie schwierig es war."

„Es war vor dem Krieg, soweit ich mich erinnere. Damals war es noch nicht so schwer."

Das Gespräch begann ihm peinlich zu werden. Jetzt erinnerte er sich genau an die alte Dame. Sie war zu ihm gekommen, noch einmal, am letzten Tag, bevor man sie ins Konzentrationslager brachte. „Helfen Sie mir, Herr Doktor!" hatte sie gesagt – als ob es eine Medizin gegeben hätte gegen KZ! Und das war also ihr Sohn, ein amerikanischer Offizier, mit Pappschachteln im Jeep. Er sagte schnell:

„Haben Sie Ihr Haus wiedergefunden, Herr Green?" Er kannte die amerikanischen Offiziersgrade noch nicht.

„Den Platz, wo es stand", sagte der Major. „Es ist ausgebombt."

Adam dachte: Komisch, das ausgebombte Haus eines Amerikaners!

Der Major nahm ein frisches, gefaltetes Taschentuch heraus und trocknete sich die nasse Stirne. Er wollte etwas sagen, aber der Arzt schnitt ihm das unausgesprochene Wort ab.

„Föhn", sagte Adam und versuchte zu lächeln.

„Ja, der alte Münchner Föhn", lächelte der Offizier.

Er griff in seine Brusttasche, entnahm ihr ein Päckchen Zigaretten und streckte es dem Arzt entgegen. Adam gab ihm Feuer und zündete sich selbst eine Zigarette an.

Der Major behielt das Päckchen in der Hand. Er war es nicht mehr gewöhnt, Zigaretten wieder einzustecken. Es wunderte ihn auch, daß der Arzt die Zigarette gleich angezündet hatte, statt sie „für später" aufzuheben. „Für später aufheben": das war die Aufforderung der Deutschen, man möge ihnen das ganze Päckchen geben, oder was es noch enthielt. Dieser Riese mit dem dichten Schnauzbart tanzte aus der Reihe. Der Major bedauerte, daß er gekommen war.

„Nun", sagte er endlich, „ich wollte mich nur bedanken, Herr Doktor. Und Ihnen meine Adresse geben. Wenn ich Ihnen irgendwie behilflich sein kann . . ."

Er riß ein Blatt aus seinem Notizbuch und schrieb darauf:

„Frank Green, Major, M.I., Hauptquartier, 45. Division, Ludwigstraße."

Er wollte dem Arzt das Papier reichen, aber als Adam seine Hand nicht danach ausstreckte, legte er es neben sich auf die Truhe.

In der Tür blieb er noch einmal stehen, als hätte er etwas vergessen.

Sobald er gegangen war, steckte Frau Wild ihren Kopf durch die Tür.

„Was wollte er?" fragte sie.

„Er wollte uns ein paar Rationen schenken", sagte Adam.

Eine Frau wartet im Gefängnis

Der Korridor B des Gefängnisses zu Nürnberg war wie alle Gefängniskorridore: ein endloser Tunnel mit Seitentüren.

Elisabeth von Zutraven saß auf einer Bank und wartete. Jetzt war es vier Uhr: sie wartete seit eins. Aber sie war das Warten gewöhnt, denn es war 1945, und sie war eine Deutsche.

Elisabeth von Zutraven trug ein schwarzes Tuch über dunkelblonden Haaren. Blaue oder graue Augen hätten besser zu ihren Haaren gepaßt, aber sie waren braun wie alte Baumrinden. Vielleicht waren es diese Augen, die es so schwer machten, zu sagen, wie alt sie war – fünfundzwanzig oder dreißig oder mehr. Es waren Augen, die nicht nur sahen, sondern auch erzählten, was sie gesehen hatten.

Der M.P., der gegenüber an der Wand lehnte, starrte sie an, und Elisabeth erfaßte sogleich, daß er mit ihr nichts anzufangen wußte. Er hatte einen schneeweißen Helm auf und sah aus wie ein bewaffneter Koch. Auch daran hatte sich Elisabeth gewöhnt, angestarrt zu werden. Seine Augen störten sie nicht, weniger als die Augen ihrer Landsleute. Fremden Augen konnte man leichter standhalten; fremde Augen gingen einen nichts an.

Auf einmal lächelte der M.P. Er fragte:

„Chewing gum . . . ?"

Sie versuchte zu lächeln und schüttelte den Kopf.

Dann lehnte sich der M.P. nicht mehr an die Wand. Wie ertappt, riß er sich zusammen und stand stramm. Eine Tür war aufgegangen. Ein junger Captain trat heraus und sagte:

„You can come along, Frau Zutraven."

Er ging ihr schnell voraus. Vor einer Eisentür standen zwei Militärpolizisten. Der Captain zeigte ihnen den Besuchsschein, sie salutierten und öffneten die Tür.

Der Raum, den sie betraten, erinnerte Elisabeth an die Winterhäuser der Zoologischen Gärten. Es gab drei voneinander mit dicken Wänden abgesonderte Käfige. Es waren Käfige, nicht Zellen, vom Besucher nur mit Stäben abgetrennt, mit Türen im Hintergrund. Man konnte sich vorstellen, daß es hinter den Türen Felsen und Wassergräben gab, für rollende und bettelnde Eisbären. Nur stank es hier nicht nach Tier wie in den Winterhäusern. Es stank nach Mensch.

Vor jedem der leeren Käfige stand ein Stuhl. Auf einem saß ein amerikanischer Soldat mit einem Schreibblock in der Hand.

Dann ging die Tür auf, die von außen in den mittleren Käfig führte. Es war eine regelrechte Tür, durch die ein Mann aufrecht hereintreten konnte, und das fiel Elisabeth auf, denn sie hatte unbewußt erwartet, daß der Gefangene auf allen vieren hereinkriechen würde wie die Bären oder die Wölfe.

Auch einen Stuhl gab es im Käfig. Kurt von Zutraven blieb vor dem Stuhl stehen.

Sie hatte ihn seit seiner Verhaftung nicht gesehen. Wann das war, wußte sie nicht mehr. Berlin war noch nicht gefallen; der Führer lebte noch. Und es gab noch Menschen, die an ein Wunder glaubten.

Es muß sehr lange her sein, dachte Elisabeth. Denn Kurt von Zutravens blonde Haare waren grau geworden. Nicht weiß, sondern so, als hätte man einen Eimer voll Asche über sie ausgeschüttet. Auch seine blauen Augen waren grau geworden. Er hatte einen Goldzahn, rechts, im Oberkiefer. Er wirkte jetzt grotesk, der Goldzahn, wie ein Ring in einem Aschenbecher.

„Wie geht es dir, Elisabeth?" fragte der Mann hinter dem Gitter.

„Danke", sagte die Frau, „wie geht es dir?"

Sie fand es lächerlich, daß der Soldat jedes Wort mitschrieb.

„Wann bist du herausgekommen?" fragte er.

„Schon nach elf Tagen."

„Kannst du mit Dr. Leberecht sprechen?" fragte er nach einem kurzen Zögern. „Vielleicht würde er meine Verteidigung übernehmen."

„Ich will es versuchen", antwortete sie.

14

„Hast du Geld?" fragte er.

„Ich brauche kein Geld", sagte sie. „Ich lebe noch in der Vernehmungsvilla."

Sie wollte ihm etwas Trostreiches sagen, aber es fiel ihr nichts ein.

„Brauchst du etwas?" fragte sie endlich.

Er versuchte zu lächeln. „Ich habe alles. Nur ein Bild möchte ich von dir haben. Und von Mama." Er blickte durch das Gitter nach dem Captain. „Es ist erlaubt."

„Ich werde sie hereinschicken", sagte die Frau.

Sie wollte sagen, daß auch sie sein Bild aufgestellt hatte. Aber es hätte abgeschmackt geklungen. Und es war nicht wahr.

Endlich fiel ihr etwas ein. „Ich habe Bücher mitgebracht", sagte sie. „Sie werden überprüft."

„Danke", sagte er.

Zwei Minuten später räusperte sich der Captain.

Sie verabschiedeten sich.

Der Captain führte sie zu seinem Büro zurück. Er gab dem M.P. einen Wink.

Der M.P. ging wortlos neben ihr her, bis zum Ausgang des Gerichtsgebäudes. Als sie auf die Straße hinaustrat, sagte er:

„Chewing gum ..."

Und ehe sie etwas sagen konnte, drückte er ihr ein Päckchen Kaugummi in die Hand.

Ein Mädchen geht auf die Straße

Das Haus München, Sankt-Martin-Straße 56b, lag günstig. Als besonders günstig hatte es der Rentner Alois Schmidt früher empfunden, daß sich seine beiden Zimmer im dritten Stock befanden. Der Ostfriedhof hat hohe Mauern, und man muß ziemlich hoch wohnen, um über sie hinweg in den Friedhof zu sehen.

Wenn es nicht zu kalt war, pflegte das Fenster immer offenzustehen. In Hemdsärmeln lehnte dann Schmidt hinaus, und seine Pfeife pflegte er zu paffen, damals, als es noch Tabak gab. Er betrachtete den Friedhof. Er hätte den Friedhof nicht für den schönsten Park eingetauscht. In einem Park gibt es nur Sträucher und Bäume, bestenfalls ein paar Blumen. In einem Friedhof gibt es außerdem Kränze, deren Farbenpracht nicht abhängig ist von der Jahreszeit. Kränze mit violetten Schärpen und goldenen Buchstaben. In einem Friedhof gibt es Begräbnisse, reiche und arme, mit oder ohne Reden, traurige und sachliche.

Es hing vielleicht mit den Gräbern zusammen, daß der Rentner Alois Schmidt im Dritten Reich Blockwart wurde. Die NSDAP, der er schon früh angehörte, wußte einen Mann zu schätzen, der Beobachtungsgabe besaß. Neben den Toten, die eingingen ins ewige Leben, beobachtete er die Lebenden, die in den Häusern aus- und eingingen.

Nun war er zu den Toten zurückgekehrt, allerdings unter ungünstigen Verhältnissen. Man hatte ihm seine Rente gestrichen. Und er konnte keine Pfeife rauchen, denn Tabak war noch rarer als Geld. Und auch die schönen Begräbnisse waren eine Rarität geworden. Eine Frage von Angebot und Nachfrage offenbar: je alltäglicher der Tod, desto wohlfeiler die Begräbnisse.

An diesem späten Junitag des Jahres 1945 hingen die Wolken schwer über dem Friedhof. Nun entlud sich endlich das erste Sommergewitter. Mit einem Seufzer schloß Alois Schmidt das Fenster.

Er hatte nicht bemerkt, daß Inge in einem Korbstuhl hinter ihm saß. Sie tat, was sie immer tat – nichts.

Sie war sechzehn. Man hätte sie für vierzehn halten können, so gertenhaft war sie, so lebertranbedürftig. Aber, wenn man ihre Augen sah, wußte man, daß sie nicht vierzehn war. Und man wunderte sich, daß sie nicht mehr war als sechzehn.

„Hast du etwas mitgebracht?" fragte ihr Vater.

„Kartoffeln", sagte sie.

„Sonst nichts?"

„Nein."

„Keinen Tabak?"

„Nein."

Sie schlug die Beine übereinander, das linke Knie über das rechte. Ihre Knie waren beinahe rührend: eigentlich hätten sie von Schorf bedeckt sein sollen wie die kleiner Mädchen, die immer hinfallen.

Ihr Vater setzte sich ihr gegenüber aufs Kanapee. Es war ein dunkelrotes Plüschkanapee, an beiden Enden mit harten, zylinderförmigen Kissen. Und zwei Löwenköpfen aus Messing, mit Ringen im Maul. Nur war der eine Löwe zahnlos: er hatte den Ring verloren.

„Die Donaubauers haben immer zu rauchen", sagte der Vater. „Und gestern hatten sie Bier."

„Der Donaubauer war nicht Blockwart", sagte das Mädchen.

„Damit hat das nichts zu tun", sagte der Vater. „Es war amerikanisches Bier. Mit der Rente hat er es nicht bezahlt."

Er starrte auf die Knie seiner Tochter. Inge schlug die Beine wieder übereinander: nur diesmal das rechte über das linke. Sie sagte:

„Die Hilde geht mit einem Amerikaner."

„Stimmt nicht", sagte der Rentner. „Es ist verboten."

„Verboten oder nicht", sagte Inge.

Alois Schmidt liebte keinen Widerspruch. Er sagte:

„Sie geht mit dem Huber Karl. Er handelt mit schwarzem Benzin."

Das Mädchen zuckte die Achseln. Ihre Schultern gehörten zu ihren Knien, sie waren vierzehnjährig.

„Sie ist eine Hur'", sagte sie.

Im Zimmer begann es dunkel zu werden. Es donnerte. Das Mädchen fuhr auf.

„Wie Bomben", sagte sie.

„Weil sie mit dem Huber Karl geht, ist sie noch keine Hur'", sagte der Vater hartnäckig.

„Gestern war ein Schwarzer bei ihr", sagte das Mädchen. „Er war besoffen."

„Wahrscheinlich hat er das Bier gebracht", sagte der Mann.

Das Mädchen sah zum Fenster hinaus.

„Soll ich vielleicht auch eine Hur' werden?" sagte sie.

„Dich nimmt keiner", sagte ihr Vater.

Das Mädchen stand auf.

„Du kannst die Kartoffeln haben", sagte sie. „Ich brauche nichts."

Sie warf die Tür hinter sich ins Schloß.

Immer ein Kaninchen zur Hand

Am Rande des schmalen Weges zwischen Tutzing und Garatshausen, unweit vom Starnberger See, standen sieben oder acht Militärwagen. Zwei Jeeps, zwei Command cars. Die übrigen waren deutsche Zivilwagen, Opel und Mercedes, beschlagnahmt, mit Militärnummern.

Man hätte annehmen können, daß in der Nähe ein Manöver stattfand oder eine Generalstabsbesprechung. Aber es war Juni 1945, es gab keine Manöver und keine Generalstabsbesprechung mehr. Am allerwenigsten am Starnberger See, um sieben Uhr abends.

Die Offiziere, denen die Wagen gehörten, waren verschwunden. Die Fahrer, die in einer Gruppe beisammenstanden, hätten über ihren Verbleib keine Auskunft gegeben.

Im besetzten Deutschland herrschte das „non-fraternization"-Gesetz. Und willst du mein Bruder sein, dann schlag' ich dir den Schädel ein. Kein Amerikaner durfte mit einem Deutschen oder einer Deutschen sprechen. Du hast den Krieg angefangen, mit dir red' ich nicht. Außerdem konnte man nicht wissen, ob er nicht ansteckend war, der deutsche Aussatz.

Deshalb hatten die Offiziere ihre Wagen am Waldrand zurückgelassen. Ihre Fahrer wußten, wo sie waren: in einem verbotenen deutschen Haus. Aber sie hätten keine Auskunft gegeben, denn es herrschte auch eine stillschweigende Verschwörung zwischen Offizieren und Soldaten, zur

Verletzung der eigenen Gesetze. Es hieß: Zugedrücktes Aug' um zugedrücktes Aug'.

Das Haus Walter Wedemeyers lag fast unmittelbar am Wasser, eingebettet zwischen Bäumen, die sich ihres neuen Grüns freuten wie junge Mütter ihrer Neugeborenen.

Es war eines jener Bauernhäuser, das sich kein Bauer leisten kann, mit Antiquitäten und Wasserspülung, und es war das erste Fest, das Walter Wedemeyer nach Beendigung des Krieges gab. Er war schon Anfang Mai mit den Herren der Militärregierung in Berührung gekommen, zuerst nur mit denen in Starnberg, dann auch mit einigen in München. Natürlich wollten sie sein Haus haben, ein ideales Sommerhaus, mit einem Segel- und einem Ruderboot. Auch alles mögliche wollten sie von ihm wissen, wegen seiner persönlichen Beziehungen zum Führer. So kam man ins Gespräch.

Das war übrigens Walter Wedemeyers Glück gewesen, seine Beziehung zum Führer. Erstens konnte er beweisen, daß er nie Pg gewesen war. Sehr interessant, ein Mann, der beim Führer aus- und einging und dabei nicht Pg wurde. Zweitens wußte Walter Wedemeyer Dutzende von unbekannten Geschichten über den Führer zu erzählen. Zum Beispiel, daß der Führer der Eva Braun eine Badehose aus Leopardenfell hatte anfertigen lassen. Aus Leopardenfell und wasserdicht. Oder daß er, Walter Wedemeyer, einen Band von ‚Mein Kampf' vor den Augen des Führers in ein Kaninchen verwandelt hatte, das Kaninchen dann allerdings wieder in ‚Mein Kampf'.

„Den Trick mit ‚Mein Kampf' müssen Sie uns zeigen, Herr Wedemeyer", rief jetzt der rothaarige Major O'Hara. „Ich habe es meinen Kameraden versprochen."

„Just one minute, Major", lächelte Wedemeyer.

Er sprach fließend englisch, was ihm gleichfalls zum Vorteil gereichte, nicht nur der Verständigung halber, sondern weil man damals allgemein annahm, es gäbe ebensowenig böse Menschen, die Englisch sprechen, wie böse Menschen, die Lieder haben.

Im Moment allerdings konnte er den Wünschen des Majors nicht willfahren, denn er oblag mit Junggeselleneifer seinen Hausfrauenpflichten. Was es gab, hatten die Gäste mitgebracht. Das amerikanische Weißbrot wurde in Miniaturquadrate aufgeschnitten; die Hälfte brachte die Wirtschafterin beiseite. Aus Armeekonserven wurde „Spam", eine steife Schmierwurst, auf die Sandwiches gestrichen. Aus „K-Rationen" ein Käse, glatt und viereckig wie die Armeeseife. Ein Major hatte Whisky aus Kentucky mitgebracht, „Bourbon", der nach Mottenpulver schmeckte, aber schnell zu Kopf stieg, besonders, wenn man nicht viel gegessen hatte. Moselwein gab es auch, aus amerikanischen Armeebeständen, ohne Jahrgang zwar, aber süffig.

„Glauben Sie, daß in Starnberg noch viel Wein versteckt ist?" fragte ein dicker Hauptmann den Hausherrn.

„Er wird sich finden lassen, er wird sich finden lassen", beruhigte ihn Wedemeyer.

Er flatterte von Gruppe zu Gruppe. Er war wirklich ein Zauberer: wenn er sein Glas hob, verwandelte sich ein Wald- und Wiesenwein in eine köstliche Perle. Auch einige Damen hatte er aus München herbeigezaubert. Sie trugen leichte Sommerkleider, großzügig dekolletiert, und einen amerikanischen Lippenstift hatte jede, wenn die meisten auch von den Frauen der Offiziere vorgekostet waren.

„These German women!" meinte der Major zu einem Captain, „– nichts zu essen und sehen aus like a million dollar."

Gegen halb zehn schließlich gab der Hausherr dem Drängen seiner Gäste nach. Sie gruppierten sich im Kreis auf Stühlen und auf dem Fußboden. Er begann zu zaubern.

Er war mittelgroß, schwarzhaarig, mit buschigen Augenbrauen. Er erinnerte ein wenig an die Plastilinfiguren, die Kinder zu kneten lieben: der Kopf eine kleine Kugel, der Rumpf eine große Kugel, die Beine auch Kugeln, nur etwas länglich. Seine runde Brille über den großen dunklen Augen unterstrich die Kugelform.

Nie hatten die Gäste solche Zauberei erlebt. Kein Tisch mit doppeltem Boden, keine Kartenkunststücke, kein Zylinder. Alles modern, alles improvisiert, alles individuell. Eine Geste, und von der Brust eines Leutnants verschwanden die Orden. Er durfte sie errötend aus dem Busenausschnitt einer jungen Dame fischen. Ein Captain verschloß sorgfältig eine leere Whiskyflasche, und ehe er sich's versah, hatte sie sich mit Wein gefüllt. „Ich bin Selbstversorger", meinte Wedemeyer. Die Damen übersetzten.

Schließlich zeigte er den Trick mit ‚Mein Kampf'. Er verwandelte das Buch in ein weißes Kaninchen. Aber diesmal ließ er es dabei bewenden.

„Wir brauchen ‚Mein Kampf' nicht mehr", sagte er. „Kaninchen sind nützlicher."

Der Beifall war allgemein.

Später ging man zum Bootshaus hinunter. Die Nacht war schwül. Die jungen Offiziere hatten keine Angst mehr, sich anzustecken.

Der rothaarige Major legte seinen schweren Arm auf Wedemeyers Schulter.

„Sie müssen das einmal dem General vorführen", sagte er. „In seinem Büro." Und lachend: „Aber das Kaninchen müssen Sie mitbringen."

„Ich habe immer ein Kaninchen zur Hand", sagte Wedemeyer.

War die Kommandeuse zu Hause?

Das Gesicht des rothaarigen Majors William S. O'Hara sah aus wie eine Landkarte. Hundert rote Äderchen waren die Flüsse. Die Sommersprossen waren die Dörfer. Die Nase war der Berg. Es war ein absurd kleiner Berg.

Es war das Gesicht eines Alkoholikers. Zu Hause, in New York, hatte der Polizeisergeant „Bill" O'Hara gesoffen wie ein Loch. Seine Vorgesetzten hätten den Polizisten u. k. stellen können, aber sie waren ganz froh, Bill loszuwerden. Er war ein tüchtiger Polizist, zweifellos, aber wie manche tüchtige Polizisten wandelte er, in mehr als einem Sinn, stets am Rande des Kriminals. Wenn ein Verbrecher in Bills riesige, rote Hände geriet, dann gestand er. Manchmal gestanden auch solche, die nichts verbrochen hatten. Deshalb ließ man Bill gehen, als die Einberufung kam. In der

Armee nahm man es nicht so genau. Schließlich war Krieg, und alle Feinde waren Verbrecher. Und sie mußten nicht unbedingt verbrochen haben, was sie gestanden. Aus dem Polizeisergeanten Bill O'Hara wurde in weniger als drei Jahren der Major William S. O'Hara.

Seltsamerweise war der Alkoholkonsum des Majors O'Hara zurückgegangen, seit er in Deutschland war. Man konnte sich hier berauschen, auch wenn man nicht ganz so viel trank wie in New York. Der Major hatte eine Reihe unalkoholischer Vergnügungen. Eines seiner Vergnügungen nannte er „Taubenfüttern". Er ging in einen öffentlichen Park und warf ein halbes Weißbrot unter die Leute. Dann sah er zu, wie sie sich um das Brot rauften. Aus Tauben wurden Raubvögel. Ein anderes Vergnügen des Majors bestand darin, abends, knapp vor der Polizeistunde, einem Mann und einer Frau nachzugehen, den Mann davonzujagen und die Frau mitzunehmen. Das nannte er bei sich „Polizeistunden-Spiel". Und schließlich spielte der Major, sozusagen von Berufs wegen, Verhör. Denn er war ein M.P.-Major, mit niedlichen, goldenen Revolverchen auf seinen Uniformrevers, und er war einer Abwehr-Einheit zugeteilt. Die meisten Offiziere seiner Einheit, wie zum Beispiel der Major Frank Green, waren Dilettanten. Er allein wußte, wie man mit Beschuldigten umzugehen habe. Und er liebte Verhöre, denn er war kein Dilettant.

Auch jetzt fuhr er zu einem Verhör, oder richtiger: zu einer Verhaftung. Und es war eine Verhaftung, an der er sich berauschen konnte, ohne ein einziges Glas „Bourbon".

Er saß im Jeep neben seinem Fahrer Harry S. Jones aus Huston, Texas. Jones war eins neunzig hoch und seine Knie berührten das Lenkrad. Er galt als der beste Fahrer in der Armee, und O'Hara war stolz auf ihn. Im Zivilberuf, wenn man einen solchen Beruf zivil nennen kann, war Jones „auto-stunt-man". Er probierte Wagen auf ihre Standhaftigkeit aus. Er fuhr mit ihnen durch einen Feuerreifen oder schlug mit ihnen einen Purzelbaum oder jagte sie durch einen Bach. Jones hatte infolgedessen auch keine Angst vor dem ehemaligen Polizeisergeanten William S. O'Hara. Das bedeutete allerdings nicht, daß ihr Verhältnis

22

einfach gewesen wäre. Es konnte geschehen, daß der Major seinen Fahrer eine Woche lang als seinesgleichen behandelte und ihn, ganz privat, auf all seine Eskapaden mitnahm. Sie soffen zusammen, schoben zusammen, schliefen mit den gleichen Mädchen. Bis es dem Major plötzlich einfiel, daß er ein Major war. Und dann behandelte er Jones von einer Minute auf die andere genau so, als wäre Jones wieder ein einfacher Schütze oder gar ein Deutscher.

Im Augenblick hatte Major O'Hara eine seiner jovialen Stimmungen. In solchen Momenten vertraute er Jones alles an, auch militärische Geheimnisse.

„Auf das Weibsstück bin ich neugierig", sagte er. „Tolles Weibsstück."

Jones stellte keine Frage: er wußte, daß der Major ohnedies erzählen würde.

„Sie war Kommandeuse in einem Konzentrationslager", begann der Major. „Das heißt, sie war die Frau des Kommandanten. Soll ganz gut aussehen, nach den Fotografien. Wenn die Gefangenen ausgepeitscht wurden, ließ sie sich ein Sofa in den Hof stellen. Sie lag auf dem Sofa und sah zu, wie die Häftlinge ausgepeitscht wurden. Wenn sie Lust hatte, stand sie auf, nahm ihre Hundepeitsche und prügelte sie selber. Ihr Mann hat ausgesagt, daß sie mit den Gefangenen schlief. Und wer mit ihr schlafen mußte, der wußte, daß man ihn nachher auspeitschen würde. Was meinen Sie dazu, Jones?"

„Tolles Weibsstück", sagte Jones.

„Ihren Mann haben wir gleich im Lager erwischt", fuhr O'Hara fort. „Wir mußten ihn noch beschützen; die Sträflinge wollten ihn umbringen. Er hat uns selbst auf die Spur seiner Frau gesetzt. Sie soll sich im ‚Hotel Nadler' verbergen; es gehört ihrem Schwager."

Sie fuhren durch das nächtliche München. Es war nahe an Mitternacht, beinahe zwei Stunden nach der Polizeistunde. Die Stadt schlief einen frühen, unruhigen Schlaf. Selten brannte Licht in einem Fenster: man mußte Strom sparen, und man hatte keine Lust, aufzubleiben und miteinander zu sprechen. Vielleicht war die Polizeistunde als

Sicherheitsmaßnahme gedacht, aber im Unterbewußtsein der Sieger war sie noch etwas anderes: man mußte die Besiegten zu Kindern herabwürdigen. Kinder gehören früh ins Bett, besonders unartige. Wer Kinder liebt, der behandelt sie wie Erwachsene, und wer Erwachsene haßt, der behandelt sie wie Kinder. Es ist etwas Schönes, ein Kind zu sein, aber es ist eine Strafe, und das Ganze ist verwirrend paradox. Nun schliefen die bestraften Kinder. Aber sie schliefen unruhig wie Erwachsene, die verstehen wollen, warum man sie bestraft. Den Strafenden wagten sie die Frage nicht zu stellen, einander noch weniger. Nur sich selber stellten sie sie im halben Schlaf. Es war nicht das Gewissen, das sie wachhielt in den langen Nächten. Das Gewissen war noch nicht erlöst, es konnte noch nicht sprechen. Was hast du getan? – das hätte das Gewissen gefragt. Aber für die Frage war kein Raum, eingenommen war er von der Frage: Warum wirst du bestraft? Manchmal wachten die Menschen auf, in den kargen, tuchlosen Betten ihrer Ruinenwohnungen, weil in ihren Träumen die Bomben fielen und weil die Alarmsirenen durch ihre Phantasie heulten. Sie schliefen wieder ein, aber sie schliefen nicht besser, und manche wünschten, die Bomben fielen noch wie damals, als die Strafe aus dem Himmel fiel und nicht aus Menschenhand. Durch die dunklen Straßen aber, von keinem Feuer erleuchtet, raste mit aufgeblendetem Scheinwerfer der Major O'Hara. Und die Scheinwerfer rasten auch über die Decken der schlafenden Wohnungen.

Major O'Hara kannte den Weg: er hatte ihn bei Tag erkundet, und sein Polizeiinstinkt lenkte ihn durch die Nacht. Außerdem war es heute nicht dunkel: der Vollmond schien durch die leeren Fenster der Ruinen. Die Häuser standen wie Menschen vor der Röntgenmaschine: kalt, hoffnungslos, durchleuchtet.

Sie fuhren unter einer Bahnbrücke durch, über den Giesinger Berg und schwenkten nach rechts ein. Der Major sprach noch immer. Eigentlich hätte er seinem Fahrer gerne die Fotografie der Frau gezeigt, die er in der Brusttasche trug: das Bild einer blonden Frau mit langen, unordentlich auf die Schulter fallenden Haaren, kleinen,

24

schmalen Augen und schwülstigen, sinnlichen Lippen. Sie trug ein Kleid aus kariertem Tuch, und neben ihr stand ein großer Polizeihund. O'Hara hatte einen solchen Hund zu Hause. Er konnte Jones das Bild nicht zeigen, dazu reichte das Mondlicht nicht, aber er konnte von der Frau sprechen und von den Gefangenen, die sie zuerst ins Bett zwang und dann auf den Prügeltisch. Jones aber hörte nur mit halbem Ohr zu, und er begriff nicht, warum der Major dieselbe Geschichte dreimal wiederholte wie die Betrunkenen, die auch jede Geschichte wiederholen. Soviel Jones wußte, war der Major nicht betrunken.

Das „Hotel Nadler" lag am Ende einer engen Sackgasse. Es war so dunkel wie die übrigen Häuser. O'Hara sprang aus dem Jeep. Er nahm seine Reitpeitsche mit. Eigentlich war es amerikanischen Offizieren verboten, eine Reitpeitsche zu tragen, aber ein M.P.-Major konnte immer behaupten, sie gehöre zur Ausübung seines Berufes. Jones kannte außer „seinem" Major niemand, der von diesem Privileg Gebrauch machte.

Jones stellte den Motor ab und schickte sich an, dem Major zu folgen.

„Bleiben Sie, Jones", befahl O'Hara. „Ich werde Sie rufen, wenn ich Sie brauche."

Mit dem harten Ende seiner Reitpeitsche begann er gegen die Tür zu trommeln.

Nach einigen Minuten wurde sie geöffnet. O'Hara leuchtete mit seiner Taschenlampe in das Gesicht eines erschrockenen kleinen Mannes in Hemdsärmeln. Dann verschwand er im Haus.

Harry S. Jones aus Huston, Texas, saß nun vor dem Giesinger Hotel im Jeep und wartete. Er hatte die Nacht vorher nicht geschlafen, und er war müde. Er konnte nicht verstehen, warum der Major nach einer halben Stunde, nach einer vollen Stunde, noch immer nicht zurückgekehrt war. Er blickte die Wand empor, aber im Haus, das sich Hotel nannte, war kein Licht angegangen. Er überlegte, ob es seine Pflicht wäre, dem Major zu folgen. Aber er hatte keine Angst um O'Hara. Und er hatte keine Lust, sich in Dinge zu mischen, die ihn nichts angingen. Der

Sicherheit halber nahm er die Pistole, die er unter der Achselhöhle trug, aus der Ledertasche und legte sie neben sich auf den Sitz. Dann versuchte er, seine langen Beine auszustrecken.

Von einem benachbarten Kirchturm schlug es zwei. Keine Häuser, aber Turmuhren, dachte Jones, in dessen Heimat die Kirchenglocken selten läuteten.

Im gleichen Moment öffnete sich die Tür des Hotels, und Major O'Hara kam auf den Wagen zu.

„Los!" befahl er dem Fahrer.

Jones ließ den Motor anspringen.

„War sie nicht da?" fragte er, als er den Wagen umdrehte.

„Nein, sie ist nicht da", sagte O'Hara ungeduldig.

Jones sagte nichts. Er wußte, daß der Major log.

Oberst Sibelius muß ins Lager

Diesen Brief schrieb der Oberst Armin Freiherr von Sibelius am 26. Mai 1945 an seinen Freund Dr. Adam Wild. Verfaßt war der Brief in den sauberen, militärisch korrekten Zügen des achtunddreißigjährigen Obersten, wobei Stil und Kalligraphie allerdings einen Mann von überdurchschnittlicher Kultur verrieten. Der Brief lautete:

„Mein lieber Adam!

Ein entlassener Kriegsgefangener, der Feldwebel - man muß wohl a. D. hinzufügen – Ernst Stroh, hat die Freundlichkeit, diesen Brief von Frankfurt nach München mitzunehmen. Ich ergreife die Gelegenheit, Dir ein Lebenszeichen zukommen zu lassen und mich gleichzeitig von Dir zu verabschieden.

Als Oberst im Generalstab falle ich, wie Dir bekannt sein dürfte, unter ‚automatischen Arrest'. Nach längerem Zögern und nach Ordnung meiner privaten Angelegenheiten habe ich mich entschlossen, meiner Meldungspflicht Genüge zu tun. Meine Anschrift für die nächste Zeit dürfte das hiesige amerikanische Internierungslager für ‚Militaristen' sein.

Wenn ich jetzt aus dem Fenster des Kaffeehauses hinausblicke auf die Straße – im übrigen gibt es nicht einmal Muckefuck, und das Lokal hat auch keine Fenster – sehe ich auf einer Mauer der gegenüberliegenden Ruine die erste Proklamation des Generals Dwight D. Eisenhower. Sie beginnt mit dem Satz: ‚Wir kommen als Eroberer, nicht als Befreier.' Ich nehme diesen Satz ohne Bitterkeit zur Kenntnis, ebenso wie die tragikomische Fügung, daß ich, einer der Offiziere des 20. Juli, ‚automatisch' unter Arrest falle. Was mir sonderbar erscheint, ist lediglich, daß die Amerikaner so stolz darauf sind, Eroberer und nicht Befreier zu sein. Ich entsinne mich noch ganz genau, als wir mit Waffengewalt in Jugoslawien einmarschierten und überall Plakate anschlagen ließen, auf denen wir uns ausdrücklich als Befreier, und nicht als Eroberer, gerierten. Schon dieses Exempel sollte den Völkern zeigen, wie wenig sie von den Versprechungen erobernder Heere zu halten haben, die zur Entschuldigung ihrer Finten immer vorbringen können, daß es ihnen um die Rettung von Menschenleben zu tun ist. Daß vom Wert des Menschenlebens nie so viel gesprochen wird wie im Krieg, gehört zu jenen Seltsamkeiten, über die nachzudenken mir wohl in den nächsten Monaten reichlich Gelegenheit erwachsen dürfte.

Was der General mit seiner Proklamation beabsichtigt, entzieht sich meiner Kenntnis. Er dürfte wohl fürchten, daß wir Deutsche aus einer deklarierten ‚Befreiung' gewisse Rechte ableiten könnten, die man uns offenbar vorzuenthalten beabsichtigt. Ich nehme nicht an, daß der General je Rainer Maria Rilke gelesen hat, aber ich habe in Rilkes ‚Briefen an eine junge Frau' gerade vor einigen Tagen einige Zeilen gefunden, die ich Dir nicht vorenthalten möchte. ‚Deutschland hätte', schreibt Rilke, im Jahre 1918, im Moment des Zusammenbruchs, alle, die

Welt, beschämen und erschüttern können durch einen Akt tiefer Wahrhaftigkeit und Umkehr. Durch einen sittlichen, entschlossenen Verzicht auf seine falsch entwickelte Prosperität –, mit einem Wort: durch jene Demut, die so unendlich seines Wesens gewesen wäre und ein Element seiner Würde und die allem zuvorgekommen wäre, was man ihm an fremdartiger Demütigung diktieren konnte ... Deutschland hat versäumt, sein reinstes, bestes, sein auf ältester Grundlage wiederhergestelltes Maß zu geben –, es hat sich nicht jene Würde geschaffen, die die innerste Demut zur Wurzel hat, es war nur auf Rettung bedacht in einem oberflächlichen, raschen, mißtrauischen und gewinnsüchtigen Sinn, es wollte leisten und hoch- und davonkommen, statt, seiner heimlichsten Natur nach, zu ertragen, zu überstehen und für ein Wunder bereit zu sein. Es wollte beharren, statt sich zu ändern.' Ich bin manchmal in Sorge, daß wir mit unserer Freiheit, wäre uns wirklich Freiheit gewährt, gar nicht soviel anzufangen wüßten oder etwas Falsches anfingen, und daß es uns fehlt an ,innerster Demut'; ich könnte es von diesem Standpunkt aus sogar verstehen, daß sich die Sieger nicht als Befreier, sondern als Eroberer gebärden. Aber haben sie wirklich solche Gesichtspunkte geleitet?

Ich will mich also, mein lieber Adam, nicht beklagen, obschon ich nicht ohne Verwunderung die Bestimmungen las, die mich als Militaristen ,einstufen' – eine neudeutsche Prägung, die an Abscheulichkeit den schönsten Hitlerschen Wortbildungen nicht nachsteht. Eine Reihe der Definitionen treffen auf mich durchaus zu, so etwa, daß ein Militarist sei, ,wer vor 1935 die planmäßige Ausbildung der Jugend für den Krieg organisierte oder an dieser Organisation teilnahm'. Wer als Offizier in Deutschland, in der Weimarer Epoche wie im Dritten Reich, nicht gerade eine Militärkapelle dirigierte, der hat die ihm anvertraute Jugend für den Kriegsfall ausgebildet – eine militärische Ausbildung für den ,Friedensfall' wäre ja auch in der Tat vollkommen widersinnig.

Du darfst nun nicht annehmen, daß mich die Amerikaner, die ich als Befreier erwartete, zu einem Anhänger des entfesselten Gefreiten machen werden, dessen Beseitigung ich mitgeplant habe; noch werden sie mich davon überzeugen, daß der Krieg, den jener Gefreite willkürlich vom Zaun gebrochen hat, ein gerechter Krieg gewesen sei. Der paradox bittere Scherz der Geschichte will es so, daß die Sieger mit den ,freien' Deutschen nicht sprechen wollen, ganz so, als ob sie die Wahrheit nur von jenen erfahren könnten, die sich hinter Kerkermauern befinden. Ich werde zweifellos mehr als einmal vernommen werden, und wenn dies der Umweg sein muß, auf dem ich mit den Eroberern ins Gespräch komme, so will ich es hinnehmen. Was ich befürchte, sind lediglich die Blicke, die ausgesprochenen und unausgesprochenen Bemerkungen meiner künftigen Mitgefangenen, die in meinem ,automatischen' Arrest eine Bestätigung der Theorien ihres Führers sehen werden. Ich werde mich wohl, es scheint mein Schicksal zu sein, wieder in schlechter Gesellschaft bewegen müssen. Ich hoffe indes, daß man mich nicht allzulange ,behalten' wird, wie der kriminalistische Ausdruck nun lautet. Du weißt am besten, daß ich mich seit vielen Jahren danach sehnte, die Uniform abzulegen und meinem Volk als ,Zivilist' zu dienen. Daß es unter den gegenwärtigen Bedingungen geschehen muß, ändert nichts an meinem Streben.

Ich hoffe, daß Du Dich wohl befindest und daß Dir jene Anerkennung zuteil wird, die Du in so hohem Maße verdienst. Bitte, küsse Deiner Frau Mutter, die hoffentlich die jüngsten Aufregungen gesund überstanden hat, die Hände, und sei in alter Herzlichkeit gegrüßt von

Deinem
Achim von Sibelius.

P.S. Ich würde vorschlagen, daß Du diesen Brief vernichtest, da er Dir eventuell überflüssige Unannehmlichkeiten bereiten könnte."

„Stehlen Sie aus Vaterlandsliebe?"

„Das ist aber eine Überraschung, Sie zu sehen, Maurer", sagte der Oberst. „Machen Sie sich's bequem."

Der frühere Gefreite Josef Maurer setzte sich zögernd nieder. Er war ein mittelgroßer Mann, breitschultrig, mit zu langen Armen, breiten Lippen, einer breiten Nase und einer ungewöhnlich niedrigen Stirne. Ohne seine Fuchsaugen hätte er wie ein Dorftrottel ausgesehen. Diese Augen waren jedoch so klug, daß man hätte annehmen können, Maurer trage den übrigen Teil des Gesichtes nur als Maske, mit zwei Löchern für die echten Augen.

Maurer war es nicht gewöhnt, in Anwesenheit seines Regimentskommandeurs zu sitzen. Außer den Oberst Werner Zobel respektierte Maurer niemand auf Erden, nicht einmal Vater und Mutter. Dem Oberst hatte er zwölf Jahre lang als Bursche gedient.

„Ich hätte nicht gedacht, daß Sie in München sind", sagte der Oberst. Er blieb stehen.

Eine Weile musterten sie sich stumm, verlegen. Keiner hatte den anderen je in Zivil gesehen. Der Oberst – einundsechzig Jahre alt, schlank von Statur, mit kurzgeschnittenen eisgrauen Haaren, einem disziplinierten Gesicht, aber unvorschriftsmäßig müden Augen – trug einen tadellos geschnittenen, wenn auch zu weit gewordenen Anzug. Der Bursche trug einen funkelnagelneuen braunen Sakko, der ihm hinten und vorn zu eng war. Wie einst auf den Löffeln gewisser Kaffeehäuser, so hätte auf diesem Anzug das Wort „Gestohlen!" stehen können.

Maurer ließ seine Hand in der riesigen, aufgesetzten Tasche des Sakkos verschwinden.

„Habe mir erlaubt, Herrn Oberst kleines Geburtstagspräsent mitzubringen", sagte er. „Freue mich, Herrn Oberst wohlbehalten zu finden."

Das war für Maurer eine gute Gelegenheit, aufzustehen.

„Daß Sie sich noch an meinen Geburtstag erinnern!" sagte der Oberst.

„Einundsechzigster, Herr Oberst", meldete Maurer.

„Gestern hätten Sie mich noch nicht angetroffen", sagte

der Oberst. „Aber man hat mich schnell entlassen." Er wünschte offenbar kein Mitleid.

Maurers Rocktasche war die eines Clowns, ein Füllhorn in Taschenform. Eine flache Kiste Zigarren kam zum Vorschein, dann folgten sechs Päckchen Zigaretten, amerikanische natürlich, eine rote Blechdose mit Pfeifentabak und schließlich drei Eier. Es war rätselhaft, wie die Eier ganz geblieben waren.

Maurer legte alles behutsam auf die bortenreiche Samtdecke, die den großen, weinroten Flügel bedeckte.

„Das kann ich auf keinen Fall annehmen", sagte der Oberst. „Das kostet ja ein Vermögen."

„Habe ich nicht gekauft, Herr Oberst", sagte Maurer. „Alles gestohlen, Herr Oberst."

Der Oberst wußte nicht, ob er sich ärgern sollte. Es war ja selbstverständlich, daß alles entweder gestohlen war oder, was ihm fast noch schlimmer schien, eingehandelt am schwarzen Markt. Aber daß Maurer glaubte, er, Oberst Werner Zobel, Kommandeur eines ruhmreichen Regiments der ruhmreichen 268. Infanterie-Division, werde an seinem Geburtstag zum Hehler werden ...! Andererseits wollte er Maurer nicht verletzen. Er tat, als wären die Geschenke nicht da.

„Und was treiben Sie immer, Maurer?" fragte er. Er setzte sich in das farblos gewordene Fauteuil. Die Ordnung war unwillkürlich wieder hergestellt: Zobel saß, Maurer stand.

„Stehlen, Herr Oberst", sagte Maurer.

Der Oberst meinte, Maurer mache Spaß. Er hielt den Spaß für ungehörig.

Der Gefreite a. D. bemerkte, daß sein Regimentskommandeur die Stirne runzelte.

„Herr Oberst dürfen nicht böse sein, wenn ich so spreche", sagte er. „Ich weiß, Herr Oberst haben nicht einmal Organisieren im Feindesland gebilligt. Herr Oberst hatten immer hohe Meinung von sauberer Kriegführung."

„Sauber oder nicht", meinte der Oberst. „Der Krieg ist vorbei, Maurer."

„Erlaube mir zu widersprechen, Herr Oberst", sagte Maurer, und der Oberst bemerkte, wie die schmalen Fuchsaugen seines Burschen plötzlich steinhart wurden. „Der Krieg ist noch nicht vorbei, Herr Oberst, nur ist das Feindesland zu uns gekommen. Ich bin vielleicht nur ein dummer Landser, Herr Oberst, aber eines weiß ich: Besetzt und besiegt, das ist nicht dasselbe."

Der Oberst musterte verblüfft seinen ehemaligen Untergebenen. Da glaubt man einen Menschen seit Jahren zu kennen und weiß doch nichts von ihm. Aber er sagte:

„Und nun wollen Sie behaupten, daß Sie aus Vaterlandsliebe stehlen, Maurer?"

„Das nicht gerade, Herr Oberst", antwortete Maurer. Er hatte seine Scheu überwunden und lehnte sich leicht ans Klavier. „Ich hole nur im kleinen zurück, was die uns im großen nehmen. Sie haben das Haus, das meinem Bruder und mir gehörte, ausgeraubt, Herr Oberst. Ratzekahl. Seine Frau und seine Kinder haben sie auf die Straße gejagt. Polnische Schwarzhändler sitzen jetzt drin. Man wehrt sich, wie man kann, Herr Oberst, das haben Herr Oberst selbst oft gesagt."

„Das war im Krieg, Maurer", wiederholte der Oberst. Es klang nicht sehr überzeugend.

„Gestatten Herr Oberst, daß ich widerspreche", sagte Maurer. „Herr Oberst wissen, ich war nie ein Nazi. Den Russen, den haben wir ja kennengelernt. Aber die Engländer und die Franzosen und die Amerikaner, das sind Menschen wie wir, habe ich geglaubt. Bis ich die auch kennengelernt habe, Herr Oberst. Und nun ist nichts mehr mit dem Kapitulieren, Herr Oberst . . ., zumindest meinerseits."

Er wollte seine Theorien weiterspinnen, aber die Tür ging auf, und die Tochter des Obersten kam herein. Martha Zobel war seine einzige Tochter; zwei seiner Söhne waren gefallen, der dritte war noch in Gefangenschaft. Sie war blond; üppig, ohne dick zu sein, und ihre Haut war so makellos weiß, daß man sie für höchstens fünfundzwanzig gehalten hätte, obwohl sie Mitte der Dreißig war.

„Ach, Maurer", sagte das Mädchen und reichte dem Besucher die Hand. „Was machen denn Sie in München?"

„Er ist geschäftlich hier", sagte der Oberst schnell. „Und er hat sich meines Geburtstages erinnert."

Marthas Blick fiel auf das Klavier und umkoste die Herrlichkeiten.

„Nun", sagte Maurer, wieder steif und schüchtern, „wenn ich mich verabschieden darf ..."

Der Oberst erhob sich und ging zum Klavier. Er legte seine Hand auf die Zigaretten.

Das Mädchen erriet sofort seine Gedanken.

„Vielen, vielen Dank, Herr Maurer", sagte sie schnell. „Wir haben seit Wochen keine Eier gesehen."

Der Oberst begleitete den Gefreiten zur Tür. Das Vorzimmer war ein langer, dunkler Korridor, in dem es nach Küche und Untermietern roch. Der Oberst mußte plötzlich an Rußland denken. Sie waren oft so nebeneinander durch die Nacht gegangen, sein Bursche und er. Aber damals war noch Krieg, und es war nicht so gefährlich.

Als er in den überladenen, muffigen Salon zurückkehrte, waren die Geburtstagsgeschenke des ehemaligen Gefreiten Josef Maurer verschwunden.

Der Oberst sah seine Tochter fragend an.

„Du weißt ja", sagte sie, „Gert braucht es."

Es war, als zuckte der Oberst unter dem Namen zusammen.

Die Berge haben Geheimnisse

In der Nacht hatte es geschneit, hoch oben in den Bergen über Berchtesgaden. Es war, als wagte sich der Winter nur noch in der Nacht aus seinen Höhlen. Jetzt war der Himmel hart und klar und blau. So zahlreich waren die gelben Blumen auf den Wiesen, daß man hätte glauben können, das Grün sei gelb. Hätte es Schulen gegeben, hätten die Schüler einen Aufsatz schreiben müssen: „Und dräut der Winter noch so sehr ..." Es mußte Frühling werden. Aber die Schulen waren noch geschlossen, weil man nicht wußte, ob die Lehrer Pg's gewesen waren.

Wenn Gert Mante hinausblickte aus seiner Felshöhle, sah er die verschneiten Berge. Vom Frühling sah er nichts.

Seine Kameraden waren hinuntergestiegen in die Dörfer um Berchtesgaden oder Reichenhall, um etwas zu organisieren, was den Magen füllen konnte. Sie waren schon lange fort. Ursprünglich waren sie dreißig gewesen. Jetzt waren sie nur noch sechs. Und ob sie zurückkommen würden, wußte man nicht. Man wußte es nie. Manche wurden geschnappt. Manche ließen sich schnappen. Manche waren Schweine. Manche hatten nur Hunger.

Gert Mante stand in der Öffnung der Felsschlucht und blickte hinaus. Mit einem Fernrohr hätte er die Trümmer des Adlerhorsts sehen können. Aber es war besser, daß sie Gert Mante nicht sah. Franzosen patrouillierten zwischen den Ruinen des Adlerhorsts, als warteten sie darauf, daß ihnen das Gespenst des Hausherrn erschiene.

Gert rauchte eine Zigarette. Zigaretten hatten ihre Schicksale. Sie wurden in Amerika erzeugt. Dann fuhren sie wohlverpackt über den Ozean. Dann bekam sie ein amerikanischer Soldat, womöglich ein Neger. Anderthalb Stangen pro Woche. Dann verkaufte sie der Schwarze auf dem schwarzen Markt. Oder der ehemalige Gefreite Josef Maurer stahl ein paar Stangen und brachte sie seinem alten Oberst, zum Einundsechzigsten. Die Tochter des Obersten nahm sie und schlug sich in die Berge durch. Und dann rauchte der SS-Obersturmbannführer Gert Mante eine der Zigaretten. Und dann waren sie nur noch Asche.

Im Hintergrund der Höhle zupfte Martha Zobel ihren Rock zurecht. Sie wollte kein Geräusch machen. Sie kannte Gerts fürchterliche Stimmungen, wenn ihre Liebesstunden vorbei waren. Seine Zärtlichkeiten waren wie überraschende Interpunktionen zwischen langen, mürrischen Sätzen.

„Sie müßten längst da sein", sagte Gert, ohne sich umzuwenden.

„Ich bleibe bei dir, bis sie kommen", sagte die Frau leise.

„Ich brauche dich nicht", sagte der Mann. „Ich habe keine Angst."

„Ich weiß, daß du keine Angst hast", echote die Frau.

Sie trat von hinten an ihn heran und wartete, daß er seinen Arm um sie legen würde. Sie gab die Hoffnung nie auf. Aber er rührte sich nicht.

Er war um etwa zehn Jahre jünger als sie, höchstens fünfundzwanzig. Aber jetzt sah er älter aus als sie. Er hatte einen Totenkopf mit sehr vielen, weißen Zähnen.

„Feige Lumpen", sagte er zwischen den Zähnen.

„Vielleicht kommen sie noch", sagte die Frau. Sie drängte sich näher an ihn heran, behutsam zwar, aber doch deutlich. Ihre große, warme Brust berührte seine offene Uniformjacke.

Nach einer Weile wagte sie den Satz:

„Gert . . ., du solltest mitgehen mit mir."

Sie erwartete einen Wutausbruch. Aber er sagte nur:

„Das hat dir dein Vater eingeredet."

„Er hat nichts gesagt."

Er wandte sich ihr zu und sah sie an. Sein Kopf lief rot an; er sah nun aus wie ein bemalter Totenschädel.

„Dein Vater ist auch ein feiger Lump", sagte er. „Sie sind an allem schuld, die feigen Lumpen. Auf lauter Lumpen in Uniform hat sich der Führer verlassen."

Sie fragte demütig: „Was hätten sie tun können?"

„Was hätten sie tun können? Was hätten sie tun können?" äffte er ihr nach. „Durchhalten, das hätten sie tun können, die feigen Lumpen! Oder in Ehren sterben." Er streckte seinen Arm aus, in der Richtung der Dörfer. Die Maisonne hatte jetzt das Glas des kalten, blauen Himmels zerbrochen. Am Fuße des Berges badeten sich die friedlichen, roten Dächer der Bauernhäuser im Frühling. „Da sitzen sie nun und schlagen sich den Bauch voll", sagte Gert Mante.

„Sie hungern alle", sagte die Frau.

„Sie sollten alle verhungern", sagte er.

Sie sah zu ihm empor. Sie dachte: Er war nie so schön wie jetzt, in seiner Empörung.

Dann bemerkte sie, daß etwas aufleuchtete in seinen hellen, grauen Augen. Sie folgte seinem Blick. Sie sah einen Mann in einer zerlumpten Wehrmachtsuniform, der sich an einem Felsen emporzog und ihnen zustrebte. Seine Haare fielen ihm wirr in die Stirne und er hinkte.

„Karl", sagte Gert. „Er ist allein."

Der Mann kam langsam, sich schleppend, auf sie zu.

Gert fragte ihn: „Wo sind die anderen?"

Karl sagte: „Weg!"

„Geschnappt?"

„Nein. Desertiert."

„Die feigen Lumpen", sagte Gert.

Die Frau ging leise in den Hintergrund der Höhle. Ihr Büstenhalter lag noch auf der Pferdedecke.

Colonel Hunter lernt deutsch

Das geräumige Haus in der Harthauserstraße, Harlaching bei München, hatte einst dem Großindustriellen Oskar Müller gehört. Theoretisch gehörte es ihm immer noch, und in der Garage standen sogar noch zwei seiner Schrankkoffer. Aber seit dem 10. Mai bewohnte das Haus Colonel Graham T. Hunter, Oberst im amerikanischen Generalstab, stellvertretender Chef der US-Intelligence für das Land Bayern.

Der Oberst saß im Garten. Er trug zum offenen Militärhemd eine alte Sporthose. „Offiziere und Soldaten der US-Armee dürfen auch zu Hause nur dann zivile Bekleidungsstücke tragen, wenn nicht mehr als zwei Personen anwesend sind", hieß es in den „army regulations". Der Oberst hatte nur eine Wirtschafterin, und auch sie kam morgens und ging am Abend. Denn es war verboten, daß Deutsche mit Amerikanern unter einem Dach schliefen. Das war dem Oberst ganz recht, besonders wegen der „zivilen Bekleidungsstücke", für die er immer schon eine Vorliebe empfunden hatte.

Sein Liegestuhl stand im Schatten eines alten Baumes. Auf einem Tischchen zu seiner Rechten befanden sich ein halb geleertes Whiskyglas und ein Wörterbuch. Aufgestapelt auf dem Gras zu seiner Linken lagen drei oder vier gebundene Jahrgänge des „Simplizissimus".

Der Oberst hatte die verstaubten Bände im Haus gefunden. Sie stammten aus dem ersten Weltkrieg und waren voll Ulk über Kaiser, Militär, Verbündete und Vaterland. Der Oberst fand die Zeichnungen großartig. Er verweilte lange bei den Unterschriften. Von Zeit zu Zeit griff er nach dem Wörterbuch. Er frischte sein Deutsch auf, mit Hilfe des „Simplizissimus".

Endlich legte er den Band beiseite, nahm die ungefaßte Brille von der Nase, tat einen kurzen Zug aus dem Glas und wandte sein Gesicht der Sonne zu. Er konnte nicht zuviel Sonne vertragen, deshalb stand sein Liegestuhl im Schatten. Er hatte eine weiße Haut, die seinen Zügen entsprach: das Gesicht eines Gelehrten eher als eines Soldaten, schmal, feingezeichnet, ein kluges und höfliches Gesicht.

Über dem Garten lag ein großer Frieden. Der Frieden erinnerte den Oberst an zu Hause, Columbus, Ohio. Europa hatte er nur im Krieg gekannt, in zwei Kriegen. Ein friedliches Europa könnte beinahe wie Amerika sein, dachte der Oberst. Aber sie wollen ja keinen Frieden, die Europäer.

Eine frühreife Biene zog Kreise um ihn. Er öffnete die Augen. Von der großen Steinterrasse kam die Wirtschafterin auf ihn zu.

„Eine Frau ist hier", sagte die Wirtschafterin, als sie bei ihm angelangt war. „Sie sagt, man hat sie von der Militärregierung geschickt."

„Von der Militärregierung?"

Die Wirtschafterin zuckte die Achseln. „Ein Kindermädchen", sagte sie. Es lag so viel Mißbilligung in dem Wort, daß der Oberst lächeln mußte.

„Richtig", sagte er. „Sie soll herauskommen."

Der Oberst setzte seine Brille auf.

Dann kam die Frau über den Rasen, vom Haus her. Sie war hoch, schlank und trug ein hellgraues Kostüm. Der Oberst verstand nichts von Frauenkleidung, aber er wußte, daß es ein elegantes Kostüm war. Erst als sie vor ihm stand, bemerkte er, daß ihre Schuhe sehr abgetragen waren, sehr schäbig, flacher als flach.

Er hatte sich erhoben.

„Guten Tag!" sagte er.

„Guten Tag", sagte sie. „Ich heiße Marianne Artemstein. Ich komme wegen des Postens."

Er wußte nicht gleich, was er tun sollte. Den Liegestuhl konnte er ihr nicht anbieten, und einen anderen Stuhl gab es nicht.

„Es ist vielleicht etwas verfrüht", sagte er. „Aber meine Frau und meine Kinder sollen bald aus Amerika kommen." Er sprach schnell. „Ich habe einen siebzehnjährigen Sohn und eine fünfzehnjährige Tochter. Unser Kleinstes ist drei Jahre alt. Ein Mädchen. Wir brauchen eine . . ."

„Ich bin geprüfte Kindergärtnerin", sagte die Frau.

„Wollen wir vielleicht ins Haus gehen", sagte der Oberst. Sie gingen nebeneinander dem Haus zu.

Die Frau sagte: „Es wäre allerdings mein erster Posten. Ich habe meinen Beruf nie ausgeübt."

„Das tut nichts", sagte der Oberst. „Haben Sie Referenzen?"

„Ich habe sie bei der Militärregierung gelassen", antwortete die Frau.

Man konnte den Salon von der Terrasse aus betreten. Es war ein großer, geschmackvoll eingerichteter Salon. Es fiel dem Oberst zum erstenmal auf, wie öde er wirkte, mit den leeren Blumenvasen, den leeren Büchergestellen, den leeren Wänden.

„Nehmen Sie Platz", sagte er.

Sie hatte blauschwarze Haare, braune Augen, eine etwas zu kleine Nase und einen etwas zu großen Mund. Ihre Hände waren gepflegt, die ersten wirklich gepflegten Hände, die der Oberst in Deutschland gesehen hatte.

Sie war dem Oberst unheimlich, ohne daß er hätte sagen können, weshalb. Er hatte seine Frau in West Point kennengelernt, bei einem Samstagtanz, den die Militärakademie veranstaltete. Er hatte wenig Erfahrung mit Frauen, und er war meistens scheu und verstört in ihrer Gegenwart. Es fiel ihm nicht leicht, deutsche Männer zu verstehen, aber eine deutsche Frau war ihm vollends ein Geheimnis. Sahen deutsche Kindermädchen aus wie diese schöne Dame, von der man nicht wußte, wie man sie behandeln sollte? Zu Hause, in Columbus, hatten sie nie ein Kindermädchen gehabt. Wenn sie ausgingen, erfüllte die Tochter eines Nachbarn die Funktionen eines „baby sitters". Der Oberst glaubte nicht, daß seine Frau mit diesem Kindermädchen auskommen würde. Der Gedanke, sie stets im Hause zu wissen, erschreckte ihn. Er sagte, entmutigend:

„Wie gesagt, es ist verfrüht. Ich habe die Liste ausgefüllt, aber ich dachte nicht, daß es so schnell geht. Ich könnte mir vorstellen, daß Sie nicht so lange warten wollen."

„Ich kann warten", sagte sie. „Ich habe nichts zu tun."

„Sprechen Sie englisch?" fragte der Oberst. „Meine Frau spricht nicht deutsch."

„My English is somewhat rosty", sagte die Frau, „but I manage." Es war nicht wahr, daß ihr Englisch „verrostet" war. Es war vorzügliches Englisch, wie man es in England lernt, für amerikanische Ohren etwas zu korrekt, beinahe hochmütig.

„Well", sagte der Oberst, „Sie könnten mir vielleicht Ihre Adresse hierlassen."

„Sie ist unter meinen Papieren, in der Militärregierung", sagte die Frau.

„Sie werden von mir hören, Fräulein . . ."

„Artemstein", ergänzte die Frau.

„Fräulein Artemstein", sagte der Oberst.

Sie stand auf. Sie reichte ihm nicht die Hand, und er traf keine Anstalten, ihr die Hand zu reichen. Sie nickte leicht und sagte: „Good bye, Colonel."

Er sah ihr nach. Ihre Bewegungen waren sicher und graziös. Der Oberst war entschlossen, nichts von sich hören zu lassen.

Kriegsgefangener Eber kehrt heim

Schon um vier Uhr früh war der Schütze Hans Eber aufgebrochen, denn er wollte vor Einbruch der Dunkelheit in
München sein.

Vor drei Wochen war er über die Elbe geschwommen.
An der Elbe wurde damals noch geschossen: es gab Leute,
denen war es leid, Munition unverpulvert zu lassen.

Die Amerikaner, in deren Gefangenschaft er sich begab,
hatten ihn nicht enttäuscht. Es gab zwar im Gefangenenlager wenig zu essen – „no Kraut for the Krauts", pflegte
der Barackensergeant zu sagen, dessen Humor sich von
dem Humor deutscher Feldwebel nicht wesentlich unterschied. Es gab wenig zu essen, aber dafür bekam man
jeden Tag zwei Stück Seife: eins für den Körper, eins für
die Wäsche. Kein Mensch hatte genug Hemden und genug
Haut für soviel Seife. Als der Schütze Hans Eber entlassen
wurde, trug er ein Bündel voll Seife auf dem Rücken. Die
Bauern brauchten Seife. So füllte die Seife am Ende den
Magen.

Es fuhren keine Züge. Auch auf den Autobahnen kam
man nicht leicht vorwärts. Viele Brücken waren gesprengt
und hingen in der Luft, und der Draht hing aus ihnen
heraus: ziemlich dünne Eingeweide für so schöne Brücken.
Das erste englische Wort, das man lernte, war DETOUR.
Die Umleitung hatte eine Umleitung und die wieder eine
Umleitung. Es war unverständlich, was das Wort noch
bedeuten sollte.

Über die „detours" rollten die „Shermans" und die
„Pattons" und rissen auf, was die „Mark IVs" ganz gelassen hatten. Offenbar wollten die Amerikaner ihren
Sprit verfahren, wie die an der Elbe ihre Munition ver-
schießen wollten. Zuweilen jedoch waren die Panzer ganz
lustig anzuschauen. Auf einem saß ein Soldat mit einem
Zylinder; einer drehte einen bunten Sonnenschirm in der
Hand; ein dritter wiegte eine Pendeluhr im Arm. Es war,
als kämen sie siegreich von einer Schießbude.

Dazwischen sah man Lastwagenkolonnen, die Verschleppte zurückbrachten in ihre Heimat, Frauen und

Kinder, mit Bettzeug und Beute. Neger fuhren die Lastwagen, sie kamen aus Alabama und Georgia und Missis-
sippi, und Menschen, die nach Kassel verschleppt worden
waren, fuhren sie zurück gen Warschau. Nach Osten fuhren diese Kolonnen. Dem Westen zu aber fuhren die befreiten französischen Kriegsgefangenen, auf amerikanischen Lastwagen zweiter Ordnung, die Trikolore schwin-
gend.

Das war die Welt auf Rädern: Kriegswagen und Zigeu-
nerwagen, Panzer und Zirkus, Sieg und Elend, alles mo-
torisiert. Wie ein schmaler Bach rieselte dazwischen die andere Welt, die Welt zu Fuß, die deutsche Welt. Männer
und Frauen wanderten über die aufgerissene Landstraße.
Manche suchten ein Stück Brot, manche ihre Kinder.
Manche verfluchten die Sieger, manche machten mit ihnen
Geschäfte. Wenn ein Geleitzug stehenblieb, blieben auch
die Wandernden stehen. Hie und da wurde ein Laib Brot
herabgereicht von den Wagen und Panzern. Die Kinder
bettelten um Chewing gum. Frauen standen eingekeilt
zwischen den Panzern, aus denen die heiße Luft stieß, als
brannte es in ihnen, und den Wagen, die beladen waren
mit Kriegsgefangenen. Sollten sie den Siegern ein Lächeln
geben oder den Besiegten? Wie der Macbethsche Wald von
Birnam, so schien die Straße zu marschieren, der Asphalt
flutete auf und ab, als rannte Blut durch die Arterien des
Landes, vom toten Herzen zum toten Gehirn.

Wie ein zu voller Magen, so hatten die Kriegsgefangenenlager den Überfluß ausgespien. Und wie der ausgespiene
Mageninhalt, so sahen sie aus. Die Würde der Niederlage
war hier nur die Niederlage der Würde: zerlumpt hum-
pelte die geschlagene Armee heimwärts ins geschlagene
Land. Sie war immer auf den Straßen gewesen, diese
Armee, auf den Straßen Frankreichs und Polens, Rußlands
und Belgiens. Vorwärts ging man zusammen, aber zurück
ging man einzeln. Vorwärts trug einen die Straße, jetzt
trug man die Straße. Gestern noch lief man ums nackte
Leben, und man lief vor dem Feind. Jetzt hinkte man nur
noch, und der Feind sah zu, und wohin er ging, wußte man

nicht, und man wußte kaum, wohin einen selbst die wunden Füße trugen.

Unter den Tausenden war der Schütze a. D. Hans Eber. Und wie die Tausende wußte er nicht, ob es noch ein Zuhause gab und warum er gewandert war, in diesen letzten drei Wochen.

Dann stand er vor dem eisernen Gitter des Parkes, in dem das väterliche Haus lag. Daß es noch da war, das Haus in Bogenhausen, dem vornehmsten Viertel der Stadt, völlig unverändert samt Mahagonitüren, Bogenfenstern, Marmorfußböden und eingelassenem Parkett – das hätte der Schütze Hans Eber noch begriffen. Aber daß ihm sein Vater entgegenkam, korrekt in Schwarz gekleidet, mit weißem Stehkragen und rundem Kneifer, beinahe, als wäre nichts geschehen, beinahe, als kehrte der Sohn zurück zu frohem Heimaturlaub, das war doch mehr, als Hans Eber sogleich begreifen konnte.

Als er im Gefangenenlager seinen Namen hatte angeben müssen, da war Hans Eber froh gewesen, daß er einen alltäglichen Namen trug, nicht etwa Goebbels oder Göring oder Ribbentrop hieß, lauter Namen, die eigens dazu ersonnen schienen, eine berüchtigte Berühmtheit zu erlangen. Hätte er einen dieser prädestinierten Namen getragen, man hätte ihn wohl nach seiner Verwandtschaft befragt. Aber wer sollte vermuten, daß der abgerissene Landser, ohne Rang- und Ehrenzeichen, der Sohn jenes Eberhard Eber war, den sie „Bankier des Führers" nannten? Hier jedoch, in München, konnte der alltägliche Name wohl kaum verborgenes Asyl sein: kein Wunder also, daß der Schütze Eber angenommen hatte, mit dem König wäre auch der Purpur gefallen. Er wußte nicht, um wieviel beständiger der Purpur ist als es die Könige sind: er brauchte Stunden, ehe er sich von dem gespenstischen Eindruck der Beständigkeit erholte.

Karin, seine Schwester, mit der er sich aussprechen, der er seine widersprechenden Gefühle hätte mitteilen können, war nicht zu Hause, und Anna, die alte Wirtschafterin, die ihn seit seiner Geburt betreut hatte, schien ihrerseits in der Normalität nichts Sonderbares wahrzunehmen. Sie

42

entschuldigte sich ob des bescheidenen Mahles, das sie dem Heimkehrenden servierte, und daß Hans überwältigt war von dem bescheidenen Mahl, akzeptierte sie als einen liebenswürdigen Tribut.

Er saß, mit dem Tablett vor sich, an dem langen Speisezimmertisch. Sein Vater setzte sich zu ihm.

Nach einer Weile meinte Dr. Eber:

„Es heißt, daß die Universität bald ihre Tore öffnen wird." Wieder: als wäre nichts geschehen.

Der Ton reizte den Sohn. Er sagte:

„Du willst doch nicht behaupten, daß die Bank auch bald geöffnet wird, Papa?"

„Die Bank ist total ausgebombt", sagte Dr. Eber. Er hatte nicht verstanden.

Ich muß brutaler werden, dachte der Sohn. Er sagte:

„Und du hast keine Schwierigkeiten?"

„Jedermann hat Schwierigkeiten", antwortete der Vater. „Wir haben schließlich den Krieg verloren."

Das hat er doch gemerkt, dachte Hans.

Dr. Eber reinigte seinen Kneifer. „Der Krieg war nicht zu gewinnen", sagte er. „Wir hätten längst aufhören müssen."

„Wir hätten gar nicht erst anfangen sollen", sagte Hans.

„Das ist eine Frage, die nur die Geschichte entscheiden kann", sagte sein Vater. „Die Lebenden haben die Verpflichtung, vorwärts zu blicken."

„Und was verstehst du darunter?"

„Wir müssen den Gegebenheiten ins Auge sehen."

Aber seinem Sohn sah er nicht ins Auge. Es war auch nicht notwendig. Denn inzwischen war es dunkel geworden.

ZWEITES KAPITEL

Frank und George begegnen ihrer Jugend

Es war in der Tat ein Symbol, daß sich das Leben der Stadt, des Landes, der Nation in den Bahnhöfen und ihrer Umgebung abspielen sollte. Nur vereinzelt kamen Züge an in diesen Bahnhöfen, nur vereinzelt fuhren sie ab. „Einzelreisen", hieß es, „nur gegen Vorlage einer behördlich ausgestellten Dringlichkeitsbescheinigung oder ärztliches Attest." Transport gab es nur noch für Transportunfähige.

Aber die Schienen, ausgestreckte Hände zwischen den Menschen, die sich nicht erreichen konnten, waren nur ein Symbol unter vielen. Die Räder rollten nicht mehr für den Sieg, sie rollten für die Sieger.

Die wenigen Züge, die noch ausliefen aus den Bahnhöfen, ächzten unter der menschlichen Überlast, aber die Sieger fuhren in beinahe leeren Waggons; ein Brigadegeneral konnte einen Zug beanspruchen; ein Oberst konnte den Fahrplan umschmeißen – nach amerikanischem Fahrplan fuhr die deutsche Bahn. Wie das Land abgeschlossen war von der Welt, isoliert und von einem Pestkordon umgeben, so waren die deutschen Städte abgeschnitten voneinander: der Fortschritt war ausradiert, Deutschland war zurückgesunken in mittelalterliche Einsamkeit, in der sich die Entfernungen wieder streckten und die Weite wieder auftat, die man einst erobert hatte. Die elektrischen Züge fuhren nicht mehr, nur noch dampfende, fauchende altersschwache Lokomotiven, mit schlechter Kohle geheizt, als sollte auch dies zeigen, daß sich die Technik rächte an jenen, die sie mißbraucht hatten. Dabei waren die Bahnhöfe überfüllter denn in den Tagen, als die Züge noch fuhren, und nicht nur Obdachlose, Schwarzhändler, Glückssucher, Geschäftemacher drängten sich in den ausgebombten Hallen, über denen heiß die Sonne brütete und in die kalt der Mond leuchtete – instinktiv empfanden die Menschen, daß sich hier das erste Zeichen des Lebens regen würde, wenn es ein Leben noch geben sollte. Es gab Leute, die gingen täglich zur Bahn und fragten mißgelaunte Bahnbeamte nach der Abfahrt von Zügen, die nicht abfuhren, und mit denen sie vielleicht gar nicht fahren wollten: so legten sie die Hand auf den leisen Puls der Zeit. Ganz Deutschland stand still, herausgerissen aus Zeit und Welt, und die Ungeduld, die Hoffnung auch, als wären beides nicht eins, kreisten um den Bahnhof, den Trümmerhaufen, der immer noch die Bewegung versinnbildlichte, das Irgendwo-Hingehen.

Deutschland, in diesem Frühjahr 1945, war Elend und Spekulation, und deshalb trafen sich Elend und Spekulation im Brennpunkt des Bahnhofs. In München, der einstigen „Hauptstadt der Bewegung", hatte es vor dem Krieg zweiundzwanzigtausend Hotelbetten gegeben; jetzt gab es noch genau hundert. Fünfhundertdreiundsechzigtausend Einwohner hatte die Stadt: fünfundsechzigtausend Wohnungen waren total zerstört, fünfundzwanzigtausend weitere nicht bewohnbar, dreißigtausend Häuser schwer angeschlagen. Das waren nicht Statistiken, über die man hinweglas, mitten in der Stadt standen die Statistiken, und wer kein Dach über dem Kopf hatte, der fühlte sich als herumirrende Zahl der Statistik. In den Bahnhöfen suchte man ein Obdach. In den verwunschenen Zügen schlief man auf Holzbänken und zerschlissener zweitklassiger Herrlichkeit; draußen auf den Schienen drängte man sich zu abendlicher Stunde um die Waggontüren, wie man sich früher nie gedrängt hatte, nicht einmal eine Minute vor Abfahrt der Züge. Die Bahnbeamten versuchten vergeblich Ordnung in dieses Chaos von obdachlosen Müttern, geschlechtskranken Dirnen, findigen Kofferdieben, Krüppeln, Kriegsgefangenen, nassen Spatzen und kreisenden Aasgeiern zu bringen, und sie kamen sich dabei hilflos und grotesk vor, denn wie alle im Lande waren sie keine Erwachsenen mehr: Kinder waren sie in Wirklichkeit, die Eisenbahn spielten auf Mutters zusammengeschobenen Wohnzimmerstühlen.

In das Elend aber schrillte die Spekulation. In den ausgebombten Hallen trieben sich die Schwarzhändler herum, Deutsche, Verschleppte, Soldaten, tauschend, feilschend, anbietend, betrügend. Nicht nur Zigaretten boten sie an, Währung in Zwanzigerpackung, einhundert Mark ein Päckchen, manchmal auch mehr, Schokoladetafeln für einhundert Mark, ein Pfund Zucker für einhundertundzwanzig, für zweihundert ein Paar Kinderschuhe, Fettmarken für zweihundertundvierzig pro Kilo – hier gab es alles zu kaufen: Gerüchte und Mädchen, Fahrerlaubnisse und Übernachtungen, echte Dollars und falsche Zeugen. Manchmal streiften die abgerissenen deutschen Polizisten oder die weißbetreßten M.P.s durch die Hallen, aber die Gruppen, die bei ihrem Anblick auseinanderstoben, stießen gleich wieder zusammen – und warum sollten auch die Sieger verhindern, daß sich die Demütigung, die sie ersonnen hatten, in ihrer profundesten Form äußerte: in der Selbstzerfleischung der Besiegten.

Durch die Münchner Bahnhofshalle nun schritt an diesem angenehm kühlen Junimorgen der Major Frank Green – oder Franz Grün, wie er einst geheißen hatte –, um seinen Bruder, den Captain George Green abzuholen, der mit dem Militärzug um acht Uhr siebzehn aus Frankfurt am Main eintreffen sollte.

Die Nachricht, daß der Captain George Green seiner eigenen Einheit, der Abwehrabteilung der 45. Division, zugeteilt worden war, hatte Frank peinlich berührt. Sie waren im Hause ihres Vaters, des Münchner Oberlandesgerichtsrates Dr. Karl Grün, zusammen aufgewachsen, aber seit 1933, als eine Tante den achtzehnjährigen Franz und den siebzehnjährigen Georg nach Amerika gebracht hatte, schienen sich ihre Wege für immer zu trennen. Die Krankheit des Vaters hatte ihre Mutter in Deutschland zurückgehalten, und als er ein Jahr darauf starb, als amtierender Richter noch immer – denn mutig hatten sich einige seiner Kollegen für den Juden eingesetzt –, verzögerte Frau Grün ihre Emigration immer wieder, bis es zu spät war und die Tür, die aus dem Hitlerreich hinausführte, endgültig ins Schloß fiel. Sie hatten zwei verschiedene Universitäten besucht: Frank studierte Geschichte auf der „Columbia"-Universität, die er mit Ehren absolvierte und wo er als assistierender Professor alsogleich eine Anstellung fand. George studierte Chemie in Yale, gab aber seine Studien bald auf, als sich einträglichere Möglichkeiten boten, und er paßte sich dem amerikanischen Leben insofern schnell an, als er in eiliger Folge ein halbes Dutzend Berufe betrieb, seinen Wohnsitz nomadenhaft verlegend, stets auf eine Verbesserung seiner finanziellen Situation bedacht. Wenn sich die Brüder trafen, kamen die krassen Unterschiede in ihrem Charakter beinahe sogleich zu stürmischem Ausbruch, aber während George unter der deutlichen Entfremdung und unausgesprochenen Hostilität nicht zu leiden schien, zog es Frank vor, den Begegnungen allmählich auszuweichen. Als er von George zuletzt gehört hatte, war dieser „contractor", eine Art Bauvermittler, in Dallas, Texas, und die Wahrscheinlichkeit, daß sie sich in Uniform treffen sollten, noch dazu in ihrer Vaterstadt, war äußerst gering.

„Du siehst vorzüglich aus", sagte Frank, als er George auf dem Bahnsteig begrüßt hatte. Es war immer schon seine Art gewesen, seine Abneigungen hinter besonderer Liebenswürdigkeit zu verbergen, nicht aus Heuchelei, sondern weil ihn nur ein Übermaß an Höflichkeit daran hindern konnte, seine wahren Empfindungen zu verraten.

„Du siehst selbst nicht schlecht aus, Major", meinte George scherzend. Er griff nach dem Militärkoffer, den ihm Frank abgenommen hatte. „Ich kann mir doch nicht von einem Vorgesetzten mein Gepäck tragen lassen."

Sie durchquerten die Bahnhofshalle. Niemand hätte den Major und den Captain, die schnellen Schrittes nebeneinander hergingen, für Brüder gehalten. Zwar waren sie etwa gleich groß, aber George war breiter, massiver und wirkte kleiner. Seine dunklen Haare waren kurz, auf Militärart geschnitten, seine Augen waren klein und schmal, seine Stirne ungemein niedrig und seine Nase breit und beinahe flach. Er wirkte dabei eher anziehender als sein Bruder, denn waren auch alle Einzelheiten seines Gesichtes unschön, so war er doch von einer Männlichkeit und

Vitalität, die diese Mängel wieder ausglich, so daß man nur noch die wirbelnden Kreise beachtete, die er um sich zog, nicht aber den Stein, der ins Wasser fallend solche Reaktion ausgelöst hatte.

Sie nahmen in dem wartenden Command car Franks Platz.

„Auch ganz schön zerbombt", sagte George, als der Fahrer den Wagen durch die Stadt steuerte. Er sprach selbstverständlich englisch. „Frankfurt ist eine einzige Ruine. Na, sie haben es ja gewollt, the bastards."

„Unser Haus ist auch weg", sagte Frank.

„Ich werde es mir anschauen. Wir müssen rechtzeitig Wiedergutmachungsansprüche anmelden." Er lachte. „Im übrigen versichere ich dir, daß ich nichts dazu getan habe, hierher versetzt zu werden. Mir ging es ausgezeichnet in Frankfurt. Wie sind hier die Unterkünfte?"

„Es geht. Ich glaube, Colonel Hunter hat dich in einem Junggesellenhaus in der Klementinenstraße untergebracht."

„Das habe ich schon gern: Junggesellenhaus! Klingt wie Heim christlicher junger Männer. Es muß doch ein paar anständige Nazivillen geben, die man beschlagnahmen kann. In Frankfurt hatte ich eine Achtzimmer-Villa. Hat einem I.G.-Direktor gehört. Kennst du übrigens schon den neuesten Witz? Man nennt die I.G.-Farben jetzt G.I.-Farben. Es soll Hauptquartier werden."

Sie fuhren durch die innere Stadt. Die Stadt roch verbrannt. Nicht mehr sehr verbrannt: wie eine Küche abends riecht, in der mittags eine Speise angebrannt war. Man hatte die Stadt ausgelüftet. Auch manche der Ruinen wirkten noch ziemlich neu, für die Besichtigung durch Fremde noch nicht hergerichtet. Man sah auf gute Lüftung und Ordnung, aber die Steine hatte man noch nicht in Ordnung gebracht: sie lagen da wie Bausteine auf dem Teppich eines Kinderzimmers – die schlimmen Kinder waren gestern schlafen gegangen, ohne sie aufzuräumen. Hier und dort kroch das Grün hervor zwischen den unordentlichen Steinen. Hier und dort ging eine Frau vorbei, in einer weißen Bluse, mit Blumen in der Hand. Nichts im Magen, aber

Blumen in der Hand: auch das ist Deutschland, dachte Frank. Aber er sagte nichts, er beobachtete nur seinen Bruder. Erst als sie in den Königsplatz einbogen, der immer schon ein unwirklicher Platz gewesen war, ein Tanzsaal ohne Wände und ohne Dach, und der jetzt, ohne Menschen, noch unwirklicher wirkte, sagte er:

„That used to be the Brown House."

Er sagte es mit einem gewissen Stolz, als hätte er selbst dafür gesorgt, daß es kein Braunes Haus mehr gab.

„The bastards", sagte George.

Nach einer Weile fragte er, als hätte er die Frage lange genug hinausgezögert:

„Hast du Mamas Grab gefunden?"

„Sie hat kein Grab", sagte Frank.

Es entstand wieder eine Pause.

„Irgendwelche Leute noch da, aus der alten Zeit?" begann George.

„Ich habe Dr. Wild aufgesucht. Ich wollte ihm ein paar Rationen mitbringen, aber er hat sie abgelehnt. Oder richtiger: ich bin nicht dazugekommen, sie ihm anzubieten. Er tat, als wäre ihm mein Besuch peinlich. Er ist ein komischer Kauz; ich kenne mich nicht aus mit ihm."

„Wahrscheinlich ist er nachher auch ein Nazi geworden", sagte George. Dann wandte er sich mit einer beinahe abrupten Bewegung seinem Bruder zu und sah ihm ins Gesicht, als erheischte er nicht nur eine Antwort auf eine Frage, sondern als wollte er zugleich die Miene des Antwortenden prüfen. Er fragte: „Hast du Elisabeth gesehen?"

Frank wich der Antwort mit einer Frage aus:

„Wie hätte ich Elisabeth sehen sollen?"

Es gab niemand, mit dem er weniger über Elisabeth von Zutraven sprechen wollte als mit George. Es ließ sich in diesen letzten Jahren nicht immer bewerkstelligen, aber schon in Amerika war er, wenn es nicht gerade unvermeidlich war, den Gesprächen über Elisabeth ausgewichen.

Sie waren zusammen aufgewachsen, Franz, Georg und Elisabeth, als Geschwister beinahe, und in einem Verhältnis dennoch, das so voller stürmischer Unterströmungen war wie die See, die ihre Strudel unter einer sanften Fläche verbirgt.

In Nymphenburg grenzten die Gärten der Familie Grün an den Garten des Hauses, das der verwitwete Oberlandesgerichtsrat Dr. Joachim Steer mit seiner Tochter und einer alten Wirtschafterin bewohnte. Die beiden Richter waren nicht nur Kollegen, sondern auch Freunde: eine Freundschaft, die sich auch bewährte, als Dr. Grün mit dem Herannahen des Dritten Reiches in immer bedenklichere Schwierigkeiten geriet. Elisabeth war gleichaltrig mit Georg, um ein Jahr jünger als Franz. Die Rivalität der beiden Brüder um ihre Gunst hatte begonnen, als sie drei Jahre alt war und entdeckte, wie man den stillen und scheuen Franz gegen den robusteren Georg ausspielen konnte und umgekehrt. Später war diese unbewußte, aber nichtsdestoweniger echte Koketterie merkwürdigerweise gewichen, nicht, weil sich das heranwachsende Mädchen für den einen oder den anderen entschieden hätte, sondern weil ihr wohl mit der wachsenden Erkenntnis ihrer Anziehung auch die Gefahren klarer wurden, die sie heraufbeschwor. Georgs erste Leidenschaft kam früh, und auch Franz begann die Sentimentalität zu belächeln, mit der er am Gartenzaun gestanden hatte: ein Bild wohlfeiler Nachbarstochter-Romantik, über die er sich nun erhaben fühlte. Aber die beiden Jungen, die sich ihre ersten Abenteuer, die wirklichen und die erdichteten, in der Dunkelheit ihres Knabenschlafzimmers erzählten, verstummten, wenn der Name Elisabeth fiel. Da war plötzlich eine stille Feindschaft im nächtlichen Raum, und in ihr gärte nicht nur der dumpfe Haß zweier Nebenbuhler, sondern es war auch, als stünde jeder kampfbereit, warnend und verbietend vor den Pubertätsphantasien des anderen. Wäre es möglich gewesen, der eine hätte die Träume des anderen belauscht, und keiner sprach je von den Träumen des anderen. Und wie derart die natürliche Gegensätzlichkeit ihrer Wesen aufeinander stieß, so daß man nicht hätte sagen können, ob ihre Rivalität die Feindschaft geboren hatte oder nur ein Ausdruck der Feindschaft war, so kristallisierte sich auch ihre rare Solidarität um Elisabeth: sie konnten auf Elisabeth verzichten, nicht aber auf den gemeinsamen Haß, wenn ein Dritter ins Leben des Mädchens zu treten schien.

Sie waren noch kaum ein Jahr in Amerika, als Elisabeth einen Intimus Hitlers, Kurt von Zutraven, heiratete. Ihre Mutter schrieb ihnen die Nachricht, kommentarlos, der Zensur eingedenk. Franz und Georg sahen sich damals noch öfters, wenn sie auch zwei verschiedene hohe Schulen besuchten, und hätten sie sich gewissenhaft geprüft, so hätten sie eingestanden, daß sie der Begegnung von Stund an mehr denn je auswichen, weil sie den Gesprächen über Elisabeth ausweichen wollten. Jeder wußte jedoch vom anderen, daß er, verwundert und zornig, fragend oder verurteilend, auf Aufklärung bedacht oder auf Revanche, wie es ihrem Wesen eben entsprach, jede Nachricht über Elisabeth von Zutraven verfolgte, und an Nachrichten herrschte kein Mangel, denn der Aufstieg des Führer-Adjutanten zum Reichskommissar, Kulturkommissar für die besetzten Länder und schließlich zum Gouverneur in Frankreich war rapid und leuchtend. Und wieder war es wie einst: stand der Name Zutraven in der Zeitung, erschien Zutravens Bild oder gar das Elisabeths, dann wußte Franz, daß Georg die Zeitung lesen würde, und Georg dachte an Franz, und über tausend Meilen hinweg begegneten sich die Fremdgewordenen in einem gemeinsamen Gefühl.

Und nun hatte George gefragt: „Hast du Elisabeth gesehen?"

Ob Frank vorher überhaupt der Gedanke gekommen war, er könnte Elisabeth sehen: jedenfalls hatte er den Gedanken im keimenden Zustand erstickt. „Hast du Elisabeth gesehen?" – hieß es, daß George Elisabeth sehen wollte? Noch hatte der Command car nicht vor dem „Billeting office", dem Quartierbüro, gehalten, als dem Major Frank Green ein Gefühl entgegenkam, grüßend wie ein alter Bekannter; er mußte Elisabeth warnen, verteidigen, beschützen: George durfte nicht von ihr sprechen, sie nicht sehen.

George bemerkte nichts.

„Ich habe gelesen, daß sie eingesperrt ist", sagte er. „Ich möchte wissen, was sie jetzt denkt – das Naziweib."

Wenn man hinaussah aus den Fenstern der Villa, konnte man in der Ferne die Konturen des Parteitaggeländes wahrnehmen. Sie wirkten von hier wie die Wände eines halberbauten Wolkenkratzers. Was seit Jahrhunderten stand, in der jahrhundertealten Stadt Nürnberg, lag in Trümmern. Der halbgebaute Narrenturm war unversehrt geblieben.

Elisabeth stand am Fenster und blickte hinaus. Seit zwei Tagen regnete es ununterbrochen. Wie der Tüllvorhang auf einer Opernbühne war der Regen. Der Posten, der ständig um das Haus kreiste, sah das Gesicht der Frau hinter dem Fenster. Es war, als weinte die Frau: das Wasser rann über ihr Gesicht, ununterbrochen, trostlos. Aber die Frau weinte nicht; nur die Fensterscheibe weinte.

Elisabeth stand schon so lange am Fenster, weil sie sich an dem Gespräch nicht beteiligen wollte, das im Salon seit mehr als zwei Stunden dahinplätscherte. Die Frau des Marschalls, die Frau des Reichsministers und die Frau des Fremdarbeiterkommissars saßen um den kleinen Kaffeetisch und unterhielten sich.

Die Frau des Marschalls war eine mächtige Frau mit dichten, blonden Haaren, die jetzt offen auf ihre Schultern, über ihren Busen und auf ihren Schoß fielen, denn sie hatte sie mittags gewaschen und ließ sie nun trocknen. Sie tat es nicht unabsichtlich in dieser beschränkten Öffentlichkeit. Sie war immer sehr stolz auf ihre Loreley-Haare gewesen, und obwohl sie sonst mit der zarten Loreley der Legende wenig Ähnlichkeit hatte – sie hätte den Felsen am Rhein überragt und glich eher der monumentalen Freiheitsstatue –, pflegte sie zuweilen sogar ein romantisches Lied zu summen, während der Kamm liebevoll und gleichmäßig durch ihre Haare fuhr. Sie saß übrigens sehr aufrecht, ein wenig steif sogar, im verschlissenen Lehnstuhl; sie saß weniger als sie thronte, denn in den Wochen der Haft und der Verhöre hatte sie nicht nur ihre majestätische Haltung nicht verloren, sondern unterstrich sie noch nach bestem Vermögen. Sie thronte auch im Kreis der Entthronten, als fürchtete sie, daß man ihre Herablassung als Schwäche mißdeuten könnte. Sie empfand die anderen Frauen nicht als Mitgefangene, zumindest nicht in dem Sinne, in dem ein gemeinsames Schicksal die Rangunterschiede ausgleicht oder gar auslöscht. War ihre grandiose Eitelkeit in den „guten Tagen" Gegenstand bösartigen weiblichen Klatsches und abfälliger Kritik gewesen, so rang sie den anderen Frauen der entthronten Würdenträger jetzt eine gewisse stille Achtung ab, wie dies alle menschlichen Eigenschaften tun, die schlechten wie die guten, wenn sie sich als beharrlich erweisen und den Witterungsänderungen des Schicksals nicht untertan sind.

Zu ihrer Rechten saß die Frau des Reichsministers, klein, grauhaarig, mit einer ungefaßten Brille, unscheinbar, beinahe ärmlich gekleidet, der Typus einer Frau, von der man stets sagen würde, sie „müsse viel älter sein als ihr Mann", unabhängig davon, ob sie es in Wirklichkeit war oder nicht. Nun hatte ihr Gatte in der Tat stets ein ungebührlich jugendliches Gebaren an den Tag gelegt, in Uniform besonders, die er bei jeder Gelegenheit gerne, vorzüglich mit weißen Aufschlägen, trug. Die Ehe war kinderlos geblieben, was die Frau Minister ihrem Mann, unbegründeter Weise wohl, ebenso verargte wie seine weißbeschlagene Uniform. Ihr Protest gegen den Gatten und seine Eskapaden, von denen man gerne verstohlen munkelte, äußerte sich jedoch keineswegs in einem Aufruhr gegen seine politischen Ansichten und Aktivitäten: ganz im Gegenteil übertraf sie ihn an Fanatismus, nur waren ihre Betätigungen so gestaltet, daß sie die seinen etwas lotterhaft und oberflächlich erscheinen ließen. Sie betreute, was es nur zu betreuen gab: versehrte Soldaten und „Lebensborn"-Kinder, Ausgebombte und Kriegerwitwen, Bahnhofsmissionen und Ordensburgen. Unternahm es die Frau Marschall, nicht aus Würdelosigkeit, sondern aus angeborener weiblicher Koketterie, die vernehmenden amerikanischen Offiziere zu bezaubern, so blieb die Frau des Reichsministers karg und störrisch, unbewußt bemüht, die Sieger zu beschämen, wie sie ihren eigenen Mann unbewußt immer beschämt hatte.

Mit einer Handarbeit beschäftigt, hatte die Frau des Reichskommissars auf dem alten Kanapee mit der viktorianisch geschwungenen Rückenlehne Platz genommen. Sie ließ die Unterhaltung der beiden anderen Frauen teilnahmslos an sich vorbeirauschen, mit sich beschäftigt, wie sie es seit Jahren immer gewesen war, obschon ihre Freunde und Bekannten kaum ergründen konnten, wie ihr unkompliziertes Wesen den Gegenstand so eingehender Beschäftigung zu bieten vermochte. Sie war schwanger, zwar im vierten Monat erst, aber ihre Schwangerschaft war doch recht sichtbar, und sie unternahm nichts, um sie zu verbergen. Sie war eine Frau von höchstens fünfunddreißig Jahren, bäuerisch robust gebaut, mit beinahe kindlich offenen Augen in einem breiten, aber hübschen Gesicht: der Führer hatte sie stets mit seiner wenn auch herablassenden Zuneigung ausgezeichnet, weil sie unter den Frauen der „Bonzen" am ehesten seiner Vorstellung von der deutschen Frau entsprach. Vielleicht mengte sich in die Sympathie des Führers auch etwas wie Anteilnahme: selbst ihm mußte es zu Ohren gekommen sein, daß der Reichskommissar eine ehebrecherische Beziehung zu einer schönen mondänen Aristokratin unterhielt, die ihm bereits zwei uneheliche Söhne geschenkt hatte, was die Zahl seiner Kinder, ehelich und unehelich, auf sechs erhöhte. Teils zur Verwunderung, teils zur Bewunderung der hohen Gesellschaft unterhielt die Frau des Kommissars die herzlichsten Beziehungen zur Geliebten ihres Gatten und, unter äußerster Mißbilligung der Frau Reichsminister, hatte die Gräfin ihre legale Nebenbuhlerin sogar hier in der Nürnberger Vernehmungsvilla besucht. Im übrigen war die Frau des in Nürnberg inhaftierten Reichskommissars, ebenso wie Elisabeth von Zutraven, keine eigentliche Gefangene, sondern nur zu vorläufigem Aufenthalt in der sogenannten Vernehmungsvilla angehalten, während die beiden anderen Damen in einem Nürnberger Lager untergebracht waren und nur gelegentlich in die Vernehmungsvilla gebracht wurden. Ihnen, nicht Elisabeth und der Frau des Reichskommissars, galt auch die Bewachung durch den Militärpolizisten, der seine Runden durch den verwahrlosten Garten der einsamen Villa beschrieb.

Als Elisabeth zu der Gruppe um den leeren Kaffeetisch zurückkehrte, drehte sich die Unterhaltung, wie gewöhnlich, um die Behandlung im Lager, von wo die Frau des Marschalls und die Frau des Ministers erst heute morgen wieder in die Villa überführt worden waren.

„Ich mußte mein Nachthemd in der Mitte durchschneiden", erklärte die Frau des Marschalls, weiter ihre Haare kämmend, „ich hätte es sonst nicht auswaschen können. So klein ist der Waschtopf, den sie uns zur Verfügung gestellt haben. Ihnen fehlt jeder Sinn für Ritterlichkeit."

„Haben Sie etwas anderes erwartet, Exzellenz?" fragte die Frau des Reichsministers. „Die Amerikaner sind Barbaren: das Schmerzlichste ist es, von Barbaren besiegt worden zu sein."

Die Frau des Marschalls ging auf das historische Thema nicht ein. „Es gibt natürlich auch unter ihnen Menschen", sagte sie. „Ein M.P. hat mir einen Spiegel in die Zelle geschmuggelt." Sie sah sich um. Der kalte Salon, seiner Möbel halb beraubt, erinnerte an einen Wartesaal zweiter Klasse. Die silbergraue Tapete war an zwei oder drei Stellen gerissen, und das Tapetenpapier hing lose von der Wand, als hätte man sich nicht einmal die Mühe genommen, es endgültig abzureißen. Aber an einer Wand hing ein alter Spiegel in einem verzierten Rahmen, halb blind zwar, mit Wunden wie die Tapete, aber ein Spiegel immerhin. Auf ihn wies die Frau des Marschalls, als sie fortfuhr: „Das hier ist ja immerhin noch ein Paradies." Dabei sah sie Elisabeth an.

Die Frau des Reichskommissars jedoch bezog die Bemerkung auf sich.

„Ein Paradies ist es nicht", sagte sie, von ihrer Handarbeit aufblickend – sie strickte an einem Babyhemd – „aber sie schicken uns jeden Tag eine Flasche Milch."

Elisabeth hörte geistesabwesend zu. Sie hatte immer Mühe gehabt, die Damen der Hierarchie zu verstehen; nun schien ihr das Verständnis noch schwieriger. Die Amerikaner würden es ihr zweifellos nicht glauben, aber das hätte sie beschwören können: diese Frauen hatten immer von Wäsche und Spiegeln und Milch gesprochen; nicht erst heute, sondern schon damals, als man in Paris stand und als Stalingrad kam und als Dresden brannte und als die Öfen brannten, in Auschwitz. Wenn sie sich trafen, tauschten sie Informationen aus, über Schuhe, die man in Holland bekommen konnte, und über Pfeffer, den ein Kurier aus Frankreich mitgebracht hatte. Wenn Ignoranz Unschuld war, dann waren sie unschuldig. Aber war Ignoranz Unschuld? Nein, die Amerikaner hatten Unrecht: sie waren keine Hyänen, diese Frauen und die Frauen der anderen hohen Würdenträger. Haustiere können keine Hyänen sein. Die ganze Welt sprach von ihnen, voll Neid oder Haß, voll Bewunderung oder dem Drang nach Vergeltung, und inzwischen sprachen sie selbst von Pariser Mode oder Kochrezepten oder Friseuren. Der große Aufstieg hatte sie nicht größer gemacht und auch nicht der große Sturz. Ihre Männer beherrschten die halbe Welt, ihre Männer warteten, als Kriegsverbrecher vor ein Welttribunal gestellt zu werden, und sie selbst saßen an dem Salontisch und hielten ein Kaffeekränzchen ab, ohne Kaffee. Und ich? fragte sich Elisabeth. Was gibt mir das Recht, sie zu verurteilen oder auch nur zu verachten?

Sie kam nicht dazu, den Gedanken zu Ende zu denken – auch war es ein Gedanke, vor dem sie müde geworden war, denn die Antwort endete immer in Verwirrung. Die Frau des Marschalls wandte sich an sie:

„Ich habe gehört, daß Sie Ihren Mann besuchen durften, meine Liebe."

„Ja", sagte Elisabeth, „für einige Minuten."

„Ist er wohlbehalten?" fragte die Frau des Marschalls.

„Es geht ihm gesundheitlich gut."

„Für uns ist selbstverständlich keine Besuchserlaubnis zu erwirken", sagte die Frau des Ministers.

Im gleichen Moment klopfte es an der Tür. Die Frauen blickten auf. Der M.P. hatte auf keine Antwort gewartet; er trat ein.

„Ist eine Frau von Zutraven hier?" fragte er. Es war offenbar, daß ihm die Namen seiner Schutzbefohlenen nichts bedeuteten. Er sprach den Namen als Vansutreven aus.

„Ja, ich ...", sagte Elisabeth überrascht.

„Ein Offizier will Sie sprechen", sagte der M.P. „Kommen Sie mit!"

Elisabeth erhob sich. Einen Moment lang sahen ihr die anderen nach. Dann plätscherte das Gespräch weiter. Es war keine Seltenheit, daß ein Offizier eine von ihnen sprechen wollte.

Frank findet Elisabeth

Das Arbeitszimmer der Villa war leer, als es Elisabeth betrat. Es war, wie alle anderen Zimmer des verlassenen Hauses, nur halb eingerichtet: vor dem Schreibtisch mitten im Raum stand ein einsamer Sessel, und in den dunklen Büchergestellen waren keine Bücher. Auf einem Bücherregal stand eine Bratpfanne, die der frühere Besitzer zurückgelassen haben mußte, völlig sinnlos gerade an diesem Ort. Von der Mitte der Decke hingen die Drähte, die für eine Lampe bestimmt waren, aber es gab keine Lampe mehr. Der Nachmittag senkte sich über den Raum.

Der M. P. hielt – Elisabeth bemerkte es erst jetzt – einen Zettel in der Hand.

„A Major Franz Grün", las er ab.

Elisabeth hatte keine Zeit, etwas zu erwidern. Der Major betrat das Zimmer im gleichen Augenblick, in dem es der Soldat verließ.

Er kam mit schnellen Schritten auf sie zu; er wartete nicht, bis sie ihm die Hand reichte, sondern streckte ihr die Hand entgegen.

Beide rangen um den ersten Satz. Schließlich sagte der Mann: „Ich hörte erst vor einigen Tagen, daß du in Nürnberg bist, Elisabeth. Ich dachte, ich sollte dich aufsuchen."

„Danke", sagte Elisabeth.

„Wie geht es dir?" fragte Frank.

„Danke, gut", sagte die Frau. „Wie geht es dir?"

„Gut", sagte Frank. „Ich bin in München stationiert. Ich hatte gerade in Nürnberg zu tun."

Sie standen sich gegenüber, wartend. Heftig überkam Frank das Gefühl der ganzen Sinnlosigkeit seiner Handlung. Warum war er gekommen? Trieb ihn die Neugier? Oder war es mehr? Wollte er sich laben an dem Anblick der Besiegten? Er hätte nicht vergessen dürfen, was die Erfahrung ihn lehrte: daß sich stets eine unüberbrückbare Kluft auftat zwischen der Vorstellung und der Wirklichkeit, daß man sich im voraus nichts vorstellen konnte, nichts, weder Begegnungen noch Gespräche, weder die eigenen Gefühle noch die der anderen. Die Phantasie war kein Prophet; ihre Voraussagen gingen nie in Erfüllung. Er hätte auch wissen müssen, daß die Besiegten einzeln anders wirkten als in der Masse; daß eine zerbombte Stadt aus der Vogelperspektive anders aussah als die Straßen der zerbombten Städte; und eine Straße wieder anders als ein einzelnes Haus, aus dem die Gedärme hingen; und ein Haus wieder anders als ein Toter, der darunter lag mit aufgerissenen Gedärmen. Wie ein großes Wasser war der Haß, es hatte Farben, grün und blau und metallisch, wenn man hinwegsah über seine breite Fläche, und es war ruhig oder stürmisch, aufgepeitscht oder drohend; aber wenn man hineingriff und aus dem Wasser schöpfte, wurde es farblos und zerrann einem zwischen den Händen. Oder war er gekommen, weil er ihr helfen wollte? Er wies auch diesen Gedanken abrupt von sich, denn der Haß schien ihm eine Verpflichtung, seiner Mutter gegenüber und den anderen Toten: es stimmte etwas nicht mit der Lehre, meinte er, daß allein die Liebe Verpflichtung war, denn konnte Liebe nicht Verrat sein an der Liebe? Aber um Vergeltung zu üben, hätte er nicht hierher kommen müssen; die Vergeltung ging ihren Gang, und sie brauchte nicht seinen Arm.

Er sagte: „Ich weiß nicht, warum ich dich sehen wollte, Elisabeth. Aber es erschien mir Feigheit, dich nicht zu besuchen. Ich weiß nicht, was du getan hast in diesen Jahren, nicht mehr jedenfalls, als man drüben in den Zeitungen las. Aber die achtzehn Jahre unserer Kindheit lassen sich nicht auslöschen. Ich kann dir keine Hilfe anbieten; ich zweifle, ob ich es wollte, wenn ich es könnte." Er fürchtete, daß sie ihn unterbrechen würde, und er fuhr schnell fort: „Aber ich nehme an, daß dich heute niemand anhört, jedenfalls nicht mit einem ..., sagen wir, mit einem Mindestmaß von Verständnis. Wenn du also mit jemand sprechen willst, der bereit ist, dich unvoreingenommen anzuhören ..."

Er kam nicht weiter. Es war eine schreckliche Sensation, sich selbst sprechen zu hören: er glaubte, nie zuvor seine eigene Stimme so deutlich vernommen zu haben. Es wurde ihm zugleich die Entfernung bewußt, welche die Stimme durchreiste vom Gedanken zum Ausdruck, und wie sie sich auf der Reise veränderte und verkleidete. Der Gedanke war schlicht, aber das Wort war pompös, und aus keimendem Mitleid war dann bombastischer Großmut geworden.

Sie standen sich immer noch gegenüber im halbdunklen Raum, und der leere Sessel stand zwischen ihnen.

„Es ist gut von dir, daß du gekommen bist", sagte Elisabeth. „Es ist sehr überraschend, vielleicht überwältigend. Aber ich habe dir nichts zu sagen, Franz. Man hat mich tagelang verhört, und man wird mich weiter verhören. Man ist korrekt zu mir, ich habe mich nicht zu beklagen."

Sie wollte noch sagen: Ich habe mehr eingestanden, als ich mußte, weil ich die Menschen verachte, die verschweigen und verfärben. Widerlicher als die Störrischen sind mir die Leugnenden, widerlicher als die Verstocktheit ist mir die Zerknirschung. Aber sie sagte nichts weiter, denn sie wußte, daß er sie mißverstehen würde. Wer jetzt stolz war, den mußten sie für einen Sünder halten: sie ahnten ja nicht, wie wenig stolz die Sünder waren. Und war man nicht stolz, dann war man ein Opportunist – zu viele standen Schlange vor dem Beichtstuhl, als daß man noch an die Umkehr glauben konnte. Wenn es einen Ausweg gab, dann war es, keinen Ausweg zu suchen.

Sie sagte: „Ich glaube nicht, daß du gekommen bist, um mich zu demütigen, Franz. Aber es demütigt mich, dich zu sehen. Bitte, komm' nicht wieder."

„Wie du meinst", sagte er.

Sie versuchte zu lächeln, denn sie wollte mildern, was sie gesagt hatte. Sie reichte ihm die Hand.

„Du hast dich nicht verändert", sagte sie etwas erleichtert, als sie einander näher gekommen waren, nur noch vom Sessel getrennt. „Ich hätte dich sofort erkannt, trotz der . . ., wie lange ist es her?"

„Beinahe zwölf Jahre", sagte er.

„Wie geht es Georg?" fragte sie.

Er sagte schnell: „Danke, gut." Er wollte hinzufügen: Er ist auch hier. Aber er sagte nur: „Er ist auch in der Armee."

Er hatte es plötzlich eilig, zu gehen, nicht Georges halber, sondern weil er auch daran nicht gedacht hatte, daß sie ihn nach seiner Mutter fragen könnte. Und er könnte dann nur antworten: Du weißt genau, daß sie tot ist.

Er verabschiedete sich und ging.

Der M.P. vor dem Haus salutierte stramm. Er erwiderte den Gruß und stieg in seinen Wagen.

Nürnberg lag in der Dunkelheit. Man kam nur langsam vorwärts, denn in den Straßen waren tiefe Löcher, und ganze Straßenzüge waren abgesperrt. Mitten in der Altstadt gerieten sie in einen Geleitzug: die schweren Lastwagen der Armee rumpelten über die alten Kopfsteine, an den mittelalterlichen Häusern vorbei, von denen nur noch die Fassaden standen, als ahmte jetzt die Wirklichkeit eine Opernkulisse aus den „Meistersingern" nach, wie einst die Opernkulisse der Wirklichkeit nachgebildet war.

Auf dem nassen Asphalt tanzte Elisabeths Gesicht vor Frank. Es waren drei Gesichter – das Gesicht eines Mädchens von sechzehn oder siebzehn, fröhlich und unbeschwert; das mechanisch lächelnde Gesicht einer Frau in einem großen Abendkleid, von mechanisch lächelnden Würdenträgern umgeben, auf einer offiziellen Fotografie; das müde Gesicht der Frau in der leeren Bibliothek der Vernehmungsvilla. Die Gesichter spiegelten sich in den Pfützen, zitterten, kreisten und verschwammen, und Frank konnte keines mehr festhalten.

„Übernachten wir in Nürnberg?" fragte der Fahrer.

„Nein, wir fahren zurück nach München", sagte Frank.

60

Ein Neger nimmt Inge mit

Dich nimmt ja keiner, hatte ihr Vater gesagt.

Vielleicht hatte er recht. Vielleicht nimmt mich keiner, dachte Inge Schmidt, während sie um den Sendlinger-Tor-Platz herumstrich, wo in diesem Frühsommer des Jahres 1945 die Liebe schon am Nachmittag feilgeboten wurde, weil es Deutschen nach zehn Uhr abends verboten war, sich auf der Straße zu zeigen, ob sie Liebe feilboten oder nicht.

Vielleicht nimmt mich wirklich keiner: stumpf und dumpf hämmerte der Gedanke in ihrem Gehirn. Sie hatte einen Jungen gekannt, da war sie erst fünfzehn, der wollte sie nehmen, und sie hatte ihm widerstanden. Jetzt war er tot. Und es war seltsam, daß sie gestern für wertvoll hielt, was sie heute wegwerfen wollte. Es war noch seltsamer, daß sie einem Fremden geben wollte, was sie dem Jungen, den sie so gern mochte, verweigert hatte. Und am seltsamsten war: es tat ihr weh, daß sie keiner nehmen wollte. Die Hilde und die anderen Mädchen, die hatten es leicht, die dachten über all das nicht nach; und darum, daß sie nicht nachdenken mußten, beneidete sie Inge am meisten.

Daß sie keiner nahm, weil sie nicht genommen werden wollte, wußte Inge Schmidt nicht. Den meisten Deutschen, die den abendlichen Platz überquerten, stand der Sinn ohnedies nicht nach käuflicher Liebe. Die Mädchen, die hier auf einen Kunden warteten, wollten kein Geld. Sie wollten Zigaretten oder Schokolade oder Kaffee oder zumindest ein paar Lebensmittelmarken. Aber die ewige Frage, ob der knurrende Magen oder die knurrende Liebeslust stärker seien, die war hier, im Nachkriegs-Deutschland, längst endgültig entschieden: Wer Lebensmittelmarken besaß, der gab sie nicht her für Liebe; Lust begann erst, wenn die Kalorien genügten. Die Amerikaner aber, die Liebeswährung besaßen, Zigaretten und Konservendosen, die warteten darauf, angesprochen zu werden. Meistens standen sie in Gruppen, an die Wand eines zerbombten Kinos gelehnt, und warteten. Es waren merkwürdige Soldaten, denn sie konnten offenbar nicht aufrecht stehen. Meistens lehnten sie an der Mauer und standen da, auf einem Bein, wie die Störche, das zweite war im Knie gebeugt und die Schuhsohle lag flach an der Mauer. Einige von ihnen saßen in einer ganz bestimmten, einförmigen Stellung, in tiefer Kniebeuge; stundenlang konnten sie so dasitzen wie die Frösche. Die Störche und die Frösche rauchten Zigaretten oder kauten Kaugummi, sie sprachen selten miteinander, und wenn ein Mädchen sie ansprach, ließen sie meistens nur ein paar Unflätigkeiten vernehmen, denn Unflätigkeiten konnten schwerlich als eine Verletzung des „non-fraternization"-Gesetzes angesehen werden. Meistens waren es Neger, die vor dem zerbombten Kino an der Wand lehnten, und manche von ihnen waren großzügig: sie gaben den vorbeistreifenden Mädchen eine Zigarette und sahen ihnen nach und lachten untereinander, aber sie gingen nicht mit, denn es war zu gefährlich, mitzugehen.

Inge Schmidt ging dutzendemal an diesen Gruppen vorbei, aber sie begann beinahe zu laufen, wenn sie an ihnen vorbeikam, und sie senkte die Augen, und die Männer blickten ihr nicht nach, denn sie sah zu schmal und zu kindlich aus, und sie verlangte nichts, nicht einmal eine Zigarette. Dabei trieb sie es jeden Abend auf den Sendlinger-Tor-Platz. Es war nicht nur, weil ihr Vater gesagt hatte, daß sie „keiner nehmen" würde. Sie hatte Hunger. Es hieß, bald würde jeder „Normalverbraucher" eintausenddreihundertundfünfzig Kalorien bekommen. Inge verstand nichts von Kalorien. Sie wußte nur, daß es vorderhand keine eintausenddreihundertundfünfzig Kalorien gab und daß sie Hunger hatte. Ihr Vater hatte auch Hunger, und wenn es etwas zu essen gab, dann aß er es, denn er hielt Inge für keinen Normalverbraucher. Sie hatte schon früher Hunger gehabt, im Krieg, aber wenn sie daran zurückdachte, dann schien der Hunger von damals wie Völlerei. Jetzt spürte sie den Hunger ununterbrochen und schmerzhaft. Wenn sie Hunger hatte, mußte sie immer an eine tote Maus denken. Es war, als hätte sie eine tote Maus im Mund. Und ihr Magen war wie ein schmerzendes Loch. Sie konnte nicht sagen, wo der Hunger weh tat, denn der Schmerz wanderte vom Magen in die Brust und von der Brust in den Nacken. Und immer war es, als schmerzte die Leere. Auch ihr Gehirn war leer, und ihr Gehirn schmerzte auch. Nur, wenn sie schlief, ließ der Schmerz nach, dann aber kamen die Träume, und die Träume waren es eigentlich, die Inge auf die Straße trieben. Denn in ihren Träumen hockten die hockenden Soldaten um einen Kochtopf, und aus dem Kochtopf stieg der Geruch von Gulasch und Knödeln; oder die Soldaten an der Mauer holten Würste aus ihren Taschen und reichten sie ihr – einer kam in ihren Träumen vor, der zauberte Hunderte von Würsten aus seiner Tasche, meterlange Würste, wie man sie früher in den Metzgerläden gesehen hatte, er lief ihr nach mit den Würsten, um den ganzen Sendlinger-Tor-Platz herum, so daß am Ende die Würste um den ganzen Platz lagen, im riesigen Kreis wie einst die Straßenbahnschienen, die auch um den ganzen Platz gelaufen waren.

Daß sie sich einen „ehrenwerten Beruf" hätte suchen können, das fiel Inge nicht ein, erstens, weil sie an keinen ehrenwerten Beruf denken konnte, und zweitens, weil die ehrenhaften Berufe mit Geld bezahlt wurden, mit lächerlichen Fetzen von Reichsmark, für die man sich nichts kaufen konnte. Andere Leute verkauften ihr Hab und Gut – der Rentner Alois Schmidt hatte schon eine Pendeluhr, eine Alabasterbüste, einen Anzug, zwei Paar Schuhe und den Kanarienvogel samt Käfig hergegeben – aber Inge Schmidt hatte nichts zu verkaufen als ihren Körper, und der war mager und flach und sechzehnjährig.

Eine Woche war sie jetzt jeden Abend um den Sendlinger-Tor-Platz herumgewandert. Sie besaß ein einziges hübsches Sommerkleid, aus blauer Kunstseide mit großen, gelben Blumen. Das legte sie jeden Nachmittag an. Hilde, das Mädchen nebenan, lieh ihr ihren Lippenstift. Sie stand oft eine halbe Stunde lang vor dem goldgerahmten Spiegel im Wohnzimmer und schminkte sich. Eigentlich sollte sie den Lippenstift nur für die Lippen verwenden, aber sie malte mit dem Stift einen Kreis auf ihre Wangen und zerrieb dann das Rot über das ganze Gesicht, so daß sie am Ende aussah wie ein Kind, das Fieber hat. Ihr Vater sah ihr zu, während sie sich schminkte und sagte nichts, aber sie wußte, daß er ihre Handtasche durchwühlte, wenn sie abends nach Hause kam, und daß er dann wußte, daß sie wieder keiner genommen hatte.

Diese Handtasche war es übrigens, der sie zuweilen die Schuld an ihrem ganzen Versagen zuschrieb, so daß sie allmählich einen beinahe physischen Haß gegen die Handtasche entwickelte. Es war eine kleine Tasche mit rotem Lack, zwar niedlich anzuschauen, aber doch eine ausgesprochene Kinderhandtasche, und in der Tat hatte sie Inge vor vielen Jahren zu einem Kindergeburtstag bekommen. Die Frauen auf dem Sendlinger-Tor-Platz trugen enorme Handtaschen, schwarz, geräumig, schwer, Zunftzeichen ihres Berufes sozusagen, und Inge meinte, einer der Soldaten hätte sie längst angesprochen, wenn da nicht die knallrote Kinderhandtasche gewesen wäre.

Es war gegen acht, ein schwüler Juliabend. Auf dem blauen Sommerhimmel stand der Halbmond, sich verschämt und bescheiden zum Nachtdienst meldend, zugleich auch ungeduldig, denn er war noch nicht an der Reihe: es war noch lange nicht dunkel, und der Tag machte nur zögernde Anstalten, sich zu verabschieden.

Inge überlegte gerade, ob sie ihren Heimweg antreten sollte, als sie eine weibliche Stimme neben sich vernahm: „Höchste Zeit, daß du verschwindest, Kleine."

Inge wandte sich erschrocken um. Eines der Mädchen, das sie oft beobachtet hatte, war ihr gefolgt und ging jetzt neben ihr einher. Es war eine große Blonde von etwa vierzig, mit viel zu zahlreichen Locken, den überquellenden Körper in ein enges Kostüm gezwängt, das zu allem Überfluß zu kurz war und ungestalte Beine von erheblichem Format bis zu den Knien freiließ. Wie die meisten ihrer Kolleginnen stelzte auch die große Blonde auf viel zu hohen Absätzen über das Pflaster, und weil die Absätze aus Holz waren, klapperten sie wie die Hufe eines Pferdes. Auf ihrem rechten Arm baumelte eine große, schwarze Handtasche.

„Ich meine es nicht böse, Kleine", fuhr die Frau fort, der auffahrenden Reaktion Inges gewahr, „ich meine es sogar gut mit dir. Die anderen werden allmählich böse, und eines Tages kann es geschehen, daß sie die Geduld verlieren." Sie sprach nicht gerade herzlich, aber auch nicht drohend, und ihre Sprache war eher gewählt als ordinär. „Es ist nicht, daß du hier jemand das Brot wegnimmst; du hast dir ja bisher noch keinen aufgegabelt, dazu stellst du es auch viel zu dumm an. Aber wenn sich doch einmal einer entscheiden sollte, mit dir mitzugehen, gerade weil du wie eine Anständige aussiehst, oder wenn dir einer etwas schenkt, dann kann es sein, daß sie dich fürchterlich verprügeln, denn das Geschäft geht schlecht, es geht miserabel, und sie können keine Konkurrenz brauchen, selbst wenn die Konkurrenz so ausgemergelt aussieht wie du."

„Ich weiß nicht, wovon Sie reden", sagte Inge, denn es fiel ihr nichts anderes ein.

„Du weißt ganz genau, wovon ich rede", sagte die Frau geduldig. „Mir ist es ganz gleich, wenn du eine Hur' werden willst, meine Tochter bist du schließlich nicht, und ehe wir besetzt waren, war es ein ganz ordentlicher Beruf." Sie warf einen Seitenblick auf die Männer, die an die Wand des zerbombten Kinos gelehnt standen wie Störche oder auf dem Boden kauerten wie Frösche und Kaugummi kauten. „Wenn du dich mit denen einläßt, bekommst du einen ganz falschen Begriff vom Beruf, und das wäre schade." Sie steckte sich selbst ein halbes Stück Kaugummi in den Mund. „Achtung für unseren Beruf, das kennen sie nicht, diese Herren. Ganz stolz erzählen sie dir, diese Herren, daß es bei ihnen zu Hause keine Prostituierten gibt, und gleich darauf werden sie sentimental und erzählen dir von ihren Frauen und den ‚anständigen Mädchen' zu Hause, und eine Scheißangst haben sie vor dir, als hättest du den Aussatz. Und dann verlangen sie Dinge von dir, von denen du keine Ahnung hast, Kleine, und es kommt dir dabei hoch, besonders wenn sie dir inzwischen erzählen, wie anständig ihre Frauen sind, und daß sie ihr Mädchen verlieren würden, wenn die es erführe ..."

Sie waren zweimal um den Platz herumgegangen. Am Sendlinger Tor stand eine Gruppe von Kolleginnen und sah den beiden nach: sie steckten die Köpfe zusammen und tuschelten und lachten.

Inge wollte etwas Freches erwidern, aber sie sagte nur: „Ich muß jetzt nach Hause gehen, ich wohne weit."

„Geh schön nach Hause und komm nicht wieder, Kleine", sagte die Blonde. „Außerdem wette ich, daß du noch nicht auf der Polizei warst. Einen Schein kriegst du doch nicht in deinem Alter. Wenn sie dir die Polizei auf den Hals hetzen, kommst du nicht mehr heraus." An der Ecke der Lindwurmstraße blieb sie stehen. Sie trat einen Schritt zurück, als wollte sie Inge sorgfältiger mustern. Auf einmal begann sie zu lachen. Sie lachte schallend, in einem tiefen, männlichen Baß, und aus der Ruine an der Ecke der Straße hallte das Echo ihrer Stimme wider. „Weißt du, was ich mir gedacht habe, Kleine?" fragte sie.

„Es ist mir egal, was Sie sich gedacht haben", sagte Inge.

Die Frau war nicht beleidigt. „Ich habe mir gedacht, daß du vielleicht noch eine Jungfrau bist", sagte sie.

Sie beachtete das Mädchen nicht, das am ganzen Leibe zitternd vor ihr stand. Die Huren drüben brauchten Inge nicht mehr zu verprügeln: wie sie so dastand, noch schmaler geworden in ihrem hübschen Sommerkleid, mit der Kinderhandtasche in der Hand, sah sie verprügelt genug aus. Die Frau öffnete ihre Handtasche und sagte:

„Hier, du mußt Hunger haben."

Sie reichte ihr eine halbe Tafel Schokolade. Inge konnte es sich nicht überlegen, ob sie das Geschenk annehmen würde, denn im gleichen Moment hörten sie das Kreischen einer Bremse, und ein Jeep hatte am Gehsteig gehalten.

Der Mann, der am Lenkrad saß, gab mit der Hand ein Zeichen. Er war ein riesiger Neger, viel schwärzer als die meisten Schwarzen, so daß das Weiß seiner Augen auch weißer schien und auch das Weiß seiner Zähne. Die große Blonde ließ Inge stehen und ging auf den Wagen zu. Sie wiegte sich in den Hüften und lächelte. Die Schokolade steckte sie schnell wieder in die Tasche.

Der Neger schob sie beiseite, nicht gerade grob, aber unmißverständlich. Mit seinen langen, dünnen Fingern deutete er in die Richtung der Ruine. Die große Blonde sah sich verblüfft um. Der Neger sagte nichts, er gab nur einen ärgerlichen Laut von sich, wie jemand, der keine Zeit hat, mißverstanden zu werden.

„Er meint dich", sagte die große Blonde zu Inge.

Erst als die große Blonde sie bei der Hand nahm, verstand sie.

Der Neger lächelte. Er gab der großen Blonden zwei Zigaretten und er glaubte, daß sie sich bedankte, während die große Blonde in Wirklichkeit fluchte. Dann zog er Inge in den Jeep auf den Sitz neben sich. Beinahe willenlos ließ sie es geschehen. Nur ihre rote Kinderhandtasche preßte sie an sich, als böte sie ihr einen letzten Schutz.

Am nächsten Morgen fand der Rentner Alois Schmidt zwei Päckchen „Chesterfield" in der roten Handtasche.

Adam Wild greift ein

Wenn ein Deutscher das Hauptquartier in der Ludwigstraße betrat, mußte er einen regelrechten Fragebogen ausfüllen. Die Dame, die einem den Fragebogen vorlegte, war zwar selbst Deutsche, aber eben deshalb sah sie mit deutscher Gründlichkeit darauf, daß die amerikanischen Vorschriften befolgt wurden. Dr. Adam Wild verbrachte zwei Stunden mit der Ausfüllung des Fragebogens sowie mit einer Reihe anderer Formalitäten, die ihm den Weg zu dem Major Frank Green eröffnen sollten.

Endlich hatte ihn ein Vorzimmer-Sergeant beim Major angemeldet.

Der Major erhob sich sofort und kam ihm entgegen. Er bot Adam einen Platz an und setzte sich wieder hinter seinen amerikanischen Stahlschreibtisch.

„Ich freue mich, daß Sie gekommen sind, Herr Doktor", sagte er. „Was kann ich für Sie tun?"

Adam machte es sich auf dem zu kleinen, zusammenklappbaren Feldstuhl so bequem er es konnte.

„Sie haben recht, Herr Major", sagte er, „ich komme

wirklich als Bittsteller. Einer meiner Freunde sitzt seit mehreren Wochen in Frankfurt in automatischem Arrest, wie man das nennt. Er ist ein Oberst im Generalstab. Baron Achim von Sibelius."

„Ein ehemaliger Oberst", warf Frank ein.

„Ein ehemaliger Oberst also", fuhr Adam fort, ohne sich aus der Ruhe bringen zu lassen. „Ich erinnerte mich an den Zettel, den Sie mir hinterlassen hatten, Herr Major. Ich dachte, Sie könnten vielleicht etwas für meinen Freund tun."

Er sah Frank aus seinen großen, blauen Augen offen an, als fände er sein eigenes Anliegen durchaus nicht abwegig.

„Und wer ist dieser Baron Sibelius?" fragte Frank.

„Er gehörte zu den Offizieren des 20. Juli", sagte Adam.

„Und was ist mit ihm nach dem 20. Juli geschehen?" fragte Frank.

„Er hatte Glück", sagte Adam, der auf diese Frage gefaßt war. „Sein Vorgesetzter sympathisierte mit den Verschwörern, obwohl er nicht unmittelbar zu ihnen gehörte. Er deckte Achim. Er konnte sich an die Ostfront verdrücken."

Der Major antwortete nicht sogleich. Schließlich sagte er: „Herr Doktor, ich will nicht bezweifeln, was Sie sagen. Aber es scheint doch merkwürdig, daß offenbar die ganze Wehrmacht aus Verschwörern bestand und daß diese Verschwörer doch bis zum letzten Moment durchhielten. Können Sie mir das erklären?"

„Nein", sagte Adam, „das kann ich Ihnen nicht erklären. Jedenfalls nicht glaubwürdig." Einfach, nicht gereizt, fügte er hinzu: „Ich bin nicht hergekommen, um Sie von der Unschuld des deutschen Volkes zu überzeugen, Herr Major. Ich wollte Ihnen den Fall meines Freundes, des ehemaligen Obersten Sibelius darstellen."

„Kennen Sie unsere Einstellung zum 20. Juli?"

„Nein ..., nicht genau ...", sagte Adam.

„Wir stehen auf dem Standpunkt", sagte Frank, „daß der 20. Juli 1944 ein verdammt später Termin zur Besinnung war. Mit Ausnahme des Irren zweifelte am 20. Juli niemand mehr daran, daß der Krieg für Deutschland verloren war. Die Männer, die ihn aus dem Weg räumen wollten, haßten ihn nicht, weil er den Krieg begonnen, sondern weil er ihn verloren hatte. Obschon viel Blutvergießen hätte vermieden werden können, sind wir der Ansicht, daß das Mißlingen des Attentats eine günstige Fügung war. Die Frage der Verantwortung hätte überhaupt nicht mehr beantwortet werden können, wenn der Anschlag gelungen wäre."

„Und jetzt, Herr Major?" sagte Adam. „Jetzt glauben Sie, daß die Frage der Verantwortung beantwortet werden kann?"

„Selbstverständlich", sagte Frank. „Jetzt ist alles ganz klar."

Ich werde ihm nicht antworten, dachte Adam. Ihm ist alles klar. Auch denen ist alles klar. Dem Irren war es ganz klar, daß die ganze Welt nur darauf wartete, am deutschen Wesen zu genesen. Seinen Gefolgsleuten war es ganz klar, daß er der neue Messias war. Dem deutschen Volk war es ganz klar, daß es so schlimm nicht kommen würde. Später war es der Mehrheit ganz klar, daß es keinen Sinn hatte, Widerstand zu leisten. Dann war es wieder ganz klar, daß der Alptraum ein Ende haben würde, sobald uns die Amerikaner befreiten. Den Amerikanern war es ganz klar, daß wir alle Nazis waren und daß wir die Befreiung nicht verdienten. Es ist ihnen auch ganz klar, daß es keinen Widerstand gab und daß nur ein Zufall Tausende von Deutschen ins Konzentrationslager gespült hatte. Es ist uns ganz klar, daß wir nichts von den Konzentrationslagern wußten; ihnen ist es ganz klar, daß wir alle persönlich die Gasöfen anzündeten; es ist uns ganz klar, daß wir den Krieg verloren haben, weil wir Menschenhände gegen Stahl einsetzten; ihnen ist es ganz klar, daß sie die göttliche Gerechtigkeit vertreten – und wie soll man sich verstehen, wenn die Welt voller Menschen ist, denen alles ganz klar ist ...?

Er sagte: „Wenn es sich um mich handelte, würde ich versuchen, Sie zu überzeugen, Herr Major. Ich könnte dann einiges loswerden, was ich auf dem Herzen habe, und wir würden wahrscheinlich als Gegner scheiden. Im Falle meines Freundes Sibelius kann ich mir das nicht leisten. Sie kamen neulich zu mir und fragten, was Sie für mich tun könnten. Ich bitte Sie um nichts Unmögliches: lassen Sie sich den Akt Sibelius vorlegen, und helfen Sie ihm heraus, wenn Sie glauben, daß er es verdient."

Frank musterte den Arzt mit schlecht verhohlener Verwunderung. Solche Sprache hatte er, seit er über den Rhein gekommen war, nicht gehört. Er hatte Deutsche kennengelernt, die dienerten und kotauten und erzählten von ihren Taten und Leiden unter dem verendeten Regime; oder sie waren anmaßend und störrisch, wenn sie nichts zu gewinnen und nichts zu verlieren hatten, oder sie waren sonderbar gleichgültig. Dieser Vorstadtarzt, der seine Mutter betreut hatte, wich dem Gespräch über sich vorsichtig aus und schien dabei ein reines Gewissen zu haben, und auch jetzt, da er eine Gunst erbat, war es für jemand anderen. Dennoch hatte Frank keine Lust, sich beeindrucken zu lassen. Der Doktor hatte die letzten zwölf Jahre in Deutschland verbracht, und er war vermutlich weder im Gefängnis noch im Konzentrationslager gewesen. Wie oft hatte dieser blonde, blauäugige Riese in den letzten zwölf Jahren wohl den Arm ausgestreckt und „Heil Hitler!" gerufen? Wie oft stand er tatenlos am Straßenrand, wenn ein Wagen vorbeifuhr, auf den sie Juden gepackt hatten wie Schlachtvieh? Wie viele seiner Kollegen sah er, sich an den Wänden entlangdrückend, mit dem gelben Stern? Mag sein, daß er ein Gewissen hatte. Es war wie mit dem Gesang: innerlich konnte jeder singen, aber erst die Stimme, die den Mund verließ, machte den Sänger. Dr. Wilds Stimme hatte sich offenbar nicht erhoben. So dachte Frank, und er dachte es mit wachsendem Ärger, denn er fühlte sich betrogen. Es hatte ihn beeindruckt, daß der Arzt neulich seinen Geschenken gegenüber so unempfindlich war. In Wirklichkeit glaubte dieser Mann, daß Zigaretten und Rationen nicht genügten – er wollte gleich die Freiheit für einen Militaristen.

Er sagte: „Sie sind neulich dem Gespräch über meine

Mutter ausgewichen, Herr Doktor. Sie müssen mehr von ihr wissen."

Adam fühlte einen bitteren Geschmack im Mund. Er will mich zwingen, Achims Freiheit mit meinen Heldentaten zu erkaufen, dachte er. Und er will mich zwingen, daß ich sie anpreise.

„Ich habe in der Kartei nachgesehen", sagte er. „Sie kam 1933 zu mir. Es war knapp nach der Machtergreifung. Ich behandelte zuerst den Herrn Oberlandesgerichtsrat, und als er starb, besuchte ich noch öfters Ihre Mutter."

„Wie kamen meine Eltern zu Ihnen?"

„Oberlandesgerichtsrat Steer war ein Freund von mir gewesen, ein väterlicher Freund, möchte ich sagen. Er war Ihr Nachbar."

Frank hatte Mühe, seine Bewegung zu verbergen.

„Sie kennen also auch Elisabeth?" fragte er.

„Seit ihrer frühen Jugend", sagte Adam.

Einen Moment war es still im Zimmer. Die Fenster standen weit offen, und die Nachmittagssonne flutete herein, aber über die Ludwigstraße holperte nur hie und da ein Lastwagen.

„Man hat uns geschrieben, daß Sie meiner Mutter freundschaftlich beistanden", sagte Frank.

Adam stand auf. Er sah in seinem schlechtsitzenden, eng gewordenen Anzug wie ein Gymnasiast aus, der zum Abitur kein neues Gewand bekommen hatte.

„Hören Sie zu, Herr Major", sagte er, „Sie werden aus mir keine tolle Großtat herausholen. Warum Sie es wollen, weiß ich nicht. Vielleicht wollen Sie um jeden Preis einen anständigen Deutschen kennenlernen, wie sich manche Deutsche ‚ihren' Juden herausgefischt haben. Vielleicht möchten Sie wirklich etwas für mich tun – aber nur unter der Bedingung, daß ich ganz ‚anders' sei als alle anderen Deutschen. Ich muß Sie enttäuschen. Ich habe mir nichts dabei gedacht, als ich Ihre Mutter betreute. Sie war eine alte Dame, sie hatte Angina pectoris, und sie bezahlte wie jeder andere. Ich habe sie weiterbehandelt, als es mir verboten war, das stimmt, aber auch dabei habe ich mir nichts gedacht, als daß ich es auf den Tod nicht leiden kann,

71

wenn man mir etwas verbietet. Am Tage, bevor sie ins KZ gebracht wurde, kam sie zu mir und bat mich, ihr zu helfen. Ich gab ihr schöne Worte, nichts weiter. Ich habe sie nicht versteckt; ich habe sie nicht über die Grenze geschmuggelt. Ich ging einmal zu Oberlandesgerichtsrat Steer und intervenierte für sie, genau wie ich jetzt zu Ihnen gekommen bin, um für Achim Sibelius zu intervenieren. Ich weiß nicht, ob er etwas tat oder tun konnte. Das ist die ganze Geschichte, Herr Major, und es hat keinen Sinn, daß wir sie wieder erwähnen. Wenn Sie Sibelius helfen können, dann tun Sie es, nicht meinethalben, sondern weil es blödsinnig ist, ihn einzusperren, ganz und gar blödsinnig."

Während Adam sprach, hatte sich auch Frank erhoben. Er begleitete Adam zur Tür.

„Ich werde mir seinen Akt vorlegen lassen", sagte er.

An diesem Nachmittag saß er eine Stunde lang nachdenklich hinter seinem Schreibtisch.

George beschlagnahmt eine Wohnung

In der „Münchner Zeitung", einem Mitteilungsblatt der Militärregierung, hatte der Bankier Eberhard Eber die folgende Ankündigung gelesen:

„Der auf Grund des herrschenden Wohnungsmangels vor einiger Zeit an alle aktiven Nationalsozialisten ergangene Aufruf, sich mit weniger Räumen zu begnügen und zusammenzurücken, damit Wohnungen noch vor dem Winter für Personen freiwerden, die bisher unter den primitivsten Verhältnissen wohnen mußten, blieb ohne Erfolg. Dieselben Leute, die noch vor nicht allzulanger Zeit mit ‚Volksgemeinschaft' prahlten und Richtlinien für die Opferbereitschaft zu geben versuchten, versagen jetzt, wo es heißt, durch uneigennütziges, gemeinschaftliches Handeln die schwere Zeit zu überbrücken. Es wurde daher angeordnet, daß alle Wohnungen von Personen, die infolge ihrer Stellung in Partei, Staat und Wirtschaft oder durch ihre besonderen Beziehungen zum Nationalsozialismus belastet sind, freizumachen sind. Die Ausführungsbestimmungen sind aus Anschlägen zu ersehen."

München war keine Gespensterstadt wie Köln oder Essen, aber vielleicht war gerade dies ihr Unglück gewesen. Aus elenderen Städten strömten die Menschen in die elende Stadt. Über dreihundert Flüchtlingslager mußten in Bayern aus dem Boden gestampft werden; sie boten kärglichen Raum für hunderttausend Personen, aber es gab allein einhundertzweiundvierzigtausend Flüchtlingskinder; über sechshunderttausend Flüchtlinge suchten vergeblich ein Obdach. Noch hatte das Wort „Wiederaufbau" einen faulen Beigeschmack. Die „Münchner Zeitung" schrieb, sozusagen ohne mit der Wimper zu zucken, daß Bayern „zwanzigtausend Banater Bauern aus Württemberg haben möchte" und dafür „zwanzigtausend sudetendeutsche Textilarbeiter bietet". Zu kaufen gab es nichts, höchstens zu tauschen, und auch der Mensch war eine Tauschware geworden – sudetendeutsche Textilarbeiter gegen Banater Bauern billig abzugeben. Es gab noch Dächer und Wände in München, aber Dächer und Wände stellten die menschliche Solidarität auf eine Probe, die sie nicht bestehen konnte. Das moralisierende Kommuniqué hatte von den „infolge ihrer Stellung in Partei, Staat und Wirtschaft" Belasteten gesprochen, aber in der bitteren Verteidigung ihres viereckigen Lebensraumes unterschieden sich die Aufrechten keineswegs von jenen Belasteten, die das Wort „Lebensraum" einst in einem weit weiteren Sinne gemeint hatten. Mit falschem Schein und falschen Scheinen wurden stehende Wände und gedeckte Decken verteidigt. Ein Heer, größer als die geschlagene Wehrmacht, größer als die siegreiche Armee, hätte mobilisiert werden müssen, um Dach und Wand zu schaffen für die Menschen, die schlafen wollten – im Chaos erst entstand die natürliche Rangordnung: der Magen vor der Liebe und vor dem Magen der Schlaf. In den vier Räumen des Bunkers am Bahnhof schlief man in Schichten: nach vier Stunden Schlaf machte die stillende Mutter einem ziel-

losen Wanderer Platz und dieser wieder einem Heimkehrer ohne Heim und dieser wieder einer stillenden
Mutter. In den Häusern um die verwüstete Universität
waren die Bewohner von „Zwangsarbeitern" aus ihren
Wohnungen getrieben worden: Bettzeug, Lampen, Möbel
auch, flogen durch die Fenster auf die Straße, und vielleicht war es noch ein Glück, wenn sie den Ausgewiesenen
nachgeworfen wurden, denn solcher Akt wenigstens war
eine Anerkennung gewesenen Besitzes. Entsprachen eine
Villa, ein Haus, eine Wohnung den Anforderungen oder
Wünschen eines alliierten Offiziers, dann gab es gegen die
Willkür der Requisition kaum gültigen Rekurs, und auch
die alliierten Behörden, der Willkür offiziell abgeneigt,
konnten ihr nicht steuern, denn hatte man einmal eine
ganze Nation schuldig gesprochen, wer sollte da noch zu
beweisen wagen, daß es gerade ein Wohnungsbesitzer
nicht gewesen sei . . . ?

Seit frühmorgens, als er die Zeitung gelesen hatte, am
Frühstückstisch, wie es seine Art war, hatte auch den
Bankier Eberhard Eber eine schlimme Vorahnung beschlichen. Wohl waren jetzt sein Sohn Hans und seine
Tochter Karin zu Hause, auch sein Bruder Oskar hatte bei
ihm Quartier bezogen, und ein verwandtes Ehepaar der
Wirtschafterin Anna war zugezogen, aber daß die geräumige, beinahe pompöse Villa in Bogenhausen dem be-
hördlichen Zugriff auf die Dauer entgehen könnte, über-
stieg auch den legendären Optimismus des Bankiers.

Er war dann auch nicht über Gebühr erstaunt, als ihm
ein Captain George Green von der Militärregierung gemeldet wurde. Bedacht auch in schwierigen Situationen,
ließ sich der Bankier vorerst entschuldigen, oder er sandte
vielmehr Hans und Karin zum Vorhutgefecht nach vorne,
in erster Linie, weil beide fließend englisch sprachen, während er selbst eine gallisch-humanistische Bildung genossen hatte und die englische Sprache nur notdürftig beherrschte.

Der Captain setzte sich nieder, ohne eine Einladung abzuwarten, und betrachtete die beiden jungen Leute mit
unverhohlener Neugier. Hans, der das Militärgewand ohne

74

Kummer abgelegt hatte, trug zu grauen Flanellhosen eine ungemein wohlgeschnittene braune Jacke und erinnerte weit mehr an einen Studenten von Oxford oder Cambridge als an den abgerissenen Schützen, der er gestern noch gewesen war; die neunzehnjährige Karin aber, mit ihren hellbraunen Haaren, die ihr lose auf die Schulter fielen, dem kecken Näschen, den vollen, wohlgeformten Lippen, im eng anliegenden, hellen Kaschmir-Sweater, hätte ohne weiteres eine jener „teen agers" sein können, die Amerikas heitere Hochschulen bevölkern.

„So that's the house", sagte der Captain. Er kam ohne Umschweife zur Sache: „Wieviel Räume haben Sie?"

„Zwölf", sagte Hans.

„Und wieviel Personen wohnen hier?"

„Papa, Hans, Onkel Oskar, ich . . ., acht insgesamt", sagte Karin.

„Und bisher ist das Haus nicht beschlagnahmt?" fragte der Captain.

„Ich glaube nicht", sagte Hans.

Der Captain hüstelte. „Ihr Vater ist doch Eberhard Eber?" fragte er. Es war, als seien ihm Zweifel aufgestiegen.

Hans und Karin bejahten.

„Daß er noch dieses Haus bewohnt, muß der Militärregierung entgangen sein", sagte der Captain. Er sah sich um. „Ich werde morgen einziehen. Ich nehme an, daß es bis fünf Uhr nachmittag geräumt sein kann."

Er stand auf, aber etwas schien ihn zurückzuhalten. Er blieb an den Kaminsims gelehnt stehen. Eine weiße Porzellanfigur aus Capo di Monte stand auf dem Kaminsims. Er nahm sie in die Hand und begann, mit ihr zu spielen.

„Brauchen Sie denn das ganze Haus?" sagte Karin. Es klang entwaffnend naiv.

„Das steht nicht zur Diskussion", sagte der Captain. „Es ist uns nicht gestattet, mit Deutschen in einem Haus zu leben. Wundert Sie das, Fräulein Eber?"

„Eigentlich ja", sagte Karin. „Wie wollen Sie uns kennenlernen, wenn Sie nicht einmal mit uns sprechen?"

„Wir haben keinen besonderen Wunsch, die Deutschen

kennenzulernen", sagte der Captain. „Außerdem hat die Welt sie zur Genüge kennengelernt."

Karin antwortete nicht. Aber Hans sagte:

„So haben Nazis in besetzten Ländern auch gesprochen, Captain. Wir haben geglaubt, die Amerikaner würden uns die Demokratie bringen."

Mit einer Geste, viel zu energisch für einen so zerbrechlichen Gegenstand, stellte der Captain die Porzellanfigur auf die Marmorplatte des Kamins.

„Genau so möchten es die Nazis haben", sagte er. „Zuerst haben sie die Demokratie zertrümmert, jetzt möchten sie von ihr profitieren. Die Demokratie ist für die Demokraten da. Sie wollen wohl nicht behaupten, daß die Demokratie das Haus des Herrn Eberhard Eber schützen müsse?"

Karin biß die Lippen zusammen. Sie wollte schweigen; aber dies war der erste Amerikaner, dem sie gegenüberstand. Sie war neunzehn, und sie glaubte, daß sich die Menschen näherkämen, wenn sie miteinander sprächen. Außerdem hatte sie das Gefühl, daß nichts zu verlieren war: schon als der Mann die Porzellanfigur in die Hand genommen hatte, hatte er Besitz ergriffen von dem Haus. Sie sagte:

„Es hängt davon ab, zu welchem Zweck ein Haus beschlagnahmt wird. Selbst das Haus von Eberhard Eber zu beschlagnahmen, wäre, glaube ich, nicht sehr demokratisch, wenn Sie es für sich allein brauchen."

Sie errötete vor ihrer eigenen Kühnheit. Der Captain sah sie an: die Frechheit dieses deutschen Mädchens trieb auch ihm das Blut zu Kopf. Zugleich bemerkte er, wie hübsch sie war, wie ungewöhnlich hübsch. Die könnte ganz gut im Haus bleiben, dachte er.

„Ich will Ihren Vater sprechen", sagte er hart.

Karin und Hans sahen sich an. Seit ihrer frühesten Kindheit war es so gewesen, daß sie keine Worte brauchten und sich durch Blicke zu verständigen vermochten. Als sich Eberhard Eber von ihrer Mutter scheiden ließ, war Hans zwölf und Karin neun. Es war damals, daß sie, erbittert und zum Widerstand entschlossen, den Schutz- und

Trutzbund gründeten: Hans hatte sie eine Geheimsprache gelehrt, eine Geheimsprache wie Indianer sie benützten, zumindest in den Vorstellungen von Karl May. Sie erinnerten sich noch genau einzelner Wörter dieser romantisch kameradschaftlichen Sprache, aber sie brauchten sie längst nicht mehr zu verwenden, denn Menschen, Ereignisse, Worte lösten bei ihnen so ähnliche, manchmal erschreckend zwillinghafte Reaktionen aus, daß der eine die Gedanken des anderen besser zu lesen vermochte als seine eigenen. Auch jetzt hatten sie das gleiche gedacht, oder doch Ähnliches: daß der Widerspruch, der Protest gegen die Willkür sie hineingewirbelt hatte in eine Verteidigung dieses Hauses, das sie nicht liebten, und ihres Vaters, den sie nicht achteten. Gestern noch hatten sie einen im Rahmen der traditionell undurchdringlichen Disziplin stürmischen Auftritt mit ihrem Vater, dem sie nahelegten, das Haus auf dem Wohnungsamt zu melden, und nun würde es, dachten sie, sein wie immer: dieser Mann am Kamin würde ihm bestätigen und ihnen zugleich sinnbildlich beweisen, daß er recht hatte, wenn er seine Weltanschauung aus der Verachtung der Menschen schöpfte.

Karin erhob sich, um ihren Vater zu rufen, unwillig, die Fahne, an die sie nicht glaubte, für ihn fürderhin zu tragen, als die Tür aufging und Dr. Eber lächelnd und gemessenen Schrittes den Salon betrat.

„Ich entschuldige mich", sagte er in gebrochenem, aber peinlich gesetztem Englisch, „ich wollte Sie nicht so lange warten lassen, Captain. Darf ich fragen, welchem Umstand ich Ihren Besuch verdanke?"

Hans und Karin bemerkten, daß der Offizier ihren Vater mit Neugier musterte, mit Neugier, aber auch mit einem gewissen Respekt, wie man ihn selbst üblen Notoritäten zollt, die aus den Seiten der Zeitungen lebendig heraustreten. Auch die Einladung Dr. Ebers, Platz zu nehmen, akzeptierte er zur Überraschung der jungen Leute, die beinahe physisch empfanden, wie sie neben der stärkeren Persönlichkeit ihres Vaters plötzlich verblaßten.

Indessen hatte sich der Captain von seinem ersten Eindruck erholt.

„Ich bin gekommen, um das Haus zu beschlagnahmen", sagte er. „Es muß bis morgen nachmittag geräumt sein."

„Das überrascht mich", antwortete Dr. Eber durchaus gefaßt, „es sei denn, daß Sie im Auftrag des Generals Mac Callum handeln."

„Was hat das mit General MacCallum zu tun?" fragte George Green unwillig. Aber es war offensichtlich, daß auf den amerikanischen Captain die Nennung eines Generals nicht anders wirkte, als sie auf einen deutschen Hauptmann gewirkt hätte.

„Ich stehe mit dem Herrn General", sagte Dr. Eber höflich, „in Verhandlungen über die Einrichtung eines Offizierskasinos. Sollte es sich um dieses handeln ..."

„Es hat nichts mit einem Kasino zu tun", sagte Captain Green. „Und können Sie das mit dem Kasino überhaupt beweisen?"

„Ich darf Sie bitten, beim Herrn General anzufragen", sagte Dr. Eber.

Der Captain stand brüsk auf. Aber was immer er tun oder sagen wollte, vermochte er nicht auszuführen, denn die Ereignisse, die sich in den nächsten Minuten abspielten, rollten mit der Geschwindigkeit einer filmischen Handlung ab, in der ein geschickter Regisseur ein Allzuviel an Dialog durch eine rasante Aktion ersetzt.

Der scharfe Sirenenton eines Automobils, eines Militärjeeps zweifellos, unterbrach die Handlung im Eberschen Salon, und als die Figuranten, aufgescheucht, durch die offenen Fenster in den sommerlichen Park hinausblickten, sahen sie in der Tat einen weiß angestrichenen Wagen der Militärpolizei, der über die sich graziös windende Balustrade vorgefahren war und mit jenem „Kreischen der Bremsen" hielt, das zu den Lautrequisiten dramatischer Entwicklungen gehört. Ein Polizeioffizier, von zwei M.P.s gefolgt, sprang aus dem Wagen – er sprang wirklich heraus, er entstieg ihm nicht – und stürzte ins Haus, als fürchtete er, durch bedachtere Vorwärtsbewegung mehrere Meter eines kostbaren Films zu verlieren. Anna, die Wirtschafterin, die sich anschickte, die unerwarteten Gäste zu empfangen, wurde buchstäblich weggefegt und die drei

Männer fegten ebenso buchstäblich in den Salon. Der M.P.-Offizier, einen Augenblick überrascht, hier einem amerikanischen Hauptmann zu begegnen, wies sich, auch dies in größter Eile, aus und präsentierte zugleich einen mit vielen Stempeln verzierten Haftbefehl. Den schwer, wenn auch nicht ganz erfolglos um Haltung ringenden Bankier begleiteten die zwei Polizisten in sein Schlafzimmer, wo er einige unentbehrliche Habseligkeiten verpacken sollte; wenige Minuten später nahm den Reisebereiten der M.P.-Leutnant im Wohnzimmer wieder in Empfang. Inzwischen hatten Karin und Hans dem Gespräch der beiden Offiziere entnommen, daß ein „unverständliches Versäumnis" beschleunigt nachgeholt werden sollte: General MacCallum hatte persönlich die Verhaftung des „Hitler-Bankiers" angeordnet.

Dr. Eber verabschiedete sich von seinen Kindern schnell, aber ohne seine Würde zu verlieren, beinahe als träte er eine plötzlich notwendig gewordene Geschäftsreise an, und verließ, von den Soldaten flankiert, den Raum.

Auch Captain Green war jetzt an der Tür. Dort wandte er sich noch einmal um und sagte:

„Das vereinfacht ja die Dinge. Also ... bis morgen um fünf ..."

Dr. Wilds Haus bleibt Zuflucht

Die Ereignisse im Hause Dr. Eberhard Ebers hatten sich an einem Mittwochnachmittag begeben; jeden Mittwochabend pflegten sich einige junge Leute auf der Bude des cand. jur. Stefan Lester zu treffen.

Nach seiner Heimkehr aus der Kriegsgefangenschaft hatte Hans sein erster Weg in die Schwabinger Adelheidstraße geführt, wo Stefan in einem Zimmer hauste, das insoferne unbeschädigt war, als es keine Fenster besaß, die der Luftdruck fallender Bomben hätte zertrümmern können. Auch nachdem das väterliche Haus beschlagnahmt und sein Vater abgeführt worden war, eilte Hans zu

Stefan. Er fand ihn im Gespräch mit einem jungen Menschen von etwa fünfundzwanzig Jahren, einem gewissen Horst Kallegher, dem er vor seiner Einziehung ein- oder zweimal begegnet war.

Selbst in den Tagen des Volkssturms, und auch als der agonisierende Führer des agonisierenden Reiches in Berlins Ruinen eine Parade von Milchgesichtern abnahm, die er dem Tode weihte, hatte man Stefan Lester nicht eingezogen. Stefan hatte einen Buckel; er war als Krüppel zur Welt gekommen. Scheint Krüppelhaftigkeit den Menschen zumeist wie ein unbegreiflicher Hohn auf die Schöpfung, so war sie doppelter Hohn im Falle Stefan Lesters. Er hatte nämlich einen Buckel, ohne bucklig zu sein: der Höcker, der seinen schmalen Rücken verunstaltete, kontrastierte mit einem sonst völlig normal gebauten, wenn auch schwächlichen Körper, mit einem Gesicht auch, dessen edle Symmetrie an die Statuen junger griechischer Götter gemahnte. In diesem paradoxen Körper, der wirkte, als hätte der Teufel eine göttliche Kreation im Moment vor der Geburt verunstalten wollen, aber nicht mehr völlig verunstalten können, wohnte eine Seele, deren Verunglimpfung zu besorgen Satan offenbar zu spät gekommen war. Selbst moderne Psychologen hätten im Falle des Krüppels Stefan Lester vergeblich nach jenen Komplexen oder Überkompensationen geforscht, die sie aus körperlichen Gebresten so gern mit behendem Eifer ableiten. Bestand überhaupt ein Zusammenhang zwischen seinem körperlichen Defekt und seinem Gehaben, so äußerte er sich höchstens in der frühen Reife, die den Geprüften beinahe von Kindheit an auszeichnete.

Es war durchaus des Wesens von Stefan Lester, daß er die ersten peinlichen Augenblicke, die Hans' Begegnung mit Horst Kallegher heraufbeschwören mußte, mit einigen scherzenden, zugleich jedoch behutsamen Worten überbrückte. Als Hans den jungen Kallegher zum letztenmal gesehen hatte, war der Student ein breitschultriger Junge mit lockigen, braunen Haaren, fröhlichen Augen und etwas knabenhaft hölzernen Gesten gewesen: ein Typus im großen und ganzen, der es den Mädchen antat, die in einer düsteren und gefahrvollen Zeit „Lustigkeit" als eine der stärksten männlichen Attraktionen schätzten. Dieser „lustige" Junge nun schien um runde zwanzig Jahre gealtert; seine Züge waren eingefallen und von Runzeln gezeichnet, und sein rechtes Bein war ihm weggeschossen worden, so daß er sich nur mit Hilfe eines absonderlich konstruierten, notdürftigen Krückstocks fortbewegen konnte. Das Unglück mußte sich im letzten Kriegsjahr ereignet haben, das war Hans, dem ehemaligen Landser, auf den ersten Blick klar, denn ehe der letzte Akt der Tragödie hereinbrach, hatte man die Verwundeten noch sorgsamer zusammengeflickt. Wie die Ruinen der Häuser, so trugen um diese Zeit auch die menschlichen Ruinen für den Kenner eine deutliche Jahreszahl: je weiter der Krieg fortschritt, desto säuberlicher wurde das Werk der Zerstörung besorgt und desto weniger säuberlich wurden die Trümmer aufgeräumt, die baulichen wie die menschlichen.

Hans schämte sich, angesichts dieser jungen Ruine, die eigenen Sorgen seinem Freund anzuvertrauen, aber nach wenigen Minuten hatte ihm Stefan einen Bericht über die Ereignisse des Nachmittags entlockt.

„Ich kann mir von Frau Huber eine Matratze geben lassen", meinte Stefan, „und du kannst auf dem Diwan schlafen."

„Wir machen es umgekehrt", sagte Hans, „aber deine Gastfreundschaft wird hiermit akzeptiert."

„Im übrigen glaube ich, daß wir auch für Karin einen Unterschlupf finden können", fuhr Stefan fort. „Dr. Wild wird in ein paar Minuten hier sein, und er wird, ich bin's gewiß, Karin ohne weiteres aufnehmen. Er hat eine Schlafgelegenheit in seinem Ordinationszimmer."

„Und warum glaubst du, daß dein Dr. Wild sie beherbergen wird?" fragte Hans. Er hatte, ehe er zur Wehrmacht mußte, oft von Dr. Wild gehört, aber ihn nie kennengelernt.

Stefan lächelte. „Dr. Wilds Diwan!" sagte er. „Wenn dieser Diwan sprechen könnte! Juden schliefen darauf und Offiziere des 20. Juli und entlaufene politische Häftlinge und Widerstandsleute oder auch nur Ausgebombte." Er setzte sich in den einzigen Sessel, der neben einem altersschwachen Tisch stand. „Er war immer da, der Dr. Wild, wenn man ihn brauchte, aber frage mich nicht, wer er eigentlich ist oder was er tat, denn ich weiß es selbst nicht. Der 20. Juli, zum Beispiel. Ich bin überzeugt, daß er von den Plänen der Verschwörer keine Ahnung hatte, aber als es einmal schiefgegangen war, beherbergte er Offiziere, die sich nach München abgesetzt hatten. Oder der Aufstand an der Universität. Wir teilten ihm einfach mit, was wir vorhatten und er versteckte die Flugblätter bei sich, bis wir sie brauchten. Oder die Verschwörung der Dolmetscherkompagnie. Einzelne Gruppen trafen sich im Antiquitätenladen seiner Mutter oder spielten später Patienten in seiner Ordination."

Horst Kallegher hatte bisher geschwiegen. Jetzt sagte er: „Offenbar ein berufsmäßiger Heiliger. Oder ein Michael Kohlhaas. Wie mich das schon ankotzt, diese Wohltäter und Rechthaber!"

„Und warum kotzen sie dich an?" fragte Stefan ruhig.

„Weil sie nur noch mehr Unordnung in die Welt bringen", sagte der Einbeinige. „Du weißt, daß ich nie mitgemacht habe, bei eurer sogenannten Widerstandsbewegung. Du hast dich mir anvertraut, Stefan, und du hast es nicht bereut. Ich habe den Mund gehalten, aber das ist auch alles. Euer Gerede und Getue hat mich angekotzt. Woher wart ihr denn so sicher, daß ihr recht hattet? Sind denn nicht genug Leute an den Fronten krumm geschossen worden? Mußtet ihr auch noch zu Hause Märtyrer schaffen? Gewiß, ihr habt euren eigenen Kopf hingehalten – aber was weiter? Ich hatte einen Obersten, einen Hundsfott, wenn ich je einen gesehen habe, der hat sich auch dauernd in der ersten Linie herumgetummelt und ist mit ‚gutem Beispiel' vorangegangen, oder wie die heroische Scheiße sonst heißt. Was weiter? Ist persönliche Courage eine Entschuldigung? Weil er von seiner heiligen Aufgabe überzeugt war, mußte ich mir das Bein wegschießen lassen. Und wenn du glaubst, daß mir das Bein nachwächst, weil er sich dabei selbst hat totschießen lassen, dann irrst du gewaltig. Sie kotzen mich an, alle miteinander, die mit ‚gutem Beispiel' vorangehen, und es ist mir vollkommen gleichgültig, ob sie von dieser oder jener Sache überzeugt sind. Jedesmal, wenn irgendeiner von einer ‚heiligen Sache' überzeugt ist, werden ein paar tausend Idioten, die sich von ihm überzeugen lassen, totgeschossen."

Stefan wollte ihm antworten, aber es klopfte an der Tür, und der Mann, den Horst einen berufsmäßigen Heiligen und einen Michael Kohlhaas genannt hatte, trat ein.

Er begrüßte Stefan und die beiden Fremden. Stefan stellte Horst als einen angehenden Mediziner vor. Dann begann Adam in seiner Tasche herumzukramen.

„Ich habe Ihnen etwas Tabak mitgebracht, Stefan", sagte er. „Zigarettenpapier gibt es leider keins. Aber wenn Sie nicht wie ein Schlot rauchten, hätten Sie noch etwas übrig. Nebenbei, meine Mutter hat mir aufgetragen, das Packpapier wieder mitzubringen."

Stefan bedankte sich und leerte den Tabak behutsam in eine alte Zigarrenkiste.

„Ein schöner Schlot bin ich", sagte er, „ich habe seit zwei Tagen nicht geraucht."

„Das ist vorzüglich für Ihre Gesundheit", sagte Adam. „Wenn das so weitergeht, werden wir noch eine eminent gesunde Nation werden. Sie dürfen mir übrigens eine Zigarette drehen."

Er nahm zwischen den beiden anderen Männern auf dem Sofa Platz. Seine ausgestreckten Beine waren so lang, daß sie beinahe die gegenüberliegende Wand berührten.

„Mein Freund Hans muß bald gehen", sagte Stefan. „Er befindet sich in einer mißlichen Lage." Und er begann, sein Projekt zur Unterbringung Karins zu erörtern.

„Selbstverständlich", unterbrach ihn Adam, noch ehe er geendet hatte. „Der Diwan ist frei." Und lächelnd fügte er hinzu: „Sie sehen, Stefan, es geht aufwärts."

Hans betrachtete ihn aufmerksam.

„Ich danke Ihnen, Herr Doktor", sagte er, beinahe gerührt. „Aber darf ich Sie etwas fragen?"

Adam zog die Augenbrauen hoch.

„Finden Sie es nicht absonderlich, daß gerade Sie die Tochter Eberhard Ebers beherbergen sollen?" sagte Hans.

Adam tat einen tiefen Zug aus der Zigarette, die Stefan für ihn gedreht hatte.

„Herr Eber", sagte er, „sehe ich aus wie einer, der an Sippenhaftung glaubt?" Und als Hans verwirrt schwieg, begann er mit einer Erklärung, welche die Anwesenden nicht sogleich verstanden: „Es geschieht jeden Tag, daß ein Arzt einen Bazillus ausrotten will, aber der Bazillus hat dafür kein Verständnis und infiziert den Arzt. Wir werden infiziert von dem, was wir bekämpfen." Er erhob sich und begann auf und ab zu gehen; eine Tätigkeit, für die sich der Raum als viel zu klein erwies. „Ich habe gestern", sagte er, „im Organ der Militärregierung eine bezeichnende Geschichte gelesen. Die neunzehnjährige Tochter des ehemaligen deutschen Generalgouverneurs von Polen hat einen einundzwanzigjährigen Schauspielereleven geheiratet. Worauf die Besitzerin eines bekannten Bauerntheaters den jungen Mann hinauswarf: mit dem Schwiegersohn eines Kriegsverbrechers wolle sie nichts zu tun haben. Die gute Frau kommt sich wahrscheinlich wie ein ausgewachsenes Demokraten-Dirndl vor. Dabei weiß sie nicht, daß sie Sippenhaftung anwendet. Der Bazillus ist ihr ins Blut gekrochen."

„Sie glauben mit anderen Worten nicht", sagte Hans, „daß der Zweck die Mittel heiligt?"

„Der Satz scheint mir an und für sich eine abscheuliche Absurdität", sagte Adam. „Das Ziel ist immer verworren, unklar und willkürlich. Wissen Sie, ob Ihre Zwecke richtig, wertvoll, bleibend sind? Weiß ich es? Weiß es irgend jemand? Welch eine Anmaßung, Herr Eber, ein Ziel für so gut zu halten, daß es schlechte Mittel rechtfertigt! Und wer sagt Ihnen, daß man das Ziel überhaupt erreicht, daß man nicht steckenbleibt in den schlechten Mitteln? Sichtbar sind nur die Mittel. Sie können von den Mitteln auf den Zweck schließen, aber nicht umgekehrt. Ein Arzt, der mir einreden will, daß er besser operiert, wenn er seine Instrumente nicht sterilisiert, ist ein Narr oder Schwindler."

Horst hatte, auf seinen Krückstock gestützt, den Arzt beobachtet. Er sagte:

„Wenn man aus den Methoden auf die Ziele schließen soll, Herr Doktor, dann sind die Ziele der Besatzung genau so dreckig wie die des abgetretenen Regimes. Die operierten auch mit unsterilisierten Instrumenten."

Adam blieb vor Horst stehen. Es war offenbar, daß er keine Absicht hatte, den Versehrten zu schonen, aber Hans schien es, als wäre solche Rücksichtslosigkeit von zarterer Wirkung als es respektierliches Mitleid gewesen wäre.

„Was berechtigt Sie zu der Annahme, Herr Kallegher", sagte Adam, „daß ich mich für die Methoden der Besatzung begeistere?"

„Soviel ich weiß", sagte Horst, „haben Sie dazu beigetragen, daß wir jetzt eine Besatzung haben."

Adam setzte sich nieder. Stefan wollte etwas einwenden, aber er kam ihm zuvor: „Lassen Sie nur, Stefan", sagte er. „Ich bin nicht empfindlich." Und an Horst gewandt: „Herr Kallegher, es ist zu früh, mir vorzuwerfen, daß ich, sehr am Rande übrigens, am Sturz des Regimes mitgewirkt habe. Das dürfte eines Tages kommen, aber es ist zu früh. Wenn Sie jedoch glauben, ich hätte die Besatzung gewollt, dann überschätzen Sie meine Vorsicht. Ich habe gegen das Regime gearbeitet, weil ich überzeugt war, daß es ein ganz und gar verrottetes Regime gewesen ist."

„Mit anderen Worten", warf Horst ein, „– auch Sie haben sich angemaßt, zu wissen, was gut und was ,verrottet' ist."

Stefan ergriff das Wort für Dr. Wild. „Wir haben nicht die Ziele des Regimes untersucht", sagte er. „Das war nicht notwendig. Die Methoden verrieten das Regime: deshalb war der Kampf berechtigt."

Adam lehnte sich zurück. Er sagte: „Ich will Ihrem Vorwurf nicht ausweichen, Herr Kallegher. Wenn Sie noch ein medizinisches Beispiel erlauben: Ich glaube nicht daran, daß man die Menschen vom Grunde aus heilen kann. Der Versuch allein wäre eine Anmaßung. Man kann nur Krankheiten heilen. Und hoffen, daß die nächste Krankheit etwas weniger schlimm sei als die vorhergehende. Tritt sie auf, dann greift man sie wieder an. Und so fort. Und wenn Ihnen das als kein genügend positives

Programm erscheint, dann werden Sie lieber Theologe statt Arzt."

„Ob ich Theologe oder Arzt werde", sagte Horst, „ist ganz gleichgültig. Die Entscheidungen werden ohne mich getroffen, das übersehen Sie, Herr Doktor. Man hat mich nicht gefragt, ob ich Hitler und den Krieg wollte, und man fragt mich auch nicht, ob ich die Besatzung will." Etwas ruhiger und leiser fügte er hinzu: „Ich habe nichts gegen Ihre Theorien, Herr Doktor, als daß sie theoretisch sind. Sie kurieren dies, und Sie kurieren jenes. In Wirklichkeit kurieren Sie nichts. Die Krankheiten kommen und gehen, ohne Ihr Zutun."

„Die Theorie vom kleinen Mann", sagte Stefan. „Wir haben mit Dr. Wild hundertmal darüber gesprochen ... die verfluchte Theorie vom kleinen Mann!"

Hans erhob sich. Er hätte der Unterhaltung noch lange zuhören, vielleicht zu ihr auch seinen Teil beitragen können, aber er konnte Karin nicht den ganzen Abend allein lassen. Hunderterlei gab es bis morgen fünf Uhr nachmittags zu erledigen. Er dankte Adam für die gastfreundliche Bereitschaft, notierte die Anschrift des Arztes, drückte den beiden jungen Männern die Hand und ging.

Es war halb neun, aber es war noch beinahe hell. Bald kommt der längste Tag des Jahres, dachte Hans. Der Gedanke berührte ihn schmerzlich. Der Sommer war die Jahreszeit der Kindheit. An Frühling, Herbst und Winter der Kindheit erinnerte man sich nicht, nicht deutlich zumindest, aber alle Kindheitssommer lebten noch, mit ihren Landschaften und Gerüchen, ihren Stimmen und ihren Stimmungen. Das Landhaus am Tegernsee, abendliche Bootfahrten, die schäumenden Wellen der Nordsee, die schwirrenden Leuchtkäfer, der Buchsbaumgeruch am Gartenzaun, die Gewitter an schwülen Nachmittagen, der knirschende Kies im Kurpark, das morgendliche Vogelkonzert unter dem Fenster, der erste Kuß: das alles gehörte zu den frühen Sommererinnerungen, das alles überfiel jetzt den ehemaligen Schützen Hans Eber, der an den Ruinen der Pinakothek vorbei heimwärts strebte. Auch an Sommer in München erinnerte er sich: die Hitze lag über der Stadt, und Männer in Hemdsärmeln trugen Bier über die Straße, und die Jungen und Mädchen standen an ihre Fahrräder gelehnt, und der Englische Garten summte von Liebesgeflüster. Polizeistunde und tote Häuser und fremde Streifen und ängstliche Stille: sie fügten sich vielleicht in das Bild einer kalt winterlichen Stadt, aber der Sommer revoltierte gegen sie, und weil alles stillblieb und tot, wirkte die Straße, als ruhte sie tödlich nach einer niedergeschlagenen Revolution.

Hans ging schnell: die Trümmer gestatteten manche Abkürzung. Er überdachte, was er gehört hatte, aber nur ein vager Eindruck war in ihm geblieben. In tausend heißen Zimmern der sommerlichen Stadt werden jetzt ähnliche Gespräche geführt, dachte er, Gespräche und noch mehr Selbstgespräche. Sie reden klug oder dumm, aggressiv oder in der Verteidigung, bitter oder hoffend, und alle nur, weil keiner mit sich selbst fertig zu werden vermag. Warum fragen sich so wenige, wie das alles gekommen ist? Warum bemitleiden sich so viele von uns, weil wir uns dem Wahnsinn nicht widersetzten, oder weil wir uns ihm vergeblich widersetzten, oder weil Hitler uns in den Krieg jagte, oder weil wir ihn verloren, oder weil wir ausgestoßen sind oder besetzt? Warum sind wir so gründlich, wir Deutschen, und gehen den Dingen doch nie auf den Grund? Die Besetzung ist eine Folge des verlorenen Krieges und der verlorene Krieg eine Folge des Dritten Reiches und das Dritte Reich eine Folge ... aber da hört es schon auf, und die meisten von uns gehen nicht einmal so weit. Wir sehen die Umstände und zerpflücken sie und bleiben doch auf der Oberfläche, weil wir den Ursachen geflissentlich ausweichen. Auch was Dr. Wild gesagt hatte, schien ihm ziemlich hoffnungslos, und der einbeinige Horst Kallegher hatte vielleicht recht, vielleicht war jede Kur vergeblich und Kurpfuscherei war es, sie zu unternehmen.

Er hatte während des ganzen Abends kaum mehr an seinen Vater gedacht, aber jetzt tauchte das Bild Eberhard Ebers wieder auf, wie er aufrecht und voll steifer Würde zwischen den M.P.s aus dem Wohnzimmer schritt, und beinahe war es Hans, als sollte er seinen Vater beneiden.

Eberhard Eber führt keine Gespräche, auch kein Selbstgespräch. Er grübelte nicht über Gut und Böse, Lüge und Wahrheit; er war Eberhard Eber, ein Mann, der den Charakter wie lästigen Ballast über Bord geworfen hatte und mit dem Charakter auch die Fragen und die Zweifel.

Es war inzwischen dunkel geworden, aber als Hans durch das Gartentor den Park der Villa betrat, bemerkte er sogleich den Wagen, der vor dem Haus stand. Es war ein flotter, offener Mercedes, auf die dunkelblaue Kühlerhaube jedoch war ein weiß leuchtender Stern gemalt, zum Zeichen, daß es sich um ein beschlagnahmtes Fuhrwerk handle.

„Der Offizier ist wieder da", sagte Anna flüsternd, nachdem sie ihn eingelassen hatte.

Und in der Tat saß Captain George Green, Karin gegenüber, im Wohnzimmer. Eine halbgeleerte Weinflasche stand vor ihm auf dem Tisch. Er erhob sich nicht, als Hans das Zimmer betrat, aber er erwiderte den Gruß des Eintretenden mit herablassender Freundlichkeit. Er bot Hans eine Zigarette an.

„Ich habe es mir überlegt", sagte er. „Unter gewissen Voraussetzungen können Sie im Haus bleiben . . ."

Major O'Hara rettet die Kommandeuse

Sie hatten alle Geheimnisse, die Menschen im besetzten Land. Gerade, weil sie alle vor den Röntgenapparat gezerrt wurden, wo ihre Herzen durchleuchtet werden sollten und ihr Gehirn und ihre Knochen und ihr Mark, versuchten sie sich zu verbergen, vor den anderen und vor sich selbst.

Sie saßen stundenlang vor den grotesken Fragebogen, um Antworten ringend, die sich versteckten und einem entglitten, je mehr man sich um sie bemühte. Warst du Parteimitglied oder Anwärter, oder gehörtest du einer der angegliederten Organisationen an? Zu Hunderten standen die forschenden Fragen, schwarz auf weiß, und in den weißen Raum sollte man das Geheimnis schreiben, dessen Bekenntnis Strafe heraufbeschwor oder Schande oder Hunger oder alles zusammen. Der „Raum für Antwort" war zu groß oder zu klein, wie man es nahm. Er war zu groß, denn das Wörtchen „ja" – Parteimitglied gewesen, Anwärter gewesen, dieser oder jener Organisation angehört – das winzige Wort schwebte einsam und in seiner Einsamkeit leuchtender und endgültiger im weißen Raum. Aber der Raum war zu klein, denn er hätte Raum bieten müssen für eine Lebensgeschichte, für Weltgeschichte auch ... warum war man mitmarschiert oder nicht oder mitgelaufen oder nicht oder halben Weges mitgegangen oder ganz hinten oder an der Spitze ... warum, warum ... weil man Opportunist war oder Idealist; weil man den Bruder aus dem KZ holen wollte oder den Konkurrenten ins KZ bringen; weil man es nicht gewagt hatte, einen Werber von der Türe zu weisen, oder weil man am Beruf hing, oder weil man einer Frau imponieren wollte, oder weil man sich patriotisch dünkte; weil man hypnotisiert war oder begeistert oder feig oder fanatisch oder irregeleitet oder verbittert oder ein Träumer ... Das alles hätte den weißen Raum füllen sollen, aber die Zeit verlangte, daß man seine Geheimnisse mit „ja" oder „nein" preisgebe, und das Dasein war wie ein schlechter Roman, in dem alles geschieht und nichts ein Motiv hat.

Jeder hatte ein Geheimnis. Einer verheimlichte nur, daß er in der Matratze ein paar Dollar versteckt hatte; ein anderer, daß er dabei gewesen war, als man Unschuldige erschoß, in Lidice und Oradur. Einer verheimlichte, daß er vor zwölf Jahren drei Monate lang der Partei angehört hatte; ein anderer, daß er wußte, wo Geld vergraben lag. Es gab auch welche, deren Geheimnis seltsame Irrwege ging, die im Dritten Reich gelitten und auf Vergeltung gewartet hatten, jetzt aber ihr Wissen über diesen und jenen, dieses und jenes für sich behielten: sie hatten sich der deutschen Siege geschämt, aber sie wollten nicht profitieren von der deutschen Niederlage. Und dann gab es andere, die Wahrung ihres eigenen Geheimnisses, Straflosigkeit vielleicht, erwarteten von der Preisgabe des Geheimnisses eines Freundes. Man denunzierte sich und andere, oder man schützte sich und andere, und das Spiel mit dem Geheimnis wurde um so absurder, als im besetzten Land jeder das Geheimnis des anderen kannte, die neugierigen Fremden aber nichts wußten, als was ihnen papierne Fragebogen und zweifelhafte Flüsterer erzählten.

Sie hatten alle Geheimnisse, auch die Sieger. Sie hatten Gesetze gesetzt, die sie nicht einzuhalten vermochten oder nicht einhalten wollten. Es war verboten, mit den Besiegten zu sprechen, Handel zu treiben und zu schlafen oder auch nur Mitleid zu empfinden und Verständnis zu bezeugen. „Don't gum up the victory", schrieb „Stars and Stripes", das Organ der Armee, und es hieß im Leitartikel, Kaugummi, an deutsche Kinder verteilt, würde die Sieger um die Früchte der Eroberung bringen. Gegen solchen diabolischen Irrsinn lehnte sich auch Verstand und Gefühl der Sieger auf. Man floh ins Geheimnis. Man sprach mit den Deutschen, man trieb mit ihnen Handel, man schlief mit deutschen Frauen. Manchmal hatte man auch Mitleid und Verständnis und Kaugummi. Und da unter den Siegern, wie unter den Besiegten, jeder das Geheimnis des anderen kannte, lösten sich die Bande der Disziplin: Vorgesetzte und Untergebene wurden zu Mitwissern und Mitverschworenen und Mitverschworene wurden sie auch des besetzten Landes.

Dennoch war das Geheimnis, das der ehemalige Polizeisergeant, Major Bill O'Hara, seit Tagen mit sich herumschleppte, völlig anderer Natur als die Geheimnisse, die von Gewohnheit und Umständen hüben und drüben geheiligt waren.

Der Gefreite, Pfc., wie die militärische Bezeichnung hieß, Harry S. Jones aus Texas, des Majors Fahrer, wußte ganz genau, daß der Major gelogen hatte, als er behauptete, die KZ-Kommandeuse Irene Gruß nicht im „Hotel Nadler" gefunden zu haben.

Der zu Tode erschrockene Herr Nadler, Besitzer des Hotels, ihr Schwager, hatte in jener Nacht keinen Moment geleugnet, daß sich Irene Gruß in seinem Gasthof auf-

halte: er geleitete den Major keuchend die Treppen hinauf, immer wieder beteuernd, daß er nicht gewußt habe,
seine Schwägerin werde behördlich gesucht.

Was sich in der Dachkammer, deren Tür Herr Nadler
dienstbeflissen öffnete, zwischen dem Major und der Frau
ereignete, stellte sich erst mehrere Jahre später und unter
den ungewöhnlichsten Umständen heraus. Als Herr
Nadler, unmittelbar nach dem überraschenden Exit des
Majors, mit seiner Frau, Irenes Schwester, zum Dachstuhl
emporstieg, hatte Irene ihr lila Kimono nur dürftig über
ihren nackten Körper geworfen und verlangte laut, daß
ihr Schwager das Zimmer verlasse, damit sie ihrer Schwester etwas „zeigen" könne. Frau Nadler verriet ihrem
Mann freilich, daß die Reitpeitsche des Majors eine
„schreckliche Verwüstung" angerichtet habe; zugleich offe-
rierte die naive Frau, ihrer Schwester von jeher nicht zugetan, eine erstaunliche Version des Geschehenen. Ohne
zu begreifen, was vorgefallen war, berichtete Frau Nadler,
daß Irene die Prügel nicht nur ohne Protest, sondern
offenbar auch ohne Bedauern eingesteckt habe; daß sie
sich rühmte, genau zu wissen, wie man den Amerikaner
„behandeln" müsse; und auf dem Nachtkasten der Mißhandelten fand Herr Nadler noch am nächsten Morgen
zwei Pakete amerikanischer Zigaretten. Zum wachsenden
Erstaunen des Hoteliers trug Irene an diesem Morgen,
obschon körperlich in jämmerlichem Zustand, ein arrogan-
tes Wesen zur Schau, das mit ihrer demütigen Bescheidenheit der letzten Wochen sichtlich kontrastierte. Sie saß, im
lila Kimono, weder ihre Nacktheit noch ihre Striemen ver-
bergend, im Wohnzimmer der Nadlers, rauchte eine Zigarette nach der anderen, verlangte eine Tasse Bohnenkaffee und rühmte sich, die Gastfreundschaft ihres Schwagers bald mit Zinsen und Zinseszinsen vergelten zu können. Am Nachmittag packte sie ihre Habseligkeiten in
einen kleinen Fiberkoffer, den sie auf der Flucht mitgebracht hatte; kurz nach Einbruch der Dunkelheit fuhr,
genau wie es Irene angekündigt hatte, ein geschlossener
Horch, nazioffizieller Herkunft, vor dem Hotel in der Sack-

gasse vor, und der rothaarige Major verfrachtete die Frau im Innern des pompösen Gefährtes.

Dies hatte sich vor beinahe zwei Wochen abgespielt. Seit zwei Wochen nun lebte Irene Gruß versteckt in der Villa, die Major William S. O'Hara in einer abgelegenen Nebenstraße von Pasing bei München beschlagnahmt hatte. Es war seither kein Tag, beinahe keine Stunde vergangen, ohne daß der Major den Gedanken erwogen hätte, seine Geliebte den Behörden zu überstellen. Sein Vorgesetzter, Oberst Graham T. Hunter, war aus mehr als einem Grund überzeugt, daß sich die Kommandeuse in Bayern aufhalte, und er zieh O'Hara, dem Major ohnedies wenig gewogen, der groben Unfähigkeit. Einmal erklärte Colonel Hunter sogar, er werde Major Green mit den weiteren Nachforschungen betrauen: eine Drohung, die O'Haras Polizistenehrgefühl auf das tiefste verletzte und ihn beinahe zur Preisgabe seines Geheimnisses veranlaßte. Auch war dem Polizisten O'Hara in seiner Heimat der beliebte amerikanische Slogan: „Crime doesn't pay" tausendmal eingebläut worden: er war in der Tat überzeugt, daß „sich Verbrechen nicht bezahlt machen", aber der Trieb, der O'Hara beherrschte, war stärker als Ehrgeiz und Moralität, stärker sogar als Furcht.

Es hatte schon während der vorerst theoretischen Ermittlungen über den Fall Irene Gruß begonnen. Je mehr O'Hara von Irene Gruß erfuhr, desto mehr versetzte er sich in ihre Rolle, aber statt sich mit den Opfern der Kommandeuse zu identifizieren, identifizierte er sich mit ihr selbst. Auf dem Weg zum vorstädtischen Hotel hatte sich seiner dann eine Erregung bemächtigt, die ihm zwar nicht unbekannt war und sich immer einstellte, wenn er Schmerz bereiten oder Zeuge des Schmerzes werden konnte, die er aber in solchem Grade vorher niemals empfunden hatte. Und als er der Frau endlich gegenüberstand, deren Steckbrief-Foto er beinahe wie das Bild einer Geliebten in der Brusttasche getragen hatte, erreichte seine Erregung einen Höhepunkt, auf dem sich ihm die Sinne völlig verwirrten. Der Gedanke, daß er der Frau nur zufüge, was sie anderen hundertmal zugefügt hatte, ein beiläufiger Gedanke übrigens, übertünchte seinen Trieb mit einer dünnen Schicht gerechter Empörung, während sich in Wirklichkeit das Maß seiner Grausamkeit und der Lust, die er aus ihr schöpfte, in jener Proportion vervielfachte, in der die Gezüchtigte die gleiche Grausamkeit geübt und dabei die gleiche Lust empfunden hatte. In Irene Gruß zitterte noch das Erlebnis nach, das O'Hara erleben wollte, und vor ihrem Anblick wurde er dem Tier gleich, das stets unter andersgearteten Tieren gelebt hatte, nun jedoch zum erstenmal einen Partner der gleichen Gattung erriecht. Dennoch hätte sie O'Hara vielleicht nach jener Nacht ins Gefängnis statt in seine einsame Villa gebracht, hätte sie nicht die Erfüllung eines unbewußten Lebenstraumes versinnbildlicht. Bill O'Hara hatte, durch eine paradoxe Verkettung von Umständen, immer das Gesetz repräsentiert, aber in Wirklichkeit war ihm nichts so verhaßt wie das Gesetz. Das Gesetz machte ihn zwar zum ausführenden Organ der Gerechtigkeit, zugleich unterwarf es ihn aber der gleichen Gerechtigkeit: der Beschuldigte, der Angeklagte, der Fehlende oder der Verbrecher waren nie Privatbesitz Bill O'Haras geworden – das Gesetz lieh sie ihm nur, entführte sie ihm aber sogleich wieder und für immer. Diesmal wollte O'Hara Herr werden des Gesetzes: diese Gefangene gehörte nicht dem Staat, der Armee, der Polizei oder was es sonst gab an unpersönlichen Institutionen – die Gefangene gehörte ihm, persönlich und allein, dem ehemaligen Polizeisergeanten William S. O'Hara aus New York.

Und nun war es zu spät zur Umkehr. Vierzehn Tage hatte die ehemalige Kommandeuse in der Pasinger Villa gehaust und keine Erklärung für diesen Privatarrest hätte die Armee akzeptiert.

Irene Gruß wußte das. Sie wußte noch mehr. Bill O'Hara brauchte sie, wie sie einst ihre Opfer gebraucht hatte. Nur hatte die rasende Maschinerie des rasenden Reiches ihr fortwährend neue Opfer geliefert; sie aber war die einzige Gefangene, das einzige Opfer und die einzige Geliebte des Majors O'Hara.

Wenn er abends heimkehrte, wiederholte sich das gleiche Schauspiel, wenn auch in den verschiedensten Variationen, die seine kranke Phantasie erdachte. Fast immer begann es mit dem „Verhör". Sie wußte, daß er von ihr hartnäckiges Leugnen nicht nur erwartete, sondern forderte, denn je hartnäckiger ihr Leugnen, je frecher ihre Herausforderung war, desto strenger konnte er nach seinem eigenen Gesetz die Strafe bemessen, die er über sie zu verhängen plante. Hatte sie lang genug geleugnet, dann hieß er sie, sich in Eile zu entkleiden, es sei denn, daß seine Erregung zu früh ihrem Höhepunkt zueilte und er ihr befahl, sich mit schnell entblößtem Unterkörper sogleich über den „Prügeltisch" des Wohnzimmers zu beugen. Er zählte, hinter ihr stehend, laut die Schläge, die er mit seiner Reitgerte, oder einem Ledergurt über sie niederprasseln ließ, bis ihr Körper gezeichnet war von tiefen, roten Striemen und sie begann, um Gnade zu flehen. Ein andermal „verurteilte" er sie dazu, seine Stiefel zu lecken, und während sie vor dem Sitzenden kniete und einen Stiefel leckte, oder vorgab, es zu tun, trat er ihr mit dem zweiten Stiefel in Brust und Bauch, zwar brutal, aber immer bedacht, sie nicht zu verletzen. Hatte er sie auf diese oder eine andere Weise genug gequält, dann setzte der zweite Akt ein: sie mußte „gestehen" und winselnd um härtere Strafe betteln. Auf Händen und Füßen mußte sie dann nackt in die Küche kriechen, wo eine geflochtene Hundepeitsche bereit lag, und zwischen ihren Zähnen, wie ein Hund, apportierte sie die Peitsche, mit der er sie nochmals züchtigte. Am liebsten inszenierte er jedoch Szenen aus dem Konzentrationslager. Er lag dann, nur einen Bademantel über dem rotbehaarten Körper, auf dem Diwan, sie aber war einer der Häftlinge, die ihm – oder ihr, sollte es heißen, denn in ihre einstige Rolle versetzte er sich ja – vorgeführt wurden. Auch jetzt mußte sie „leugnen", oder sich „schlecht benehmen", ihn auf jeden Fall herausfordern, so daß er endlich aufspringen und ihr jene Züchtigung zuteil werden lassen konnte, welche die Kommandeuse ihren Opfern hatte zuteil werden lassen.

Dennoch dachte Irene Gruß keinen Moment daran, daß sie ihre relative Freiheit und ihr Leben zu teuer erkaufte. Sie fürchtete die Nächte nicht, teils, weil sie sich von den frühen Abendstunden an durch reichlichen Alkoholkonsum immunisiert hatte, dann aber auch, weil der einzigartige Genuß, den ihre Pein dem Major bereitete, seine Sinne schneller verwirrte als ihre eigene kranke Sucht sie selbst in den vergangenen Jahren befriedigt hatte. Wenn er sie zu fünfundzwanzig Stockschlägen „verurteilte", wußte sie genau, daß der Stock nur fünf- oder sechsmal über sie niedersausen würde: dann ließ er die Torturinstrumente beinahe hilflos fallen und nahm die Frau mit einer überhitzten und sich schnell vergebenden Leidenschaft in die Arme. Dazu kam, daß Irene Gruß das gleichgeartete Tier in ihrem Partner wie ihr eigenes Spiegelbild kannte, daß sie sich der Grenzen seiner Grausamkeit also vollkommen bewußt war und deshalb die Nächte kaum noch fürchtete.

Sie hatte es sich in der Tat bequem gemacht im abgelegenen, aber komfortablen Haus ihres Peinigers. Sie strich den ganzen Tag im lila Kimono durch die Räume; sie las am Nachmittag, auf einem Sofa ausgestreckt, empfindsame Liebesromane, die sie in der Bücherei gefunden hatte; aß Schachteln voller schokoladener „Hersey-bars"; bereitete aus üppigen U-Rationen, die sie beim Major wie bei einer Wirtschafterin bestellte, riesige Mahlzeiten; rauchte ihre Lieblingsmarke „Lucky Strike" und schüttete das französische Parfüm, das der Major im P.X. für sie erstand, flaschenweise in ihr Bad. Wenn sie im Begriffe war, kostbares Öl über ihren geprügelten Leib zu träufeln, brach sie in ihrem stillen Badezimmer oft in schallendes Gelächter aus. Mit jedem Tag, der verging, brauchte „Bill" sie mehr als sie ihn. Sie besaß den Schlüssel zum Geheimnis des Majors William S. O'Hara. Und immer mehr verwirrte sich ihr das Bewußtsein der Gefahr, die dieses Geheimnis barg.

Nachtlokal „Mücke" bekommt Lizenz

Wenn sich Colonel Hunter um Punkt acht Uhr morgens seinen Arbeitsplan für den Tag vorlegen ließ, wurde er sich immer von neuem bewußt, wie weit sein Wirkungskreis über seine eigentlichen Funktionen als stellvertretender Chef des Intelligence Service – G-2, wie es in der Armee hieß – hinausging. Neben der Abwehrtätigkeit, die ihm vor einiger Zeit anvertraut worden war, oblag ihm die Kontrolle der Presse sowie aller anderen Organe des öffentlichen Lebens, und da G-5, das Amt der Militärregierung, hoffnungslos unterbesetzt war, bürdete man dem erfahrenen Berufssoldaten auch Entscheidungen auf, die mit seinem eigenen Gebiet kaum noch etwas zu tun hatten. Ob man eine Theaterkonzession erteilen wollte; ob die Frage nach der politischen Zuverlässigkeit eines Dirigenten auftauchte; ob ein Bierbrauer wieder brauen oder ein Chirurg wieder operieren durfte – die Fäden liefen im Amt des Obersten Graham T. Hunter zusammen, denn immer galt es, die Rückkehr „belasteter Elemente" abzuwehren und somit ihre politische Vergangenheit auf das genaueste zu überprüfen.

Im übrigen war Colonel Hunter der Stellvertreter eines Chefs, der nicht existierte. Der Posten eines „Chief, G-2", den ein Brigadegeneral hätte einnehmen müssen, war nicht besetzt. Diese nunmehr permanente Nichtbesetzung des Postens seines unmittelbaren Vorgesetzten, hinter der Hunter mit mildem Optimismus eine bewußte Absicht vermutete, spornte ihn zu doppelter Arbeitsleistung an.

Hunter, dreiundfünfzig Jahre alt, hatte eine rapide Karriere durchlaufen – oder richtiger: seine Karriere war rapid gewesen, bis er, noch nicht achtunddreißig, im Jahre 1930 zum „Chicken-Colonel" befördert wurde, zum „Hühner-Obersten", wie man in der amerikanischen Armee die Obersten ob des gerupften Adlers, den sie in Form einer silbernen Nadel auf der Schulter trugen, eher freundlich als spottend zu nennen pflegte. Wer mit achtunddreißig Jahren, in Friedenszeiten noch dazu, den kleinen silbernen Vogel tragen durfte, dem war der Generalsstern so gut wie sicher; aber seit fünfzehn Jahren nun wartete Colonel Hunter vergebens, aus der Masse der höheren Offiziere herausgehoben und auf den ersehnten Sockel eines höchsten Offiziers erhoben zu werden. Lange hatte Hunter, zweimal im Jahr, die Listen der Obersten, deren empfohlene Beförderung an das Parlament geleitet wurde, in bangender und hoffnungsvoller Erwartung durchflogen, mit kurzsichtigen Augen hastig nach seinem eigenen Namen forschend, und tagelang nach der Veröffentlichung der Listen ging er enttäuscht, beinahe benommen umher, dann alsogleich wieder frische Hoffnung schöpfend, bis ihm eine neue Liste neue Ernüchterung brachte.

Dabei war Hunter nicht ehrgeizig, zumindest nicht im Sinne jenes Ehrgeizes, der dem Fortkommen Charakter und Prinzipien opfert. Wenn er an die letzten fünfzehn Jahre zurückdachte, dann mußte er sich gestehen, mit heftigen Selbstanklagen zuweilen, daß er sich an dem Spiel der uniformierten Bürokratie nie gebührlich beteiligt hatte, obwohl er genau wußte, daß die Armee zwar mit Fahnen und Musik marschierte, daß sich ihre Konstruktion jedoch von einem gigantischen Postamt kaum unterschied. Auch war er, wie er sich mit dem nahenden Alter gestand, kein Generalstypus, wie man sich ihn nun einmal vorstellte, und vielleicht hatte die Armee recht, die ihn nicht beförderte, wie sie im allgemeinen auch nicht bestrebt war, aus einem erstklassigen Feldwebel einen zweitklassigen Leutnant zu machen. Die zahlreichen Generale, unter denen Colonel Hunter im Laufe der Jahre gedient hatte, und die in dem Maße immer jünger zu werden schienen, in dem er älter wurde, schrieben über den Oberst immer eine vorzügliche, ja zuweilen überschwengliche Beurteilung, aus der jedoch unweigerlich herausklang, daß man einen Mann von so außerordentlichen Qualitäten unbedingt auf dem gleichen Posten belassen müsse, den er gerade einnahm.

Seit einigen Jahren hatte es der Oberst aufgegeben, die Beförderungsempfehlungen zu lesen; er resignierte allmählich, wie dies seinem Wesen entsprach; und er hätte sich mit der Rolle des geachteten, ja unentbehrlichen zweiten Geigers längst abgefunden, hätte ihn Mrs. Hunter, seine Frau, nicht unter einen ständigen Druck gesetzt, dem er weder mit Weisheit noch mit Humor, weder mit Heftigkeit noch mit Scherzen zu entgehen vermochte. Die ehemals zarte und fröhliche, aber schnell verblühende und nun vergrämte Betty, die einst in West Point den hoffnungsvollen Kadetten und Generalssohn geheiratet hatte, war eine Art Erlebensversicherung eingegangen und betrachtete die Armee als eine betrügerische Versicherungsgesellschaft, die sie um ihre Ersparnisse brachte. Wenn sie dem Oberst Vorwürfe machte, so weniger seines Mißerfolges halber, als weil er ihn ohne Revolte zur Kenntnis nahm; aber da Revolte nicht seines Wesens war, revoltierte er auch nicht gegen sie, so daß sein Leben nun in doppelter Bescheidung dahinging. Betty und den Kindern aber hätte der Oberst noch gerne den von ihnen heiß ersehnten Generalsstern vom hierarchischen Himmel geholt, und seine neuen Funktionen schienen ihm hierzu die letzte Gelegenheit zu bieten.

Fürchtete Oberst Hunter auch eine neuerliche Enttäuschung – oder, vielmehr, daß er sich wieder von schmerzlichen Ambitionen beherrschen lassen könnte, denen er durch eine weniger schmerzliche Resignation entraten hatte –, so konnte er in der Tat die Zeichen nicht übersehen, die diesmal mit aller Deutlichkeit auf eine Beförderung hindeuteten. T/O, „Table of organisation", nannte man in der Armee jene teuflische Tabelle, die in Washington ausgearbeitet war und für jeden Posten einen bestimmten Offiziersrang vorsah, so daß, unabhängig von seinen Fähigkeiten, der Abwehrchef für das Land Bayern ein Brigadegeneral sein mußte, Hunter also den Posten zwar im Moment nicht bekleiden konnte, jedoch unbedingt zum General befördert werden würde, wenn man ihm diese Funktionen anvertraute. Generalleutnant Theodore F. MacCallum, Militärgouverneur von Bayern, hätte in dieser Zeit, in der die jungen Brigadegenerale wie Pilze aus dem Boden schossen, längst einen Chef vor Hunters Nase setzen können: aus seiner Haltung, aus beiläufigen Bemerkungen auch, durfte Hunter ohne überspannte Hoffnungen darauf schließen, daß der Generalsstuhl diesmal für ihn „warm gehalten" wurde.

An diesem schwülen Sommermorgen des Jahres 1945 überflog der Oberst also den Kalender seines anstrengenden Tagespensums nicht ohne eine gewisse Genugtuung, mit der freilich unbewußten Empfindung, daß man einem Mann gerechterweise nicht alle Lasten aufbürden könne, ohne ihm am Ende auch die entsprechende Anerkennung zu zollen.

„Dieser Herr Wedemeyer wartet im Büro von Major O'Hara", sagte die deutsche Sekretärin, ein älteres Fräulein mit einer schmalen Brille und einer offenbar auch in der heißen Jahreszeit frierenden Nase, ein Fräulein Bauer, das dem Colonel vom ersten Augenblick an bedingungslos ergeben war. „Aber vorher müßten Sie mir noch sagen, Herr Oberst, ob Ihnen die Gräfin Artemstein genehm ist." Sie sagte immer „Herr Oberst", nie „Colonel", wie sie dies Hunter zu tun öfters geheißen hatte: „Herr Colonel" konnte man nicht sagen und „Colonel" allein klang doch etwas zu familiär.

„Gräfin Artemstein?" fragte der Oberst.

„Ja, das Kindermädchen, das sich bei Ihnen vorgestellt hat."

„Ist sie eine Gräfin?"

„Ja", sagte Fräulein Bauer spitz, „eine Gräfin und die Tochter eines Generals. Er ist in Rußland gefallen. Ich dachte mir gleich, daß sie nicht in Frage kommt."

Wenn sich Hunter später fragte, warum er die Gräfin Artemstein schließlich engagierte, dann mußte er sich sagen, daß Fräulein Bauer daran schuld war, die mit solcher Bestimmtheit annahm, daß für den Colonel die Generalstochter „nicht in Frage" käme.

„Und warum sollte sie nicht in Frage kommen?" sagte der Oberst gereizt.

„Die Tochter eines dieser Generäle!" machte Fräulein Bauer.

„Sie ist doch nicht für ihren Vater verantwortlich", sagte der Oberst.

Fräulein Bauer zuckte mit den mageren Schultern. Sie

wollte ihrem Chef nicht widersprechen, aber immerhin riskierte sie die Bemerkung:

„Gräfinnen taugen nicht als Kinderfräulein. Das ist wenigstens meine Meinung, Herr Oberst", fügte sie hinzu.

„Wenn sie tüchtig und verläßlich ist", sagte er, „sollte es keine Rolle spielen, ob sie eine Aristokratin ist. Wir Amerikaner", fuhr er belehrend fort, „haben keine Vorurteile – weder in dem einen, noch in dem anderen Sinne."

„Bitte", sagte Fräulein Bauer, „ich meinte nur ..."

Der Oberst nahm ihren Rückzug kopfnickend zur Kenntnis und entsann sich zugleich, daß er doch beschlossen hatte, Fräulein von Artemstein nicht anzustellen. Die Komplikationen waren nicht abzusehen. Vorurteile oder nicht – es war unmöglich, diese Frau in die Küche zu verweisen. Jeden Abend müßte er sich also zwischen ihr und Betty zu Tisch setzen. Er müßte mit ihr am Ende Konversation machen, unter den Augen seiner Frau; und sie, andererseits, würde, vermutlich süffisant, seinen Gesprächen mit Betty lauschen. Später würde sie vielleicht sogar im Haus wohnen. Vor dem Oberst tauchte plötzlich ein absurdes Bild auf, das er sogleich in eine tiefe Kammer seiner puritanischen Seele verbannte: Marianne Artemstein, aus dem Badezimmer kommend, in einem Schlafrock, ein Handtuch kunstvoll geknotet über den blauschwarzen Haaren.

Er sagte scharf: „Wer hat ihren Fragebogen überprüft?"

„Major Green", sagte Fräulein Bauer.

„Major Green soll nachher zu mir kommen", befahl der Oberst. „Jetzt schicken Sie diesen Herrn Wedemeyer herein."

„Soll Major O'Hara mitkommen?"

„Meinethalben", sagte Hunter.

Bill O'Hara salutierte stramm, als er das geräumige Zimmer seines Chefs betrat, obwohl sich der Oberst solche Formalitäten in den Amtsräumen mehr als einmal verbeten hatte. Als Wedemeyer, rund und rosig, hinter ihm einherrollte, war es, als zöge ein Soldaten spielendes Kind zu allem Überfluß auch noch einen flaumigen Stoffbären auf Rädern hinter sich her.

Wedemeyer verbeugte sich nicht allzu tief, aber doch respektvoll, und nahm wortlos Platz, als der Oberst auf einen Stuhl vor seinem Schreibtisch wies.

„Es handelt sich um die Nachtlokalkonzession für Herrn Wedemeyer", sagte der Major.

Der Oberst setzte behutsam seine ungefaßte Brille ab und eine Lesebrille auf. Er durchblätterte einen vor ihm liegenden Akt.

„Sie wollen also ein Nachtlokal eröffnen", sagte Hunter. „Und Sie glauben damit einem dringenden Bedürfnis Genüge zu tun?" Es klang nicht sehr ermutigend für Herrn Wedemeyer.

„Colonel", sagte Wedemeyer in seinem geschmeidigen Englisch, „ich habe in meinem Gesuch die Vorteile eines solchen Lokales geschildert. Die Schwierigkeiten, denen Ihre Herren begegnen, scheinen mir in erster Linie, wenn ich so sagen darf, geographischer Natur zu sein." Er lächelte zufrieden ob dieser eleganten Formulierung. Und als ihn der Oberst verständnislos ansah, fuhr er erklärend fort: „Die Schwarzhändler, die politisch Unbelehrbaren, die Profiteure des Elends, mit anderen Worten all die Leute, die nicht verstehen wollen, daß eine neue Zeit angebrochen ist, verbergen sich in unseren Ruinen. Die Nacht ist dunkel, Colonel. Wenn Sie in dieser Nacht ein Licht anzünden, werden Sie sämtliche Mücken anziehen, die ja stets ums Licht schwirren. Ich habe mir sogar überlegt, das Lokal ‚Die Mücke' zu nennen." Er sah sich um, strahlend und etwas selbstgefällig, wie er es zu tun gewohnt war, wenn er zur allgemeinen Überraschung ein Kaninchen hervorgezaubert hatte.

„Mit anderen Worten", sagte Hunter, „wir sollen eigens ein Lokal kreiieren, damit sich dort die ‚Mücken' treffen können."

„Well", warf O'Hara ein, „es würde die Arbeit vielleicht wirklich erleichtern."

Der Oberst setzte wieder seine gewöhnliche Brille auf und sah seinen Untergebenen von der Seite an. Wedemeyer bemerkte sofort, daß O'Hara hier nicht unbedingt der beste Fürsprecher war.

Er sagte: „Ich erwähnte das geographische Problem, Colonel. Es gibt ja ein Dutzend illegaler Nachtlokale in München. Ein Lokal, wie ich es mir vorstelle, würde sie alle ruinieren."

„Vielleicht lieben Ihre ‚Mücken' gerade illegale Lokale?" sagte Hunter schnell. „Ein Lokal, das von uns konzessioniert ist, würde ihnen weniger entsprechen."

„Man brauchte ja von der Konzession kein Aufhebens zu machen", antwortete Wedemeyer. „Und wenn Sie Wert darauf legen, könnte ja der eine oder andere Ihrer deutschen Vertrauensleute ... vielleicht als Kellner ..." Er war zum ersten Mal in Verlegenheit, denn er hatte das Gefühl, zu weit gegangen zu sein. Beim Major O'Hara hatte die Idee, eigens ein Lokal zu errichten, um verdächtige Elemente besser überwachen zu können, ein Konzentrationslokal sozusagen, sofort gezündet. Dieser Oberst, der wie ein Professor der Mathematik aussah, hatte offenbar keine Phantasie – oder er hatte so viel Phantasie, daß er Wedemeyers Köder erkannte und seine wirklichen Pläne sogleich durchschaute. In jedem Fall war es klüger, zu schweigen und sich an den Mann erst langsam heranzutasten.

Zu Wedemeyers Überraschung ging jedoch der Oberst auf das Thema nicht weiter ein. Er fragte:

„Und was wollen Sie den Leuten bieten, Herr Wedemeyer?"

„Licht und Wärme, Licht und Wärme vor allem, Colonel, und etwas Illusion. Auf der Suche nach einem harmloseren Beruf, denn ich bin eigentlich Jurist, habe ich im Dritten Reich ein wenig gezaubert – die Franzosen nennen einen solchen Zauberer einen ‚illusionniste.' Je suis un illusionniste, mon colonel", sagte Wedemeyer, wieder Boden gewinnend, und verneigte sich dabei ganz leicht vor dem Schreibtisch. „Der Rausch und der volle Magen, Colonel, sind heute Illusionen – und ich darf wohl sagen, daß ich mich auf Illusionen aller Art verstehe." Nach dieser Abschweifung wandte er sich neuerdings an den Major. „Wenn mir die Armee eine Lichtmaschine zur Verfügung stellen könnte ... Der Winter kommt, die langen Nächte ..."

„Ich weiß", unterbrach ihn Hunter, als ob er keiner Belehrung über die länger werdenden Nächte bedürfte. Er nahm nochmals einen Brillenwechsel vor und blätterte schweigend im Akt Wedemeyer.

Der Zauberer und der Major rührten sich nicht, Wedemeyer hatte seine kurzen, runden Finger verschränkt, und seine Hand lag behaglich in seinem Schoß.

„Sie schreiben hier, daß Sie sich für die Sache besonders eignen", nahm der Oberst den Faden wieder auf. „Wie begründen Sie das?"

„Ich habe einen sehr weiten Bekanntenkreis", sagte Wedemeyer. „Gewisse Verbindungen, die ich in der Nazizeit geknüpft habe, obwohl ich nie Parteimitglied war, werden von diesen Leuten glücklicherweise mißverstanden. Sie haben Vertrauen zu mir. Ich könnte mit einer beachtlichen Klientel rechnen."

Hunter blickte auf. Jetzt musterte er den Mann mit unverhohlenem Interesse. Wedemeyer trug einen gutgeschnittenen Anzug, nicht zu kurz wie die meisten deutschen Anzüge und auch nicht zu weit geworden auf einem abgemagerten Körper. Der Oberst hatte gelernt, die Träger solcher Anzüge aus der Masse herauszugreifen: wären sie klug genug, dachte er, sie trügen sie nicht. Es waren zumeist die Anzüge der Arrivierten des Dritten Reiches oder doch der Profiteure oder zumindest der Leute, die es verstanden hatten, dem allgemeinen Elend zu entgehen oder sich an ihm zu bereichern. Fragebogen und Parteikarte hielt der Oberst für aufschlußreich; ebenso aufschlußreich war für ihn aber das weiche Tuch, aus dem der Anzug des Besuchers sorgsam angefertigt war. Aber dieser Herr Wedemeyer leugnete gar nicht, „gewisse Verbindungen" geknüpft zu haben. Ein Illusionist ... Der Oberst wiederholte innerlich das Wort und auf einmal überkam ihn das Gefühl, daß er vielleicht seiner Aufgabe nicht gewachsen sei. Dieser Mann mit den runden, dunklen Augen unter den buschigen Brauen hatte es ausgesprochen, die anderen sprachen es nicht aus, aber Illusionisten, so dachte er, waren sie alle, und es war nicht mehr klar, ob sie einem vorzauberten oder einen verzauberten. Wie sollte man ihnen vertrauen oder über sie richten oder sie lenken; was sollte man anfangen mit dieser ganzen Zirkuswelt von Schwertschluckern und Magiern und Trapezkünstlern und Seiltänzern, die nur so taten, als sprächen sie dieselbe Sprache wie er, während sie sich in einer exotischen Geheimsprache verständigten.

Er sagte: „Ich kann Ihnen keinen endgültigen Bescheid geben, Herr Wedemeyer." Eine Entscheidung aufzuschieben, das war immer noch der beste Ausweg. Vorhin hatte er die Entscheidung über die Gräfin Artemstein aufgeschoben: jetzt sollte der Illusionist warten. „Ein Nachtlokal gilt als Vergnügungsstätte", sagte er. „Wir stehen auf dem Standpunkt, daß die Deutschen mehr nachdenken und sich weniger vergnügen sollten. Die Theater sollen zwar demnächst eröffnet werden, aber Theater sind schließlich Kulturanstalten."

Wedemeyer lächelte. „Wie ich meine Deutschen kenne", sagte er, „werden sie sich im Theater vergnügen und im Nachtlokal, je nachdem, diskutieren oder Geschäfte machen."

Der Oberst räusperte sich. „Nun", sagte er abschließend, „ich werde es mit dem General besprechen. Ich werde Sie die Entscheidung durch Major O'Hara wissen lassen."

O'Hara salutierte wieder, Wedemeyer verbeugte sich, wiederum nicht sehr tief. Der Oberst verabschiedete den Deutschen mit einem Kopfnicken, behielt aber O'Hara zurück.

„Einen Moment, Major", sagte er. „Was gibt es Neues in Sachen der Kommandeuse Gruß?"

Der Major errötete, nicht bis in die Haarwurzeln wie andere Menschen: es war eher so, als zerflösse das Rot seiner Haare auf seinem sommersprossenübersäten Gesicht.

„Leider noch immer nichts", sagte der Major.

„Ich will in den nächsten achtundvierzig Stunden Resultate sehen", sagte der Oberst, und der Ton seiner Stimme klang verändert. „Ich habe es satt, diese unbeendeten Geschäfte."

Aber das war ein Satz, den der Major O'Hara nicht verstand.

Es gab noch Leute, die von Werwölfen und Widerstands-
nestern sprachen, aber Ende August 1945 waren auch die
letzten Versprengten aus ihren Schlupfwinkeln gekrochen,
in denen sie sich ohnedies weder mit werwölfischen Absichten noch mit der Hoffnung verborgen hatten, endgültig
zu entkommen, sondern weil sie Frist gewinnen wollten
vor der letzten Abrechnung. Sinnlos zögerten sie hinaus,
was doch unvermeidlich war.

Als ihm auch sein letzter Getreuer abtrünnig geworden
war, ließ sich der SS-Obersturmbannführer Gert Mante
endlich von Martha Zobel ein paar zivile Bekleidungsstücke aus den Beständen ihres Vaters bringen und begab
sich, unter Vermeidung der Polizeikontrollen auf der zerrissenen Autobahn, ohne Papiere natürlich, nach München.

In die Drei-Zimmer-Wohnung des Obersten Zobel war
eine Flüchtlingsfamilie eingewiesen worden, und so bestand die Wohnung nur noch aus einem Schlafzimmer und
einem Wohnzimmer; der Oberst schlief, unter Protest zwar,
im Schlafzimmer, während sich Martha bisher mit dem
schmalen und unbequemen Diwan im sogenannten Salon
begnügt hatte.

Die Enge der Räumlichkeiten war es denn auch, die den
ersten Konflikt zwischen dem Obersten und seiner Tochter
heraufbeschwor. Im Schlafzimmer, das im Stile des Plump-
barock altdeutsch ausgestattet war, gab es zwei Betten,
und als Oberst Zobel seinen Widerstand fallen ließ und
zustimmte, den SS-Offizier in sein Haus aufzunehmen,
erschien es ihm selbstverständlich, daß Martha und er zu-
sammenziehen würden, während der Verlobte seiner Tochter im Wohnzimmer sein provisorisches Lager aufschlagen
sollte. Von einer solchen Ordnung der Dinge jedoch wollte
Martha nichts wissen. Zu lange habe Gert, meinte sie, in
einer steinernen Berghöhle gehaust, zu lange sei vorher
die kalte russische Erde sein Lager gewesen: das Federbett
habe er sich mehr als redlich verdient. Als der Oberst erklärte, er habe nicht die Absicht, sein Schlafzimmer mit
dem verhaßten „Schwiegersohn" zu teilen, antwortete

Martha, daß sie ihm dies auch nicht zugemutet habe; es sei „selbstverständlich", daß sie das Schlafzimmer mit Gert beziehe. Dies nun versetzte den Oberst in einen Zustand cholerischen Zorns; seine aufgestapelte Wut, vielleicht auch mit Eifersucht gepaart, machte sich, wie dies nur alle heiligen Zeiten einmal geschah, in einem Ausbruch Luft, wobei seine Halsadern bedenklich anschwollen und sich ihm die Worte zuweilen völlig verwirrten. Das Wort „Bordell" fiel mindestens ein halbes dutzendmal, und ebenso oft wurde die Erinnerung an die vor mehr als fünfundzwanzig Jahren verstorbene Frau Oberst Zobel, geborene von Schimmelhausen, heraufbeschworen, die „das Glück hatte", nach dem ersten Weltkrieg an Grippe gestorben zu sein, weil sie dies alles, insbesondere aber diese sich nach dem zweiten Weltkrieg ausbreitende Pest doch nicht überlebt hätte.

Je cholerischer sich der Oberst gebärdete, desto sicherer war Martha, daß er am Ende nachgeben würde; und auch seine Drohung, mit dem „jungen Mann" müsse sogleich „Fraktur geredet" werden, faßte sie als Rückzugsgefecht unter Wahrung des väterlichen Prestiges auf.

Um so größer war ihre Überraschung, als der Oberst den SS-Obersturmbannführer beinahe grußlos empfing und auf einer Aussprache noch am gleichen Nachmittag bestand. Gert Mante war kurz nach dem Mittagessen eingetroffen, zu einer Stunde, als Martha die eingewiesene Flüchtlingsfamilie auf Arbeitssuche wußte. Er begrüßte den Obersten höflich, aber mit Distanz, und ließ sich seinen Platz von Martha anweisen, ganz so, als wäre es allein ihr Haus und als lebte der Oberst hier nur als ein anderer Untermieter. Er verweilte eine halbe Stunde im Badezimmer, das sich aus dem dunklen Vorzimmerkorridor öffnete, und der Oberst beobachtete mit kaum noch beherrschtem Unbehagen, wie seine Tochter emsig Berge von Handtüchern, ja einen Bademantel ins Badezimmer schleppte; Güter all dies, die man in den letzten Jahren wie das Familienporzellan gehütet hatte, und die insofern unersetzlich waren, als an eine Seifenzuteilung vorläufig nicht gedacht werden konnte und der Oberst selbst eine

Seife benutzte, die aus Kieselsteinen zu bestehen schien. Erst als sich Gert rasiert und die Haare sorgfältig gelegt hatte – sogar den beinahe vergessenen Geruch eines Birkenhaarwassers glaubte der Oberst zu entdecken –, fand er sich zur Aussprache mit seinem künftigen Schwiegervater bereit.

„Herr Mante", begann der Oberst, mühsam um Beherrschung ringend, „es ist nie meine Art gewesen, mit meinen Gedanken hinterm Berg zu halten. Ich habe Sie in meinem Hause aufgenommen" – er verlieh dem Wort „meinem" einen leisen Nachdruck –, „weil Martha mich darum inständig gebeten hat und weil Sie in Ihrer bedrängten Lage hilfsbedürftig sind. Auch an Ihren ernsten Absichten, was meine Tochter betrifft, habe ich zu zweifeln keinen Anlaß – obschon es mich überrascht, daß Sie in den letzten Monaten vor dem Zusammenbruch die sich bietenden Gelegenheiten zu einer Eheschließung ungenützt ließen."

Er setzte ab. Seine eigene Rede, der Klang seiner Stimme sogar, erschienen ihm mit einem Male grotesk. Er betrachtete den jungen Mann mit den an Stirn und Haupt klebenden strohblonden Haaren, der ihm in salopper Haltung gegenübersaß und mit ruhiger Selbstverständlichkeit seinen Anzug, sein Hemd und seine Schuhe trug: Anzug, Hemd und Schuhe des Obersten, so daß Zobel beinahe in einen Spiegel, einen merkwürdig krummen Spiegel freilich, zu blicken wähnte. Diesem krummen Spiegelbild nun hielt er eine Rede, „ernste Absichten" und künftigen Ehestand erwähnend, als wäre er selbst immer noch der Regimentskommandeur Oberst Werner Zobel, Ritterkreuzträger, und in seinem beschränkten Königreich Herr über Leben und Tod; als wäre der andere noch SS-Obersturmbannführer Gert Mante, ein heraufgespültes Produkt der Zeit, aber zugleich der Repräsentant eines neuen Staates, dem man dienen mußte, ohne ihn zu verstehen. In Wirklichkeit jedoch waren auch die neuen Begriffe schon wieder veraltet, vom Chaos verschlungen und zermahlen – wie hohl und lächerlich klangen seine Reden in diesem Zimmer, in dem einst Ehrsamkeit gewohnt und in dem er heute Nacht wachen würde, während seine Tochter nebenan in den Armen ihres Geliebten lag ... Würde die Verderbnis, in die man geraten war, denn niemals enden? Man hatte sich mühsam an das eine Chaos gewöhnt, man hatte es hinzunehmen gelernt als hartes Gesetz, und schon wurde dieses Nichts von einem noch größeren Nichts aufgesogen, in dem es offenbar überhaupt kein Gesetz mehr gab. Und während er in das maskenhaft undurchdringliche Gesicht seines Gegenübers sah, wurde es dem Obersten Werner Zobel plötzlich erschreckend klar, daß er auf verlorenem Posten stand, im Grunde sehr viel hoffnungsloser als der andere, der im Chaos zu Hause war und nichts verloren hatte als ein Nichts.

Der Oberst erhob sich und ging zum offenen Fenster. Er ließ den moralisierenden Ton fallen und nahm Zuflucht zu militärischer Prägnanz.

„Sie zu beherbergen bin ich im Augenblick bereit, Herr Mante", sagte er, „aber nicht, Sie zu verbergen. Ich könnte es nicht, auch wenn ich es wollte. Die Flüchtlingsfamilie, die hier wohnt, würde das Gerücht von Ihrer Anwesenheit überall herumtratschen; irgend jemand würde Sie sehr bald den Behörden melden. Überdies kommen wir mit unserer Zuteilung schon nicht aus, und ich kann nicht zulassen, daß Ihnen Martha ihre Ration überläßt."

„Dafür ist gesorgt, Papa", wandte Martha ein, die auf dem Drehstühlchen vor dem weinroten Piano Platz genommen hatte.

Der Oberst sah sie überrascht an, fürchtete jedoch, den Faden zu verlieren und fuhr fort:

„Ich schlage vor, daß Sie sich einige Tage von den Anstrengungen der letzten Monate erholen und sich dann den Amerikanern stellen."

Martha sprang auf.

„Das kann nicht dein Ernst sein, Papa!" sagte sie.

„Ich sehe keinen anderen Ausweg", sagte der Oberst.

Martha ging auf Mante zu und legte ihren Arm schützend um seine Schulter.

„Es ist unglaublich!" sagte sie.

„Bitte, reg' dich nicht auf, Martha", sagte Mante. Er entzog sich ihrer Zärtlichkeit, kreuzte die Beine und zündete sich ruhig eine Zigarette an. Als er sprach, wandte er sich jedoch an sie: er schien betonen zu wollen, daß er den Oberst keiner Antwort würdige. „Dein Vater braucht sich über unsere Zukunft nicht den Kopf zu zerbrechen: wenn ich mich melde, bekomme ich mindestens zwanzig Jahre. Vielleicht stellen sie mich auch an die Wand. Das wäre mir an sich gleichgültig, denn wer heute noch lebt, dem geschieht's ganz recht. Nur bin ich, zum Unterschied von deinem Herrn Vater, nicht überzeugt, daß wir endgültig und ein für allemal besiegt sind. Noch lange nicht."

„Sie nennen das nicht besiegt?" sagte der Oberst fassungslos.

Er streckte den Arm aus und wies auf das Bild, das sich vor dem Fenster bot. Da lag die Stadt im Hitzedunst des sterbenden Augusttages. Wie zwei leere Vogelkäfige, so sahen sie aus, die zerbombten Rundtürme der Frauenkirche. Und was hielt sie noch aufrecht, diese Wand in der Kaufingerstraße, die sich zu neigen schien in der Abendbrise? Als wäre die Stadt aus Papier, ausgeschnitten aus Karton wie die billigen Spielzeuge der Kinder, zerknittert, künstlich gestützt und provisorisch. Das ganze Bild aber war eingehüllt in Staub – Staub sinkender Mauern und Staub geborstener Steine und Staub, den kreuz und quer rasende amerikanische Fahrzeuge aufwirbelten. Über den leeren Platz unmittelbar unter dem Fenster hinter dem Marienplatz, durch eine Staubwüste wateten zwei Kinder in viel zu großen Kradmänteln, unter denen sie offenbar nichts trugen, und die ihnen um die Knie schlabberten; und auch ein Mann watete durch die Staubwüste, sich immer wieder bückend, als pflückte er Blumen, aber er pflückte nur Kippen. Und mitten auf dem Platz stand ein einsamer Baum, ein seltsamer Baum mit seltsamen Ästen, als hätte er Wurzel geschlagen im Staub, jeder Ast eine amerikanische Weisungstafel, Wegweiser zu hundert Ämtern, die den Sieg der einen und die Niederlage der anderen verwalteten.

Gert Mante blickte nicht auf. Er sagte:

„Terrorangriffe garantieren keinen Sieg auf lange Sicht." Jetzt sprach er endlich zum Oberst: „In nicht allzu langer Zeit kommt die Ernüchterung. Dann marschieren die Amerikaner gegen Rußland. Vielleicht schon in sechs Monaten. Dann brauchen sie uns. Auch wenn unser Volk hinkt, marschiert es immer noch besser als die Amerikaner samt ihren Jeeps und Panzern. Dann hört der ganze Schwindel auf. Dann wird nicht mehr gefragt, wer bei der SS war und wer von der SS vielleicht ein paar Bolschewistenschweine umgelegt hat." Er stand auf. „Das möchte ich erleben, Herr Oberst, und zwar in Freiheit, denn ich habe keine Lust, Zeit zu verlieren. Wenn der Appell kommt, heißt es bereit sein. Eines Tages, Herr Oberst" – seine Stimme klang drohend –, „werden Sie vielleicht froh sein, daß Sie dem Obersturmbannführer Mante ein Bett gegeben haben und sogar ein Stück Seife."

Was Zobel erwidern wollte, erfuhr Mante nie, denn es klopfte an der Tür, energisch, zweimal. Die drei Menschen sahen sich an, und die Feindseligkeit, die in der Luft schwebte, wich gemeinsamer Furcht. Gleich darauf wurde jedoch die Tür geöffnet, und der Oberst blickte beschämt zum Fenster hinaus, während seine Tochter und ihr Geliebter mit großer Herzlichkeit den Besucher willkommen hießen.

„Jemand muß die Tür draußen offengelassen haben", sagte der ehemalige Gefreite Josef Maurer. Er schlug die Hacken zusammen, als er sich vor dem Oberst verbeugte und schüttelte Martha und Mante die Hand.

Sein Auftritt hatte den Oberst überrascht, aber weit mehr überraschte es ihn, daß sein ehemaliger Bursche offenbar erwartet wurde. Jetzt verstand er auch Marthas Bemerkung, daß es ihr nicht bange sei um die Zuteilungskarten des illegalen Hausbewohners. Es wurde ihm klar, daß sich Martha mit Maurer in Verbindung gesetzt hatte, sichtlich nicht ohne Erfolg, denn der ehemalige Landser schleppte aus dem Vorzimmer, wo er sie niedergestellt hatte, eine gewaltige Pappschachtel herbei; die Pappschachtel selbst war schon ein Juwel – und von welchem Inhalt! Amerikanische Konserven kamen zum Vorschein; eine ganze Stange Zigaretten; eine ganze Stange Rasierseife auch, die Jahresration eines deutschen Bürgers; ein

Stück Käse, eine halbe Wurst und zuletzt eine Flasche Schnaps. Wie ein Handlungsreisender, der seine Kollektion einladend präsentiert, so reihte Josef Maurer die Schätze auf dem Kanapee des Obersten auf, und wie eine überwältigte Käuferin begleitete Martha seine Gesten mit entzückten Ausrufen.

„Ich soll Herrn Obersturmbannführer einen schönen Gruß von Captain Green bestellen", sagte Maurer, als er solcherart geendet hatte. „Morgen um zwölf wird der Herr Hauptmann vorsprechen."

Der Oberst sah die Gruppe entgeistert an – seine Tochter, die in den Köstlichkeiten wühlte, mit geröteten Wangen, wie es der Oberst seit den Weihnachtsabenden ihrer Kindheit nicht mehr gesehen hatte; den süffisant lächelnden Gert Mante, der dem Burschen die Hand leutselig auf die Schulter legte; seinen ehemaligen Burschen schließlich, der ihn beinahe gar nicht beachtete und den er kaum noch erkannte. Und den Hintergrund für diese bewegten Panoptikumsfiguren bildete der Diwan, und der Diwan war bunt von Konservenbüchsen.

Der Oberst wandte sich wieder dem Fenster zu. Der Augusthimmel war rot von der untergehenden Sonne. Durch die Staubwüste zog eine alte Frau einen leeren Karren.

DRITTES KAPITEL

Der erste Winter war die Hölle

Man hatte im Sommer das Gespräch darüber vermieden, und flüsternd nur sprach man davon in den ersten Herbsttagen; wie man im Mittelalter Gespräche ängstlich und abergläubisch gemieden hatte über Cholera und Pestilenz – und dennoch wußte man, daß es unvermeidlich war: der Winter würde kommen über Deutschland.

Der Winter war keine Jahreszeit mehr, er war die Pest. Und wie die Pest die Städte überfiel, ohne Warnung, hinterrücks, über Nacht, so war auch der Winter gekommen, nach einem kurzen, trügerisch milden Herbst. Im November stieß der erste Frost vom Land in die Städte. Da gab es keine Täuschung mehr, keinen Selbstbetrug, es gab nur noch den Kampf ums nackte Leben. Drei Zentner Kohle pro Person sollte jeder Deutsche bekommen, für den ganzen Winter: wie lange auch die Krankheit wüten würde, wie fürchterlich auch ihr Maß sein mochte, so viel Medizin gab es und nicht mehr. Zuweilen fuhren Kohlenwagen durch die Stadt. Kohlenklauben und Kohlenklauen: das war nun die lebensrettende Beschäftigung. „Kohlen-Kiebitze" hießen im Volksmund die Männer, die eingesetzt waren von den Alliierten, das schwarze Juwel zu schützen. Aber hie und da fiel ein Stück Kohle von den Lastwagen. Da liefen sie hinter den Wagen her, Männer und Greisinnen und Kinder, Bürger und Bettler, manche am Anfang noch etwas verschämt, dann jeder Würde bar, zuerst sich beiläufig bückend, als höben sie nur etwas Verlorenes auf, später einander wegstoßend, Fußangeln legend, Zank und Feindschaft heraufbeschwörend um ein schwarzes Stück Wärme.

Um Fenster und Ofen drehte sich das deutsche Dasein. Das Elend brachte, wie es immer geschieht, eine neue

Aristokratie hervor, den Hochadel der Glasermeister. Umworben war, wer ein Stück Glas besaß und es zwischen die äußere und die innere Kälte zu setzen verstand. Im unbezahlten Anzeigenteil der ersten Zeitungen stand das Inserat: „Biete Röhrenstiefel gegen Fensterglas": so hoffte der Optimist, der es in die Zeitung gesetzt hatte, daß es einen Fenstermacher geben würde, dem die Füße froren. Ein Naiver, vielleicht selbst ein Dichter, versprach Goethes gesammelte Werke, bestens erhalten, für ein paar Fensterscheiben. Man mied militärische Ausdrücke, aber der Kanonenofen feierte höhnische Triumphe über Zentralheizung und Dampfheizung und Ölheizung, wie die Rumpelkammer, mit den verachteten Gegenständen von gestern, über Technik und Fortschritt. Kanonenöfen, die mit grünem Holz, Torf oder Reisig geheizt werden konnten, waren ironische Mode geworden im modernen Land. Das Notwendige war jetzt lebensnotwendig, und so wurde das Überflüssige doppelt überflüssig: einen Marmorkamin bot ein Inserent gegen einen Leiterwagen, eine Inserentin ihr Abendkleid, fast neu, gegen Brennholz.

Man sprach von der Kälte, um nicht vom Hunger zu sprechen, und vom Hunger, um nicht an die Kälte zu denken. Es hieß, die Amerikaner würden fünfhunderttausend Tonnen Lebensmittel liefern. Fünfhunderttausend Tonnen, das klang nach Lichtjahren. Verständlicher war das Kommuniqué der Militärregierung, das einen neuen Begriff erklärte. „Das Energiemaß Kalorie ist festgelegt als die Wärmemenge, die 1 kg Wasser um 1 Grad Celsius erwärmt. Mit dem Genuß von 100 g Butter führen wir unserem Körper 745 Kalorien zu. Zucker bietet 400, Schokolade 518, Brot 225 Kalorien." Es war nicht höhnisch gemeint, das Kommuniqué, vielleicht war es sogar eine leise Verbeugung vor den wissensdurstigen, statistikverliebten Deutschen. Aber es waren Wörter voll Hohn: Wärmemenge und Energiemaß und Butter und Schokolade; Kalorie erwärmt Wasser und Zucker bietet Kalorien, und das Essen wärmt und Wärme ist Genuß – es war, als sollte der Hungernde sich noch an die Kälte erinnern und der Frierende an den leeren Magen. Wie man dem Kohlenwagen nachlief, den schwarzen Abfall auflesend, so suchte man zwischen den Abfällen nach Nahrung. Fand man vielleicht auch nichts zu essen in den Abfällen hinter alliierten Häusern, Villen und Ämtern, so fand man doch Papier oder eine Büchse, und aus Papier und Büchsen ließ sich Nahrung zaubern. An vielen Abfallstätten stand freilich die Tafel: „Abfälle sind gechlort und ungenießbar", denn auf Hygiene wurde gesehen – und darauf, daß niemand die Abfälle „genieße".

Nie zuvor, vor diesem hereinbrechenden Winter des Jahres 1945, war es so klar gewesen, daß Elend und Komik keine Widersprüche sind. Clowns und Komiker hatten sich seit Jahrhunderten nicht umsonst in Fetzen gekleidet: sie wußten um die Komik der Misere. Am 6. Oktober veröffentlichte die „Süddeutsche Zeitung": „Alle Versorgungsberechtigten im Bezirk des Ernährungsamtes der Stadt München, die im Besitz des 6. Münchner Einkaufsausweises sind, erhalten ein halbes Kilo Äpfel." Nur ein undankbares Publikum konnte nicht verstehen, von welch unwiderstehlicher Komik solche Ankündigung war: ein halbes Kilo Äpfel für jene, die „im Besitz" des 6. Münchner Einkaufsausweises waren, freilich nur, wenn sie sich zugleich rühmen konnten, zu den „Versorgungsberechtigten" zu zählen. Oder war es nicht von zwerchfellerschütternder Heiterkeit, wenn der Lokalteil der gleichen Zeitung berichtete, daß eine Achtundzwanzigjährige, bisher von der Männlichkeit wenig beachtet, 2437 Heiratsanträge erhalten hatte, weil sie in einer kleinen Anzeige den Heiratslustigen ihre gesamten Rationen neben geheizter Stube für den Winter offeriert hatte? So schlecht ist keine Zeit, daß sie keine guten Nachrichten böte – am 30. November war in der Stadt an der Isar endlich eine Tanzschule eröffnet worden, neckisch verkündend, man könne sich dort „warm tanzen", freilich nur bis zur Polizeistunde, was jedoch wieder durch die Ankündigung aufgewogen wurde, daß die wärmende Beschäftigung schon um acht Uhr früh ihren Anfang nehme. Wer nicht unbedingt schwarz sehen wollte, der konnte ebensogut rosa sehen, denn auch zu Beginn dieses Winters mangelte es nicht an hoffnungs-

114

frohen Zeichen – am 25. Oktober hieß es noch, es werde kein Bier geben im Bayernland, da dem Brotmehl dreißig Prozent Gerstenmehl beigemischt werden müsse, aber schon fünf Wochen darauf, an einem historischen 30. November, wurde das Brauverbot offiziell aufgehoben und nur Nörgler konnten aussetzen, daß dieses neue Bier vom Volksfeind Alkohol befreit war.

Auch Zirkusspiele gab es in diesem Frühwinter des Jahres 1945, nicht nur in dem Sinne etwa, daß der „Zirkus Krone" am 2. November tatsächlich seine Zelte wieder aufzubauen begann – 16 Elefanten, 110 Pferde, 8 Löwen, 6 Kamele und 12 Bären –; auch nicht etwa in dem Sinne, daß die Münchner „Kammerspiele" Shakespeares „Macbeth" und „Spiel im Schloß" von Franz Molnár darboten; nicht zu sprechen von der Tatsache, daß die politischen Parteien in den Ländern wieder zugelassen wurden, ein gutgemeinter Versuch, die frierenden Gemüter solcherart zu erhitzen – nein, in der Stadt Nürnberg wurde wahrhaftig ein „circus maximus" feierlich eingeweiht: dort begannen am 20. November die Nürnberger Prozesse.

Frank Green, den Oberst Hunter nach Nürnberg entsandt hatte, begegnete an diesem 20. November Elisabeth von Zutraven, deren Mann zu den Männern gehörte, die sich als Hauptdarsteller der „greatest show on earth" produzieren sollten.

Frank hatte, als der Reichsmarschall seinerzeit festgenommen wurde, oder als sich dieser, richtiger, mit naiver Grandezza in Kriegsgefangenschaft begab, als sei dies ein friedlich-altmodischer Krieg gewesen und er selbst eine Art moderner Napoleon III. – Frank also hatte damals die ersten Einvernahmen geleitet, und von der Gattin des nunmehr in Nürnberg Angeklagten sollte er noch einige ungeklärte Einzelheiten erfahren. Zwar hatte die Anklage gegen die „Kriegsverbrecher" Berge von Pandekten zusammengetragen, doch waren bei der Eröffnung der „größten Schau der Erde" immer noch Hunderte von Fragen ungeklärt, etwa so, als müßte man in den Zirkuswagen weiterproben, während sich schon das Publikum in die Arena drängte.

In dem Anhaltelager nun, das sich an der Nürnberger Stadtgrenze befand, und in dem ausschließlich die Frauen hoher Würdenträger untergebracht waren, erfuhr Frank nach beendigtem Verhör, daß sich auch die Frau des Gouverneurs Kurt von Zutraven hier aufhalte. Seit seinem Besuch in der „Vernehmungsvilla" hatte Frank nichts mehr unternommen, um Elisabeth zu sehen; ihre erneute Inhaftierung hatte nicht in den spärlich erscheinenden Zeitungen gestanden, und auch, als er ihren Namen jetzt auf der schwarzen Tafel entdeckte, war er entschlossen, ihrem Wunsch zu willfahren und sich ihr nicht mehr zu nähern.

Als er jedoch die Holzbaracke verließ, in der er das Verhör beendet hatte – eine unerträglich heiße Holzbaracke übrigens, in der nach amerikanischem Prinzip geheizt wurde – stieß er gleich vor der Tür auf Elisabeth, die, mit beiden Händen einen Wäschekorb vor sich hertragend, zwischen zwei Baracken unterwegs war. Der Major konnte der Frau, welche die Last, ihren Unterleib vorgestreckt, mühsam trug, den Korb selbstverständlich nicht abnehmen, aber er konnte auch nicht untätig zusehen, wie sie ihn an ihm vorbeischleppte. Schneller als er fand sich Elisabeth in der schwierigen Lage zurecht: sie stellte den Korb auf den vereisten Boden nieder und begrüßte Frank mit einem schwachen Lächeln. Vielleicht wäre es bei dieser Geste und dem flüchtigen Gruß geblieben, hätte ein riesiger M.P., hinter der Holzhütte auftauchend, vor dem Offizier nicht allzu großen Eifer bekunden wollen, indem er die Frau mit einem groben „Let's go!" zu erneuter Tätigkeit antrieb. Der Major seinerseits wies den Soldaten zurecht, indem er ihm sagte, er sei es gewesen, der ihr befohlen habe, den Wäschekorb niederzustellen. Der M.P. salutierte und entfernte sich mit einem leichten Achselzucken.

„Was machst du hier?" fragte Frank, um über den Zwischenfall schnell hinwegzukommen. „Ich dachte, du wärest ..."

„Nein", sagte Elisabeth, „man hat mich schon vor einigen Wochen wieder hierher gebracht."

„Irgendeine Begründung?"

„Nein. Heute hat der Prozeß begonnen; vielleicht bin ich sicherer hinter Stacheldraht."

Frank zögerte einen Moment. Dann sagte er:

„Komm herein. Ich will mit dir sprechen."

Mit einem plötzlichen Entschluß nahm er den Wäschekorb an dem einen geflochtenen Griff, während Elisabeth am anderen Ende zupackte, so daß der amerikanische Major und die Frau des Kriegsverbrechers nun den vollbeladenen Korb gemeinsam trugen und im Blickfeld eines aus allen Wolken gefallenen Sergeanten im Vorzimmer der Baracke niederstellten.

„Ist das Zimmer noch frei?" fragte Frank, die Verblüffung des Feldwebels nicht weiter beachtend. Und er betrat das kleine Zimmer, in dem er kurz vorher die Frau des Marschalls verhört hatte.

„Setz dich nieder", sagte er zu Elisabeth, ihr den Stuhl vor dem Schreibtisch anbietend. Er blieb stehen.

„Das war nett von dir", sagte Elisabeth.

Das war der erste vertraute Klang, den Frank von ihr vernommen hatte. Es hörte sich an, als spräche die Gefährtin seiner Kindheit, die sich kameradschaftlich und doch distanziert zu bedanken pflegte, wenn er ihr einen der vielen kleinen Liebesdienste erwies, die ihm stets wichtiger gewesen waren als ihr. Er antwortete nicht, aber er bedauerte nun nicht mehr, daß er sie, von einem unkontrollierbaren Impuls getrieben, aufgefordert hatte, ihm in die Baracke zu folgen.

„Du wolltest mich zwar nicht mehr sehen, Elisabeth", sagte er, „aber ich habe inzwischen einiges erfahren, und du tust mir einen Gefallen, wenn du mir dies oder jenes aufklärst."

„Kann ich ablegen?" fragte sie.

Er bemerkte erst jetzt, daß sie einen schweren grauen Militärmantel trug. Um ihren Hals lag ein grober, aber warmer Wollschal. Er half ihr aus dem Mantel. Sie hatte Arbeitshosen an, die mit einer gutgeschnittenen Kostümjacke kontrastierten. Unter ihr trug sie einen dicken Pullover. Die zusammengewürfelte, ganz und gar unweibliche

Kleidung schien sie nicht zu stören. Er legte den Mantel, der nach Soldaten und Nässe roch, auf den Tisch und sagte:

„Ich habe mich über dich erkundigt, Elisabeth – aus einem persönlichen Interesse, das du mir nicht verübeln kannst."

„Warum sollte ich?" sagte sie.

„Und hier beginnt schon mein Unverständnis", fuhr er fort. „Man sagt mir, du hättest dich ‚sehr gut benommen', wie es heute heißt. Du hättest dir in Paris nur Freunde gemacht, hättest sogar die Deportation von Juden verhindert." Das Wort „sogar" hatte einen leicht ironischen Klang, den Frank nicht beabsichtigt hatte. Schnell fuhr er fort: „Du hättest mit Hitler einen ziemlich heftigen Auftritt gehabt, sagt man."

„Angenommen, das wäre alles richtig", sagte sie, „warum wundert dich das?"

„Weil du dich nicht wehrst, zum Teufel", sagte er. Er wandte sich ab. „Ich habe mir deine ersten Verhörprotokolle zeigen lassen. Von alledem findet sich in ihnen kein Wort. Was willst du eigentlich – eine Märtyrerin werden?"

Jetzt sah er sie wieder an.

„Du kannst es nicht verstehen", sagte sie ruhig. „Du würdest es nicht verstehen, wenn ich es dir tausendmal erklärte."

Frank bemerkte, daß sie dennoch ganz anders sprach als vor einigen Monaten, in dem düsteren Bibliothekszimmer der verlassenen Nürnberger Villa. Sie sah auch anders aus. In den braunen Augen, in denen die grün-umrandeten Pupillen dominierten, war keine flackernde Unruhe mehr, nicht einmal Traurigkeit oder Resignation. Es waren Augen, die einmal krank gewesen sein mußten, aber jetzt waren es die Augen eines Menschen, der die großen Krankheiten gekannt hatte und wußte, daß man an ihnen weder stirbt noch von ihnen je ganz wieder genest.

„Und warum würde ich es nicht verstehen?" sagte er.

„Vor allem, weil du dir diese Jahre in Deutschland nicht vorstellen kannst. Damals, als ich jung war, zu unserer Zeit, Franz" – sie lächelte – „hatte ich ein geheimes Lieblingsspiel. Ich glaube, jeder hat es einmal gespielt. Ich wollte versuchen, mir vorzustellen, ich sei jemand anderer. Unsere Köchin oder ein Mann in der Straßenbahn oder eine Filmschauspielerin oder du. Nicht nur für einen Moment jemand anderer, sondern für immer und von jeher. Und weißt du, was ich schon damals erkannte, Franz, noch ehe ich siebzehn oder achtzehn war? Daß es einen zum Wahnsinn treiben kann, dieses vergebliche Bemühen, auch nur für einen Moment ein anderer zu sein. Daß man sich ein Fabeltier oder einen Marsbewohner eher vorstellen kann als einen anderen Menschen. Und nun kommt ihr daher, aus Amerika, und wollt euch alles vorstellen können. Alles und jedes. Ihr geht noch weiter. Ihr habt euch schon alles vorgestellt."

Sie setzte ab. Das plötzliche Schweigen war voller Mißtrauen.

„Weiter", sagte er, „sprich ruhig weiter. Es beleidigt mich, wenn du es nicht tust."

„Man kann sich nichts vorstellen, während es geschieht", sagte sie, „und nun wollt ihr es euch vorstellen, nachdem es längst geschehen ist. Ihr rollt den Film von rückwärts nach vorne ab, aber wir haben ihn ja von vorne nach rückwärts erlebt. Verstehst du das? Ihr sagt: wie kann man denn nur in eine Straße gehen, in der ein Mörder lauert? Ihr habt den Mord zuerst gesehen, dann den Mörder, dann erst uns, dann erst die Straße. Bei uns geschah alles von Tag zu Tag, von gestern auf heute. Ihr denkt in Jahren und von heute auf gestern. Warum soll ich da sprechen, Franz?"

Er setzte sich auf den Tisch, ihr gegenüber, und sagte:

„Vielleicht hast du recht, Elisabeth, vielleicht verstehen wir euch nicht. Aber versteht ihr euch selber? Wollt ihr euch überhaupt verstehen? Vielleicht können wir nicht ihr sein, wie du sagst, nicht einmal für einen Moment. Aber ihr? Könnt ihr wenigstens eins sein mit euch selbst? Ihr könnt ja das nicht einmal, ihr Deutschen. Schon denkt ihr über uns nach, über uns und Gott und die Welt . . ., warum geht ihr denn vorbei an eurem eigenen Spiegelbild?" Es klang hart, aber nicht schroff, denn er schien die Fragen sich selbst zu stellen. Dennoch setzte auch er mit einem Mal ab, wie sie es zuvor getan hatte. Dann sagte er: „Und warum du sprechen sollst? Einfach, weil du herauskommen mußt aus diesem Lager. Wenn du unschuldig bist oder auch nur verhältnismäßig unschuldig, hast du hier nichts verloren. Daran ändert deine ganze Flucht in solche Philosophie nichts."

Sie lächelte. Es war das alte Lächeln, und er senkte die Augen, um ihm zu entgehen. Sie sagte:

„Du hast dich nicht verändert, Franz. Es erschreckt mich beinahe, wie wenig du dich verändert hast."

Er sah sie fragend an.

„Du hattest immer schon", sagte sie, „eine beinahe panische Furcht vor der Ungerechtigkeit. Siehst du, auch ich verstehe dich nicht . . ., ich habe so viel Ungerechtigkeit gesehen, daß ich mir gar nicht mehr vorstellen kann, sie könnte einen erschrecken."

„Ich erinnere mich nicht mehr genau, wie ich damals war", sagte er, etwas verwirrt, „aber ich wüßte nicht, warum ich mich an die Ungerechtigkeit gewöhnen sollte." Er stand auf und ging im kleinen Zimmer auf und ab. „Ich werde verlangen, daß man deinen Fall nochmals überprüft. Ich werde mich, verstehe mich recht, in die Untersuchung nicht einmengen. Ich glaube, daß ihr Deutschen fürchterlich gesündigt habt und dafür büßen müßt. Aber alles muß einen Sinn und ein Maß haben." Er blieb vor ihr stehen. „Du mußt mir versprechen, daß du dich aus dieser Apathie befreist. Verteidige dich! Wir wollen sehen, ob es nicht doch etwas nützt."

Er nahm den Soldatenmantel, der nach verdampfender Feuchtigkeit roch, vom Tisch und half ihr, ihn über Pullover und Kostümjacke zu stülpen. Sie mußte sich in den viel zu engen Mantel hineinzwängen, und so stand er eine Weile hinter ihr, ganz nahe bei ihr, und er hielt den Atem an, damit sein Atem nicht über ihren Nacken streife. Dennoch war es ihm, als verzögerte sie über Gebühr diesen einfachen Akt des Mantelanziehens, und ihr wieder war es, als verwandelte er den simplen Prozeß in ein feierliches Zeremoniell.

Im Vorzimmer der Baracke nahmen sie den Wäschekorb, selbstverständlich diesmal und wie einer stillen Vereinbarung folgend, an beiden Enden, und trugen ihn hinaus in den rauhen Novembernachmittag.

Dann ging Franz, und sie schleppte den Korb wieder der Baracke zu, wo sie ihn abliefern sollte. Er drehte sich erst um, als er außerhalb des Stacheldrahtes war. Es war ihm, wie er sie so gehen sah, als gingen die Stacheldrähte durch ihren Körper.

Die Stacheldrähte bleiben

Alles war anders geworden an jenem Tag, an dem sich die „deutschen Land-, See- und Luftstreitkräfte in Europa am 7. Mai 1945 um 1 Uhr 41 mitteleuropäischer Zeit den alliierten Streitkräften im Westen und gleichzeitig dem sowjetischen Oberkommando bedingungslos ergaben."

Alles war anders geworden in Deutschland, nur die Stacheldrähte blieben. Sie hatten ihr eigenes zähes Dasein. Die Herren von gestern achteten nichts und nichts achteten die Eroberer. Unantastbar erschien ihnen nur der Stacheldraht. Zuerst gab man Gold für Eisen; dann Eisen für Blech; dann Blech für Brot. Aber niemand vertauschte den Stacheldraht. Benzin und Lebensmittelvorräte wurden vernichtet und Brücken und Straßen gesprengt, die Erde selbst schien zu wanken. Nur der Stacheldraht stand. Die Tore der Konzentrationslager öffneten sich; Baracken wurden niedergebrannt; Kriegsgefangenenlager aufgelöst; Gefängnisse geschleift: aber der Stacheldraht blieb. Die Tore konnte man öffnen und schließen: die Befreiten gingen durch sie, und gleich darauf kamen durch sie die anderen, und es war alles sehr praktisch und simpel, denn man hatte aus der Sintflut gerettet, was am notwendigsten war – den Stacheldraht Das aber war gut so, denn hätte man sie niedergelegt, all die Stacheldrähte – es wäre ein Teppich geworden aus Dornenkronen, kreuz und quer und um ganz Deutschland.

Der Stacheldraht: gestern hielt er Juden umklammert und Zwangsarbeiter und fremde Kriegsgefangene und deutsche Widerstandskämpfer – heute umschloß er Nazis und Belastete und Mitläufer und Flüchtlinge und Soldaten der Geschlagenen. Im Hotel zur großen Misere wohnten neue Gäste, aber von außen konnte man das nicht wahrnehmen, wie es sich ziemt für ein konservatives Hotel. Denn von außen sah man nur den Stacheldraht.

An diesem Novemberabend des Jahres 1945 standen zwei Männer am Stacheldraht – einer innen im Lager, der andere draußen auf offenem Feld.

Der Mond hatte einen kurzen Lauf beschrieben, und jetzt war es dunkel. Der erste Schnee war geschmolzen und dann wieder gefroren. Die Pfützen waren wie verstreute Spiegel über der Erde. Wenn man auftrat, zerbrachen sie unter den Füßen. Die beiden Männer rührten sich nicht.

Ihre Begegnung war nicht zufällig: Begegnungen am Stacheldraht waren es nie. Ein entlassener Gefangener des „Anhaltelagers Nr. 4 für Militaristen" bei Frankfurt am Main hatte vielmehr einen Brief des Obersten a. D. Achim von Sibelius aus dem Lager geschmuggelt, einen Kassiber, wie man in der Kriminalistik sagt, und er hatte das Schreiben ohne weitere Schwierigkeiten an Dr. Adam Wild in München vermittelt.

In diesem Briefe nun meinte der Oberst von Sibelius, daß er es völlig und ganz und gar satt habe, seine Zeit hinter Stacheldraht zu verbringen, nicht so sehr der physischen Unbequemlichkeiten halber, sondern weil er einiges vorhabe, das sich hinter Stacheldraht nicht gut bewerkstelligen lasse. Auch seien ihm immer mehr Zweifel erwachsen über den Gerechtigkeitssinn der Sieger und ihren guten Sinn überhaupt – und dies bringe ihn zum eigentlichen Zweck seines Schreibens. Briefe, Urkunden und Zeitungsausschnitte nämlich, die seine Teilnahme am 20. Juli schlüssig bewiesen, soweit überhaupt heutzutage etwas schlüssig sei, befänden sich wohlverwahrt bei seiner in München lebenden Schwester, einer Gräfin Deidesheim: vor seinem A.A. – automatischem Arrest – wäre er diese herbeizuschaffen nicht in der Lage gewesen; auch habe er, offen gesprochen, angenommen, die Amerikaner würden um die Herbeischaffung solchen Beweismaterials ohnedies besorgt sein. Nun, nach beinahe sechs Monaten im „stockade" – was bezeichnenderweise sowohl Schlachthof wie Lager bedeute – und nach etwa zwei Dutzend vergeblichen Versuchen, die Amerikaner zu einer rechtlichen Aktion zu bewegen, bliebe ihm nichts anderes übrig, als die Hilfe seines Freundes Adam in Anspruch zu nehmen. Dieser möge, wenn es ihm ohne allzu große Wagnisse möglich sei, die Papiere von der Gräfin Deidesheim abholen und an einem Sonntagabend, zwischen acht und neun, an eine bestimmte Stelle des Drahtverhaues um das Anhaltelager bringen. Auf legalem Weg könnten Papiere nicht in das Lager gesandt werden: dagegen habe sich ein amerikanischer Korporal, ein ganz patenter Junge, bereitgefunden, ein Auge zuzudrücken, und da gerade dieser Sonntag abends um die Ostseite des Lagers patrouilliere, könne Dr. Wild das Dokumentenbündel wohl ohne Gefahr durch das Gitter reichen. Zur Sicherheit werde er, Achim von Sibelius, an den kommenden vier Sonntagen am Stacheldraht auf und ab promenieren, denn er sei sich bewußt, daß Adam nicht an einem bestimmten Sonntag zur Stelle sein könne.

Adam Wild, in ähnlichen Unternehmungen seit Jahren geübt, aufs tiefste verärgert auch über seine vergebliche Intervention bei Major Green, schaffte es schon am ersten Sonntag, indem er sich von einem verständnisvollen Kollegen ein ärztliches Attest ausschreiben ließ, wonach er sich unbedingt in die Behandlung eines Frankfurter Spezialisten begeben müsse: nachdem er sich einen Reiseausweis solcherart erschlichen hatte, legte er die Distanz zwischen München und Frankfurt in weniger als achtundvierzig Stunden zurück.

Es hätte sich zweifellos auch alles weiter planmäßig begeben, hätte Adam, bei dieser unpassenden Gelegenheit wenigstens, eines guten Gespräches entraten können. Dazu war er aber nicht imstande. Nachdem er das wohlverschnürte Bündel nebst zwei warmen Unterhosen, einem

Wollschal und zwei lächerlich niedlichen Ohrenwärmern – den vorsorglichen Geschenken Frau Wilds – über den Drahtverhau geworfen hatte, verwickelte er den Freund auf der anderen Seite des Stacheldrahtes in ein Gespräch, ganz so, als säßen sie sich in zwei Klubfauteuils eines geheizten Bibliothekzimmers gegenüber.

Freilich: auch Achim war begierig, Kontakt mit der Außenwelt, mit seinem besten Freund noch dazu, aufzunehmen. Er erzählte, daß er gleich am ersten Tag seines Arrestes einvernommen worden sei, sehr korrekt übrigens, beinahe liebenswürdig, wie er sich über die Äußerlichkeiten der Behandlung überhaupt nicht beklagen könne. Nach dieser ersten Einvernahme aber seien zwei Monate vergangen, in denen kein Amerikaner Neigung zeigte, sich mit ihm zu unterhalten, was vielleicht auch damit zusammenhing, daß in dieser Zeit das Lagerkommando dreimal wechselte, da die Amerikaner keinen Grund sehen, im fremden Land seßhafter zu werden, als sie es in ihrer eigenen Heimat sind. Der dritte Kommandant schließlich habe das Lager mit einem Papierkrieg überzogen, so daß er, Achim, nunmehr bei der Ausfüllung seines dreiunddreißigsten Fragebogens halte, worüber er einerseits mit einem gewissen Amüsement Buch führe, in dem andererseits nichts stünde, was er nicht schon zweiunddreißigmal ausgesagt habe. Ob er denn nicht persönlich einvernommen worden sei, wollte Adam wissen. In den letzten drei Monaten dreimal – einmal von einem durchaus wohlwollenden Leutnant, der ihn jedoch fragte, was es für eine besondere Bewandtnis mit diesem „Sommertag", dem 20. Juli nämlich, eigentlich hätte; zum zweitenmal von einem versierten Oberstleutnant, der jedoch versicherte, nur „ausgesprochene Schweine" hätten es in der Hitler-Armee über den Hauptmannsrang hinausbringen können; von einem Captain schließlich, der sowohl wohlwollend wie wohlinformiert war, aber bedauernd erklärte, im Falle eines Generalstabsobersten müßten noch die Engländer, Franzosen, Russen und – in Achims besonderer Sache – die Jugoslawen und Belgier befragt werden, ob sie nicht ihrerseits Anspruch auf den Obersten erhöben.

Immerhin habe ihm dieser Captain bedeutet, daß Achim das bewußte Entlastungsmaterial nützlich und förderlich sein könnte, er möge es sich also – wie, das ginge ihn allein an – beschaffen.

Während des ganzen Gespräches, das etwa vierzig Minuten währte, hatten die Freunde in regelmäßigen Abständen die Schritte der patrouillierenden Wache vernommen, ohne in dem dichten Nebel, der es ihnen nicht einmal gestattete, einander zu sehen, den Posten je wahrzunehmen. Nur das Krachen der dünnen Eisschicht verriet ihnen, daß sie nicht allein waren. Nun aber horchten sie auf: der Laut des brechenden Eises war deutlicher geworden, auch die Schritte schienen sich ständig zu nahen, statt sich wieder zu entfernen. Adam, der gerade eine Frage an Achim richtete, verstummte betroffen; Achim wich unwillkürlich vom Stacheldraht zurück.

Die trügerische Sicherheit, in der sich die Männer gewiegt hatten, zerriß wie ein dünnes Tuch. Der Ruf: „Halt!" ein englisches Halt, ertönte aus unmittelbarer Nähe und im gleichen Augenblick traf Adam der grelle Kegel einer überdimensionierten Taschenlampe.

„Raise your hands!" rief der Soldat, dessen Konturen sich aus dem Nebel lösten, wenn ihn Adam auch nicht recht sehen konnte, da er selbst vom Licht geblendet war, während der andere die Taschenlampe in der vorgestreckten Linken hielt. Daß er eine Waffe in der Rechten hatte, brauchte Adam indes nicht zu sehen; daß der Posten unbewaffnet sei, war kaum wahrscheinlich. Obwohl der englischen Sprache nicht mächtig, konnte sich Adam auch leicht ausrechnen, was der Ruf bedeutete, und er hob die Arme, ohne sich auf einen fruchtlosen Protest einzulassen.

Der Soldat war allein. Er beschrieb zwar mit der Taschenlampe einen schnellen Kreis um Adam, aber er wagte es nicht, den Fremden am Lagerrand auch nur für einen Augenblick aus dem Lichtkegel zu verlieren. So hatte Adam guten Grund, anzunehmen, daß sich Achim entweder rechtzeitig auf den Boden geworfen oder gar behutsam vom Gitter entfernt hatte.

Was ihn der Soldat fragte, konnte Adam nicht verstehen, aber aus seinen Gesten entnahm er, daß ihm geheißen wurde, sich umzudrehen. Gleich darauf spürte er den Lauf eines Gewehrs in seinem Rücken, und der Marsch um das Lager begann, ein endloser Marsch, wie es dem Verhafteten schien, der an einem erleuchteten Seitentor endete. Dort wurde Dr. Adam Wild von mehreren Soldaten in Empfang genommen und in eine überheizte Hütte gebracht, in der ein halbes Dutzend M.P.s ihre Kartenschlacht unterbrachen, um ihn zu empfangen. Ein telefonischer Bericht wurde sogleich und unter Zeichen größter Aufregung an eine höhere Stelle erstattet, und alsobald erschien ein Leutnant mit zwei M.P.s, um ihn in das Innere des Lagers zu geleiten.

Nachdem man Adam sorgfältig durchsucht und ihm seine Uhr, einige Schlüssel, etwas Geld, seine Ausweispapiere und die Schnürsenkel abgenommen hatte – eine Krawatte besaß er nicht –, ließ man ihn allein. Die sich entfernenden Soldaten verriegelten die Tür.

Adam Wild schlägt zu

Der Teil des Lagers, in dem sich Adam Wild seit siebzehn Tagen befand, war von dem übrigen Lager sorgfältig abgetrennt und an eine Verbindung mit Sibelius wäre auch dann nicht zu denken gewesen, wenn sie aufzunehmen Adam ratsam erschienen wäre. Das Anhaltelager war für „Militaristen" bestimmt und nur ein „compound", ein abgesonderter Teil, diente als Stätte des Arrests für allerhand zusammengewürfeltes Volk, das keineswegs aus ehemaligen Würdenträgern der Wehrmacht bestand.

Der Leutnant hatte am ersten Abend Adams Personalien aufgenommen und ihn kurz nach den Gründen seines verdächtigen Aufenthaltes am Lagergitter befragt. Adam hatte fadenscheinige Ausflüchte gebraucht und schließlich die Auskunft verweigert. Seither wartete er vergebens, daß man ihn wieder vernehmen werde. Der siebzehnte Tag brach herein und noch immer schien man sich für den Gefangenen nicht zu interessieren.

In den ersten vierzehn Tagen, Adam hatte es genau gezählt, war alles gut gegangen.

Er bewohnte einen Barackenbau mit fünf anderen Gefangenen. In den anschließenden Räumen der langgestreckten, schmalen Holzbaracke lebten mehr Häftlinge, zwanzig bis dreißig an der Zahl, aber diese Räume waren so vollgepfercht, daß man in ihnen, obschon Lagerräume bekanntlich elastisch sind, weitere Gefangene nicht mehr unterbringen konnte. Eine kleine Stube, früher wohl eine Rumpelkammer, war für die „Neuen" freigemacht worden, zu denen nun auch Dr. Adam Wild gehörte.

Die Gesellschaft war, in jedem Sinne des Wortes, gemischt. Das einzige Bett, ein „Doppeldecker" vielmehr, teilten sich ein Schriftsteller namens Hannes Glück und ein Kaufmann namens Alfred Rabenkopf. Auf dem kalten Fußboden schliefen neben Adam ein Mittelschullehrer, Paul Müller, und ein fünfzehnjähriger Junge, Jürgen Stuckenschmidt, der unter den Bewohnern des Raumes eigentlich der „Älteste" war, dem jedoch Glück und Rabenkopf das ihm ursprünglich zugedachte Bett abgejagt hatten. Schließlich bewohnte die ehemalige Rumpelkammer noch ein gewisser Dr. Heinrich Zille, in dem Adam zu seiner Überraschung einen Kollegen entdeckte.

Wie die Patienten eines Sanatoriums ihre Krankheitsgeschichte auszutauschen lieben, so unterhielten sich die Insassen des Zimmers 8 der Baracke C immer wieder ausführlich über die ihnen zur Last gelegte Delikte.

Über den Schriftsteller Glück hatte sich Adam schnell ein Urteil gebildet. Kaum war Adam unter seinen neuen Genossen erschienen, als sich ihm der inhaftierte Autor, die Hacken zusammenschlagend, als „Glück, Arier" vorstellte – eine Gewohnheit, die sich der Verfasser sinniger nationalsozialistischer Gelegenheitsgedichte im Dritten Reich zugelegt hatte, weil er damals befürchtete, daß man seinen nicht unbedingt arischen Namen mißverstehen könnte. Glück, Arier, war das Opfer eines verteufelten Zufalls geworden: in der Zeitung der hessischen Provinzstadt, in der er lebte, hatte er ausgerechnet am Tage vor dem Einmarsch der Amerikaner ein Durchhalte-Gedicht veröffentlicht: die noch farbfrische Zeitung war den Siegern in die Hände gefallen. Diverse Lager seitdem hatten an Glücks Gesinnung im übrigen nichts geändert: er vertrieb sich die Zeit mit der Abfassung von Traueroden über das Ende des Führers.

Alfred Rabenkopf, seines Zeichens Kaufmann, war keiner politischen Tätigkeit verdächtigt: vielmehr hatte er, wie er ohne weiteres gestand, grüne Dollarscheine auf den Markt gebracht, die er gegen Sachwerte an Leute abgab, welche die Entbehrungen der Nachkriegsmonate nicht zu ertragen vermochten und ihre Auswanderung vorbereiteten. Zwar beklagte sich auch Rabenkopf über die mangelhafte Unterbringung, aber er versicherte Adam, daß für seine geschäftlichen Unternehmungen, die er nach seiner Freilassung fortzuführen plante, die günstige Lagerbekanntschaft mit zahlreichen Amerikanern von unschätzbarem Wert sein werde.

Wesentlich komplizierter lag der Fall des Mittelschullehrers Paul Müller, der, wie ein Gesunder, der längere Zeit in einer Irrenanstalt festgehalten wird, seiner gesunden Sinne nicht mehr gewiß war. Müller war aus Leipzig in die amerikanische Zone geflohen, nachdem die einmarschierenden Russen seine Frau und seine Tochter vergewaltigt und ermordet hatten: beim Grenzübertritt wurde er prompt festgenommen und seither von Lager zu Lager geschleppt, denn unverständlich schien es den einen Siegern, warum ein Deutscher nicht ebensogut bei den anderen Siegern verweilen wollte. Mittelschullehrer Paul Müller wartete stündlich, nach dem Osten abgeschoben zu werden.

Am wenigsten offenherzig äußerte sich Dr. Heinrich Zille über seine „Krankheit", was wohl auf die verständliche Scheu zurückzuführen war, die er anfangs gerade einem Kollegen gegenüber bekundete. Dennoch gelang es Adam nach einigen Tagen, auch die absonderliche Geschichte des Doktors zu erfahren. Dr. Zille, vierunddreißig Jahre alt, im Krieg Oberarzt der Wehrmacht, mehrfach verwundet und dem Kessel von Stalingrad wie durch ein Wunder entronnen, war kürzlich dabei ertappt worden, einem vierzehnjährigen Mädchen ein Kind abgetrieben zu haben. Die Operation war durchaus erfolgreich verlaufen, wie Dr. Zille später Adam gegenüber ausdrücklich betonte; eines Kunstfehlers war er in der Tat auch nicht beschuldigt. Vielmehr hatte sich der aus Breslau stammende Arzt in Frankfurt als Abortionist etabliert, weil er der Ansicht war, es sei höchste Zeit, die Menschheit an einer weiteren Fortpflanzung zu hindern. Gewiß habe er von zahlungsfähigen Kunden zuweilen ein Honorar entgegengenommen, sagte er, doch hätten ihn nicht materielle Vorteile bewogen; auch habe er nichts gegen die Besatzung, obwohl seine Patientinnen fast ausschließlich vergewaltigte Mädchen und sitzengelassene „Besatzungsmütter" waren – „dies sind jedoch Zufälle, Herr Kollege, ich bin beinahe sechs Jahre an der Front gewesen und zu der Überzeugung gelangt, daß man besser daran tut, das sogenannte keimende Leben zu ersticken als Menschen lebendig in diese Dreckswelt zu setzen". Obschon solche Sätze einer gewissen Logik nicht entbehrten, war es Adam klar, daß sein Fußbodengenosse, der immer wieder ernsthaft von einer „Weltbewegung für Abortion" sprach, zwar in eine geschlossene Anstalt, jedoch nicht in ein Anhaltelager gehörte.

Völlig vertrackt war die Affäre des fünfzehnjährigen Jürgen Stuckenschmidt, und es war kein Zufall, daß die Bekanntschaft mit ihm zu jenen Verwicklungen führte, die einen längeren Lageraufenthalt Adams zur Folge hatten.

Jürgen war ein strohblonder Junge mit blauen Augen, nicht häßlich von Angesicht, jedoch mit einem viel zu großen und aufgedunsenen Kopf, aufgebläht nicht etwa von allzu reicher Nahrung, sondern von konstantem Hunger: der große Kopf saß unsicher auf einem spindeldürren Hals und einem schwächlichen Knabenkörper. Bei einem der letzten Luftangriffe auf seine Heimatstadt Würzburg hatte Jürgen seine Eltern und seine Schwester verloren, während ihn das Schicksal aus dem vollkommen abgebrannten Haus völlig unversehrt rettete. Ein durch Würzburg streifender „Heldenklau" hatte daraufhin den zwar schmächtigen, aber hochgewachsenen Jungen in Uniform gesteckt, und zwar – denn das Schicksal ging nun einmal bei Jürgen Stuckenschmidt kuriose Wege – ausgerechnet in die Uniform eines eben gefallenen Leutnants der Waffen-SS. Zu allem Überfluß war der Tote offenbar ein Held gewesen, denn allerhand Orden und Ehrenzeichen schmückten seine leere Uniform, die man Jürgen Stuckenschmidt eilig anzog. Der Scherz eilte seiner Pointe zu, als ein alter Volkssturmmann, aus Angst vor der ihm anvertrauten Panzerfaust, die Waffe in die Hand des Fünfzehnjährigen drückte – mit dieser gefährlichen Waffe in der Hand, in der Uniform des toten Helden, wurde Jürgen Stuckenschmidt von den einrückenden Amerikanern betroffen, die ihn seither in fünf verschiedenen Lagern vernahmen, weil sie in ihm, der keine Papiere besaß, einen besonders geriebenen Kriegsverbrecher vermuteten. Und nun strich also Jürgen Stuckenschmidt, Mittelschüler und Sohn eines Schuhmachers, verständnislos und verwundert durch das Lager, mit seinem strohblonden Kopf und seinen blauen Augen an jene russischen Bauernjungen gemahnend, die als törichte Großstadtbesucher durch die Novellen der russischen Klassiker wandern. Wie alle Kinder, und ein Kind war Jürgen noch, war er angezogen von der Stärke, die er instinktiv empfand, und er vertraute sich Adam nicht nur an, sondern folgte ihm auf Schritt und Tritt, ja erwartete ohne guten Grund von dem Mithäftling seine Befreiung.

Vierzehn Tage ging, wie gesagt, alles gut, wenn dieses Adjektiv freilich auch nur sehr relativ aufgefaßt werden konnte. Hatte man die Nacht vergeblich um Schlaf ringend verbracht – die beiden dünnen Armeedecken schützten vor dem Erfrieren, aber nicht vor dem Frieren – dann ertönte um fünf Uhr früh ein preußisch resolutes: „'Raus!", ein Befehl, den die sonst der deutschen Sprache unkundigen Wärter bald in ihren Sprachschatz aufgenommen hatten. Nachdem man in totaler Finsternis, in Schnee und Kälte auch, zwei Stunden lang auf dem Hof gestanden hatte, wo ein amerikanischer Soldat die Namen so verlas, daß sie niemand verstehen konnte, erhielt man eine warme Brühe, die sich Frühstückskaffee nannte, jedoch von der Mittagssuppe nicht zu unterscheiden war. Der Morgenappell war nicht der letzte des Tages: einmal, oft auch zweimal noch, wurde man hinausgejagt auf den Platz zwischen den Baracken, wo die wenig phantasiebegabten Sieger das Spiel der Namensverlesung so lange wiederholten, bis einige Gefangene erschöpft umfielen oder mit Erfrierungserscheinungen ins Lazarett eingeliefert werden mußten. Stand Adam Wild bei diesen ewig währenden Appellen hinter Jürgen Stuckenschmidt, immer bereit, den schwankenden Jungen aufzufangen, wenn es ihn hinhauen sollte auf den vereisten Boden, dann hatte er Mühe, sich daran zu erinnern, daß man hier, zum Unterschied von den KZs, wenigstens nicht in unmittelbarer Lebensgefahr schwebte und daß am Ende der Haft wahrscheinlich die Freiheit, auf keinen Fall aber der Gasofen stand.

Adams Bereitschaft, sein Erlebnis nicht über die Maßen zu dramatisieren und die mangelnde Humanität der Sieger auf die Verbrechen zurückzuführen, die früher im Namen der Besiegten begangen worden waren, fand in den ersten zwei Wochen in der Person des Sergeanten White willkommene Hilfe. Dieser Barackensergeant, im Zivilberuf Elektrotechniker in einer Kleinstadt in Nebraska, „stuck his neck out", wie er lachend sagte, er „streckte seinen Hals heraus", das heißt, er nahm allerhand Risiken auf sich, um die Härten im Leben der Häftlinge zu mildern. Die ungeheuere Machtstellung, die ein Unteroffizier besitzt, wenn er die Siegreichen in einem Besiegtenlager vertritt, nützte der Sergeant White zu gutem Behufe, ohne besondere Sympathie für die Deutschen, sondern weil er meinte, die Armee sei dazu da, Kriege zu gewinnen und nicht Gefängniswärter zu spielen.

Am Abend des dreizehnten Tages nahm Sergeant White von seinen Schutzbefohlenen beinahe gerührten Abschied, indem er sie mit seinen eigenen Rationen, Zigaretten und einigen Decken versorgte; er ließ durch den englisch sprechenden Professor Müller verdolmetschen, daß er sich freuen werde, die Bewohner des Zimmers 8 der Baracke C eines Tages bei sich in Nebraska zu begrüßen, und fügte schließlich noch vorsichtig eine Warnung hinzu: der Korporal Crane, sein Nachfolger, habe keinen Schuß Pulver gerochen – mit Besatzungssoldaten, die frisch aus der Heimat kämen, müsse man sich paradoxerweise vorsehen.

Der mit Bangen erwartete Korporal Crane entpuppte sich dann auch schnell als eine mit übermenschlichen Vollmachten ausgestattete Bestie. Schon bei seinem ersten Besuch in der ehemaligen Rumpelkammer ließ er etwas von einem „neuen Regiment" verlauten; eine Stunde später kehrte er wieder, um die „überflüssigen" Decken und, nach einer hochnotpeinlichen Durchsuchung der Stube, die aufgestapelten „Reichtümer" abzuholen. Am Tage darauf fiel ihm etwas Neues ein: unter dem Vorwand, der Raum sei zu klein, um einen „Doppeldecker" zu beherbergen, wurde das Bettgestell entfernt, so daß nun auch der Dichter Glück und der Kaufmann Rabenkopf auf dem Fußboden schlafen mußten. Crane war ein mittelgroßer Mann von etwa fünfundzwanzig Jahren, mit kurz geschnittenen Haaren und einem Gesicht, das kein Innenleben, also auch nicht Brutalität, verriet, vielmehr an jene überraschenden Zeitungsfotos gemahnte, deren genaueres Studium erst dem Physiognomiker die verschütteten Instinkte eines abgebildeten Verbrechers verrät. Dieser Korporal Crane nun, von dem es sich nie herausstellte, woher er eigentlich kam, und ob er Berufssoldat war, erkor sich Jürgen Stuckenschmidt zum Opfer, was sich dann auch sogleich in zahllosen kleinen, aber umso deutlicheren Schikanen äußerte.

Erst am dritten Tage seiner Regierung, am siebzehnten der Haft Adams, kam jedoch die Feindschaft Cranes dem Fünfzehnjährigen gegenüber zur offenen Eruption.

Der abgesonderte, kleine Teil des Lagers besaß keine Speisehalle und die Mahlzeiten wurden in den Baracken verteilt. Zwei oder drei Häftlinge mußten dreimal im Tag einen Kessel, in dem sich die Kaffeesuppe oder der Suppenkaffee befand, von der Küche abholen. Unter den wachsamen Augen Korporal Cranes wurde dann die Nahrung in alte Wehrmachtsnäpfe ausgeschenkt und der leere Kessel wieder in die Küche zurückbefördert. In Adams Baracke begann die Verteilung in Zimmer 8, weil sich die Tür des Zimmers unmittelbar auf den Hof öffnete.

An diesem Nachmittag hatten Jürgen, Dr. Zille und Glück den kochenden Kessel zusammen in die Baracke gebracht. Der schmächtige Junge, von dem halluzinierenden Arzt und dem faulen Poeten nur notdürftig unterstützt, schleppte den größeren Teil der Bürde. Als er sich mit ihr durch die enge Tür zwängte, stolperte er über eines der „Betten" auf dem Fußboden, ließ in seinem Schrecken den Henkel fahren, so daß sich ein Teil der dampfenden Suppe über den Boden ergoß und über zwei Armeedecken rann.

Jürgens Zimmergenossen blickten sich an. Dann erst wagten sich ihre Blicke in die Richtung des Korporals vor, der mit geballten Fäusten in der Tür stehengeblieben war. Der Schrecken hing in der Luft und er war doppelt mächtig, weil es war, als hätte der Junge nur ausgeführt, was ihm ein unentrinnbares Schicksal grausam aufgetragen hatte.

Fluchend ging der Korporal auf Jürgen zu. Auch seine Bewegungen waren wie die Gesten einer wohl einstudierten, lang geprobten Inszenierung. Er packte den Jungen, der sich schnell aufzurichten versuchte, an den schmalen Schultern und warf ihn wie einen Ball gegen die Wand. Für einen Augenblick schien es, als wollte er es bei dieser Handlung bewenden lassen. Da beging Jürgen einen fatalen Fehler. Er sagte etwas in seiner Muttersprache, wie er es nicht anders konnte, eine Entschuldigung war es wohl: Crane jedoch nahm an, oder wollte annehmen, daß ihm der Gefangene zu widersprechen, sich ihm gar zu widersetzen wagte.

Der große, verbeulte Kochlöffel, der im Kessel gesteckt hatte, lag auf dem Boden, dort, wo er Jürgen entfallen war. Crane hob ihn auf. Die Männer, die jetzt bewegungslos an die Wand gedrückt standen, glaubten, der Korporal werde mit dem Löffel auf Jürgen einschlagen. Das war ursprünglich vielleicht auch Cranes Absicht gewesen; aber die sich duckenden Männer, der zitternde Junge an der Wand, der Rausch der Macht, der ihn ergriff, flößten ihm einen satanischen Einfall ein.

Vom dampfenden Topf war der Deckel heruntergefallen. Crane tauchte den Löffel tief in die heiße Flüssigkeit. Und ehe die Gefangenen noch begriffen, was geschah, schleuderte er den kochenden Inhalt des Kessels in das Gesicht des Jungen.

Jürgen stand flach an der Wand. Die dampfende Flüssigkeit rann ihm über das Gesicht, versengte seine Augen, verbrannte seine Lippen.

Instinktiv hob er die Hände, um sie vor sein Gesicht zu halten. Korporal Crane tauchte, von der abwehrenden Geste noch mehr angestachelt, den Löffel nochmals in die kochende Brühe: mit seinem rechten Arm einen Halbbogen beschreibend, spritzte er die heiße Flüssigkeit in das Gesicht des vor Schmerz brüllenden Jungen.

Die Häftlinge rührten sich nicht: Rabenkopf stand bleich und zitternd; Professor Müller in sich zusammengeschrumpft; Glück grotesk, die Hände an der Hosennaht; Dr. Zille aber, noch in der Türe, begann zu lachen, ein hysterisches Lachen, das durch die ganze Baracke schallte.

Ohne dieses Lachen hätte sich Adam vielleicht nie aus der Erstarrung gelöst, die ihn wie die anderen befallen hatte. Nun aber setzte er sich in Bewegung, beinahe wie ein Soldat, der, eine Handgranate werfend, über eine Grube springt.

Mit einem Satz war er bei dem Korporal. Crane, selbst ein Mann von nicht unbeträchtlichen Körperkräften, verschwand geradezu in den riesigen Händen Adams. Der Angriff erfolgte so überraschend, daß Crane nicht, wie er es wohl getan hätte, nach seiner Pistole greifen konnte. Adam entwand ihm den Löffel und hielt mit einer einzigen Hand beide Arme des Korporals hinter dessen Rücken gefangen. Fluchend und drohend setzte sich Crane zur Wehr. Adam packte ihn mit der freien Linken beim Nacken. Und zu Eis erstarrt sahen seine Mithäftlinge nun, was geschah: Adam war im Begriffe, den halb kahlen Schädel des Mannes in den immer noch dampfenden Kessel zu drücken.

In diesem Moment jedoch überkam ihn die rettende Besinnung. Er ließ den Kopf Cranes los, und hob den mit beiden Füßen Ausschlagenden hoch: wie ein strampelndes Kind trug er ihn zur Tür. Mit einem Fuß stieß er die Tür auf und warf den Korporal, einem plumpen Sack gleich, hinaus auf den Hof.

Immer noch rührte sich niemand. Jürgen stand winselnd an der Wand. Mit dem Ärmel seiner Uniformjacke versuchte er, völlig geblendet, das Naß von seinem verbrannten Gesicht zu wischen. Sein großer Kinderkopf hing loser denn je auf seinem dünnen Hals.

Adam blieb der Tür gegenüber stehen. Er konnte nicht klar denken, aber er erwartete, Crane mit vorgehaltenem Revolver in der Tür auftauchen zu sehen.

Aber nichts geschah. Eine Minute später hörten die Gefangenen die sich entfernenden Schritte des Korporals.

Adam wischte sich den kalten Schweiß von der Stirne. Er wandte sich um und sagte zu Jürgen:

„Leg' dich nieder. Ich will dich anschauen."

Dieser nüchterne Satz löste endlich die Spannung. Dr. Zille lachte nicht mehr. Professor Müller kniete sich neben Adam nieder, um ihm behilflich zu sein. Der Schwarzhändler Rabenkopf begann, in seinen Habseligkeiten zu kramen, als hätte er in ihnen eine Hausapotheke verborgen. Nur der Dichter Glück blieb aufrecht, an die Wand gelehnt stehen, und sagte:

„Heil Hitler!"

Adam wandte sich um. Er sagte:

„Halten Sie das Maul! Laufen Sie zum Lazarett hinüber. Ich kann ohne Verbandstoff nichts machen."

Er versuchte, Jürgens Augen zu reinigen, als die Tür aufflog. Vier M.P.s, die Gewehre geschultert, standen in der Tür.

Adam erhob sich.

„Lassen Sie ihn ins Lazarett bringen", sagte er zu Dr. Zille.

Dann folgte er den Soldaten.

Sie brachten ihn über den vereisten Hof, an Baracken und starrenden Häftlingen vorbei, in das Haus des Kommandanten.

In der Schreibstube, die sie betraten, war es so heiß, daß Adam einen Augenblick lang fürchtete, eine Ohnmacht könnte ihn befallen. Er sah sich nach einem Stuhl um, nahm aber schließlich alle seine Kräfte zusammen, um sich zu beherrschen. Er wußte, daß es mehr als eine Phrase war, wenn man sagte, einem Menschen zittern die Knie, aber ihm hatten noch nie die Knie gezittert. Jetzt schlugen sie gegeneinander, beinahe wie die Zähne eines Frierenden im Mund aufeinander schlagen. Und Adam war sich des Absurden bewußt, daß er im Moment nichts so sehr fürchtete, als daß man sehen könnte, wie seine Knie zitterten.

Es verging beinahe eine halbe Stunde. An den zwei Schreibtischen saßen zwei uninteressierte Soldaten und lasen die Sonntags-„Comics". Auf der faul tickenden Uhr standen die Zeiger in einem Ausrufezeichen. Es war sechs.

Endlich ging die Tür zum Zimmer des Kommandanten auf. Korporal Crane kam heraus. Er blickte nicht auf. Nur als er an Adam vorbeikam, sagte er etwas, zwischen den Zähnen, auf englisch. Die M.P.'s lächelten.

Er betrat das Zimmer des Kommandanten. Zu seiner Überraschung zogen sich die vier Soldaten sogleich zurück. Er war allein mit Oberstleutnant Lee E. Perry.

Der Oberstleutnant, dessen Name mit goldenen Lettern auf einer dem Besucher zugekehrten Holztafel, mitten auf dem Schreibtisch, stand, musterte Adam eine Weile von Kopf bis Fuß.

Er sah aus wie ein Trappistenmönch, der seit Jahren nicht gesprochen und nur das Notwendigste gegessen hatte. Adam fragte sich, ob der Mann überhaupt je sprechen werde.

„Do you speak English?" brach der Oberstleutnant endlich das Schweigen.

„Nein", sagte Adam.

„Ich verstehe deutsch", sagte der Oberstleutnant. Er sprach langsam, abgemessen, wie jemand, der die fremde Sprache in mühsamen Schulstunden spärlich erlernt hatte, aber auch in seiner Muttersprache nicht gerne Worte verschwendet.

Adam schwieg.

„Nun", sagte der Oberstleutnant. „Was haben Sie zu sagen?"

Adam begann, die Ereignisse der letzten Stunden zu schildern. Er faßte sich so kurz wie möglich, sprach langsam und ruhig, bemüht, sich verständlich zu machen. Der Mann hinter dem Schreibtisch hörte ihn an, ohne ihn zu unterbrechen.

„Es tut mir leid, aber ich konnte nicht anders handeln", schloß Adam seinen Bericht.

In dem schmalen, asketischen Gesicht war immer noch keine Bewegung zu bemerken.

„Es ist nicht notwendig, daß es Ihnen leid tut", sagte der Oberstleutnant schließlich. „Ich hätte nicht anders gehandelt."

Die beiden Männer sahen sich an. Adam mußte die in den letzten Stunden verbrauchten Kräfte zusammennehmen, um nicht von Rührung überwältigt zu werden. Erst jetzt wußte er, daß er Angst gehabt hatte, nackte Angst, so nackt, wie vorher seine Empörung. Er hatte Mühe, seine Rührung zurückzudrängen, damit sie nicht in seine Augen trete. Man war zu leicht gerührt, wenn man zu viel Angst gehabt hatte.

„Aber Sie haben Unglück", sagte der Oberstleutnant. „Sie waren auf der Entlassungsliste. Der Gefangene Sibelius hat gesagt, warum Sie hierher gekommen sind. Dafür waren siebzehn Tage genug. Jetzt muß ich Sie zurückbehalten. Körperlicher Angriff gegen einen Soldaten der Besatzungsmacht ist ein schweres Vergehen. Tut mir leid." Er senkte den Blick. „Ich werde Korporal Crane vor ein Militärgericht stellen. Sie haben seinen Bericht nur bestätigt. Haben Sie noch etwas zu sagen?"

„Ja", sagte Adam. „Ich möchte Ihnen danken."

„Nichts zu danken", sagte Oberstleutnant Perry. „Wir versuchen, keine Konzentrationslager zu machen. Vielleicht wundert Sie das, Herr Dr. Wild. Aber es ist leichter, Konzentrationslager zu machen als keine Konzentrationslager zu machen. Verstehen Sie?"

„Ja", sagte Adam.

„Gut", sagte Perry. „Gehen Sie in Ihre Baracke zurück. Korporal Crane wird vorderhand keinen Dienst machen."

Er legte die Hand auf die Klingel. Dem Sergeanten, der die Tür öffnete, sagte er:

„Der Gefangene kann allein in seine Baracke zurückgehen."

Dann stand Adam draußen auf dem Hof zwischen den ebenerdigen Holzhäusern. Das Licht aus den Baracken fiel auf den vereisten Boden. Der letzte Appell war vorbei, verödet lagen die trostlosen Höfe.

Er hatte beinahe die Baracke C erreicht, als aus der Dunkelheit drei Gestalten auftauchten.

Adam wußte sogleich, was geschehen würde. Er stemmte seine Schultern zurück, spannte seine Muskeln und machte sich bereit. Aber er hatte keine Zeit, sich zur Wehr zu setzen. Zwei Männer, deren Gesichter er nicht sehen konnte, packten ihn und kegelten mit geübtem Griff seine Arme so aus, daß sie hinter seinem Rücken einen Knoten bildeten.

Korporal Crane stand ihm gegenüber. Ohne ein Wort zu sagen, schlug er Adam mit geballter Faust ins Gesicht. Einmal, zweimal, dreimal. Adam fühlte keinen Schmerz, nur eine Wärme, die sein Gesicht überflutete. Das Blut rann ihm von der Nase in den Mund.

Was weiter geschehen wäre, erfuhr Adam nie. Aus der Dunkelheit ertönten marschierende Schritte. Die beiden Männer ließen von ihm ab. Die zu einem neuen Schlag erhobene Hand Cranes sank herab. Die drei entfernten sich im Laufschritt.

Adam öffnete die Tür zu seinem Zimmer. Jürgen war nicht mehr da.

„Um Gottes willen, wie hat man Sie zugerichtet, Herr Doktor", sagte Lehrer Müller.

Adam wischte sich das Blut vom Gesicht. Einen Augenblick lang hatte er daran gedacht, zurückzukehren zum Oberstleutnant und ihm den Vorfall zu berichten. Aber er verwarf den Gedanken gleich wieder. Er hörte noch, in dem fremden Tonfall des Offiziers: „Es ist leichter, Konzentrationslager zu machen, als keine Konzentrationslager zu machen. Verstehen Sie?" Ja, dachte Adam, ich verstehe.

Die Huren spielen Rommé

Inge saß bei der großen Blonden und spielte Rommé.

Nachdem sie damals, im Sommer, mitgegangen war mit dem Neger, hatte sich Inge wochenlang nicht in die Nähe des Sendlinger-Tor-Platzes gewagt. Vielleicht wäre sie überhaupt nicht mehr dorthin gegangen, hätte sie die große Blonde nicht eines Tages auf dem „Bummel" vor der „Mücke" getroffen.

Der Neger war aus Anniston, im Staat Alabama. Als Inge neben ihm saß, im Jeep, überließ er sich ihrer Führung. Er verstand nicht, daß sie keine Adresse hatte. Sie fuhren kreuz und quer durch München, an der Isar entlang, bis sie zum Tierpark Hellabrunn kamen. Das Grün stand damals hoch und die Gebüsche am Rande des Tierparks waren dicht. Es war inzwischen auch dunkel geworden. Und dann verstand der Neger aus Anniston, im Staat Alabama, noch weniger.

Er hieß Lincoln Washington Haymes: die beiden präsidentiellen Vornamen hatten ihm seine Eltern als Ausgleich für seine Hautfarbe gegeben. Jetzt, im besetzten Deutschland, fühlte sich Lincoln Washington Haymes seiner Vornamen zum erstenmal würdig. Er war glücklich in Deutschland, und weil er glücklich war, war er gut zu Inge. Dann kam er nach Berlin. Und Inge begann, vor der „Mücke" zu bummeln.

Dort war sie eines Tages der großen Blonden begegnet, die ihrerseits nicht mehr um das Sendlinger Tor, sondern sozusagen in höheren Regionen bummelte. Inges Herz stockte, als die große Blonde mit Dragonerschritten auf sie zukam. Aber Ilse Joachim, so hieß die große Blonde, war eine Realistin. Sie war nicht mehr jung und wußte, daß man gut daran tut, den Nachwuchs zu unterstützen, wenn man ihn nicht killen kann. Sie nahm Inge unter ihre Fittiche.

Vier Monate waren seither vergangen. Inge wohnte immer noch bei ihrem Vater, dem Rentner Alois Schmidt. Sie schlief immer noch im Wohnzimmer, auf dem Diwan mit den zwei Löwenköpfen. Aber früher hatte ihr nichts gehört als dieser Diwan. Jetzt gehörte ihr die ganze Einrichtung, einschließlich dem Rentner Alois Schmidt.

Sie war sechs Jahre alt gewesen, als ihre Mutter davonlief, mit einem Friseurgehilfen, im Winter 1935. Es war ein sehr strenger Winter. Und obschon sich die Jahreszeiten ablösten, war das Klima seitdem streng geblieben für Inge Schmidt. Der Rentner, fünfundvierzig, als Inge zur Welt kam, zweiundfünfzig, als seine junge Frau eines Tages vom Friseur nicht mehr heimkam, schüttete seinen Haß gegen die Ungetreue über das Kind aus, das der Mutter um so ähnlicher wurde, je mehr sein Vater jede Ähnlichkeit mit der Sünderin auszutilgen versuchte. Der Grenzpfad, auf dem Alois Schmidt wanderte, war so schmal wie die meisten Grenzpfade zwischen Gut und Böse. Er hätte das Kind einhüllen können in die Liebe für die verschwundene Frau, die einzige Liebe, der er je fähig gewesen war. Aber er begrub das Kind unter dem Haß, der die Liebe abgelöst hatte.

Wie sich der Vater für die Mutter am Kind gerächt hatte, so rächte sich das Mädchen jetzt am Vater. Er hatte sie hinausgeschickt auf die Straße: nun brachte sie die Straße ins Haus. Ilse Joachim bot ihr eigenes Zimmer im halbzerstörten Haus hinter dem Sendlinger Tor Inge zu zeitweiliger Benützung an, aber ein bitterer Trieb, eine perverse Lust beinahe, jagte das Mädchen immer wieder nach Hause, in die Wohnung am Friedhof. Den überraschten Lincoln Washington Haymes brachte sie zuerst, bei ihrem zweiten oder dritten Rendezvous, ins väterliche Heim; dann einen Schwarzhändler aus der „Mücke"; dann wieder einen Neger aus Haarlem; dann einen weißen Major, der zu Hause in Chicago drei Töchter hatte, jede älter als Inge. Sie versorgte ihren Vater, wie er sie versorgt hatte in den Jahren ihrer Kindheit; sie ließ ihn nicht hungern, nicht dursten und nicht nach Tabak schmachten. Aber die Uhren im Haus des Haustyrannen Alois Schmidt schlugen, wie Inge sie stellte. Sie nahm wörtlich, was er sie gelehrt hatte: daß zu bestimmen habe, wer das Brot verdiene. Und es war gleichgültig, woher das Brot kam.

Die Nachmittage, manchmal den ganzen Tag, verbrachte

sie allerdings bei der großen Blonden. Ilse wohnte im dritten Stock eines Hauses, das seltsamerweise nur einen dritten Stock besaß. Solche Architektur schufen die Brandbomben, die zwar auch durch dieses Stockwerk gefahren waren, aber nur die unteren Stockwerke ausgebrannt hatten. Da aber auch das Treppenhaus vernichtet war, führte eine Nottreppe, einer Leiter nicht unähnlich, zum dritten Stockwerk hinauf, so daß die Frauen, leichte Mädchen allesamt, hier lebten wie auf einer Hühnersteige und nur am Abend über die Leiter hinunterflatterten auf den Hühnerhof.

Das Zimmer der großen Blonden war ein geräumiger und bürgerlich behaglicher Hühnerkäfig. Die Schlafcouch war von tiefem Grün; auf dem kleinen runden Tisch am Fenster lag eine etwas gelbliche, aber saubere, geklöppelte Decke, und an den Wänden hingen mehrere schwergerahmte Ölgemälde, die unwahrscheinlich traurige Landschaften darstellten. Ein heiterer Ton kam ins Zimmer durch die Fotografien von drei oder vier amerikanischen Soldaten, mit Widmungen wie: „Thanks to Ilse, from John", ein milder Hohn auf das Gesetz, das Amerikanern jede Berührung mit dem sündigen Volk untersagte. Auf dem dunkelbraunen Kleiderschrank waren stets fünf bis zehn pausbäckige rote Äpfel aufgereiht, die gleichfalls die häusliche Atmosphäre unterstrichen, und die übrigens den steten Einsatz in den endlosen Rommé-Partien zwischen Ilse und ihrer jungen Freundin bildeten. Wie man Haselnüsse unter Kindern verteilt, damit sie diese als Einsatz bei ihren Gesellschaftsspielen verwenden, so gab die häusliche Ilse ihrer Gefährtin zu Beginn jedes Spieles einige Äpfel, ohne allerdings diese Geschenke ihrer bäuerlichen Verwandten je ernstlich zu gefährden, da sie regelmäßig gewann und die solcherart zurückeroberten Äpfel sorgfältig wieder auf dem Schrank aufreihte.

Auch an diesem frostigen Nachmittag, Ende November, hatte Ilse Joachim die sechs Äpfel, die sie Inge großzügig zur Verfügung gestellt hatte, wieder zurückgewonnen, und nun öffnete sie den Schrank, um einen Blick auf ihre Garderobe zu werfen. Inge stand inzwischen am kleinen

Eisenofen, in dem ein fröhliches Feuer prasselte – das Holz war von einem ländlichen Gast, der in Naturalien bezahlte, geliefert worden –, so daß sich im Zimmer der süßliche Geruch anfaulender Äpfel mit dem herben Geruch des brennenden Holzes vermengte.

„Dir ist halt alles dreimal zu groß, Kleine", seufzte Ilse. Vom Kleiderschrank wanderte ihr Blick zum Mädchen. „Dabei siehst du gut aus, sehr gut sogar, wenn ich denke, wie hundeelend du aussahst, als ich dich zum erstenmal ansprach. Das Bummeln tut dir gut."

„Es tut mir gut, daß ich etwas zu fressen habe", sagte Inge.

„Das Fressen allein macht es nicht, Kleine. Es ist die Anerkennung."

„Deine Anerkennung kotzt mich an", sagte Inge.

Die große Blonde lachte. „Wer redet von meiner Anerkennung? Ich rede von den Männern."

„Die Männer kotzen mich an", sagte Inge.

„Jetzt redest du wieder dumm daher", sagte Ilse. „Als ich noch Mannequin war ..."

„Die Geschichten kenne ich auswendig", sagte Inge.

Es kümmerte Ilse nicht. „Ich weine der Zeit nicht nach", sagte sie. „Ich nicht. Ich kam mir weiß Gott wie wichtig vor, wenn ich über den Laufsteg wackelte ..." Sie wandte sich um und spazierte, sich in den Hüften wiegend, über einen imaginären Laufsteg.

„Der Laufsteg würde unter dir zusammenbrechen", sagte Inge.

Auch das überhörte Ilse. „Die Männer starrten mich an", sagte sie, vor dem Schrank stehenbleibend, „aber zahlte einer? Keine Spur! Jetzt weiß ich, was ich wert bin. Die Tugend kannst du ruhig verlieren, Kleine, bloß nicht die Selbständigkeit." Ihr Blick streifte über die fotografischen Trophäen an der Wand und blieb am rotglühenden Kanonenofen haften. „Wer verdient heute schon eine ganze Stange Zigaretten am Tag? Gut, nicht jeden Tag, aber dafür am Samstag auch zwei. Wem schleppt so ein Kerl einen Sack voll Holz die Stiegen herauf? Neulich haben sie bei einem Minister eine Stange ‚Chesterfield' gefunden, die

Hölle war los. Da kann ich nur lachen. Ein Minister! Wer hat da mehr Würde: der Minister oder ich? Und dir geht es genau so, Kleine. Wer hat, hat Würde, und wer nicht hat, hat keine. Denk einmal an deinen Vater ..."

„Du wolltest mir einen Mantel leihen", sagte Inge.

„Den kannst du ja mal versuchen", sagte Ilse.

Sie nahm einen Mantel aus dem Schrank, der dunkelblau gefärbt war, aber von weitem verriet, daß zwei „G. I. blankets", die warmen, soldatenbraunen Decken der Amerikaner, das Material geliefert hatten. Die Farbe hatte an einzelnen Stellen nicht ganz durchgegriffen, das männliche Braun lugte hier und dort zwischen dem femininen Blau nüchtern hervor. Solche Einzelheit jedoch konnte Ilse Joachims Standesstolz nichts anhaben.

„Da kam einer vielleicht vors Kriegsgericht", sagte sie, liebevoll über den Stoff streichend, „weil er die zwei Decken geklaut hat. Anerkennung, sage ich dir, das ist Anerkennung ..."

Sie half Inge in den Mantel. Das Mädchen, wenn in der Tat auch nicht mehr so arm und hilflos wie im Frühjahr, konnte sich den Mantel zweimal umlegen, und in dem Tuchmeer sah sie nun wieder elend und klein aus.

„Du kannst ihn ja offen tragen", sagte Ilse nachdenklich. „Warm ist er."

„Meinethalben", sagte Inge. Und mit einer Geste auf die Chaiselongue, auf der ihr eigener Mantel lag: „In dem Kindermantel erfriere ich noch."

Sie tat gut daran, sich in die ehemaligen Militärdecken zu hüllen. Draußen herrschte bittere Kälte. Der Mond war aufgegangen, und die Stadt war hell, denn es standen nicht mehr so viele Häuser im Wege des Mondes. Die Kälte war fühlbarer, weil sie sichtbarer war. Auf dem Glatteis der Fahrbahnen hatten nur wenige Wagen trennende Spuren gezogen: ungebrochen war die Eisfläche wie der Spiegel ländlicher Gewässer. Die Gassen waren vereiste Bäche, die Straßen vereiste Flüsse, die Plätze vereiste Seen. Und auch der Novemberhimmel wirkte kälter über der ausgestorbenen Stadt, denn die niedrigen Nebenbuhler der Sterne, Straßenlaternen und Schaufenster, waren dunkel oder verblaßt, und man mußte unwillkürlich hinaufblicken zu den Sternen, die flimmernd und distanziert hinter dem Mond standen.

Die beiden Frauen, schnell nebeneinander einhergehend – die jüngere laufend beinahe, mit kleinen Schritten; die ältere stelzend noch im eiligen Gang, wie es ihre gewohnte Art war – hatten bald das Platzl erreicht und waren hinter der Ruine des Hofbräuhauses in eine Nebenstraße eingebogen, an deren Ende, von der Straßenseite unsichtbar, die „Mücke" lag. Die einsame Wand eines ausgebombten Hauses verdeckte den Blick auf das Lokal von der Straße; die „Mücke" selbst befand sich in einem ebenerdigen Holzbau, der in den Schutt hineingestellt worden war und wie eine jener Holzhütten wirkte, die Bauarbeitern während der Bauzeit zu provisorischem Unterschlupf dient.

Ein Jeep blieb neben den Frauen plötzlich stehen.

„He", rief der Offizier am Steuer sie an, „gibt es hier ein Lokal, das ‚Die Mücke' heißt?" Seine Sprache war ohne fremden Einschlag und hatte sogar eine Münchner Färbung.

„Vielleicht", antwortete Ilse.

Der Offizier griff in seine Brusttasche, entnahm einem Päckchen zwei Zigaretten und reichte sie den Frauen.

„Dort, durch das Tor", sagte Ilse.

„Dann lasse ich den Wagen gleich hier", sagte der Offizier.

Er stieg aus und öffnete die Motorhaube. Er griff in den Motor, schraubte eine runde, braune Dose los und zog einen kurzen Gummischlauch heraus. Er steckte ihn in die Tasche und ließ die Motorhaube fallen.

„Jetzt kann ihn keiner stehlen", sagte er zu den Frauen, die ihm schweigend zugesehen hatten.

Er schickte sich an, ihnen zu folgen. Er blieb jedoch gleich wieder stehen, als der Ruf: „Captain Green! Captain Green!" durch die leere Straße hallte. Vom Platzl her kam ein Mann laufend auf die Gruppe zu.

„Bitte ergebenst, mich zu entschuldigen, Herr Hauptmann", sagte der Mann, als er atemlos zu den Wartenden stieß.

„Ist schon gut, Maurer", sagte der Amerikaner. „Ich bin etwas zu früh gekommen."

Jetzt erst wurde sich der ehemalige Gefreite Josef Maurer bewußt, daß der Captain nicht allein war. Ohne unehrerbietig zu sein, machte er doch unwillkürlich eine fragende Geste.

„Nichts weiter", sagte der Captain und lächelte. „Die Damen gehen auch in die ‚Mücke‘."

Abwehrchef Ost wird wieder gebraucht

George Green hatte unrecht, als er meinte, die „Damen" würden auch „Die Mücke" besuchen. Zwar waren sie beide zwei- oder dreimal in der „Mücke" gewesen, aber das Lokal, für das Walter Wedemeyer nach fortgesetzten Verhandlungen eine Konzession erhalten hatte, war einer Klientel vorbehalten, der anzugehören sich Ilse und Inge nicht rühmen konnten.

Das „Nachtlokal", das freilich um halb zehn Uhr abends seine Tore schloß, bestand aus einem größeren und einem kleineren Raum; beide waren mit den bescheidensten Mitteln ungemein geschmackvoll eingerichtet. Walter Wedemeyer hatte es verstanden, aus der Not eine Tugend zu machen, indem er die Wände mit groben Säcken tapezieren ließ und so den Räumen einen rustikalen Charakter verlieh. Da es in Nachtlokalen überdies nicht darauf ankommt, daß alles einen Sinn habe, genügten ein paar von den Wänden hängende Rettungsgürtel, drei oder vier geschickt angebrachte Postkutschenlaternen, einige supermoderne Gemälde und schließlich eine aus Schnüren kunstvoll nachgeahmte Riesenmücke, um jene Intimität zu schaffen, welche die Gäste Wedemeyers suchten. Die kleine Jazz-Kapelle, die anfangs gespielt hatte, entließ Wedemeyer bald, weil er fand, daß sie eine zu opportunistische Kapelle war, die ihrer Begeisterung über die wieder erlaubte Musik in einer übertrieben amerikanischen

145

Lautstärke Ausdruck verlieh. Der musikalischen Liebedienerei abhold, stellte Wedemeyer einen Klavierspieler an, der deutsche und englische Lieder mit klimpernder Sentimentalität zum besten gab.

Aus Gründen, die mit der Lizenzerteilung an Wedemeyer zusammenhingen und nur ihm und dem amerikanischen Geheimdienst bekannt waren, drückte die Besatzungsmacht ein Auge, zuweilen auch beide Augen zu, wenn in der „Mücke" munter fraternisiert wurde. Das Lokal wurde hauptsächlich von Schwarzhändlern, Huren und Besatzungsmitgliedern frequentiert und blieb dennoch insofern exklusiv, als es fast ausschließlich von der Elite dieser drei Klassen besucht wurde. Die Besatzungssoldaten kamen hauptsächlich der Barmädchen halber, die Wedemeyer mit außerordentlicher Sorgfalt und ungewöhnlichem Fachwissen ausgesucht hatte; die Schwarzhändler andererseits, kamen in erster Linie, um hier ihre Geschäfte mit den Siegern in weinseliger Stimmung tätigen zu können. Überdies gab es in der „Mücke" Erstaunliches zu essen – Rühreier, die teils aus amerikanischem Eierpulver, teils aus Hühnereiern bestanden; Rindfleisch aus Konserven, zuweilen aber auch echtes Schweinefleisch; Weißbrot mit Butter, und natürlich alles ohne Marken. Die Soldatengäste lieferten einen guten Teil der Nahrung als Bezahlung für die Mädchen; die Mädchen ihrerseits verkauften die Lebensmittel an Wedemeyer; Wedemeyer wieder gab sie an die Schwarzhändler weiter. Manchmal spielte sich dieser Kreislauf der Wirtschaft auch anders ab, zum Beispiel, wenn die Schwarzhändler von den Soldaten Zigaretten erwarben und Wedemeyer den Mädchen Konserven gegen Zigaretten zur Verfügung stellte. Da in den wenigen Restaurationsbetrieben der Stadt jegliche Nahrung nur gegen Marken verabreicht wurde, und zwar gegen ein Assortiment von Marken, erklärte Wedemeyer neugierigen Amerikanern, daß die Gäste „mitgebracht" hätten, was sie verzehrten; in Wirklichkeit aber verdankte „Die Mücke" ihren fabelhaften Aufschwung der Tatsache, daß man nichts „mitbringen" und keine Marken besitzen mußte.

Als Captain George Green, von Josef Maurer gefolgt, das überfüllte Lokal betrat, wurde er von dem Besitzer sogleich lebhaft begrüßt und in den Nebenraum geleitet. Die ausgesuchte Aufmerksamkeit, die Herr Wedemeyer dem neuen Gast bezeugte, hatte seinen guten Grund. Als Wedemeyer sein Projekt Colonel Hunter vortrug und mit seinem Plan den langen Instanzenweg beschritt, war ihm der Vorwand, „Die Mücke" sollte der amerikanischen Abwehr als Jagdprämisse dienen, wie eine Erleuchtung gekommen. In Wirklichkeit ging es Wedemeyer keineswegs um so abenteuerliche und verstiegene Pläne; er liebte es einfach, an der Quelle zu fischen, und die Quelle war dort, wo sich Menschenfleisch, mit dem Umweg über Tabak etwa, in Schweinefleisch umsetzte. Immerhin beunruhigte es ihn, daß sich die Lizenzerteiler, seines Wissens wenigstens, des Lokales noch nicht bedient hatten: es lag im Wesen Wedemeyers, daß er seine Kunden nicht gern enttäuschte. Als ihm nun einer seiner beliebtesten Gäste, Herr Josef Maurer, den Besuch eines „maßgebenden Abwehroffiziers" ankündigte, nahm Wedemeyer an, daß er der Erfüllung seiner Verpflichtung etwas näher kam.

Captain Green und Maurer nahmen an einem Ecktisch der Nebenstube Platz, und mit einer „Tischleindeckdich"-Geste zauberte Wedemeyer – schmunzelnd und in seinem schwarzen Anzug mit den gestreiften Hosen eher Diplomat als Gastwirt – einen Wasserkrug voll perlenden Sektes auf den Tisch. Daß er den Sekt nicht in der Originalflasche servierte, hatte mit den Qualitäten des Getränks nichts zu tun – es war in der Tat ein köstlicher Sekt –, vielmehr gehörte es zum Wesen von Lokalen wie die „Mücke", daß auch die Getränke in getarnter Form erschienen und die Tische meistens leer waren, weil Speise und Trank entweder in Hast wieder abgetragen wurden oder man es überhaupt vorzog, sie auf Bänke und Stühle abzustellen.

„Hier sind wir also", meinte Maurer, nicht gerade originell, als sich Wedemeyer entfernt hatte.

„Irgendwelche von den Leuten da?" fragte Green.

„Noch keine gesehen, Herr Hauptmann", sagte Maurer

entschuldigend, „aber werden zweifellos gleich aufscheinen."

Green bot Maurer eine Zigarette an.

„Bin so frei", sagte Maurer und griff zugleich nach dem Sektglas. „Sehr zum Wohle, Herr Hauptmann."

Green setzte das Glas an, ohne auf den Toast einzugehen. Er sagte:

„Ich hoffe, daß Herr Mante seine Versprechungen einlöst. Ich könnte sonst schwerlich garantieren, daß er noch lange auf freiem Fuß bleibt."

„Bitte Herrn Hauptmann zu glauben, daß alles bestens in Ordnung ist", sagte Maurer eifrig. „Herr Hauptmann müssen nur die Schwierigkeiten verstehen. Wer einmal bei der Gestapo eine Rolle spielte, sitzt entweder oder hält sich verborgen. Die Leute sind mißtrauisch. Sie glauben, man will sie in eine Falle locken. Sie wollen nicht begreifen, daß sie wieder gebraucht werden."

„Gebraucht ist zuviel gesagt", unterbrach ihn Captain Green.

Maurer rutschte ungeduldig auf seinem Sitz hin und her. Von dem Tisch, an dem sie saßen, konnte man durch die offene Tür auch den Rest des Lokales übersehen. Der Klavierspieler war ein dürrer Mann in einem abgetragenen Wehrmachtsrock. Sein Profil wirkte wie ein Dreieck: eine steile Linie zog sich von der Stirne zu der spitzen Nase, eine ebenso steile Linie fiel von der Nase zu dem zurücktretenden Kinn ab. Eines von Wedemeyers Mädchen lehnte am Klavier. Es hatte rote Haare, die ihm offen auf die Schultern fielen. In dem tief ausgeschnittenen Abendkleid aus besseren Zeiten sah es aus wie jemand, der krampfhaft versucht, wie eine Kokainistin auszusehen. Das Mädchen wollte sich zwei Männern bemerkbar machen, die an einem benachbarten Tisch saßen. Maurer kannte sie; sie handelten mit Butter. Der eine hatte es unternommen, Maurer einen Posten von fünfundsiebzig Kilo Butter zu verkaufen. Fünfzig Kilo waren verdorben. Seither waren ihre Beziehungen gespannt.

Plötzlich kam Bewegung in Maurers Züge.

„Das ist einer von ihnen", sagte er zum Captain.

Green blickte nach der Eingangstür. Ein Mann in einem schwarzen Ledermantel hatte das Lokal betreten. Es war ein breitschultriger Mann mit einem flachen Gesicht, das von Pockennarben zerfressen war, aber seltsamerweise wirkten die Pockennarben nicht abstoßend; sie erhöhten vielmehr den männlichen Charakter der brutalen Züge. Der Mann blieb in der Tür stehen und streifte sich die dicken Lederhandschuhe von den Fingern. Er steckte die Handschuhe nicht ein, sondern behielt sie in seiner Faust.

„Ich spreche am besten zuerst allein mit ihm", sagte Maurer.

George Green nickte zustimmend.

Maurer und der Fremde hatten an dem letzten freien Tisch in der Nähe des Klavierspielers Platz genommen. George Green konnte sie von seinem Tisch aus beobachten.

Die Rauchschwaden hingen im Raum wie fette, weiße Luftballone. In der Mitte des Lokales hatte man einige Tische beiseite geschoben, und drei oder vier Paare bewegten sich in rhythmischen Gesten. Die Soldaten tanzten mit umgeschnallten Revolvern. Manchmal griff sich ein Mädchen an den Rücken, weil sich die Revolvertasche eines vorbeitanzenden Soldaten in seine Hüften gebohrt hatte. An mehreren Tischen lehnten Gewehre. Die Soldaten, denen die Gewehre gehörten, saßen hinter den Tischen und hatten ihre Finger gespreizt auf die Busen ihrer Mädchen gelegt, beinahe als wollten sie ihren Umfang abmessen. Der eine oder andere, trunken vom billigen Wein, hatte die Hand in den Busenausschnitt eines Mädchens versenkt. Sie kümmerten sich nicht um ihre Gewehre. Zuweilen stolperte ein Tanzender über ein angelehntes Gewehr und die Waffe fiel krachend zu Boden. Der Klavierspieler war vom Jazz zu einem sentimentalen deutschen Lied übergegangen. „Ein rheinisches Mädchen beim rheinischen Wein." Das Mädchen am Klavier sang: „Das muß der Himmel auf Erden sein..." Wenn ein Gewehr hinfiel, zuckte das Mädchen zusammen.

Maurer und der Mann im Ledermantel erhoben sich. Der Fremde stieß seinen Kopf gegen einen herabbaumelnden Rettungsgürtel. Sie kamen auf George Green zu.

Maurer sparte sich die Formalität der Vorstellung. Sie setzten sich nieder. Green bot ihnen Zigaretten an; der Fremde lehnte ab.

„Herr Maurer hat Sie also unterrichtet", begann George Green.

„Ja", sagte der Mann. „Ich soll Sie mit dem General zusammenbringen."

Green nickte.

Der Mann mit den Pockennarben sagte: „Und wer garantiert mir, daß es keine Falle ist?"

„Aber ich sage Ihnen doch", mischte sich Maurer ein, „Mante steht gut für ihn ..." Er war voller Eifer.

George Green tat, als hörte er es nicht, daß Mante für ihn gutstehen mußte.

„Angenommen, ich könnte mit dem General sprechen", sagte der Fremde, immer noch mißtrauisch, „... was soll ich ihm sagen?"

„Wir wollen einen neuen Geheimdienst aufziehen", sagte Green.

„Mit uns, oder gegen uns?"

„Wir suchen Leute, die Erfahrung mit dem Osten besitzen. Der General soll Fachmann sein."

Der Mann im Ledermantel lächelte. „Es gibt keinen größeren Fachmann." Dann verschwand das Lächeln wieder von seinen harten Zügen. „Gegen den General läuft ein Verfahren."

„Wir können es niederschlagen", sagte Green.

„Das wird dem General nicht genügen", sagte der Fremde.

Green hob fragend die Augenbrauen.

„Der General hält zu seinen alten Leuten", sagte der Mann. Er nahm – es war, schien es Green, eine betonte Geste – eine deutsche Zigarette aus seiner Manteltasche und zündete sie an. Er sah Green ins Gesicht. „Viele seiner Leute sind Nazis. Manche sind von der Gestapo." Er betonte „Nazis" und „Gestapo" in der gleichen Weise, in der Amerikaner von Nazis und Gestapo sprachen. Es klang, als wollte er die Verächtlichmachung verächtlich machen.

„Wir werden uns mit dem General über die Auswahl seiner Leute unterhalten", sagte Green.

„Wenn der General etwas aufzieht, braucht er Geld", sagte der Fremde.

„Das ist keine Neuigkeit", sagte Green.

„Grüne Dollars?"

„Ja."

„Schön", sagte der Mann. „Ich werde versuchen, mit dem General zu sprechen." Sein Blick fiel auf Maurer. „Wer bezahlt den?" fragte er.

Maurer lächelte. Wenn er lächelte, verzog sich sein breiter Mund zu einem idiotischen Grinsen. Dann wurde der Kontrast zwischen seinen Dorftrottelzügen und seinen klugen Augen besonders deutlich.

„Ich arbeite aus Idealismus", sagte er.

„Wir bezahlen ihn", sagte Green.

Der Fremde traf Anstalten, sich zu erheben.

„Ich möchte den General möglichst noch diese Woche sprechen", sagte Green.

Zum erstenmal kam ein beinahe vergnügtes Leuchten in die Augen des Fremden. Er fragte:

„Soll es so bald losgehen?"

George Green wußte, was der Mann sagte. Aber er fragte: „Was meinen Sie?"

„Gegen den Russen", sagte der Mann.

„Was der General weiß, interessiert uns heute und nicht morgen", sagte George Green. „Das sollte genügen. Wir können uns bei Herrn Mante treffen."

Der Fremde erhob sich.

„Ich kann in seinem Namen nichts versprechen", sagte er. „Ich will tun, was ich kann."

George Green stand nicht auf. Sein Blick glitt von unten nach oben, an dem Mann entlang.

„Brauchen Sie einen Vorschuß?" fragte er.

„Nein", sagte der Fremde.

Er nickte kurz, wandte sich schnell um und marschierte durch das Lokal.

Wenige Minuten später gingen auch Maurer und der Captain. In der Tür stießen sie mit einem riesigen ameri-

kanischen Sergeanten zusammen, Maurer bemerkte beiläufig, daß der Sergeant die kleine Bleiche um die Hüften
gefaßt hielt, die er zuvor auf der Straße gesehen hatte. In
dem viel zu großen Mantel aus Militärdecken wirkte sie
wie eine Fetzenpuppe in der Hand eines Erwachsenen.

Frank übernimmt den Fall O'Hara

„Nun kennen Sie den ganzen Fall, Frank", sagte Colonel
Hunter zu dem Major, der vor seinem Schreibtisch saß.
„Die Frau ist in München." Er strich mit einer wegwerfen-
den Geste über die Papiere, die vor ihm lagen. „Das ist
klar. Aber diese Berichte sagen nichts. Es ist, als griffe
man in Watte. Haben Sie eine Ahnung, was mit O'Hara
los ist?" Es war bezeichnend für Colonel Hunters Einstellung zu den beiden Männern, daß er von dem einen Major
als O'Hara sprach, während er den anderen beim Vornamen nannte.

„Meine Beziehungen zu Major O'Hara sind rein dienst-
lich", sagte Frank.

„Ich weiß", sagte der Colonel. Er zuckte mit den Schul-
tern. „Kurzum, Sie müssen sich mehr um den Außendienst
kümmern, Frank. Fotografien und Beschreibungen haben
Sie. Nehmen Sie meinen Wagen. Klappern Sie die ganze
Stadt ab. Einschließlich der besonders angezeichneten Orte.
Mir wird die Geschichte langsam zu dumm."

Frank stand auf. In den vier Jahren, die er unter dem
Oberst diente, war es nur selten geschehen, daß Hunter
eine Gemütsbewegung verraten hatte. Weder im Feuer
der Normandie-Landung noch in den triumphalen Momenten des Einzugs in Paris, weder in der aufgelockerten
Atmosphäre des Offizierskasinos noch bei aufreibenden
Verhören mit Kriegsgefangenen war Hunter aus sich her-
ausgegangen. Viele legten die strikte Zurückhaltung, die
strenge Selbstkontrolle des Colonels als Kälte aus, an-
geboren oder anerzogen, manche auch einfach als Hoch-

mut. Frank jedoch hatte von jeher das Gefühl, daß hinter den ernsten, beinahe schulmeisterlichen Zügen eine Traurigkeit wohnte, in die man weder erlaubt noch unerlaubt eindringen konnte, weil es hier kein Schlüsselloch gab, an dem man einen Schlüssel oder Nachschlüssel hätte erproben können. Er empfand eine gewisse Zärtlichkeit für Hunter, die Zärtlichkeit eines Mannes, der seinen Vater zu früh verloren hatte, und selbst Hunters Ärger schien ihm eine willkommene Bestätigung, daß es im Inneren seines Vorgesetzten vielleicht zerklüftet und winkelig aussah, auf keinen Fall aber karg und leer.

Dennoch hielt er es für seine Pflicht, dem Colonel zu erklären, daß der Fall Irene Gruß dem Major O'Hara anvertraut worden war und daß er, Major Green, es vorzöge, mit der Suche nach der Kommandeuse erst betraut zu werden, nachdem O'Hara gebührlich über diese unvorschriftsmäßige Mission unterrichtet worden sei.

„Wann ich O'Hara unterrichte, wollen Sie gefälligst mir überlassen", sagte der Colonel. Und etwas versöhnlicher fügte er hinzu: „Ich habe vielleicht meine Gründe ..."

„All right, Colonel", sagte Frank. „Ich werde Ihnen so bald wie möglich berichten."

„Good luck", sagte Hunter und entließ den Major.

Es schneite in dichten Flocken, als Frank den olivgrünen „Chevrolet" bestieg, der im Hof des Hauptquartiers in der Ludwigstraße auf ihn wartete. Zwar hatte die Kälte der ersten Novembertage erheblich nachgelassen, aber die Temperatur bewegte sich immer noch unter dem Nullpunkt, so daß der Schnee nicht schmolz, sondern auf Straßen und Dächern liegenblieb. Die Schutthaufen waren weiß und wirkten wie Pyramiden von Schnee; die herumliegenden Quadersteine waren wie riesige Eisblöcke. Trotzdem war die Ruinenlandschaft weniger unheimlich, als sie es je zuvor gewesen: weil in der Zerstörung immer die Einzelheiten am krassesten sind, war es besänftigend, daß die Schneedecke die Einzelheiten verdeckte.

In die neuartige Landschaft, die etwas von der Schönheit winterlicher Dorflandschaften in die Stadt gebracht hatte, fuhr also an diesem Novembernachmittag der Major

Frank Green, ohne zu ahnen, wie seltsam das Erlebnis sein würde, das ihn in seiner fremd gewordenen Vaterstadt erwartete.

Das „Deutsche Museum", bei dem er zuerst hielt, etwas überrascht den Rat des Obersten befolgend, wurde ihm zum ersten Erlebnis. Die UNRRA, eine Organisation der jungen und vergreist geborenen Vereinten Nationen zur „Unterstützung der durch die Achsenmächte geschädigten Völker und zur Rückführung der displaced persons" unterhielt in diesem wenig beschädigten Bau eine Hochschule für „zwangsverschleppte ausländische Studenten" aus achtzehn Nationen. Die wohltätige UNRRA verteilte nun an ihre Schutzbefohlenen Nahrungsmittel und Zigaretten, in der richtigen Erkenntnis wohl, daß der römische Satz „plenus venter non studet libenter", wenn überhaupt je wahr, längst überholt sei und man mit leerem Magen nicht zu lernen vermochte. Statt des studentischen Treibens, das er zu sehen erwartet hatte, fühlte sich Frank jedoch in die Aula einer Börse versetzt, eines lauten und geschäftigen Schachermarktes, auf dem Waren und Werte gehandelt, gekauft und verkauft wurden. Die lernbegierigen Studenten, denn auch solche gab es, wurden hin und her gestoßen von Männern und Frauen, deren Begierde nicht nach Studium stand. Das Ausladen von Liebesgabenpaketen, dessen Zeuge der Major wurde, hatte nichts von der rührenden Menschlichkeit ähnlicher Manifestationen der Nächstenliebe; es schien vielmehr, als wäre ein ungeduldiger Markt spät beliefert worden, so daß den Verkäufern die Ware sogleich aus der Hand gerissen wurde. Ein kleiner Mann, an Farbe und Gesten einem Frosch nicht unähnlich, hüpfte von Empfänger zu Empfänger, auf die Glücklichen teils deutsch, teils rumänisch einredend, alles in rasender Eile; er feilschte hurtig und bezahlte hurtig und häufte so Stangen von amerikanischen Zigaretten auf die ausgestreckten Arme eines zweiten Mannes, der ihm von Marktstand zu Marktstand nachfolgte. Ein anderer wieder, der sich mit zwei Frauen, seinen Assistentinnen offenbar, ungarisch unterhielt, schien sich auf Käse zu spezialisieren: er erkundigte sich nach dem Eintreffen von

Käsekonserven, und als ihm Frank unauffällig folgte, hörte er, daß der Mann über die Beförderung einer ganzen Wagenladung von Käse verhandelte. Eine Vertreterin der UNRRA, Amerikanerin dem Aussehen nach, eine grauhaarige Frau in einer blauen Uniform, mit einer ungefaßten Brille, ganz der Typus jener Missionare, die von Mission zu Mission eilen, halb um anderen Menschlichkeit zu bringen und halb um der eigenen Einsamkeit zu entgehen – die UNRRA-Vertreterin stand hilflos in diesem Treiben, immer noch gütig und mildtätig lächelnd, denn sie konnte es nicht verstehen, daß die Hilfsbedürftigen zu Spekulanten, das Almosen zum Schacherobjekt und ihre Mission zur Farce geworden waren. Wie böse Buben wollte sie die Händler vertreiben, die Unschuldigen schützen, aber sie blieb am Ende ein umwirbelter Punkt in einem wahnsinnig rotierenden Kreis. Am meisten jedoch beeindruckte es Frank, daß dieser Turmbau von Babel mit so gespenstischer Präzision vor sich ging, daß im Sprachgewirr der Turm durchaus nicht ungebaut blieb, daß Ungarn und Polen, Tschechen und Rumänen, auch Deutsche dazwischen, die Türme von Pappschachteln, Zigaretten, Konserven mit eiliger Sorgfalt zusammentrugen und sich, der Sprache des anderen nie mächtig, in der Sprache des Handels, des Betrugs und des Profits doch vorzüglich verständigten.

Colonel Hunter hatte nicht unabsichtlich das „Deutsche Museum" als einen der Orte bezeichnet, die Frank aufsuchen sollte, denn es war der amerikanischen Abwehr bekannt, daß gewisse Elemente, die sich verborgen hielten und infolgedessen auf Lebensmittelkarten keinen Anspruch hatten, ihre „Einkäufer" in jene Zentren des Schwarzhandels entsandten, wo man sich für längere Zeit auch ohne die karge Lebensmittelzuteilung versorgen konnte. Es hieß in der Tat, daß ein gewisser Herbert Fischhopp in der Nähe des amerikanischen P.X. in der einst überaus eleganten Briennerstraße eine besondere Organisation betrieb, die allein dazu diente, die „Unterseeboote" mit Brennstoff zu versorgen. Dieser Fischhopp, dem man nichts nachweisen konnte, obwohl kein Zweifel an seiner Tätigkeit bestand, war eine um so interessantere und vielleicht auch um so bezeichnendere Persönlichkeit, als er sich in ähnlicher Weise auch im Dritten Reich betätigt hatte: es kam ihm wohl mehr auf den Brennstoff als auf die Unterseeboote an. Um sich dem Kreis dieses Mannes zu nähern, den kennenzulernen zweifellos wertvoll gewesen wäre, begab sich Frank zum P.X. und verweilte dort, solange er es, ohne besonders aufzufallen, vermochte.

Das Bild, das sich ihm bot, war nicht weniger seltsam als das im „Deutschen Museum", wenn auch völlig anders. Wenn er sonst, einmal in der Woche, seine P.X.-Rationen abholte, pflegte Frank schnell die Verkaufslokale zu verlassen und zu seinem Jeep zu eilen. Jetzt verweilte er unter den Leuten, die sich vor dem P.X. drängten; zugute kam ihm vor allem, daß er den Gesprächen lauschen konnte, ohne daß man in ihm einen Linguisten vermutete. Obschon auf und ab marschierende M.P.s immer wieder versuchten, die Gaffenden, Bettelnden und Handelnden auseinanderzutreiben, staute sich die Menge doch immer wieder vor der amerikanischen Marketenderei. Es war ein zwiespältiges Gefühl, das den Major Frank Green hier überkam, ein Gefühl, das er schleunigst zu unterdrücken versuchte, weil er sich sogleich der unerlaubten Sympathien mit den Besiegten bezichtigte. So war es nämlich, daß die Würdelosigkeit, welche die Besiegten an den Tag legten, zurückfiel auf die Sieger, wie in der Wechselbeziehung zwischen Bettler und Schenkendem, Almosenheischendem und Almosenspendendem, nicht selten die Demütigung des einen zum Schuldbekenntnis des anderen wird. Die Kinder, die in dünnen Mänteln, manche auch ohne, den bis an die Ohren vermummten Soldaten nachliefen, um ein Stück Schokolade, etwas „candy" oder ein Stück Kaugummi zu erbetteln, entwürdigten die siegreichen Soldaten weit mehr als die besiegte Nation, der anzugehören ihre Verdammnis war. Wenn die Negersoldaten das warmerleuchtete Gebäude verließen, dieses Wunderhaus tausend ungeahnter Genüsse und Herrlichkeiten, sahen sie sich meistens erwartungsvoll um, und einen Augenblick später waren sie in der Tat von Frauen und Mädchen umringt, welche die Hände nach einer Kon-

serve, einer Schachtel von Papiertaschentüchern, einer
einzigen Zigarette oder auch nur einer leeren Schachtel
oder etwas Packpapier ausstreckten, indem sie, lachend
oder bettelnd, den Joes und Jims beschwörende Worte zu-
riefen und einander zugleich wegstießen und beschimpf-
ten. Sie rechneten richtig, diese weißen Frauen; die Neger
waren weit großzügiger als die Weißen, ein Lächeln, ein
Dank, ein Händedruck bedeutete ihnen mehr. Aber welch
eine fatale Verwandtschaft war auch diese: zwischen den
Frauen, die um ein bißchen Papier, und den Negern, die
um ein bißchen Lächeln bettelten. Wer hatte hier gesiegt,
und wer war besiegt? Frank vermochte es nicht zu sagen.
Ein Mann löste sich dann aus der Masse – Frank sah nur
von rückwärts einen dunklen, krausen, ungepflegten Schädel – und zerrte eine Frau bei den Haaren davon, immer
wieder „Ami-Hur'!" rufend, sie beinahe hinter sich her-
schleifend über die verschneite Straße; einige standen versteinert; einige lachten; die M.P.s wußten nicht, was vorging und ob sie den Mann festnehmen sollten oder ihm
dankbar sein, daß er half, die Menge zu zerstreuen; und
einen Augenblick später war alles wie zuvor – das er-
leuchtete Tor; die uniformierten Weihnachtsmänner, die
aus ihm heraustraten; die hilflosen M.P.s; die dunkle
Straße; die wartenden Frauen, die bettelnden Kinder; die
stummen Männer, die nur die Augen niederschlugen.

Nach einigen vergeblichen Versuchen, die nähere Anschrift Herbert Fischhopps zu ermitteln oder ihn gar kennenzulernen, entschloß sich Frank zum letzten und doch
naheliegenden Versuch: nach Stadelheim zu fahren, wo
seines Wissens Irene Gruß' Gatte, der KZ-Kommandant,
sich in provisorischer Haft befand.

Der Abend hatte sich längst gesenkt, als sich Frank bei
dem Gefängnisdirektor melden ließ, einem älteren Herrn
von liebenswürdigen und keineswegs devoten Manieren,
der ihm allerdings mitteilen mußte, der Kommandant sei
längst in ein amerikanisches Militärgefängnis überführt
worden. Gewisse Vernehmungsprotokolle jedoch, in die
ein anderer amerikanischer Major bereits Einsicht genom-

men habe, seien noch vorhanden – ob der Herr Major vielleicht Platz nehmen wollte, bis sie gefunden würden.

So geschah es, daß Frank an diesem Tag eine weitere Erfahrung zuteil wurde, zwar nicht unmittelbar, aber sich dennoch höchst plastisch abhebend aus den Erzählungen des mitteilungsbedürftigen Gefängnisdirektors. Der Direktor griff mit beiden Händen nach der Gelegenheit, einem höheren amerikanischen Offizier sein Herz auszuschütten: die amerikanische Bürokratie, bemerkte er freimütig, scheine nicht viel geölter zu funktionieren als die deutsche, und seine Klagen durchliefen regelmäßig einen Amtsweg, an dessen Ende keine Abhilfe mehr von Nutzen sei.

„Die Zustände sind desolat", sagte der Mann, sich zurücklehnend in seinem Lehnstuhl – das Amtszimmer war ungeheizt, so daß er in einem schweren Wintermantel dasaß und sich erst im Laufe des Gesprächs seiner Fäustlinge entledigte – „die Zustände, Herr Major, sind desolat. Untersuchungsgefangene, die ja ihre Anzüge behalten dürfen, bringen, eingenäht im Anzugfutter, Bündel von Dollarnoten und andere edle Währungen mit in die Zelle. Ein Gefängnis, das war früher, vor Hitlers Zeiten meine ich, Anstalt der Strafe oder Besserung, wie man es auffaßt; jetzt ist es jedoch, unter meinen Augen sozusagen, zu einem Umschlagplatz geschäftlicher Tätigkeit geworden. Ich habe Aufseher ausgewechselt, bestraft und eingesperrt – mit sehr geringem Erfolg, Herr Major. Die Häftlinge senden die Aufseher hinaus, um für sie Botengänge zu besorgen, Geld oder Waren abzuholen, Geschäfte zu tätigen, und ehe ich mich versehe, sind die Verbrecher und die Aufseher allesamt eifrige Partner. Man kann es den Leuten nicht verübeln, Herr Major, im Grunde kann man es nicht, so ein Aufseher verschafft sich und seiner Familie durch einen Botengang Nahrung für eine Woche – widersteht er der Versuchung, dann ist er unter den Sträflingen der einzige wahre Sträfling. Beim täglichen Hofrundgang und beim Gottesdienst gibt es eine regelrechte Börse; ins Gesicht sagte mir neulich ein Untersuchungsgefangener, die richtigen Verbindungen für die Zukunft habe er sich erst unter meiner Obhut verschafft. Beim

Gottesdienst am Sonntag ertappten wir zwei, Sie werden es mir nicht glauben, die vertauschten ihre Anzüge während der Predigt, splitternackt zogen sie sich aus, eingekeilt zwischen ihren Kumpanen – der Gefangene, der bald entlassen werden sollte, ‚kaufte' solcherart einen guten Anzug von einem anderen, der uns länger erhalten bleibt. Ich war vier Jahre im Konzentrationslager, Herr Major", schloß er resigniert, „und ich sage es nicht, um mich zu rühmen. Ihre Landsleute haben mich wieder geholt und in die Stellung eingesetzt, aus der mich die Nazis vertrieben haben. Ich bin ihnen dankbar. Aber es genügt nicht, daß die Zustände anders werden, Herr Major, sie müßten auch besser werden."

Frank versuchte, verbindliche Worte zu sagen, aber er wußte, daß es ein schlechter Tag war für verbindliche Worte. Er war erleichtert, wenn auch beschämt ob seiner Erleichterung, als endlich der Gefängnisbeamte mit dem gewünschten Protokoll erschien.

Aus diesem Protokoll erfuhr der Major Frank Green – und beinahe vermochte er es nicht, seine maßlose Verblüffung vor den Deutschen zu verbergen – daß der Kommandant Gruß als höchstwahrscheinlichen Unterschlupf seiner Frau Irene ein gewisses „Hotel Nadler" in München angegeben hatte: nirgends aber in den Berichten des Majors Bill O'Hara, die Frank auf Geheiß Hunters studiert hatte, war dieses Hotel angegeben, nirgends erwähnt, daß in dem Hotel Erhebungen gepflogen worden seien.

Wenige Minuten später fuhr der olivgrüne Militärwagen über die schneeverwehte Landstraße; im wohlgeheizten Wagen aber saß der Major Frank Green, der vergeblich versuchte, in die Wirrnis seiner Erlebnisse und Empfindungen Ordnung zu bringen.

Es war kurz vor Mitternacht, zu sehr ähnlicher Stunde wie damals, als Bill O'Hara zum erstenmal hier angeklopft hatte, auch von den benachbarten Kirchtürmen schlug es wieder die Zeit, als Frank das „Hotel Nadler" aus dem Schlaf rüttelte. Wenige Minuten später hatte er alle Einzelheiten der beiden Besuche des rothaarigen amerikanischen Majors erfahren – aber wie es kein guter Tag ge-

159

wesen war für verbindliche Worte, so schien es keine gute Nacht zu werden für Sinn und Begreifen.

Hans Eber sagt die Wahrheit

Nichts war vielleicht bezeichnender für diese Zeit, die als die Besatzungszeit Deutschlands in die Geschichte eingehen sollte, als die Verworrenheit menschlicher Beziehungen.

Die Welt hatte die zwölf Jahre des „Tausendjährigen Reiches" als einen einzigen großen Komplex gesehen, und sie nahm an, daß in dem sich immer weiter ausbreitenden Deutschen Reich das Leben jedes einzelnen mit dem kollektiven Erlebnis verknüpft war. Die menschliche Phantasie ist zu schwach, um das Große zu erfassen, aber ebenso ist sie zu schwach, um zu begreifen, wie klein das Kleine ist – wie isoliert der einzelne im Weltgeschehen sein kann, vermag sie nicht zu verstehen. Die Detonationen, welche die Welt erschüttern, vibrieren nur noch leise nach, wenn ihre Schwingungen die Bürgerhäuser und Proletarierhütten erreichen, und wenn die Völker nicht öfter revoltieren, so vor allem deshalb, weil sie nicht wissen, wogegen sie revoltieren sollten. Die optimistisch gemeinte Phrase, daß „das Leben weitergehe", kennzeichnet in Wirklichkeit die Verdammnis der Welt – das Leben geht weiter, weil das Gewissen stillsteht. Geburt und Tod, Schwangerschaft und Krankheit, Armut und Arbeit, Behausung, Beheizung und Begattung – selbst in den Sternstunden der Menschheit bleiben sie die Symbole des weitergehenden Lebens, an denen sich die Hoffnung emporrankt und die Empörung erstirbt.

Zwölf Jahre hindurch hatte Deutschland von außen gewirkt wie ein gigantisches Marionettentheater, in dem sämtliche Figuranten an den Fingern der großen Drahtzieher hingen. Das aber unterscheidet das Marionettentheater vom Welttheater, daß zwar jede Marionette an zahlreichen Schnüren hängt, die in den Händen der Puppenspieler enden, daß aber keine einzige Schnur die Marionetten miteinander verbindet, während im Welttheater unzählige Schnüre von Mensch zu Mensch laufen, aber nur wenige im Schnürboden enden. Im Krieg erst wurden die Menschen zu Marionetten, wie es ja Absicht und Gesetz der Kriegsherren immer gewesen ist – zwar liefen immer noch Verbindungsschnüre von Mensch zu Mensch, fast jeder von ihnen hing nun aber auch am Draht des Puppenspielers. In der Zeit der Besatzung dann wurde die Verwirrung vollständig – Geburt und Tod, und alles was dazwischen lag, hing nun mit dem kollektiven Erlebnis unmittelbar zusammen, und die Schnüre, welche die ungeschickten Puppenspieler in Händen hielten, verknäulten sich unselig mit den Schnüren zwischen den lebendigen Marionetten.

Wenn es je eine klare Beziehung gegeben hatte, dann war es die zwischen dem Studenten Hans Eber und seiner Schwester Karin: um so krasser schien die Verwirrung, die sich ihrer jetzt bemächtigte.

Die Feindschaft zwischen Hans und Captain Green schwelte vom ersten Augenblick ihrer Begegnung. Hätte Captain Green nur die Sieger versinnbildlicht, die Härten und Irrtümer und Ungerechtigkeiten der Besatzung, es wäre nicht so schlimm gewesen. Ob es die Revolte gegen den Vater gewesen, ob es der frühe Einblick war in die Maschinerie des Dritten Reiches, ob angeborener Hang zu sauberem Denken und unabhängiger Erkenntnis: der Landser Hans Eber, der Student zuvor, der Knabe schon haßte leidenschaftlich den faulen Zauber, dem sich Dr. Eberhard Eber verschrieben hatte. Captain Green nun, der in fremder Uniform heimgekehrte deutsche Jude, der so tat, als wäre er der deutschen Sprache nicht mächtig; der eines der schönsten Häuser der Stadt willkürlich für sich beschlagnahmte; der fast täglich irgendwelche „befreiten" Gegenstände anschleppte, Gemälde und Grammophonplatten, Schmuckstücke und „Souvenirs"; der dunkle Gestalten, Schwarzhändler und Agenten, ins Haus zog und lärmend bewirtete – er zertrümmerte Hans Ebers

Vorstellungen und Erwartungen einer wahren Befreiung. Mit den Amerikanern wie mit den Juden war Hans Eber in erster Linie durch die Revolte gegen das Bestehende verbunden, in zweiter durch die verbotene und um so geschätztere Lektüre seiner Jugend – die Revolte hatte sich überlebt, und den Buchstaben, so lebendig sie sein mochten, stand jetzt die Wirklichkeit gegenüber, die sich in der Person des Captain George Green verkörperte.

Die wahre Wirrnis aber hieß Karin. Daß der Captain ihrethalben den Aufenthalt der anderen Hausbewohner duldete, war Hans vom ersten Tag an klar, aber völlig unbegreiflich blieben ihm die Ingredienzien der Anziehung, die der Fremde sichtlich auf Karin übte. Die Neunzehnjährige schien von Tag zu Tag mehr und mehr unter Greens hypnotischen Bann zu fallen, und von Tag zu Tag zog sie sich mehr zurück von ihrem Bruder, in dessen Augen sie nur Mißbilligung, Unverständnis im besten Fall, lesen konnte. Mehrere Male hatte Hans, zuerst im Guten, dann immer ungeduldiger, gefordert, daß sie zusammen mit ihm das Haus verlasse, aber Karin, einst stolzer als er, wollte von dieser Geste nichts wissen. Er selbst hätte sich längst bei Stefan Lester eingenistet, aber er fühlte die Verpflichtung, seine Schwester zu beschützen, und obschon er sich in der Rolle des sittenstreng grollenden Bruders zuweilen altmodisch und lächerlich vorkam, obschon er auch wußte, wie wenig Erfolg eine solche Rolle verhieß, blieb er dabei, sie bis zum bitteren Ende zu spielen. Auch jetzt noch glaubte Hans zu wissen, daß sich zwischen Karin und dem Captain nichts Unwiderrufliches ereignet hatte: um so deutlicher empfand er aber, daß alles dem Unausbleiblichen zustrebte.

Welche Rolle spiele ich? – aus dieser Frage Hans Ebers wuchs die Verwirrung. Er sagte sich, daß ihm Unberührtheit und künftige Liebe seiner Schwester nie ein ernsthaftes Problem gewesen waren, und damit stellte sich schon die Frage ein, ob sein Einwand sich womöglich nur gegen den Juden und Amerikaner richtete. Er wollte seine Schwester aus dem Kreis der Korruption befreien, aber er wußte nicht genau, was Korruption war und ob er, im

Versuch ihrer Befreiung, nicht selbst in den Kreis geriet. Er blieb im Haus, eine ihm selbst fatale Rolle (aus Emilia Galotti) spielend, aber da er blieb, aß er vom Brot des Verführers; da er vom Brot des Verführers aß, verlor er in der Rolle des älteren Bruders die erheischte Autorität; er haßte den Menschen George Green, aber er wollte gewiß nicht den Juden und auch nicht den Amerikaner hassen und konnte am Ende doch zwischen Prinzip und Einzelfall nicht unterscheiden; er hatte das Haus seines Vaters verachtet und ertappte sich jetzt dabei, daß es sich ihm in der Erinnerung immer mehr verklärte. Selbst damals, als er, ein sehr unfreiwilliger Soldat des Führers, an der Marionettenschnur des kollektiven Schicksals hampelte, spürte er nicht so deutlich an Händen und Füßen die bindenden Schnüre, die ihn mit der fremden Hand verbanden.

Als Hans die Nachricht von der Verhaftung Dr. Adam Wilds erreichte, glaubte er, sie würde dazu beitragen, ihn noch hoffnungsloser zu verstricken. Stefan Lester war es, der von der Verhaftung Dr. Wilds und von den Umständen der Festnahme erfuhr. Adam hatte im Frühjahr seinem jungen Freund von seiner ersten Begegnung mit Major Frank Green erzählt, jedoch später von seiner enttäuschenden Intervention nichts erwähnt. Für Stefan war es daher selbstverständlich, die Hilfe des offenbar freundlich gesinnten amerikanischen Offiziers anzurufen. Stefan bat nun Hans, er möge sich doch durch George Green bei dessen Bruder anmelden lassen. Hans' Antwort war zuerst ablehnend, denn nach nichts weniger stand ihm der Sinn, als von seinem „Hausherrn" einen Liebesdienst zu erbitten. Auch hatte er aus hingeworfenen Bemerkungen des Captains geschlossen, daß die Beziehungen der Brüder durchaus nicht innig waren: kein einziges Mal hatte ja Frank seinen Bruder im Hause Eber besucht. Schließlich gab Hans jedoch Stefans Drängen nach und machte sich, nachdem ihm der Captain eine Audienz vermittelt hatte, mit höchst unbehaglichen Gefühlen auf den Weg.

Aus Gründen, die mit seiner immer weiter verzweigten Tätigkeit zusammenhingen, hatte Frank den jungen Eber nicht in sein Büro, sondern für sieben Uhr abends in seine Privatwohnung bestellt.

Diese Wohnung war es, die Hans die erste Überraschung bereitete. Frank lebte in einer ehemaligen Kaserne an der Tegernseer Landstraße, in der die früheren Wohnungen der Unteroffiziersfamilien jetzt einer Anzahl von alleinstehenden amerikanischen Offizieren als Unterkunft dienten. Hans, der eine requirierte Villa vorzufinden erwartet hatte, betrat eine zwar peinlich saubere und amerikanisch überheizte, aber durchaus kleinbürgerliche Zwei-Zimmer-Wohnung, an deren Einrichtung – eine nicht alltägliche Mischung von Geschmacklosigkeit und Unfreundlichkeit – der Offizier allem Anschein nach nichts geändert hatte. Nur das Büchergestell, auf dem früher ohne Zweifel eine kuschelnde Katze aus Porzellan, eine Rokoko-Nippfigur oder bestenfalls die unvollständigen Bände eines Konversationslexikons ein luftiges Dasein geführt hatten, war dicht mit Büchern vollgeräumt, englischen und deutschen, unter denen Hans auf den ersten Blick mehrere Bände seiner Lieblingsautoren entdeckte.

Frank bot dem Besucher Platz an, und Hans brachte sein Anliegen vor. Der Major hörte ihm aufmerksam zu.

„Die Kette reißt nicht mehr ab", sagte er, mit dem Anflug eines Lächelns, als Hans geendet hatte. „Dr. Wild intervenierte bei mir für Herrn Sibelius, und nun intervenieren Sie für Dr. Wild. Sie alle überschätzen die Machtbefugnisse eines amerikanischen Majors. Ich habe den Akt Sibelius durchgesehen und bin zu der Überzeugung gelangt, daß seine Inhaftierung ungerechtfertigt ist. Ich habe daraufhin seine Entlassung empfohlen. Offenbar hat meine Empfehlung ausschließlich dazu beigetragen, den Akt weiter anschwellen zu lassen."

„Wollen Sie es dabei bewenden lassen, Herr Major?" fragte Hans.

„Offen gesprochen, ja", sagte Frank und sah seinem jungen Gegenüber ruhig ins Gesicht.

„Und Dr. Wild?" sagte Hans etwas verwirrt.

„Dr. Wild hat zweifellos einen Fehler begangen", sagte Frank. „Zum Glück habe ich übermorgen zufällig in der

Nähe von Frankfurt zu tun. Ich glaube, daß ich seine Freilassung erwirken kann."

Meine Mission ist eigentlich beendet, dachte Hans. Aber er konnte der Versuchung nicht widerstehen und sagte:

„Ich verstehe nicht, Herr Major."

„Was verstehen Sie nicht, Herr Eber?"

„Sie sagten, Oberst von Sibelius sei unschuldig, aber es könne nichts für ihn getan werden; Dr. Wild habe einen Fehler begangen, aber Sie würden ihn herausholen."

„Dr. Wild", sagte Frank, „ist ein individueller Fall. Daß er einem Freund helfen wollte, stempelt ihn nicht ab. Er gehört zu keiner der Kategorien wie Aktivisten, Mitläufer, Nutznießer oder Militaristen. Kategorien sind wie Wände; gegen sie anzulaufen, ist nutzlos." Er setzte ab und senkte den Blick. „Ich weiß, was Sie jetzt denken, Herr Eber. Sie denken: genau wie im Dritten Reich! Ich gebe Ihnen zu bedenken, daß wir weder Gasöfen noch Konzentrationslager errichten. Es kann noch einige Monate dauern, aber dann wird Herr von Sibelius heil aus dem Lager entlassen. Zum zweiten dürfen Sie nicht vergessen, daß Deutschland den Krieg begonnen und verloren hat."

„Ich könnte es nicht vergessen, selbst wenn ich es wollte", sagte Hans. „Wenn uns unsere Ruinen nicht täglich daran erinnerten – die Besatzungsmacht tut alles, um es uns stündlich ins Gedächtnis zu rufen."

Er dachte: mich reitet der Teufel. Zugleich überkam ihn das merkwürdige Gefühl – merkwürdig, weil es der Angelpunkte im Bewußtsein entbehrte – daß er mit diesem Mann offen reden könne. Er forschte vergeblich nach einer Ähnlichkeit zwischen den Brüdern. Aber dieses schmale Gesicht mit der streng gezeichneten geraden Nase, mit den hellen und doch tiefen Augen und dem harten, aber keineswegs verbissenen Mund, erinnerte in keinem einzigen Zug an das brutale Gesicht, das Hans nun jeden Tag, jeden Abend zu sehen gewohnt war. Es war kein weiches Gesicht, nicht einmal entgegenkommend oder freundlich, aber es war so klar und eindeutig, daß man den Mann, dem es gehörte, achten mußte, wenn man ihn auch nicht liebte.

Auch jetzt blieb das Gesicht ruhig und durchsichtig. Der Major sagte:

„Die Besatzung, Herr Eber, ist ein undankbares Geschäft. Wir sind nicht zu unserem Vergnügen hier ..., wenn auch viel zu viele Besatzungsoffiziere und Soldaten den Eindruck erwecken, als ob sie es wären. Versetzen Sie sich in unsere Lage. Wenn wir milde und nachsichtig verführen, peinlich bedacht, alle Härten zu vermeiden und allen Ungerechtigkeiten um jeden Preis aus dem Weg zu gehen ..., glauben Sie, Herr Eber, daß es Ihre Landsleute verstünden? Ich glaube es nicht; sie würden dann wahrscheinlich von heute auf morgen vergessen, daß Hitler und seine Vasallen die Welt in die größte Katastrophe dieses Zeitalters gestürzt haben. Auf der anderen Seite, wenn wir hart und rücksichtslos verfahren, ungerecht zuweilen, wie dies immer vorkommen wird ..., wird man uns dann nicht vorwerfen, daß wir die Methoden anwenden, die wir zu bekämpfen ausgezogen sind? Ich bin zufällig Lehrer der Geschichte, Herr Eber, Offizier nur sehr im Nebenberuf. Aus der Geschichte habe ich gelernt, daß die larmoyante Phrase, die Besiegten hätten immer Unrecht, eben eine Phrase ist ... Unrecht haben immer die Sieger. Lesen Sie doch einmal daraufhin die großen Kriegsromane der Weltliteratur, von Tolstoj bis heute! Sie sind ein einziges Heldenlied der Besiegten, bis zu dem paradoxen Punkt beinahe, da es so scheinen will, als ob sich nur die Besiegten tapfer geschlagen hätten. Das will nicht heißen, daß die Geschichte ungerecht ist. Was soll man mit dem Sieg anfangen? – diese Frage, Herr Eber, stellt sich naturgemäß nur den Siegern. Der Besiegte braucht nichts anzufangen ..., mit ihm wird angefangen. Der Erfolg aber ist kein guter Ratgeber, im Leben der Nationen so wenig wie im Leben des einzelnen."

„Das verstehe ich", sagte Hans. Dies war sein erstes Gespräch mit einem Amerikaner, mit Ausnahme George Greens und der Sergeanten im Kriegsgefangenenlager. Er beugte sich vor und sprach mit aller Intensität, der er fähig war. „Ich habe nicht Geschichte studiert, Herr Major, sondern die Rechte ..., vielleicht sehe ich die Dinge deshalb anders. Deshalb möchte ich vielleicht auch praktisch sprechen, nicht theoretisch ..., das heißt, wenn ich Sie nicht aufhalte."

„Im Gegenteil", sagte Frank. Er bot Hans eine Zigarette an.

„Vielleicht hat Ihnen Captain Green gesagt, wer mein Vater ist", sagte Hans.

Frank nickte. Es war ein kleines, gleichgültiges Kopfnicken, das Hans angenehm empfand, weil es zu sagen schien: Ich weiß, wer Ihr Vater ist; es ist für Sie weder rühmlich noch abträglich, und es ist für mich nicht interessant.

„Herr Major", sagte Hans, „ich kam nicht zu Ihnen, um für meinen Vater zu sprechen. Nicht nur, weil Sie kaum etwas für ihn tun könnten, sondern weil ich in dem, was ihm jetzt zustößt, eine gerechte Fügung erblicke. Vielleicht ist Ihnen diese kühle Objektivität des Sohnes nicht sympathisch; aber ohne sie könnten wir jungen Deutschen nicht auskommen. Ich kam dagegen nicht zufällig zu Ihnen, um für Dr. Wild zu sprechen und vielleicht für den Oberst von Sibelius. Diese Männer haben auf die Befreiung gewartet. Selbst die Ungerechtigkeiten den Besiegten gegenüber, Herr Major, kann ich begreifen; und vielleicht, wer weiß das, würde ich an Ihrer Stelle härter, im Moment des Sieges sogar ungerechter vorgehen. Aber Dr. Wild und Oberst von Sibelius sind nicht besiegt ..., in meinen Augen sind sie Sieger. Eigentlich müßten sie also Ihre Verbündeten sein: Sie aber machen aus ihnen Besiegte und damit Verbündete meines Vaters. Vielleicht bin ich zu jung, um es zu verstehen", fügte er hinzu, „aber ich zweifle daran, daß ich es je verstehen werde, auch wenn ich hundert Jahre alt würde."

„Sie bestätigen, was ich vorhin gesagt habe", erwiderte Frank. „Sie drängen den Sieger in die Defensive." Über seine schmalen Lippen ging wieder das beinahe schüchterne Lächeln, das auf Hans so ermutigend wirkte. „Ich habe in letzter Zeit mit zwei anderen Deutschen gesprochen, mit Dr. Wild und der Frau eines Kriegsverbrechers – genau wie Sie drängten mich beide in die Verteidigung.

Das scheint paradox und ist doch ganz verständlich." Er lehnte sich zurück, beugte den Kopf auf die Rückenlehne seines Sessels und richtete den Blick auf die Decke, als spräche er zu sich selbst. „Wir sprechen von Siegern und Besiegten, aber ebenso könnten wir von Wissenden und Unwissenden sprechen. Die Besiegten sind allemal die Wissenden, die Sieger die Unwissenden. Sie sagen, Ihr Vater befände sich nicht zu Unrecht in Haft, Oberst von Sibelius zu Unrecht im Anhaltelager. Ich nehme an, Sie sagen es, weil Sie es wissen. Und was weiß ich? Ich weiß nichts. Ich weiß nicht einmal, ob Sie es wissen ..., ich nehme es bloß an. Da ist die Frau, die ich vorhin erwähnte, ich möchte ihr helfen ..., aber glauben Sie, sie sagt mir die Wahrheit, auch nur die subjektive Wahrheit? Und Ihr Freund Dr. Wild?" Er richtete sich auf und sah Hans an. „Wissen Sie, warum ich nach Frankfurt gehe, um ihn aus dem Lager zu holen? Weil ich drei Monate lang dem Leben dieses Mannes nachgeforscht habe, oder seinem ‚Vorleben', wie der blödsinnige Ausdruck lautet ... Und wissen Sie, mit welchem Resultat? Ich bin draufgekommen, draufgekommen sage ich, daß dieser Mann ein Held gewesen ist, neben dem viele unserer und Ihrer dekorierten Helden armselig verblassen ..., aber ich mußte erst draufkommen, weil er mich bewußt hinters Licht führte, aus seinem gekränkten Deutschtum, oder weil er nicht mit den Opportunisten heulen wollte oder aus irgendeinem anderen Grund, so kompliziert, wie es nur ein deutsches Gehirn ersinnen kann. Natürlich ist er ein Sieger, Herr Eber, aber wie in drei Teufels Namen soll ich es wissen, da er es mir selbst verschwiegt? Die bescheidenen Helden und die aufdringlichen Denunzianten; die Stolzen, die schweigen, und die Kriecher, die zu viel reden – sie sind allesamt eine Pest, Herr Eber, und am liebsten wäre es mir, ich könnte den ganzen Laden hinschmeißen und zu meinen Geschichtsbüchern heimkehren, in denen ich von den Dummheiten anderer lesen kann, statt sie selbst begehen zu müssen."

Er stand auf und begann im Raum schnell auf und ab zu gehen, nicht wie jemand, der einen Raum durchquert, sondern wie einer, der es eilig hat, irgendwo hinzukommen, seine Gedanken offenbar weiterspinnend, ohne eine Antwort vom anderen zu erwarten.

Auch Hans erhob sich. Mit einem Entschluß, der so plötzlich kam, daß er sich seiner erst bewußt wurde, als er schon seine eigene Stimme hörte, sagte er:

„Herr Major ..., wenn Sie wollen, werde ich Ihnen die Wahrheit sagen, von Zeit zu Zeit, und so weit ich es kann. Darf ich gleich damit beginnen?"

Frank nickte, setzte aber seinen Marsch durch das Zimmer fort.

Mit verhaltener, von Erregung durchzitterter Stimme sagte Hans:

„Herr Major ..., ich habe mich tagelang geweigert, zu Ihnen zu kommen. Ich war überzeugt, daß Sie genau so seien wie Ihr Bruder."

Frank blieb vor Hans stehen.

„Was wissen Sie von meinem Bruder?" sagte er.

Und Hans Eber begann zu erzählen. Er sprach von dem Tag, an dem der unbekannte Captain in der Villa in Bogenhausen erschienen war, dem gleichen Tag, an dem Dr. Eberhard Eber festgenommen wurde. Er berichtete, wie er, am gleichen Abend noch, heimkehrte von Stefan Lesters Studentenbude und den Captain im Gespräch mit seiner Schwester fand. Er verschwieg nichts – die willkürliche Beschlagnahme so wenig wie die ungesetzliche Erlaubnis für die Familie, im Hause zu verbleiben; er sprach von Captain Greens sich häufendem Warenlager und den geheimnisvollen Besuchern; von seinem eigenen Bangen um Karin, wie von seinem Verdacht, daß Karin immer mehr dem unbegreiflichen Zauber verfiel. Sie saßen längst einander gegenüber, der Deutsche, der sich seines Vaters schämte, und der Amerikaner, der sich seines Bruders schämte, und Hans Eber sprach atemlos, ohne Unterlaß, als fürchtete er, daß er nie würde fortzufahren wagen, wenn er sich auch nur für einen Augenblick unterbräche. Dann aber brach er mitten in seiner Rede ab, mitten in einem Satz, und es war ihm auf einmal, als könnte er kein Wort mehr hervorbringen. Er sah den anderen an, den Mann in der Uniform der Sieger, mit drei Reihen bunter

Bändchen auf der Brust, mit lauter bunten Siegerbändchen, diesen Fremden, zu dem er geflohen war in seiner Not, und der nichts anderes sein konnte als sein Feind.

Der Major stand wieder auf, mit einer abrupten Geste, die Hans nicht zu deuten vermochte.

Beinahe unhörbar heiser war Franks Stimme, als er sagte:

„Wenn alles wahr ist, was Sie mir gesagt haben, Herr Eber, verspreche ich Ihnen, daß der Captain George Green etwas erfahren soll, was er sein Leben lang nicht vergessen wird."

Hans konnte nichts erwidern, denn die große Holzuhr, ein Gigantenbau der Abscheulichkeit, die oben auf dem Büchergestell prangte, schlug aufdringlich die zehnte Stunde. Die beiden Männer sahen sich an. Die Uhr brachte sie zurück in den deutschen Alltag, dem ihr Gespräch angehörte und dem es doch entrückt war. Es war zehn Uhr abends, Polizeistunde.

Frank lachte. „Jetzt bin ich schuld, wenn Sie ins Gefängnis kommen", sagte er. „Vielleicht können Sie sich hier auf der Couch ein Bett machen." Dann schien ihm etwas einzufallen, etwas, das mit ihrem beendeten Gespräch zusammenhing. Er wandte sich ab, absichtlich, damit der andere seine Gedanken nicht so leicht erraten könne. „Nein", sagte er, „es ist besser, Sie gehen nach Hause." Er griff nach einem Schlüsselbund, der neben der Uhr lag. „Kommen Sie!" sagte er. „Mein Jeep steht noch unten. Ich bringe Sie heim."

»Ist Gehorsam eine Schuld?«

Hoch lag der Schnee im Garten des Colonels Graham T. Hunter. Die weißen Birken standen wie abgemagerte Schneemänner vor dem Fenster, ihre dünnen Arme hilflos von sich streckend. Es war plötzlich kalt geworden, und die Schneewolken hingen bleiern über der Landschaft, als wären sie gerade in dem Moment eingefroren, als sie sich ihrer Last entledigen wollten.

Es war Sonntag; der Colonel hatte Major Frank Green zum Mittagessen eingeladen. Jetzt saßen sie am kleinen Rauchtisch, der vor dem Fenster stand, in einer Nische des Salons. Der Colonel rauchte eine Zigarre und blickte hinaus in den verschneiten Park.

„Wo werden Sie Weihnachten verbringen, Frank?" fragte der Colonel.

„Ich weiß es nicht", sagte Frank. „Ich soll ja für einige Wochen nach Frankfurt und Nürnberg."

Ein perfekter Gastgeber, hatte Hunter während des Mittagessens nicht von dienstlichen Dingen gesprochen. Jetzt sagte er:

„Ob ich Sie so lange entbehren kann, Frank ..."

Frank wußte, worauf der Colonel anspielte, aber er wollte es seinem Vorgesetzten nicht leicht machen. Er sagte, als hätte er die Bemerkung überhört:

„Darf ich etwas Dienstliches erwähnen, Colonel?"

„Selbstverständlich."

„Durch persönliche Umstände", begann Frank, „bin ich auf einen gewissen Baron Achim Sibelius, früheren Oberst der Wehrmacht, aufmerksam geworden, der sich im Frankfurter Anhaltelager für Militaristen befindet. Der Mann sitzt seit Ende Mai. Ich habe mir seinen Akt durchgesehen, soweit ihn mir die Frankfurter zur Verfügung gestellt haben. Der Mann ist unschuldig."

„Was nennen Sie unschuldig?"

„Er hat am 20. Juli aktiv teilgenommen."

„Sie wissen, was wir davon halten."

„Ich bin nicht überzeugt, daß wir unbedingt recht haben", sagte Frank.

„Und worin haben wir unrecht?"

„Die Verbindung von Schuld und Zeit scheint mir fatal", sagte Frank. „Nehmen Sie die Frage der Parteimitgliedschaft, Colonel. Wir bestrafen Parteimitglieder, weil sie der NSDAP früh angehörten. Je später sie der Partei beitraten, desto toleranter verfahren wir mit Ihnen. Mit anderen Worten: es soll verzeihlicher sein, wenn einer der

171

Partei beitrat, nachdem sich ihr verbrecherischer Charakter bereits herausgestellt hatte!"

Der Colonel erhob sich und brachte eine Flasche Kognak, die auf dem Piano gestanden hatte. Er schenkte zwei Gläser voll. Er sagte:

„Ohne die frühen Anhänger wäre es nie zur Machtergreifung gekommen." Er sagte das Wort „Machtergreifung" deutsch, wie einen terminus technicus.

„Das ist ein praktischer Standpunkt, kein moralischer", sagte Frank. „Vielleicht ist das sehr persönlich, Colonel, aber die Unzulänglichkeit der Beurteilung anderer kommt mir doppelt zum Bewußtsein, wenn das Urteil mit Zeitbegriffen verbunden ist. In meiner Jugend schon erschien es mir immer grotesk, wenn die moralische Sorge der Eltern um ihre Töchter erst nach acht Uhr abends begann. Ich weiß nicht, ob ich mich begreiflich mache – Uhren oder Kalenderblätter scheinen mir schlechte Marksteine zwischen dem Richtigen und dem Falschen. Was ist verzeihlich, und was ist unverzeihlich? Ich kann die Frage nicht mehr unterdrücken, wenn sie sich in ihrer zugespitztesten Form offenbart, bis wann das Böse nämlich verzeihlich und von wann es nicht mehr verzeihlich sei. Außerdem scheint mir hier auch ein konkreter Widerspruch vorzuliegen. Wir würden es einem Zivilisten hoch anrechnen, wenn er zu irgendeinem noch so späten Zeitpunkt aus der Partei ausgetreten wäre. Die Männer des 20. Juli taten mehr. Sie hielten für ihre Überzeugung den Kopf hin."

„Für Deutschland, sagen wir", unterbrach ihn der Colonel.

„Ist das unbedingt ein Widerspruch?" sagte Frank.

„In diesem Fall gewiß", erwiderte der Colonel. „Der 20. Juli war eine opportunistische Angelegenheit ..., wenn Sie schon von Moral sprechen wollen. Warum, glauben Sie, haben gerade die Offiziere revoltiert und nicht die Zivilisten? Weil die Offiziere mehr wußten. Nach unserer erfolgreichen Landung in der Normandie war es ihnen klar, daß der Krieg für sie verloren war. Die Zivilisten glaubten vielleicht noch, was man ihnen einredete, und erwarteten allerhand Wunder; den Militärs konnte man solche

Märchen nicht verkaufen. Und das, sehen Sie, ist der Grund, warum wir den deutschen Militarismus ausrotten müssen, womöglich noch gründlicher als den Nazismus. Der deutsche Militarismus ist wie eine Pistole, die in einem Haus offen herumliegt. Von der Köchin bis zu den kleinen Kindern kann sich jeder Unbefugte dieser Pistole bedienen. Übrigens auch ein Einbrecher, wenn er gerade in das Haus einsteigt. Selbst, wenn Deutschland einmal eine Demokratie werden sollte, was ich bezweifle, werden die demokratischen Hausherren die Pistole vermutlich frei herumliegen lassen, und die Frage ist dann bloß, wer sich ihrer zu bedienen wünscht."

„Ich möchte mir eine ketzerische Frage erlauben", sagte Frank. „Sind dies nicht Merkmale jedes Militarismus?"

Hunter zerdrückte den Rest seiner Zigarre in der großen, marmornen Aschenschale. Frank beobachtete die lange, sehnige Hand des Colonels, diese typisch amerikanische Hand, die man bei Intellektuellen und Cowboys, bei Bankpräsidenten und Fabrikarbeitern fand. Auf dem Ringfinger der linken Hand trug Hunter den dunkelroten Fraternitätsring der Kadetten von West Point.

„Sie wissen, was Mark Twain über die Juden gesagt hat", meinte Hunter. „The Jews are people, too, only more so. Über die Juden habe ich mir nicht den Kopf zerbrochen, aber auf die Deutschen läßt es sich unbedingt anwenden. Man erzählt sich von Kaiser Wilhelm II., er sei stolz darauf gewesen, daß bei ihm ein Schnupfen ein fürchterlich großer Schnupfen war. Bei den Deutschen muß alles gewaltige Maße annehmen. Daß sich die Substanz durch die Dimension nicht verändere, mag für gewisse Materien zutreffen, aber der Mensch gehört nicht zu diesen Materien. Der deutsche Militarismus unterscheidet sich von jedem anderen Militarismus durch die Dimensionen, die er annimmt und die zuletzt unkontrollierbar bleiben."

„Angenommen, das träfe zu", sagte Frank, „im individuellen Fall wäre immer noch die Frage der Pflichterfüllung zu prüfen. Der Oberst von Sibelius war Soldat. Er erfüllte seine Pflicht, bis er es eines Tages mit seinem Gewissen nicht mehr vereinbaren konnte. Zugleich möchte ich sagen, daß ich nicht von der Richtigkeit aller unserer Maßnahmen in Deutschland überzeugt bin. Trotzdem erfülle ich meine Pflicht. Mit anderen Worten, ich gehorche blind ..., genau, was wir den deutschen Soldaten vorwerfen."

Auf dem beherrschten Gesicht des Colonels, das manchmal wirkte als sei es aus altem, gelben Pergament, standen unzählige Falten. Sie waren wie die Schienen auf einem Rangierbahnhof. Sie bewegten sich nicht. Nur wenn Hunter ärgerlich wurde, bewegten sich die Schienen, als verschöbe sie ein unsichtbarer Weichensteller. Frank wußte sogleich, daß er zu weit gegangen war. Seine Beziehungen zu Hunter waren nie die eines jungen Offiziers zu einem älteren Obersten der Armee gewesen. Gerade weil er den Colonel ungemein respektierte, hatte er immer mit Hunters Verständnis gerechnet. Nun hatte er aber vielleicht doch die unsichtbaren Grenzen überschritten. Es überraschte ihn also nicht, als der Colonel sagte:

„Was ist in Sie gefahren, Frank? Sie wissen, daß ich nie diesen engstirnigen Standpunkt vertrat, aber manchmal scheint es mir, daß die Besatzung wirklich besser funktionierte, wenn überhaupt kein Besatzungsoffizier deutsch verstünde. Sie kennen den Ausdruck 'go native'. Anpassung an die Eingeborenen: die große Gefahr für Diplomaten, Kolonialoffiziere, Auslandsbeamte und Forscher. Sie sprechen, als hätten Sie in letzter Zeit zuviel mit den Eingeborenen verkehrt." Er ging über den Einwand, den Frank machen wollte, mit einer abwehrenden Geste hinweg: „Es steht hier nicht die Frage des Gehorsams zur Diskussion, sondern der Sache, der man dient. Man tut jetzt allgemein so, und sogar aus den Staaten höre ich solche Stimmen, als beschuldigten wir die deutschen Soldaten des Gehorsams. In Wirklichkeit beschuldigen wir sie, Deutsche zu sein. Wie alle anderen Deutschen haben sie dem Regime gedient und ihm nicht widerstanden. Gegen ihren Gehorsam ist nicht mehr einzuwenden als gegen den Gehorsam aller anderen ..., aber das sollte ausreichen. Oder meinen Sie, soldatischer Gehorsam sei eine gute Entschuldigung, zivilistischer aber sei es nicht?"

Hunter stand auf; auch Frank benützte die Gelegenheit, sich zu erheben.

Hunter hat recht, dachte er, man sollte kein Wort deutsch verstehen, es schadet der Besatzung. Man sollte überhaupt nichts verstehen, es schadet einem selbst. Ein Gedanke stieg in ihm auf, bitter und auch ungerecht: er wollte ihn beiseite schieben, aber es gelang nicht. Haben die Deutschen Hunters Mutter ins Konzentrationslager gebracht oder meine? Mußte er fliehen oder ich? Ist sein Haus eine Ruine oder meines? Aber vielleicht war es gerade das: ein Haus, das in Deutschland stand und mitzerbombt wurde, mit den anderen deutschen Häusern. Man war aufgewachsen in dem Haus, und man hatte deutsch gesprochen. Man sollte hassen, tausendmal mehr als dieser biedere Oberst aus Columbus im Staate Ohio. Aber vor die Verpflichtung zum Haß, vor den rächenden Instinkt sogar, drängte sich Verstehen. Nichtverstehen war die wichtigste Ingredienz des Hasses. Haß verdunkelt das Verstehen? Nein; Verstehen verdunkelt den Haß. Aber versteht man denn wirklich? Dem Schicksal sei es gedankt: man versteht nicht, nicht ganz. Jedoch: der Versuch schon birgt die Versuchung. Hunter hat recht – man muß sich von ihr freimachen.

So dachte der Major Frank Green, der ehemalige Franz Grün aus München, während er im Zimmer des Harlachinger Hauses auf und ab ging und sich der Nachmittag langsam über den Raum zu senken begann. Indessen war es nicht seines Wesens, die Waffen leichterdings zu strecken; auch klang in ihm noch das Gespräch nach, das er mit Hans Eber vorigen Tags geführt hatte. Er blieb plötzlich stehen und sagte:

„Colonel, Sie haben mich vier Jahre lang durch Ihr Vertrauen ausgezeichnet . . ."

Hunter, der die Bemerkung auf das soeben geführte Gespräch bezog und seinen barschen Ton schon bereut hatte, unterbrach ihn:

„Daran hat sich nichts geändert, Frank. Das werden Sie sofort sehen, wenn ich Ihnen sage, warum ich Sie heute hierher bat." Das Kognakglas in der Hand, nahm er wieder am Fenster Platz. „Ich habe Ihren Bericht über O'Hara eingehend geprüft. Haben Sie irgendeine Erklärung?"

„Nicht die geringste."

„Und Sie haben diesen Nadler noch einmal verhört?"

„Noch zweimal. Wenn er oder ich nicht völlig verrückt sind, hat O'Hara die Kommandeuse abgeholt."

„Aber was hat er denn mit ihr angestellt?" fragte Hunter. „Sie kann doch nicht vom Erdboden verschwinden."

Frank zuckte mit den Achseln: „Was sagt O'Hara?"

„Er sagt nichts. Hauptsächlich, weil ich ihn nicht gefragt habe. Erst gestern hat er mir wieder einen Bericht über seine vergeblichen Nachforschungen geliefert. Glauben Sie, daß der Mann geistesgestört ist?"

„Ich kenne ihn zu wenig, Colonel."

Hunter stellte das Kognakglas nieder.

„Frank", sagte er, „ich habe ein unbehagliches Gefühl. Ein sehr unbehagliches Gefühl." Es klang beinahe hilfesuchend, als er fortfuhr: „Ich kann jetzt keinen Skandal in meiner Einheit brauchen. Sie wissen, daß ich niemand anklage, ehe ich meiner Sache ganz sicher bin. Aber ich kann nicht länger im Dunklen tappen. Sie müssen feststellen, welche Bewandtnis es mit Major O'Hara hat! Ich weiß, was Sie sagen wollen, Sie können einem anderen Offizier nicht nachspionieren. Andererseits kann ich die Sache nicht der CIC anvertrauen. Das würde den Skandal bedeuten, den ich vermeiden will. Sehen Sie einen vernünftigen Ausweg?"

Frank hatte längst gewußt, daß ihm der Colonel diese Frage stellen würde. Er war mit dem Entschluß hierhergekommen, keinen „vernünftigen Ausweg" zu finden, auf keinen Fall, wenn er dadurch selbst in die Affäre O'Hara hineingezogen würde. Aber das Gespräch über den Oberst von Sibelius schien ihm noch lange nicht beendet, und das Thema George Green, das ihm auf den Lippen stand, hatte er noch nicht einmal vorgebracht. Er sagte:

„Vielleicht. Nehmen wir an, Colonel, Sie erklären bei der Stabsbesprechung, daß Sie die Untersuchung Major O'Hara abnehmen und mir anvertrauen. Dann zwingen wir O'Hara zur Aktion – ohne, daß ich ihm nachspionieren müßte. Wenn er unschuldig ist, wird er die Sache auf sich beruhen lassen. Hat er etwas zu verbergen, dann wird er zu verhindern trachten, daß ich die Untersuchung weiterführe. Er wird mir entweder die Wege abzuschneiden versuchen, oder er wird sich freundschaftlich an mich heranmachen. Jedenfalls muß er den nächsten Schritt unternehmen."

„Ausgezeichnet", sagte Hunter. „Ganz ausgezeichnet. Fahren Sie morgen nach Nürnberg, aber seien Sie Dienstag wieder hier. Wir haben ohnedies erst Mittwoch eine Stabskonferenz. Es wäre unvorsichtig, sie früher einzuberufen."

„Ich werde Dienstag nachts zurück sein."

Der Colonel atmete erleichtert auf.

Frank trat ans Fenster.

„Übrigens", sagte Hunter, „es tut mir leid, was ich vorhin gesagt habe. Wenn Sie glauben, daß dieser Oberst ..., wie heißt er?"

„Sibelius".

„Also, wenn Sie glauben, daß er ein so außergewöhnlicher Mann ist, dann lassen Sie ihn doch ins Anhaltelager zwei nach Bayern versetzen. Läßt ihn die Militärregierung in Hessen laufen, können Sie ihn meinethalben auf freien Fuß setzen."

„Danke, Colonel", sagte Frank. „Ich werde in Bad Homburg anfragen."

Nun hatte ihn Hunter mit seiner plötzlichen Nachgiebigkeit doch überrumpelt. Während der Colonel von den deutschen Militaristen sprach, drängte sich Frank die Frage auf, wie es denn bestellt sei mit jenen dunklen Gestalten, die sein Bruder George im Hause Eberhard Ebers empfing und von denen ihm Hans berichtet hatte. Zur Erfüllung einer besonderen Mission war George nach München kommandiert worden, das wußte Frank, aber es war in G-2 nicht üblich, Fragen nach den Missionen anderer zu stellen. Dennoch war es ihm klar, daß die Männer, mit denen George zusammenkam, dem besiegten Regime gedient hatten, in geheimen, wichtigen und zweifelhaften Funktionen, und wenn Georges Auftrag von Colonel Hunter kam, wie er wohl kommen mußte, dann klaffte hier ein Widerspruch, den aufzuklären hoch an der Zeit war. Zugleich wußte Frank auch, daß er heute erreicht hatte, was zu erreichen möglich war, und daß er die Freiheit des Obersten von Sibelius, die Reparatur einer evidenten Ungerechtigkeit, aufs Spiel setzen würde, wenn er den Bogen überspannte. Er beschloß, mit George selbst zu sprechen, von seinem Bruder mehr zu erfahren, ehe er zu einem neuen Angriff überging.

„Noch ein Glas Kognak?" hörte er den Colonel fragen.

„Nein, danke, Colonel, ich muß gehen", sagte Frank.

Hunter begleitete ihn durch die kalte Vorhalle zum Ausgang. Einen Moment lang standen sie in der offenen Tür. Der Garten begann, sich weiß zu färben. Der Schnee fiel mild und langsam, als sandte der Himmel in vielen kleinen Teilen eine schützende weiße Decke herab, die kalte Erde zu bedecken.

„Es wird vielleicht weiße Weihnachten geben", sagte der Colonel.

„Wird Mrs. Hunter zu Weihnachten hier sein?" fragte Frank, um etwas zu sagen.

„Kaum wahrscheinlich", sagte der Colonel. „Es wäre nicht statthaft, daß meine Angehörigen als erste kommen. Obwohl alles vorbereitet ist. Denken Sie, Frank, ich habe sogar ein Kindermädchen für meine kleine Tochter angestellt . . ."

In Nürnberg beginnt das tödliche Spiel

Zehn Tage währte nun der große Prozeß in Nürnberg, zu dessen Angeklagten Kurt von Zutraven gehörte; aber nur spärlich sickerten die Nachrichten in das Anhaltelager, in dem sich Elisabeth von Zutraven befand. Das Lager war nur wenige Kilometer von dem Steinbaukasten des Nürnberger Gerichts entfernt, wo am 20. November 1945 feierlich die Verhandlung eröffnet wurde, die beinahe ein Jahr dauern sollte und über das Schicksal von zwanzig Männern entschied, die angeklagt waren, Deutschland und die Welt bewußt in Krieg und Misere gestürzt zu haben.

Es war ein grandioses Schauspiel, aber mit welch armseliger Besetzung! Wenn sich Kurt von Zutraven, Sohn eines kaiserlich deutschen Botschafters und einer märkischen Gräfin, Doktor der Literatur, Kenner von fünf lebenden und zwei toten Sprachen, Reisender in drei Weltteilen, umsah auf den Anklagebänken, dann wichen Verblüffung und Furcht, der lebenserhaltende Trieb selbst, und nur ein Gefühl der Scham blieb, das zu bekämpfen er nicht imstande war. Es war nicht die Scham vor seinen Handlungen als Kulturbeauftragter des Dritten Reiches und als Gouverneur im besiegten Paris, denn die Anklagen, die das Viermächtetribunal gegen ihn erhob, schossen so weit über das Ziel, daß er in der unglücklichen Proportion zwischen Tat und Beschuldigung nur noch das an ihm begangene, nicht das von ihm begangene Unrecht sah – es war also nicht Scham im Sinne der Reue, die Kurt von Zutraven ergriffen hatte, sondern die Scham vor seiner Verbrüderung mit den Menschen, mit denen er jetzt auf einer Bank zu sitzen verdammt war.

Wäre das Land, das er mit jeder Faser seines Herzens liebte, zwölf Jahre nur von Verbrechern regiert worden, wie die Anklage es in vier Sprachen darstellte, Kurt von Zutraven hätte es zu tragen gewußt. Aber das Elend vor ihrer Armseligkeit überkam ihn jetzt mit erschreckender Plötzlichkeit. Gerade vor ihm, im ersten Rang der beiden Bankreihen, saß der ehemalige Außenminister des Deutschen Reiches, ein kränklicher, schwächlicher Mann, der, zitternd und bleich, nicht einmal jene Würde zu besitzen schien, die der Tod fast allen verleiht, die er mit seinem Male zeichnet. Dieser Mann, der so flach war vom Scheitel bis zur Sohle, daß er nur zwei Dimensionen zu haben schien, hatte Deutschland vertreten vor der Welt, hatte Botschafter ausgeschickt und entsetzt, hatte Ultimata formuliert und überreicht und war dabei kleiner geworden mit jedem großen Wort und jeder großen Geste, ein Betrüger nicht einmal, bloß eine tragische Karnevalsfigur, die als Angeklagter so unecht schien, wie sie es in der Rolle des Herrn gewesen war. Und da saß, neben dem entlaubten Reichsmarschall, dieser sonderbare, vielleicht närrische Vogel mit den buschigen Augenbrauen, den irrlichternden Augen und dem dünnen Hals in weitem Kragen, ein unterernährter Lämmergeier, der auf der Anklagebank hockte, als wäre sie ein dürrer Ast: der Mann, der einst den Führer vertreten und dann verraten hatte, undurchsichtig in seinen Meinungen wie in seinen Befugnissen, einst scheinbar Herr über Leben und Tod, in Wirklichkeit aber etwas wie ein neurasthenischer Hausmeister. Und dann, ganz links, der Kahlköpfige, der ununterbrochen Kaugummi kaute, als könnte solch importierte Sitte sein verwirktes Leben retten, der obszöne Judenfresser von Nürnberg, aus winzigen Äuglein von Zeit zu Zeit immer noch hinüberschielend nach den schmucken Sekretärinnen, ein Abbild der sonntäglich verstohlenen Bordellbesucher kleiner Städte, Trinker ohne Charme und mit schwachen Nieren, Fresser ohne Geschmackssinn und mit rülpsendem Magen. Kein Trost war es für Kurt von Zutraven, daß in den zwei langen Reihen auch andere saßen, ihm verwandtere. Daß der professorale Herr mit dem Kneifer und dem hohen Stehkragen, der stets abzurücken versuchte von seinem Nachbarn, dem Gummikauenden, ein Mann von großem Wissen war und profunder Bildung; daß der Herr im wohlgeschnittenen zweireihigen Anzug mit dem makellos weißen Taschentuch, der wie ein in Ehren ergrautes Rennpferd wirkte, auf der Anklagebank die Würde bewahrte, mit der er das merkwürdige Reich im Ausland vertreten hatte; daß der greise Admiral in der marineblauen Uniform zwar seiner Ehrenzeichen beraubt war, aber wenigstens die steife Haltung eines versenkten Amtes bewahrte – das alles stürzte Kurt von Zutraven noch tiefer in Verwirrung, weil ihm die Verwandten auf der Anklagebank nicht einmal die Illusion ließen, er nur allein habe den Spuk für Wirklichkeit genommen.

Daß er selbst ein Verbrecher gewesen sei, an Menschen und Menschheit, wie die Anklage es förmlich behauptete, glaubte Kurt von Zutraven nicht, aber daß er genarrt worden war von diesen Masken, das beschäftigte ihn ohne

Unterlaß in den Tagen, in denen die Verlesung der Anklagen ewig dahinplätscherte. Er hatte sie alle gekannt auf der Höhe von blinder Macht und trommelndem Ruhm; er hatte sie erlebt in ihren riesenhaften und dabei kleinbürgerlichen Heimen; in ihren Konferenzen, diesen endlosen Wettbewerben winziger Eitelkeiten; in ihren Ämtern, in denen nichts groß war als die Schreibtische. Was er gewußt und was er nicht gewußt von Schandtaten gegen Humanität und von zynischer Vorbereitung auf Massenmord, das war auch jetzt noch nicht Gegenstand des Dialogs, den Kurt von Zutraven mit seinem gestählten Gewissen führte. Nur eins konnte er nicht mehr begreifen: daß er nicht gesehen hatte, worauf diese zwölf Jahre hinausliefen — daß nämlich eine makabre Faschingsgesellschaft, als Könige und Scharfrichter, als Generale und Kerkermeister, als Diplomaten und Barrikadenkämpfer verkleidet, sich der Ämter und Kanzleien, der Armee und der Polizei, der Bahnen und der Schulen bemächtigt hatte und in ihnen verblieb, zwölf volle Jahre, in Winter und Herbst, Sommer und Frühjahr, das Fastnachtsspiel fortsetzend in blutigem Ernst. An eine Novelle von Edgar Allan Poe, dem unheimlichen Genie, mußte Kurt von Zutraven denken, in welcher der Dichter von seinem Besuch in einer Irrenanstalt erzählt, einem abgelegenen Haus, das er nach mehreren Tagesritten erreicht. Dort wird er vom Direktor der Anstalt empfangen, von Ärzten und Pflegern und Pflegerinnen bewirtet, bis ihn beim festlichen Abendessen ein seltsamer Verdacht befällt, als sich mit einemmal Direktor und Personal in gespenstischer Fröhlichkeit die Irren nachzuahmen und äffend zu kopieren anschicken. Beim Abendessen geschieht es auch, daß ein gewaltiger Lärm aus den Tiefen des Kellers herauftönt und kurz darauf Männer und Frauen in den Saal stürzen und sich der falschen Ärzte und Pfleger bemächtigen, der wahnsinnigen Patienten, die für Stunden die Rolle der Gesunden gespielt hatten. Aber was selbst des Dichters Phantasie nur als Spuk von wenigen Stunden auszumalen wagte, das war, so schien es ihm jetzt, zwölf Jahre lang die deutsche Wirklichkeit gewesen, und hier in Nürnberg endete sie erst, nicht wie bei Poe durch eine Befreiung aus eigener Kraft, sondern als fremde Heere das gesunde Deutschland aus den Kellertiefen entließen.

Solche Gedanken, nicht klärend, sondern verwirrend, beschäftigten den Angeklagten Kurt von Zutraven, und er ahnte nicht, wie sehr sie bewiesen, daß er die Verbindung verloren hatte mit dem Volk, das er liebte.

Die Verwirrung, in welche die Nürnberger Prozesse das deutsche Volk stürzten, war von anderer Art. Der Mann etwa, der draußen vor dem quadratischen Steinbau den schmutzigen, geschmolzenen Novemberschnee mit ungeübten Bewegungen wegzuräumen versuchte, nicht gerade widerwillig, aber mißmutig doch und dilettantisch, war vor einem Jahr noch Lehrer der Mathematik an einer Oberrealschule gewesen. Das Gesetz Nr. 8 „verbietet die Beschäftigung von ehemaligen Parteimitgliedern in geschäftlichen Unternehmungen und verantwortlichen Stellungen und läßt ihre Beschäftigung lediglich als gewöhnliche Arbeiter zu" – so hieß es in der Ankündigung, die dem Lehrer der Mathematik, einem Studienrat, die Schneeschaufel in die Hand gedrückt hatte. Der Studienrat, ein gläubiger Anhänger der Disziplin, die er stets gefordert, aber auch selbst geübt hatte – auch seine frühe Zuneigung zur Partei mochte seinen disziplinären Neigungen entsprungen sein –, der schneeschaufelnde Mathematiker also versuchte auch mitten in seiner physischen Arbeit zwei und zwei zu addieren, eine stille Tätigkeit, die ihm zwar nicht verboten war, aber auch zu keinem Resultat führte. Zwei und zwei, der Studienrat mußte es entsetzt feststellen, ergaben nicht mehr vier. Hatten die Männer, die drinnen im überheizten Gerichtssaal saßen, während er sich in der winterlichen Natur die Ohren abfror, hatten sie in der Tat, wie die Anklageschriften besagten, das deutsche Volk schnöde hinters Licht geführt, dann konnte doch mit der ständig lautverkündeten kollektiven Schuld etwas nicht stimmen: daß die Vergewaltigten auch Vergewaltiger sein sollten, war von hinkender Logik. Zehntausend Seiten, hieß es, würde das Nürnberger Protokoll umfassen; es zu veröffentlichen, müßte daher – mit solcher Mathematik vertrieb der Studienrat Zeit und Frost – eine Tageszeitung drei Jahre, fünf Monate und zwei Tage lang eine ganze Seite dem Prozeß widmen: zehntausend Seiten, um zu beweisen, daß die Erzschurken Schurken waren, während man doch die Schuld des ganzen deutschen Volkes ohne jedes weitere Protokoll zu Protokoll genommen hatte!

Daß zwei und zwei nicht vier ergab, war dem Studienrat nun klar. Indessen bedurfte es so hoher Mathematik nicht, um die Fehler in der Rechnung zu entdecken. Die neuen deutschen Zeitungen, gerade erst von den Alliierten aus der Taufe gehoben, die amtliche amerikanische „Neue Zeitung" vor allem, veröffentlichten vergeblich seitenlange Berichte über die Verhandlungen im Gerichts- und Gefängnishaus: apathisch ging das Volk vorbei an dem Gebäude, in dem Gerichtstag gehalten wurde über seine Verderber, soferne sie nicht vorher Gerichtstag gehalten hatten über sich selbst. Der Gedanke, daß das Volk zurückschauen sollte, fragend und sich besinnend, war ein Siegerkonzept, satten Magen und warmen Stuben entsprungen: in Wirklichkeit wollte das Volk nur sehen, wie es Magen und Öfen zu füllen vermochte. Man hatte nicht Mitleid mit den Todeskandidaten im engen Nürnberger Saal, denn sie selbst hatten niemals mitgelitten mit dem leidenden Volk; aber auch Zorn, Scham und Empörung über sie waren verflogen, da sich der Machthaber von gestern ohnedies eine so präzis funktionierende, fremde Maschine bemächtigte. Der Wunsch nach Erkenntnis erwachte erst später, als die Angeklagten von Nürnberg längst tot oder lebendig begraben waren: dies war der erste Winter der Besatzung, und ob man hungrig zu Bett gehen würde, ob es Milch gab für ein Neugeborenes, ob ein Krankenhausbett für eine Mutter, ob man Anstellung fand oder ob man sich anstellen müßte – vor solchen Fragen der Gegenwart rückte das historische Panoptikum in den Hintergrund. Auch die langwierige Prozedur, von den Siegern ersonnen, um ihre strenge Objektivität zu beweisen und den rechtsunkundigen Deutschen angelsächsisches Recht ad oculos zu demonstrieren, verfehlte ihre Wirkung: daß die Urteile feststanden, hatten die Beschauer instinktiv erfaßt, und der lange Weg zum gezimmerten Galgen erschien ihnen nicht sauberer, nur weil er länger war.

Die Gleichgültigkeit der Straße, diese Niederlage der Geschichtsschreibung vor dem knurrenden Magen, bemächtigte sich dann auch des grauen Hauses zu Nürnberg, während die Alliierten, im Gegenteil, erwartet hatten, daß die Zirkusspiele das Brot ersetzen würden, nach dem man auf der Straße vergeblich anstand.

Über dem dunklen, holzgetäfelten Saal lag die schläfrige Müdigkeit der Winternachmittage. Die einfachen Holzbänke, von Plachen umgeben, die für die Angeklagten in den Saal hineingebaut worden waren, wirkten in dem schönen alten Raum, als hätten Flüchtlinge in einer Kirche einen Notstall für ihr Vieh errichtet. Die Männer in diesem länglichen Stall nahmen an der makabren Feier, die sich außerhalb der Holzplachen abspielte, nicht teil. Die Hauptattraktion fehlte, die einzige wohl, welche die Lethargie hätte enden können: der Hauptdarsteller hatte sich entschuldigt und war, verkohlt, im Führerbunker zu Berlin verblieben. Seine Abwesenheit gestattete die Geburt der Dolchstoßlegende 1945: er, so sagten alle seine einstigen Vasallen, habe den Dolch geführt, er allein habe alles angezettelt, er allein habe alles gewußt, und er allein sei daher schuldig. Die anderen, die Lebenden, saßen da, starrend und angestarrt, bloß eingefangen oder schon einbalsamiert; mit ihren eigenen Namen so wenig verwandt wie die Tiere im Zoologischen Garten mit den klingenden lateinischen Namen auf den Gittern der Käfige; aus der Größe der Legende zurückverbannt in die Kleinheit der Existenz, aus der sie kamen. Zwar waren die Pressekarten ausverkauft, alle großen Zeitungen und Nachrichtenagenturen der Welt hatten ihre Korrespondenten nach Nürnberg entsandt, aber auf der kleinen Pressetribüne, einer intimen Galerie zur Rechten der Angeklagten, saßen nur die pflichtbewußten Berichterstatter der neuen deutschen Zeitungen, während die uniformierten Korrespondenten der Auslandspresse nach anderen Sensationen Ausschau hielten. Übersetzer, Sekretärinnen und Presseoffiziere waren geschäftig bemüht, künstliche Aufregung zu verursachen und die monoton surrenden Vervielfältigungsmaschinen spien die Kommuniqués zu Hunderten in den Pressesaal, aber in den Taubenschlägen mit den Namen der Korrespondenten häufte sich das ungelesene Papier, bis es aus den Fächern quoll, auf den Boden fiel und ausgekehrt wurde. Die ausländischen Journalisten, in englischen, amerikanischen, französischen, aber auch russischen, tschechischen und sogar brasilianischen Uniformen, blieben meistens nur wenige Tage; die Panoptikumsfiguren im Stall leibhaftig gesehen zu haben, befriedigte ihre Neugierde; daß sie sie wirklich gegeben hatte und sie sogar noch gab, war interessanter als was mit ihnen geschah. Merkwürdig genug: die Uniformen der Korrespondenten ließen das Bild nicht lebhafter, sondern noch müder erscheinen. Daß nur jeder zehnte Berichterstatter Zivil trug, entkleidete die Uniformtragenden ihrer berichtigenden Würde und machte sie zu Mitanklägern, wie man andererseits nicht übersehen konnte, daß die deutschen Rechtsanwälte in ihren schwarzen Talaren Mitangeklagte waren. Diese Anwälte, deren feierliches Schwarz die Schäbigkeit ihrer Anzüge verbarg, waren selbst auf Hungerrationen gesetzt und als Deutsche gleichfalls angeklagt, wenn auch nur im summarischen Sinne, und sie entledigten sich ihrer Aufgabe mit der Resignation von Ärzten, die einem Sterbenden noch herzstärkende, aber keineswegs mehr rettende Injektionen verabreichen können. Die Tollhausidee der kollektiven Schuld machte aus den Stars der Nürnberger Aufführung Statisten; Richter, Staatsanwälte, M.P.s und Journalisten wirkten wie Verschworene; die Höflichkeit, mit der die anderen Richter ihre sowjetischen Kollegen behandelten, täuschte nicht hinweg über die schwelenden Konflikte – was Wunder also, daß sich der Prozeß lahm und hoffnungslos dahinschleppte.

Wenn etwas zuweilen noch die paradoxe Monotonie dieses geschichtlichen Ereignisses unterbrach, dann waren es die Gerüchte, die aus dem Gerichtssaal hinausflatterten. Der Reichsmarschall habe Schüsse auf einen Zeugen abgegeben – einen Feldmarschall übrigens, der wie ein Gespenst aus russischer Gefangenschaft auftauchte und wie-

der verschwand; die englischen, französischen und amerikanischen Richter, hieß es, lägen sich mit den russischen
in den Haaren; der sowjetische Staatsanwalt sei abberufen
worden, denn der Krieg mit Rußland stünde bevor –
Wunsch und Furcht, mit Ahnung und Realität gepaart,
drehten sich um Nürnberg.

Solche Gerüchte, lebhafter besprochen und im zeitungs-
armen Deutschland schneller befördert als die Kunde von
den blasseren Ereignissen, drangen auch durch den Stacheldraht des „Anhaltelagers für die Frauen der Kriegsverbrecher" zu Elisabeth von Zutraven.

Seit Frank Green sie an jenem Nachmittag verlassen
hatte, führte sie den Kampf um ihre Freiheit zwar ohne
hastigen Eifer, aber dennoch mit wachsender Entschlos-
senheit. Es waren weniger Franks ermutigende Worte, die
ihr neue Kräfte verliehen, als Erkenntnisse, zu denen sie
allmählich gelangt war.

Sie konnte Frank die Wahrheit nicht sagen, ihm am
allerwenigsten. Was immer sie gesagt hätte, wäre unverständlich geblieben ohne das Wesentliche, ohne die eine
Wahrheit, um die sich alle Wahrheiten drehten – daß sie
den Mann, der jetzt in Nürnberg vor seinen Richtern stand,
nur deshalb nicht haßte, weil sie ihn zu tief verachtete.
Sie hatte ihn geliebt, vielleicht, für sehr kurze Zeit und
dann gehaßt in langen Jahren. Wie der Haß die Liebe abgelöst hatte, so löste Verachtung den Haß ab.

Sie war kaum siebzehn, als sie Kurt von Zutraven kennenlernte. Und schon die Umstände ihrer Bekanntschaft
und frühen Liebe waren unglaublich; Frank mußten sie
unglaublich erscheinen. Wie sollte er verstehen, daß sie
fasziniert und begeistert und überzeugt war von dem großen Betrüger, den sie Führer nannten; daß sie mit den anderen Jungen und Mädchen zu Versammlungen ging, auf
denen er sprach, in der „Hauptstadt der Bewegung"; daß
sie Lieder sang und Fackeln trug, damals, als alles begann.
Sie hatten keine profunden Gründe, diese Verirrung und
Verwirrung, obschon es vielleicht unbegreiflich war, daß
die Tochter des gütigen und weise gemäßigten Oberlandesgerichtsrates Steer hineingeraten war in die Psychose, die

sich damals des Landes bemächtigte. Aber sie war siebzehn, und um sie war Elend und Hoffnungslosigkeit, im besten Fall Spießertum und falsche Genügsamkeit. Alles, was er plante, der Mann aus Braunau, hüllte er in einen Mantel des Idealismus, und Elisabeth Steer glaubte ihm. Mochten andere Frauen behaupten, sie hätten nur als getreue Haustiere ihrer Männer gehandelt, gedankenlos und gehorsam, auf sie traf es nicht zu, und sie war nicht willens, es zu behaupten. So war es, im Gegenteil, daß sie sich weniger in den um zehn Jahre älteren Kurt von Zutraven verliebte, als in das Symbol, das er ihr schien. Bei einer Versammlung hatten sie sich kennengelernt, zu der sie, dem Verbot ihres Vaters trotzend, gegangen war, und ihrem Vater trotzend hatte sie ihn ein Jahr darauf geheiratet. Wäre es anders gewesen, hätte sie in Kurt von Zutraven nicht ein Symbol gesehen, wäre ihre Ehe vielleicht glücklicher geworden. So aber begann sie auch ihn im gleichen Augenblick zu sehen, in dem sich ihre Augen öffneten vor dem großen Wahn. Freilich: auch das geschah nicht auf einmal, von einem Tag auf den anderen. Die „Machtergreifung" hatte Kurt von Zutraven an die Oberfläche gespült und mit ihm wurde Elisabeth emporgetragen. Noch wußte sie nicht alles, nicht annähernd alles. Mit jedem verstreichenden Tag erfuhr sie jedoch mehr, und mit jedem Tag stellte sie drängender die Forderung an Kurt von Zutraven, die Brücken hinter sich zu verbrennen. Damals begann der zweite Akt ihrer Ehe, in der es ihr schien, als wäre sie sehend und er blind, und seiner Blindheit halber begann sie ihn zu hassen. Immerhin glaubte sie in dieser Zeit noch, daß er der Entscheidung fähig sein würde, sobald er erkannte, was auch in seinem Namen geschah. Dann aber kam der dritte Akt, der an einem Sommertag begann, an dem Tag, an dem sie erfuhr, daß Kurt von Zutraven alles gewußt hatte, von Anbeginn, und daß ihn Erkenntnis nicht zu heilen vermochte. Da wandelte sich Haß zur Verachtung.

Aber warum hatte sie nichts unternommen, offenbar nichts, weder in den Tagen des Hasses, noch der Verachtung? Auch das konnte niemand verstehen, gewiß nicht

Frank Green. Dramatische Entscheidungen entsprachen nicht ihrem Wesen. Aber selbst, wenn sie ihm entsprochen hätten: als sie endgültig fertig war mit Kurt von Zutraven, war sie schon so heillos versponnen in den geheimen Widerstand gegen das Regime, so viele Menschenleben hingen schon von ihr ab, daß ihr offener Widerstand, Mut in dem Sinne, in dem man ihn verstand, wie feige Desertion erschienen wäre. Unbedeutend, ja winzig war vielleicht der Widerstand, den sie geleistet hatte: auch deshalb wehrte sie sich dagegen, ihn heute zu erwähnen. Aber wie den Riesen Gulliver Tausende von kleinen Fäden, von Zwergen um ihn gesponnen, niederhielten an die Erde, so hatten sie diese Fäden, die sie selbst um sich gestrickt hatte, niedergehalten. Um sich zu erheben, hätte sie die Bande zerreißen müssen. Gleichgültig war, ob sie es überhaupt vermocht hätte: die Wahrheit war, daß sie sie gar nicht zerreißen wollte.

Und nun saß Kurt von Zutraven, nur wenige Kilometer von dem Lager entfernt, auf der Nürnberger Anklagebank, und seine Schuld, die ihre Ehe zerstört hatte, hielt sie zusammen. In den „guten Zeiten", wie die anderen Frauen im Lager die vergangenen Jahre nannten, war sie mit ihm gewesen: wer sollte wissen, daß sie selbst das Elend des Lagers diesen „guten Zeiten" vorzog? Verließ sie ihn heute, dann verließ sie einen Mann in Not. So war es, einfach wie die Wahrheit, und nichts ließ sich daran ändern, auch nicht durch Gleichgültigkeit vor übler Nachrede, auch nicht durch Gleichgültigkeit vor dem Schicksal des ihr längst Entfremdeten.

Solche Gedanken beschäftigten Elisabeth zum hundertstenmal, immer wieder neue Formen annehmend, während sie am Rande der Holzpritsche saß, in dem Baracken-Schlafsaal, den sie mit zwei anderen Frauen teilte. Um dem ewigen Kreislauf ihrer Gedanken zu entgehen, legte sie ihre Näherei beiseite und trat an das kleine Fenster in der dünnen Wand. Ein Soldat stapfte durch den Schnee auf die Baracke zu.

Der Soldat klopfte an und öffnete, ohne eine Antwort abzuwarten, die Tür.

„Frau von Zutraven", sagte er, „packen Sie Ihre Sachen!"

Elisabeth sah ihn verwundert an. Auch die anderen Frauen blickten verblüfft auf.

„Machen Sie schnell", sagte der Soldat. „Es ist gerade ein Befehl durchgekommen. Sie sind entlassen."

Immer noch ungläubig, fragte Elisabeth:

„In die Vernehmungsvilla ...?"

„Nein", sagte der Soldat ungeduldig. „Nehmen Sie alles mit. Sie sind frei."

O'Hara prügelt nicht mehr

Es war zwar verboten, daß Offiziere ihre eigenen Wagen steuern, aber an diesem Dezembernachmittag des Jahres 1945 hatte der Major William S. O'Hara andere Sorgen, als sich um so kleinliche Vorschriften zu kümmern. Wenige Minuten, nachdem er die Stabsbesprechung bei Colonel Hunter hastig, aber seine Hast nicht ohne Geschick beherrschend, verlassen hatte, saß der Major am Steuer seines beschlagnahmten Horch. Noch als er in die Garage seiner Pasinger Villa einfuhr, war es, als wollte der Wagen nicht haltmachen, ehe er die Tore der Hölle erreichte. Dann trat O'Hara mit voller Wucht auf den Bremshebel, und der Wagen blieb, mit dem Stoßdämpfer die Garagenwand berührend, stehen.

Der Major öffnete die rückwärtige Tür, die durch die Küche in das Haus führte, wie immer mit seinem eigenen Schlüssel und stürmte in den Salon.

Irene Gruß hatte ihn nicht erwartet. Der Major kam selten vor sieben Uhr abends nach Hause, manchmal auch erst spät nachts; um fünf Uhr nachmittags war er noch nie heimgekehrt. Kurz vor seinem Eintreffen hatte die ehemalige Kommandeuse beschlossen, sich durch die Annehmlichkeiten eines wohlduftenden Bades die Zeit zu vertreiben. Sie hatte eine halbe Flasche Badesalz – der Major hatte sie im P.X. billig erworben – ins warme Badewasser geschüttet und saß nun seit beinahe einer halben Stunde in der geräumigen Badewanne.

Der Major warf einen Blick in den Salon, in dem ein halbgeschmückter Weihnachtsbaum stand, und stieß dann, ohne anzuklopfen, die Badezimmertür auf.

Der Anblick der behaglich ausgestreckten nackten Frau in dem von dem Badesalz violettgefärbten Badewasser versetzte O'Hara in einen Zustand wütender Ekstase.

„Was treibst du hier?" schrie er sie an, ohne sich der Lächerlichkeit seiner Frage bewußt zu werden.

„Ich nehme ein Bad", sagte die Frau und ließ sich noch tiefer ins Wasser gleiten.

„Heraus mit dir!" brüllte O'Hara.

Sie rührte sich immer noch nicht. Sie konnte nicht ahnen, daß aus dem Spiel Ernst geworden war. Es hatte in den letzten Wochen zwischen dem Major und der Kommandeuse wenig echte Konfliktstoffe gegeben, und sie wußte, oder erfaßte doch unbewußt, daß ihre Existenz davon abhing, ob sie seinen Instinkten neue Nahrung zuzuführen vermochte. Ihre Erzählungen aus dem Konzentrationslager, denen sie jedesmal neue und grellere Farben verlieh, begannen zu verblassen. Er war unerschöpflich in der Erfindung neuer Torturen: einmal mußte sie „Aschenbecher" spielen, und er zerdrückte seine brennenden Zigaretten auf ihren Armen; ein andermal mußte sie nackt im winterlichen Garten seine schmutzige Wäsche waschen. Indessen erfuhr Irene Gruß, daß die Perversität der Ermüdung genau so untertan ist wie jede bürgerliche Bettgemeinschaft. Sie unternahm es nun, beinahe einem ungezogenen Kinde gleich, absichtlich Fehler zu begehen, die von einer zerbrochenen Porzellanschale bis zu der Weigerung rangierten, einen Befehl O'Haras auszuführen: so ließ sie ihn zum Bestrafenden werden und Befriedigung finden in der Züchtigung der absichtlich Fehlenden.

Der Major stand über die Badewanne gebeugt und wiederholte sein „Heraus mit dir!" Sie aber rekelte sich im Wasser, streckte ihre Beine aus, bedeckte mit der einen Hand ihre üppige Brust, während sie mit der anderen

Hand das Wasser aus der Badewanne spritzte, gerade so viel, um seine wohlgebügelte Uniform zu benetzen. Auch als sich O'Hara niederbeugte, sie bei den Haaren packte und, beinahe wie eine Ertrinkende, aus dem Wasser zu zerren begann, ahnte die Frau noch nicht, daß ihr Geliebter diesmal nicht, ihrem listigen Wunsch entsprechend, auf eine erregende Provokation reagierte, sondern daß seine Erregung aus Bezirken kam, über die sie keine Macht besaß.

Er ließ von ihr erst ab, als sie triefend, mit beiden Händen nach dem Bademantel greifend, vor ihm stand.

„Was ist denn los, Bill?" fragte sie, und die Behandlung, die ihr soeben zuteil geworden war, schien von ihr immer noch abzuperlen wie die Perlen des Badewassers.

„Du mußt fort", keuchte O'Hara. „In einer halben Stunde mußt du weg sein."

Sie wurde bleich. O'Hara hatte noch nie erlebt, daß sie bleich wurde. Ihre Hautfarbe war gelblich; zuweilen konnte sie rot werden, aber O'Hara dachte nicht, daß sie sich entfärben könne. Der betäubende Duft des allzu reich verschütteten Badesalzes und der heiße Dunst, der das Zimmer eingehüllt hatte, stiegen ihm zu Kopf. Einen Augenblick lang war die Lust, sie zittern zu sehen, stärker als seine eigene Furcht.

„Sie werden in einer halben Stunde hier sein", sagte er. „Sie werden dich holen. Sie wissen alles."

Er wußte, daß keiner dieser Sätze der Wahrheit entsprach, oder daß sie zumindest den Ereignissen weit vorauseilten. Es war noch keine Stunde vergangen, seit ihm Colonel Hunter die Ermittlungen im Fall Irene Gruß aus der Hand genommen und dem Major Frank Green übertragen hatte. Es war sachlich geschehen, ohne Rüge, ohne Verdächtigung, wie eine Angelegenheit von alltäglicher Routine. Hunter hatte sogar etwas von O'Haras Überbürdung gemurmelt; eine höfliche und bei solchen Gelegenheiten übliche Phrase. Nichts schien zu beweisen und wenig darauf hinzudeuten, daß sie „alles wußten", oder gar Irene Gruß „holen" wollten, und es war höchst unwahrscheinlich, daß sie, sogleich auf der richtigen Fährte, „in einer halben Stunde" eindringen würden in das Privathaus des Majors William S. O'Hara. Aber die Panik suchte ein Ventil, und O'Hara fand es schneller, als er hätte vermuten können. So war es nämlich, daß die panische Angst, die sich seiner bemächtigt hatte, nicht nur schwand, sondern sich in kalten Genuß verwandelte, als er sie auf die fröstelnde Frau übertrug. Jetzt, da sich zum erstenmal seit ihrer Begegnung echter Schrecken in ihren meist ausdruckslosen Augen malte, empfand O'Hara die gleiche Lust, die ihn damals im Vorstadthotel zur fatalen Entscheidung getrieben hatte. Das war etwas anderes als die Spiele, die seine kranke Phantasie und ihre erfindungsreiche List ersonnen hatten, und der Major mußte mit gespannter Kraft der Versuchung widerstehen, um die Zitternde nicht zu züchtigen, und wie es zuletzt geschehen mußte, schwach zu werden vor der zugefügten Züchtigung.

O'Hara ahnte nicht, was in Irene Gruß vorging. Sie hatte mit einemmal erfaßt, daß tatsächlich etwas im Gange war, was ihren Geliebten von einem Strafenden in einen Gehetzten verwandelte. Und wenn die Furcht, die ihm auf dem roten und erhitzten Gesicht geschrieben stand, auch von außen kam, wenn ihm auch die Qualen, die er litt, nicht, wie sie es geliebt hätte, von ihr zugefügt wurden, so erwachte in ihr vor der jämmerlichen Kreatur doch ein Lustgefühl, das sie wie eine heimkehrende Verwandte begrüßte. Das Bewußtsein ihrer mißlichen Lage nahm noch keine konkreten Formen an; es ging unter in einem heißen Strom der Befriedigung über die Rückkehr zu ihrer eigenen Rolle.

Sie hatte sich schnell aus dem Badezimmer entfernt und begann sich in dem anschließenden Schlafzimmer anzukleiden.

„Wohin soll ich gehen?" fragte sie den Major, der in der Tür des Schlafzimmers stehengeblieben war.

„Hinaus!" sagte der Major. „Auf die Straße, wohin du gehörst."

Sie war gerade im Begriffe, sich den Strumpfbandgürtel anzuziehen. Die Komik der meisten dramatischen Momente wurde auch jetzt offenbar, als sie in der ohnedies grotesken

Geste des Sich-in-den-Gürtel-Zwängens halb innehielt und ihm ins Gesicht sah.

„Das würde dir teuer zu stehen kommen", sagte sie. Es klang nicht mehr furchtsam.

„Willst du mir drohen?" sagte er.

Sie hatte sich in den Strumpfbandgürtel gezwängt.

„Ja", sagte sie fest.

Er legte die Hand auf seine Revolvertasche, die er immer noch umgeschnallt hatte. Es war eine ruhige Geste, und sie wirkte daher doppelt drohend.

„Ich kann dich niederschießen", sagte er. „Niemand hört es. Es wäre das einfachste."

Sie hatte jetzt ihr Kleid angezogen. Es war das Kleid, in dem sie hierhergekommen war, grau, mit einem kleinen weißen Kragen, ein strenges, sittsames Kleid, beinahe an die Uniformen preußischer Mädchenpensionate gemahnend. Statt zurückzuweichen vor seiner drohenden Geste, trat sie einen Schritt näher an ihn heran.

„Sie werden dir draufkommen", sagte sie. „Sie werden dich aufhängen."

„Wenn du nur tot bist", sagte er. Aber er nahm die Hand von der Revolvertasche.

Sie ging ruhig an ihm vorbei, durch das Badezimmer, das Vorzimmer, in den Salon.

Er folgte ihr mit schwerem Schritt, schloß die Tür hinter sich und ging zum Fenster. Draußen war es Nacht. Er zog die Vorhänge zu. Die Stehlampe neben dem großen Rundfunkgerät verbreitete ein warmes, teegebäckgelbes Licht. Der Weihnachtsbaum der Armee stand auf dem Radioapparat. Sie hatte ihn schon mit roten, silbernen und goldenen Kugeln, mit feingesponnenen Engelshaaren und blauen, gelben, grünen elektrischen Tannenzapfen halb behangen. Aber der Verbindungsdraht der Tannenzapfen endete noch nicht in der Steckdose, und so war im Zimmer nur das Licht, das von der Stehlampe ausging.

„Mach dich fertig", sagte der Major. Er sprach jetzt leise, zwischen den Zähnen. „In zehn Minuten mußt du draußen sein."

„Nicht ehe ich weiß, wohin ich gehen soll", sagte die Frau.

„Du gehst jetzt", wiederholte er. „Und nimmst alles mit. Und wenn du je ein Wort sagst, erwürge ich dich mit meinen eigenen Händen."

„Ich kann beweisen, daß ich dich kenne", sagte sie. „Und noch mehr."

„Dir glaubt kein Mensch", sagte er.

„Ich kann alles beweisen", wiederholte sie.

Er ging langsam auf sie zu. Sie stand da, unbewegt, nicht anders als sie sonst wartete, wenn langsam oder überraschend das rasende Vorspiel seiner Leidenschaft einsetzte. Sie wußte es selbst nicht, aber sie lag auf der Lauer. Was sie lauernd erkunden wollte, das war, ob die Gesten der Brutalität ihm noch befriedigendes Bedürfnis waren, ob er noch versklavt war, indem er sie zur Sklavin machte, oder ob er schon Gewalt anwandte zu einem kühlen und klaren Zweck. Wäre er mit seinen bloßen Händen über sie hergefallen, hätte er sie würgend am Leben bedroht, vielleicht wäre sie hinausgelaufen auf die Straße und aus seinem Leben. Aber O'Hara blieb für einen Augenblick stehen, und als er stehenblieb, beging er seinen letzten Irrtum. Er öffnete mit unsicherer Hand einen Schrank, den grotesk kleinbürgerlichen Speisezimmerschrank, der im Salon der requirierten Wohnung stand. Darin befanden sich die im Laufe der Monate aufgehäuften Instrumente der Pein, in beinahe ebenso kleinbürgerlicher Ordnung aufgestapelt wie einst großmütterliche Tassen und Teller, Peitschen mit sieben ledernen Enden und geschlungene Stricke und eine Gerte aus Stahl und kleine und große, schmale und breite Riemen. Die Peitsche, aus Holz, mit dünnen Lederstreifen am Ende, ein lächerliches Inquisitionsinstrument, das beinahe einem Staubwedel ähnelte, riß der Major aus dem Schrank, und nun kam er mit großen Schritten auf sie zu. Sie aber fürchtete sich nicht mehr. Weil sie vom gleichen Schlag war wie er, hatte sie zu erdulden vermocht, was sie in Wirklichkeit selbst zufügen wollte: zuerst hatte er sich hineingelebt in ihre Rolle; dann lebte sie sich hinein in seine – und darin lag ihr großer

Betrug, daß sie noch Opfer schien, wo sie längst Partnerin war. Diese Verwandtschaft jedoch hieß auch, daß Irene Gruß mit tödlicher Gewißheit voraussah, was jetzt geschehen würde. Mit seinem Haß und ihrer Plage, seiner Gewalt und ihrer Demütigung würde auch die Leidenschaft verströmen, die den Quälenden an die Gequälte band. Diesmal würde aber keine Zeit bleiben zu der Erneuerung, welcher die aus Lust am Schmerz geborene Leidenschaft ebenso bedurfte wie die Leidenschaft, die aus Liebe geboren war. Die Ernüchterung müßte kommen, und in der Ernüchterung würde sich der Kranke nicht mehr unterscheiden von einem Gesunden. Nicht den Mann, der jetzt mit blutunterlaufenen Augen auf sie zukam, mit einer weißen Hand die Peitsche umklammernd, fürchtete die Frau, nicht seine Besinnungslosigkeit, sondern seine Besinnung. Weil er aber nicht die Kraft besessen hatte, sich selbst in diesem Moment, in dem es um sein Leben gehen mochte, abzukehren von der blutigen Routine; weil er vor ihrer Furcht verfallen war in den ihr wohlvertrauten Rhythmus; weil also die Lust noch jetzt überhandnahm über seine eigene Bedrängnis – deshalb vermochte Irene Gruß ihre Lage zu überdenken und einen Weg einzuschlagen, der eine letzte rettende Chance bot.

Wie aus einem Jauchewagen, der umkippt, so ergoß sich der Unrat aus dem Mund O'Haras. Die einstige Kommandeuse verstand kaum ein Zehntel der Flüche, die er in seiner Muttersprache ausspie, aber sie verstand, was er meinte. Sie war jetzt mit einemmal die Verführerin, Grund seines Übels und Unheils, und er war das Opfer, das sich spät, doch vielleicht nicht zu spät, zur Wehr setzte. Das verstand Irene Gruß, und in diesem Augenblick trat die Wandlung ein, die O'Hara nicht vorausahnen konnte.

Was sie tat, tat sie nicht aus bloßer Überlegung. O'Hara, der Besiegte; der bebende, von Angst gehetzte, der unterlegene O'Hara; der prügelnde O'Hara, der lächerlich wirkte in seiner Unfähigkeit, sich von der Geprügelten zu befreien; der O'Hara mit der Peitsche, hinter dem sie her waren mit einer tausendmal gefährlicheren Waffe – dieser O'Hara erfüllte Irene Gruß mit einer ungeahnten Wonne.

Und weil sich zu ihrem Beschluß, das Unerwartete zu tun, der Rausch gesellte, der sie vor der Misere O'Haras ergriff, handelte sie nach ihrem ursprünglichsten Gesetz.

Die Schläge prasselten auf sie nieder. Er hatte sonst nur ihren Körper gezüchtigt, sie zur widerstandslosen Demut zwingend, wie sich ihr einst die Insassen des Konzentrationslagers unterwerfen mußten, jetzt aber hieb er blind auf sie ein, auf Gesicht und Nacken und Brust.

Sie stand neben dem Rundfunkgerät. Mit einer blitzschnellen Geste, einem Schlag ausweichend, ergriff sie den Weihnachtsbaum, der auf dem Apparat stand. Den Baumstrunk in der Hand, begann sie auf O'Hara einzuschlagen. Die dünnen Äste brachen. Die Tannennadeln wirbelten durch die Luft und bohrten sich in das Gesicht des Mannes. Die bunten Kugeln, aus feinstem Material, barsten und rissen seine Wangen auf. Das vielfarbige Glas der elektrischen Tannenzapfen fiel explodierend zu Boden. Die silbernen Engelshaare verfingen sich in seinem roten Haar, und über seine kleine Nase trieb das Blut grüne Tannennadeln, schillerndes Glas und silberne Fäden.

O'Hara hätte sie ohne Schwierigkeiten überwältigen können. Er tat es nicht. Er blieb vor ihr stehen. Die Peitsche fiel ihm aus der Hand. Sie verstand die Geste sogleich und hob sie auf. Und dann wiederholte sich, mit gespenstischer Ähnlichkeit die Szene, die sie ihm immer wieder hatte erzählen müssen, die Szene vom Hof des Lagers. Aber diesmal entrang er ihr nicht ihre Rolle; sie spielte sich selbst. Er wich zurück unter ihren Schlägen, Schritt für Schritt, bis an den langen Tisch, der an einer Wand des Zimmers stand.

„Über den Tisch!" sagte sie.

Er gehorchte.

Und sie schlug.

Dann warf sie die Peitsche auf den Boden. Sie stand mitten im Zimmer, und er kam auf sie zu, nicht mehr drohend, sondern nur noch voller Begierde.

Sie wich ihm aus.

„Später", sagte sie, keinen Widerspruch duldend. „Du bringst mich fort."

196

Er stammelte: „Mach schnell! Schnell!"

Und während sie ihren kleinen Koffer packte, klaubte er auf dem Fußboden die Trümmer des Weihnachtsbaumes zusammen, der Weihnachten nicht erlebt hatte.

Weihnachten 1945

Wenige Tage vor Weihnachten erschienen diese Zeilen in der „Süddeutschen Zeitung":

„Es ist kein Weihnachtsmärchen, sondern eine amtliche Bekanntmachung: Die Lebensmittelämter der amerikanischen Zone sind angewiesen worden, für jeden Verbraucher 1 kg Weißmehl und 400 g Zucker auszugeben."

Nein, es war kein „Weihnachtsmärchen": der „Verbraucher", wie der ehemalige Volksgenosse jetzt etwas nüchterner hieß, wenn der Ausdruck wohl auch nicht eines vorwurfsvollen Charakters entbehrte, der „Verbraucher" konnte zu Weihnachten in der Tat ein Stück Weißbrot, vielleicht sogar einen süßen Kuchen verbrauchen. Auch sonst war es nicht so, als ob die erste deutsche Friedensweihnacht ganz freudlos gewesen wäre. Es gab zwar keine traditionellen Weihnachtsmärkte, aber wer hinauszuradeln vermochte an die Stadtgrenzen, der konnte bei den Bauern einen bescheidenen Baum einhandeln oder, einfacher noch, unterwegs stehlen.

Wenn es je eines Beweises bedurfte, daß die Adventszeit die Menschen magisch verwandelt, das Außergewöhnliche in ihnen erklingen und das Alltägliche wenigstens für einige Tage verstummen läßt, dann erbrachte ihn diese Adventszeit des Jahres 1945. „Biete neuwertiges Bügeleisen, 220 Volt; suche guterhaltene Babypuppe mit Puppenkleidung. Klipstein. Friedenheimer Straße 18" – so inserierte eine Mutter, die um jeden Preis eine Babypuppe mit Puppenkleidung unter den kärglichen Baum legen wollte; „Biete Russenstiefel gegen Schaukelpferd", so inserierte ein selbstloser Vater, und ein großzügiger Bräutigam versprach „zwei Maßanzüge 48 gegen Verlobungsring." War in den ersten Wintermonaten das Praktische Trumpf gewesen – „Tausche Abendkleid gegen Fahrradschlauch", „Kronleuchter gegen Stiefel abzugeben"; „Wer bietet Kochplatte gegen Schreibgarnitur" – so trat jetzt das heiter Überflüssige in seine Rechte, und mit schönem Leichtsinn gab man warme Handschuhe für leuchtende Kugeln. Zu erwerben freilich, in den ausgebombten Läden und leeren Geschäften, war nicht viel. Eine Anzeige, immerhin, verkündete: „Neuheit! Tabakschneidemaschine! Der schönste Geschenkartikel für den Herrn!" und man erfuhr, daß Garderobehaken, Gardinenstangen, Körbe, eine Neuauflage des „Struwwelpeter" und sogar einige Dackel mit Rädern auf dem freien Markt erhältlich waren.

Dazu kam, daß das Fest, das seit Menschengedenken am lautesten von den Pharisäern gefeiert wurde, den gleichen, die ihre Polizei ausgeschickt hatten nach dem Neugeborenen, um ihn zu morden, daß es in dem besiegten Land wieder das Fest der Armen geworden war, zu dem es bestimmt war von altersher. Auf den öffentlichen Plätzen der deutschen Städte standen wie eh und je riesige, elektrisch beleuchtete Weihnachtsbäume, aber während früher diese Bäume der Armen und Obdachlosen arm und obdachlos gewesen waren – denn so arm und obdachlos war keiner, daß er am Heiligen Abend sich an solch kollektivem Licht hätte wärmen müssen –, standen jetzt Männer, Frauen und Kinder unter dem großen Baum, ja sie schenkten hier und vertauschten, zusammengetrieben durch Not, aber der Festesstimmung dennoch teilhaftig. Weil in den ärmlich dekorierten Schaufenstern nichts war als ein paar kunstvoll gewachste Kerzen, einige müde Filzpantoffeln, hie und da ein antiquarisches Buch, war Weihnachten wieder zur frohen Sorge geworden; das Geschenk war einer langen und mühsamen Suche tapfer errungenes Ergebnis, und im Jubel war des Jubels einzig würdiger Preis, das Opfer. In anderen Ländern, glücklicheren im tagtäglichen Sinne, feierte man seit langem schon die Geburt des Erlösers, als wüßte man nichts von dem späteren Weg des Geborenen zum Kreuz: im Hintergrund der deutschen Weihnacht 1945 stand Gethsemane, der Kalvarienweg und die Kreuzigung.

Die letzten Tage vor Weihnachten waren mild gewesen, aber es hatte geschneit in den meisten Teilen Deutschlands, und beides war Glück im Unglück: die Wohnungen waren nicht ganz so kalt wie in den Tagen zuvor, und draußen lag ein Stück Himmel über der zerstörten Erde. Unwillkürlich oder absichtlich: die meisten Menschen hatten auch ihre kleinen Weihnachtsbäume, sorgfältiger als sonst, in die Fenster gestellt, als bescheidenen Gruß für jene, die keine besaßen, und da viele Bäume in Fenstern halbzerstörter Häuser standen, war es dem Vorübergehenden, als hingen die Lichterbäume in der Luft, zwischen Himmel und Erde, leuchtende Wegweiser in der Finsternis. Auch in Kellerfenstern, denn in Kellern lebten noch viele, strahlte der Christbaum. Da diese Fenster oft halb über den Erdboden herausreichten, sah man nur die Wipfel der Bäume, und so waren die Straßen gesäumt von glitzernden Sternen, herabgefallen auf die Erde, eine Perlenschnur am Straßenrand.

Am Heiligen Abend des Jahres neunzehnhundertfünfundvierzig und des Jahres eins der Besatzung erwartete den Studenten Hans Eber eine weihnachtliche Überraschung. Am Nachmittag, als er mit Karin den Weihnachtsbaum schmückte, einen übermäßig großen Baum, den Captain George Green aus Armeebeständen beigesteuert hatte – und deshalb war Hans die in den Kindheitsjahren liebgewordene Beschäftigung verleidet –, läutete es an der Tür, und Dr. Eberhard Eber betrat das Wohnzimmer. Er begrüßte seine Kinder mit jener Selbstverständlichkeit, mit der er sie verlassen hatte; äußerte sich nicht, wie und warum er entlassen worden war; er gab auch keine Schilderung seiner Haftzeit, doch schien er von jenem Optimismus beseelt, der ihn in allen Lagen auszuzeichnen pflegte. Er zog sich dann mit seinem Bruder Oskar zu einer längeren Konferenz zurück, und aus aufgefangenen Bemerkungen seines Onkels entnahm Hans, daß die Brüder im Neuen Jahr zur Eröffnung des Bankhauses schreiten würden, das vorderhand den Namen „Bankhaus Oskar Eber" erhalten sollte, denn, nicht ganz unabsichtlich wohl, hatte Eberhard Eber seinem älteren und ihm sklavisch ergebenen Bruder seinerzeit untersagt, in die Partei einzutreten, so daß der gute Bankiersname Eber auch jetzt Früchte tragen konnte. Stand Hans verwundert vor der Tatsache, daß sein Vater aus der Haft nicht nur ungebrochen, sondern offenbar auch mit gutem Handel entlassen worden war, so steigerte sich seine Verblüffung erst recht, als Captain Green zu spät abendlicher Stunde heimkehrte. Der Captain nämlich war von Dr. Eberhard Ebers Auftauchen nicht weiter überrascht, sondern tat beinahe, als ob er es erwartet hätte: zwar räumte er dem eigentlichen Hausherrn sein Schlafzimmer nicht wieder ein, doch schien er auch keinen Anlaß zu sehen, ihm das Haus zu verbieten. Als der Captain gar, Usurpator, Gast und Hausherr in einer Person, um Mitternacht mehrere Flaschen köstlichen Sektes aus seinem Zimmer holte, wohin sie einige Monate zuvor aus dem Eberschen Keller gewandert waren, um sie, sozusagen im Familienkreis, zu entkorken, duldete es Hans Eber nicht mehr im Haus, und er eilte hinaus auf die Straße, die belebter war als sonst, weil die Besatzungsbehörde für eine heilige Nacht die Polizeistunde aufgehoben hatte.

Am Heiligen Abend feierte auch Inge Schmidt, deren Schicksal im neuen Jahr mit dem Hans Ebers in so merkwürdiger Weise verknüpft werden sollte, ein ungewöhnliches Fest. Lincoln Washington Haymes, der Negersoldat, der Inge an einem schwülen Sommerabend mitgenommen hatte vom Sendlinger-Tor-Platz, war überraschend zum Weihnachtsurlaub aus Berlin in München eingetroffen, ein schwarzer Weihnachtsmann in der Tat, der in seinem Geschenksack einen ganzen Berg von Köstlichkeiten mitführte. Lincoln Washington Haymes' Berliner Geschäfte mit den Russen hatten sich als überaus lukrativ erwiesen. Der „Iwan", wie man ihn kurz nannte, war der Faszination einer revolutionären neuen Erfindung verfallen, der Armbanduhr, und wenn Iwan auch besondere Ansprüche stellte – rund mußten die Uhren sein, da sich die Zeiger über eckige Uhrblätter ja nicht fortbewegen konnten, und aus ästhetischen Gründen mußten die Zifferblätter zudem noch schwarz sein – so wußte Haymes seine Ansprüche doch zu befriedigen. Von zu Hause, aus Alabama, ließ er sich kommerzielle Mengen von „Ingersoll-Uhren" senden, im Volksmund auch „Mickey Mouse" genannt, die man für achtundneunzig Cents in jedem Drugstore erstehen konnte, und die zwar nicht allzu haltbar, aber dafür rund und schwarz waren. Die schnell gewitzten Iwans hatten auch bald erfaßt, daß die Zahl der Rubinen die Qualität einer Uhr bestimmte und so ließ sich der Soldat Haymes, vielen seiner Kameraden gleich, stets eine Flasche roten Nagellacks mitschicken, dessen schnell vereisende Glasur eine beliebige Anzahl von Rubinen ins Uhrwerk zauberte. Kein Wunder also, daß Lincoln Washington Haymes, uniformierter Vertreter in „Mickey Mouse", an Schätzen reich nach München kam: für seine Anhänglichkeit sprach es jedoch, daß er Inge sogleich aufsuchte und sie teilhaben ließ an seiner Wohlhabenheit. Und da der Neger aus Alabama, wie die meisten seiner Rasse, ein Familienmensch war, bestand er darauf, Christmas im Heim Inges zu feiern, und gerne wurde seinem Wunsch entsprochen. Neben Ilse Joachim, der großen Blonden, wurden noch zwei andere Mädchen vom Sendlinger-Tor-Platz geladen: die nicht mehr ganz junge Olga, die in der Gegend vorwiegend als mütterliche Beraterin tätig war, sowie die junge und zartgebaute Helga, die ihren Herzensfreund, einen gewissen Paseto mitbrachte, der bis zum Kriegsende, von Helga ausgehalten, einen bequemen und unmoralischen Lebenswandel geführt hatte, sich jedoch in den letzten Monaten als Händler mit schwarzen Zigaretten redlich sein Brot verdiente. Zu diesen stieß Duke F. Smith, ein aus Haarlem stammender Kamerad des eigentlichen Gastgebers, der ebenfalls für Zucker, Mehl, Bohnenkaffee, Zigaretten und eine Reihe unnütz-schöner Geschenke wie Parfüm, Lippenstift, Puder und sogar ein befreites Opernglas sorgte. Der Rentner Alois Schmidt, dem es verstattet worden war, mit Inge, Ilse, Olga und Helga zusammen den Weihnachtsbaum zu schmücken, verfiel unter dem Einfluß unerhörter Mengen ungewohnten amerikanischen Whiskys in sentimentale Stimmung, so daß er am Ende unter Tränen das Weihnachtslied „Jingel

bell, jingel bell, jingel all the way ..." auf englisch mit-
sang, während er sich zugleich mit Erfolg bemühte, den
beiden Gästen aus Amerika „O Tannenbaum, o Tannenbaum" beizubringen.

Am Heiligen Abend durfte sich auch Walter Wedemeyer,
Zauberer und Besitzer der „Mücke", von der aufreibenden
Tätigkeit der vergangenen Monate ausruhen. Er war ein
im Grunde einsamer und müder Mann, dessen Leben in
dem aufreibenden Versuch vergangen war, klüger zu sein
als die Welt, und der die besinnlichen Stunden fürchtete,
wie Trapezkünstler und Seiltänzer die Mußestunden fürchten, in denen ihnen die Gefährlichkeit ihres täglichen Ba-
lancehandwerks erschreckend zum Bewußtsein kommt. Da
er, wenn auch sorgfältig verborgen, ein Gewissen besaß,
für einen Mann wie Wedemeyer fast so gefährlich wie eine
Gleichgewichtsstörung für den Zirkusartisten, hatten ihm
die letzten Wochen manch herbe Sorge bereitet. War er
auch ein diskreter Wirt, redlich bemüht, den Gesprächen
seiner Gäste nur insoweit zu lauschen, als sie ihn wenigstens mittelbar betrafen, so hatte er doch mehr vernommen als ihm lieb war. Er hatte den Amerikanern sein Lokal
zur Verfügung gestellt, um von ihnen solcherart die er-
wünschte Lizenz zu erhalten, und daß sie dort bequeme
und verstohlene Jagd machten auf dunkle Gestalten geschäftlicher und politischer Provenienz, war Teil des Handels und sollte ihm recht sein. Wie dunkel aber die Gestalten sein würden, die in der „Mücke" nun, seit dem ersten
Besuch jenes Captain George Green, auftauchten, hatte
Walter Wedemeyer keineswegs vorausgesehen, und unbe-
haglich war es ihm, daß er diese Leute besser kannte, als
es ihm und ihnen lieb war. Auch, daß von einer Jagd keine
Rede sein konnte, daß die Jäger vielmehr dem Wild aus
der Hand zu fressen schienen, verwirrte Wedemeyers an-
geborenen Sinn für Proportion. Er hatte es bisher verstanden, in jenen Grenzen zu bleiben, in denen man mit dem
eigenen Gewissen zwar in freundschaftlichem Disput lag,
sich aber mit ihm nicht für immer entzweien mußte. Daß
die „Mücke", mehr und mehr ein Boxring seines Gewissens, ihre Tore für zwei Tage schließen mußte, war für

Walter Wedemeyer also eine willkommene Ruhepause, und er richtete es sich so ein, daß er in den Feiertagen von allen Geschäften verschont blieb. Da er überdies ein „gutes Kind" war, hatte er mit unsäglichen Mühen und noch größeren Opfern seine greise Mutter aus dem sowjetischen Sektor Berlins durch den schwierigen Korridor nach München schmuggeln lassen: in dem der Beschlagnahme noch immer entgangenen Starnberger Heim feierten Mutter und Sohn am Heiligen Abend ein beglücktes und von allerhand irdischen Gaben versüßtes Wiedersehen.

Am Heiligen Abend brannten die Lichter auch auf dem Christbaum in der Wohnung des Obersten a. D. Werner Zobel. Ganz anders war freilich das Fest, als sich der Oberst die ersten Weihnachten nach Kriegsschluß erträumt hatte. Kurz vor Weihnachten 1944 war das Regiment des Obersten aus den blutigen Rückzugsgefechten in den polnischen Ebenen gezogen und in, wenn auch durch die mißlichen Umstände verzögerter Eile nach dem Westen geworfen worden, um dort zu jener Weihnachtsoffensive anzutreten, die, sehr gegen den Willen des Feldmarschalls, den Namen „Rundstedt-Offensive" tragen sollte. Zwar war der sinnlose und gewissenlose Versuch, dem Rade der Geschichte in die Speichen zu fallen, am Weihnachtstag schon im Schnee der Ardennen kläglich steckengeblieben, aber man war in den letzten Tagen immerhin einige hundert Kilometer vorwärtsgekommen, und allein diese Vorwärtsbewegung, fatal wie sie werden sollte, hatte in dem Regimentskommandeur Hoffnungen erweckt, an die er sich verzweifelt klammerte. Es war phantastisch, aber er hatte doch vor einem Jahr noch abergläubisch und gegen besseres Wissen an den Endsieg geglaubt und seinen Glauben auf seine Soldaten übertragen. Indessen hätte sich Oberst Zobel vielleicht in dem katastrophalen Jahr, das nun zu Ende ging, an den Gedanken gewöhnt, daß diese Weihnacht 1945 kein Fest des Sieges werden sollte, nicht einmal ein heldenhafter Tag des Durchhaltens, sondern endgültig und hoffnungslos Weihnachten der Niederlage – er hätte das Geschehene allmählich verarbeitet und sich mit ihm abgefunden, hätte sich das Schicksal seiner besiegten Nation nicht mit seinem eigenen Dasein so verwirrend verknüpft. Er saß nun in seinem gewohnten Lehnsessel am Fenster, während sich Martha, seine Tochter, sein künftiger Schwiegersohn Gert Mante und sein ehemaliger Bursche Josef Maurer um den Gabentisch gruppierten, und die Verwirrung, die den alten Mann bei diesem Anblick überkam, war um so schmerzlicher, als er auch in den letzten zwölf Jahren der Verwirrung stets den vermeintlichen Weg der Ordnung gegangen war. Daß er und Martha heuer kein Fest gefeiert, keinen Baum besessen hätten und keinen Gabentisch, das wäre dem Obersten ganz in Ordnung erschienen; selbst daß Martha, wie es wohl geschehen wäre, des von den Alliierten inhaftierten oder verurteilten SS-Führers an diesem Abend in besonders inniger Trauer gedacht hätte, wäre Zobel verständlich und daher erträglich gewesen; ganz und gar unbegreiflich war ihm aber die unbekümmerte und punschselige Feier, die sich unter seinen Augen abspielte. Welche Strafe war noch verdient, da die verdiente Strafe ausblieb; wie tief war der Abgrund zwischen Siegern und Besiegten und wie breit zugleich die Avenue, die über den Abgrund führte; mußte der Sumpf sich tatsächlich so ausbreiten, daß kein Stückchen des heimatlichen Bodens mehr trocken blieb; und schließlich war er selbst, der Oberst Werner Zobel, nicht nur noch eine lächerliche Figur, eine pedantische Karikatur und ein gestriges Panoptikumsrequisit, da er sich weigerte, zu begreifen und mitzumachen – diese Fragen beschäftigten den ehemaligen Regimentskommandeur, gerade als sein ehemaliger Bursche auf dem mitgebrachten Grammophon die Schallplatte von der heiligen Nacht ansetzte.

Am Heiligen Abend war eine gewisse Unordnung, wenn auch ganz anderer Natur, in das Leben eines anderen Obersten getreten, eines Sieger-Obersten, des Colonels Graham T. Hunter. Am Nachmittag hatte der Colonel an einer Weihnachtsfeier in der Kaserne der Münchner Besatzungstruppen teilgenommen, und er war froh, daß sich die gleichgültige Angelegenheit bis in die frühen Abendstunden erstreckte, denn er fürchtete den einsamen Abend, der ihn in seinem großen und unfreundlichen Haus in Harlaching erwartete. Er hatte dann auch seinen Fahrer entlassen und den Heimweg zu Fuß angetreten, weil er hoffte, daß ihn der längere Marsch durch die Stadt und die Vorstädte zerstreuen und ermüden würde. Statt dessen ergriff den Colonel eine gewisse Rührung in der fremden Stadt. In den Schaufenstern der Kaufläden brannte noch ein schwaches Licht, und die leeren Stellagen täuschten vor, daß sie begeisterte Käufer geplündert hätten; man vergaß ganz, daß sie schon vorher leer waren. Mancher Kaufmann war noch im Begriffe, die eisernen Rollbalken seines Geschäftes herabzulassen, die er dann geflissentlich verschloß: eine absurde und rührende Geste auch dies, da die respektablen Rollbalken nur schützten, was es in Wirklichkeit nicht gab. Der Colonel hatte auch nicht damit gerechnet, daß um diese noch frühe, wenn auch schon dunkle Stunde viele Kinder unterwegs sein würden, die als Spieler von Bethlehem verkleidet von Haus zu Haus zogen. Goldene Kronen aus Papier auf den Köpfen, trugen sie einen kleinen papiernen Stall, in dem eine Kerze brannte; behutsam kletterten sie über Trümmer, damit das Licht in der Krippe nicht erlösche. Da die Straßen dunkel waren, beleuchtete die Kerze der Krippe die kleinen Spieler, und wie sie so durch die Nacht der Ruinen gingen, hatten ihre papiernen Kronen etwas golden Echtes; ihre Schatten aber und der Schatten der Krippe wuchsen auf dem Hintergrund der weißen Schutthaufen ins Gigantische. In den Vorstädten, die der Oberst durchqueren mußte, roch es zuweilen noch nach dem Brand der Bomben; der kalte, ätzende Brandgeruch vermengte sich mit dem warmen, heimlichen Geruch der Weihnachtsbäume. Der Oberst dachte an seine Kinder, sein Heim, seine Heimat und auch an seine Frau, die er seit vielen Jahren nicht mehr liebte und der er doch mit jedem Tag der Trennung mehr verbunden war. Er dachte daran, daß die Besiegten an diesem Abend die Sieger besonders beneiden mußten, die Truthahn essenden, Punsch und Kaffee trinkenden, Wunderdinge austauschenden Sieger in ihren warmen Stuben, und er verstand ihren Neid nicht, denn er wußte um den schicksalhaften Ausgleich: die Niederlage hatte die Besiegten zusammengedrängt und die

Sieger auseinandergerissen. Es war nicht wahr, daß man die Fremde beherrschte, vielmehr beherrschte einen die Fremde, und so bezahlte bitter der einzelne für den Sieg seines Landes. Das dachte oder fühlte der Colonel, als er das Gartentor aufschloß und über den verschneiten Weg seinem Haus zuschritt. Die Wirtschafterin, die nunmehr seit Mai bei ihm tätig und ihm, wie alle seine Untergebenen, sehr ergeben war, empfing ihn mit einem „Fröhliche Weihnachten!" und übergab ihm ein kleines, in ein zerknittertes Seidenpapier säuberlich eingeschlagenes Paket. Als es der Colonel, kein Geschenk erwartend, unter den eifersüchtigen Augen der Wirtschafterin öffnete, fand er darin ein Buch, gebraucht, aber gut erhalten, das eine Geschichte der Stadt München samt einigen vorzüglichen Kupferstichen enthielt. Auf der kleinen Karte, die dem Buch beigeschlossen war, stand in einer guten und sozusagen lächelnden Schrift auf englisch: „Ich dachte, daß Sie dieses kleine Buch in den Feiertagen zerstreuen könnte. Mit einem Merry Christmas, Marianne von Artemstein." Der Colonel trug Buch und Brief schnell in den Salon; er hoffte, daß die Wirtschafterin sein Erröten nicht wahrgenommen habe.

Am Heiligen Abend war auch ein anderer Amerikaner allein – der Major William S. O'Hara. Auch er hatte am Nachmittag an mehreren offiziellen Festen teilgenommen und verzweifelt nach einer Gesellschaft für den Abend Ausschau gehalten. Aber niemand schien ihn einladen zu wollen und selbst sein getreuer Fahrer, der Pfc. Harry S. Jones, hatte sich entschuldigt, als ihn der Major für den Abend in sein Haus einlud. Es war nichts geschehen an dem Vorweihnachtstag, an dem er Irene Gruß aus seinem Haus fortgebracht hatte, zumindest nichts, das der Major befürchtete. Er hatte in rasender Fahrt die Frau in die Wohnung eines Deutschen gebracht, des früheren Gestapochefs Dieter Griff, des nämlichen, mit dem sich George Green über Vermittlung des ehemaligen Landsers Josef Maurer in der „Mücke" getroffen hatte. Mit diesem Griff hatte O'Hara lange vor George Green Verbindung aufgenommen und sich ihn als wertvolle Informationsquelle warmgehalten. Griff, der Captain Green mißtraute, hatte, ehe er in die „Mücke" ging, sich um Auskunft an O'Hara gewandt, so daß der Major über die Verbindung zwischen der amerikanischen Abwehr, der er selbst angehörte, und dem ehemaligen Gestapochef in allen Einzelheiten unterrichtet war. Er hatte Griff im Laufe der Zeit mehr als einen Dienst erwiesen und durfte hoffen, daß der Mann Irene Gruß wenigstens ein vorläufiges Asyl gewähren würde. Zugleich war es O'Hara klar, daß die Verbindung seines Dienstes mit Griff der öffentlich verkündeten Politik der Vereinigten Staaten und der Besatzungsarmee gröblichst widersprach und zu den Aktionen gehörte, welche man der Abwehr zwar höheren Ortes anbefohlen hatte, die sie aber gegebenenfalls auf die eigene Kappe nehmen mußte. Das Wissen um dieses Geheimnis war eine wertvolle Waffe in der Hand O'Haras, und er war entschlossen, sie weidlich zu nützen, sollte er selbst in eine bedrängte Lage geraten. Daß dies geschehen würde, schien O'Hara an diesem ersten Abend, an dem er allein war, unabwendbar. Er hatte schon am frühen Abend zu trinken begonnen; er versuchte seine Angst in selbst für ihn ungewohnte Mengen von Bourbon zu ertränken; er goß den Whisky in großen Zügen und schließlich auch ohne Wasser hinunter, aber der Alkohol, der ihn so oft bezwungen hatte, bezwang ihn diesmal ganz anders, als es O'Hara herbeisehnte. Der Rausch, der ihn oft befallen hatte, wenn er nüchtern bleiben wollte, verweigerte sich ihm jetzt wie eine launische Schöne; je mehr aber O'Hara trank, desto deutlicher hoben sich die Konturen des Wohnzimmers ab, und die Bilder des Kommenden standen mit einer Schärfe vor ihm, als wären sie Bilder der Vergangenheit. Diese Hellseherei in des Wortes ursprünglichster Bedeutung hatte nichts Spekulatives; O'Hara erwog nicht, was geschehen könnte und wie er ihm begegnen würde, sondern es war, als wüßte er, was geschehen müßte, und hell sah er, daß ihm zu begegnen vergeblich war. Er tobte nicht mehr gegen die Frau, die er seines Unglücks bezichtigte, nicht einmal gegen sich selbst; er versuchte sich nur zu verkriechen, und in seinen hektischen Wanderungen von Zimmer zu Zimmer, von Platz zu Platz wurde er sich bewußt, daß es kein Versteck gab. Endlich trieb es ihn hinaus auf die Straße, aber die Lichter der Weihnachtsbäume in den Fenstern, das Läuten der Kirchenglocken und der Gesang der Gläubigen hetzten ihn zurück in das verlassene Haus.

Am Heiligen Abend senkte sich ein tiefer und beglückender Friede über die Wohnung in der Schwabinger Vorstadt, wo Dr. Adam Wild mit seiner Mutter hauste.

Am Tage vorher war Adam aus Frankfurt heimgekehrt. Er hatte seine Mutter in die Arme genommen – er mußte die winzige Frau hochheben, um sie zu küssen; sie schien dabei in seinen Armen zu verschwinden – und er fragte sie, ob sie in großer Sorge um ihn gewesen sei. Nein, hatte Frau Wild gesagt, mit einem schelmischen Lächeln beinahe, sie habe sich gedacht, daß er wieder einmal in Schwierigkeiten mit den Behörden geraten sei, das sei ja nichts Neues, die Schwierigkeiten blieben die gleichen, ob sich auch die Behörden änderten. Bis sein Schreiben aus dem Anhaltelager eintraf, wären ihr freilich einige unruhige Stunden beschert worden, aber sie hätte sich ja sagen sollen, daß „Unkraut nicht verdirbt" und daß er, etwas ramponiert, aber wohlbehalten, zurückkehren werde, wie er es seit seiner Kindheit immer getan hatte, als er auch den unmöglichsten Händeln stets mit „mehr Glück als Verstand" entkam. Sie habe im übrigen in seiner Abwesenheit einerseits die ungeduldigen Patienten vertröstet, andererseits habe sie, wie er sehen könne, unter den Antiquitäten einen ganz hübschen Weihnachts-Ausverkauf veranstaltet, eine Reihe von Amerikanern seien hier gewesen und hätten sich und damit auch sie für die Feiertage reichlich versorgt. Dies brauchte sie nicht weiter zu erläutern: in das überladene Wohnzimmer waren erhebliche Lücken gerissen, während andererseits die ganze Wohnung, einschließlich des Ordinationszimmers, von dem warm-weihnachtlichen Geruch allerhand gebackener Köstlichkeiten erfüllt war. Selbstverständlich war sie mit ihren Vorbereitungen für das Fest nicht fertig, und die Gespräche, die in den nächsten Stunden kaum unterbrochen wurden, da er ihr alles mitteilen und sie alles hören wollte, mußten in der Küche stattfinden, wo Frau Wild wieselhaft hin und her schoß, während Adam an dem Küchenschrank lehnte, der unter seinem Arm beinahe verschwand.

„Was mir wieder einmal viel Spaß gemacht hat", sagte Adam dann, „das ist die Tatsache, daß man die Menschen doch immer wieder falsch einschätzt – was man natürlich besonders dann tut, wenn man sie unterschätzt. Ich hatte diesen Franz Grün glatt abgeschrieben, ein höchst beschämender Unsinn, wenn ich daran denke, wie er plötzlich einem rettenden Engel gleich erschien und mich, gegen jedes Recht und jede Vorschrift, aus dem Lager holte."

„Daß du es wenigstens einsiehst", sagte Frau Wild. Sie warf einen mütterlich stolzen und zugleich rügenden Blick auf den Riesen am Küchenschrank. „Du hättest dem Kerl alle Knochen brechen können."

Adam senkte die Augen. Der Tadel seiner Mutter beschämte ihn nicht; er dachte immer noch mit verstohlenem Bedauern daran, daß er Korporal Crane nicht alle Knochen gebrochen hatte. Aber er hatte seiner Mutter verschwiegen, was sich in der Dunkelheit des Lagers ereignet hatte, als er das Zimmer des Oberstleutnants verließ. Die Schläge brannten längst nicht mehr auf seinen Wangen; manchmal dachte er, daß nie würdig sein kann, wer nie entwürdigt wurde. Aber er fürchtete noch das verspätete Mitgefühl seiner Mutter und so ließ er sie bei dem Glauben, daß er selbst unverletzt geblieben war.

Er sagte schnell: „Du hast recht; es war keine Kleinigkeit. Ohne Oberstleutnant Perrys Hilfe hätte mich auch Grün nicht herausgebracht; es mußten schon mehr als zwei Augen zugedrückt werden. Nicht als ob Grün das Verfahren niederschlagen könnte, wenn er auch wollte. Es kann schon geschehen, daß sie mich wieder einsperren, ich halte es sogar für wahrscheinlich. Ein Besatzungssoldat bleibt ein Besatzungssoldat. Ich bin noch nicht einmal sicher, ob Grün nicht den Namen seines Chefs in meinem Interesse mißbrauchte; Perry deutete so etwas an, als er mir den provisorischen Entlassungsschein ausstellte. Als wir dann in seinem Jeep saßen, kanzelte mich Grün herunter wie einen kleinen Jungen, aber ich hatte die deutliche Empfindung, daß er es nur aus Angst tat, ich könnte mich allzu überschwenglich bei ihm bedanken. Ich dachte, es wäre nicht angebracht, wenn ich jetzt auch noch von Achim zu sprechen anfinge – und stelle dir vor, er sagte kein Wort, bis wir in München waren: da meinte er auf einmal, man habe übrigens auch meinen Freund Sibelius nach Bayern transferiert und, sofern es in seiner Macht stünde, würde er ihn zu Weihnachten wohl heraushauen. Ein sehr absonderlicher Kerl, dieser Grün, oder Green, wie er sich jetzt nennt, und ich gäbe viel dafür, wenn ich herauskriegen könnte, was ihn bewegt . . ."

Frau Wild, die gewöhnlich so tat, als hörte sie nicht zu, und die doch jedem Wort aufmerksam lauschte, unterbrach ihren Sohn, indem sie von der Pfanne, die sie gerade ins Ofenrohr geschoben hatte, plötzlich aufblickte.

„Er ist wahrscheinlich ein guter Mensch", sagte sie. Und als Adam nichts erwiderte, fuhr sie fort, neuerlich mit ihrem Backwerk beschäftigt: „Natürlich denkst du dir wieder, daß die alte Frau die Dinge simplifiziert, während sie gar nicht so einfach liegen. Das ist das Malheur mit euch Jungen: ihr sucht immer nach Motiven . . . Motive muß alles haben; ihr findet so viel Motive für das Böse, daß es aufhört, böse zu sein, und für das Gute forscht ihr so lange nach Motiven, bis es seinen Wert verloren hat; ihr lächelt weise und überlegen, wenn man von Gut und Böse spricht, als spräche man von Korsetts oder hohen Schuhen, alt-modischen Dingen, während es in der Tat gute und schlechte Menschen gibt" – sie schlug mit einer leeren Pfanne ener-gisch auf die Herdplatte –, „jawohl, gute und schlechte Menschen gibt es, und ihr wäret um ein schönes Stück ver-nünftiger, wenn ihr bloß aufhören würdet, das Schlechte mit aller Gewalt in seine guten und das Gute in seine schlechten Bestandteile zu zerlegen."

Adam lachte. „Daß du unrecht hast, Mutter, ändert nichts daran, daß dein Unrecht ungeheuer liebenswert ist", sagte er, und er hob die sich Sträubende wieder hoch und küßte sie auf die geröteten, faltenübersäten Wangen.

So kam der Heilige Abend, unter lebhaften Gesprächen und frohen Vorbereitungen. Frau Wild und ihr Sohn wollten gerade die Kerzen auf dem kleinen Baum anzünden, als die inzwischen wieder, wenigstens sporadisch funktionierende Glocke der Wohnungstür ertönte.

„Guten Abend, Frau Wild", sagte Frank Green. „Ich dachte, ich bringe Ihnen noch schnell ein Weihnachtsgeschenk mit."

Aus der Dunkelheit des Korridors löste sich die Gestalt des ehemaligen Obersten Achim von Sibelius.

„Bitte treten Sie näher", sagte Frau Wild herzlich, während auch Adam im Vorzimmer erschien. „Sie können nicht gleich wieder weglaufen."

Adam schüttelte Franks Hand und nahm Achim unter den Arm. Der Baron war klein und zierlich von Statur, viel eher als Adam, hätte er Frau Wilds Sohn sein können, und die schneeweißen Haare, die er eng an den Kopf gelegt und säuberlich gescheitelt trug, kontrastierten angenehm mit den jugendlichen Zügen des noch nicht Vierzigjährigen. Auch sein kleiner grauer Schnurrbart wirkte, als wollte sich der Oberst älter machen. Den Zivilanzug, der typische einzige Zivilanzug eines Mannes, der sein Leben lang Uniform getragen hatte, schien er fast mit dem gleichen Unbehagen zu tragen wie ein Rekrut die erste Uniform. Der überaus militärische Eindruck, den der aufrecht schreitende kleine Mann vermittelte, schwand erst, als Achim von Sibelius zu sprechen anfing – teils, weil er sich, beinahe als läse er aus einem Manuskript, in ungewöhnlich langen, wohlkonstruierten und oft literarisch verschnörkelten Sätzen ausdrückte; teils, weil er seine Reden mit eloquenten Gesten einer außerordentlich langen, weißen und gepflegten Hand begleitete, die beinahe knochenlos im Handgelenk zu sitzen schien.

„Ich möchte gern länger bei Ihnen bleiben", sagte Frank zu Frau Wild, die ihn mit dem noch warmen Kuchen traktierte, „aber ich muß zu einer Bescherung meiner Einheit und nachher zu meinem vereinsamten Colonel. Allerdings möchte ich" – und seine Stimme wurde unsicher – „vorher noch ein Wort mit Dr. Wild sprechen . . ., das heißt allein, wenn es geht."

Er verabschiedete sich schnell von Frau Wild und Achim,

beider Dank verlegen abwehrend, und folgte Adam in das Ordinationszimmer, auf dessen schicksalsreichem Diwan nun wohl der frühere Oberst eine behagliche Ruhestätte finden würde.

„Bitte nehmen Sie Platz, Herr Major", sagte Adam einladend.

„Danke, ich muß, wie gesagt, gleich wieder gehen", sagte Frank und blieb stehen. „Es ist schnell geschehen. Es handelt sich" – und Zögern war wieder in seiner Stimme – „um ... um Elisabeth von Zutraven, das heißt Elisabeth Steer, die Sie ja kennen." Er sprach nun schnell, dem Blick Adams vorsichtig ausweichend. „Sie ist, soviel ich weiß, vor einigen Tagen aus dem Nürnberger Anhaltelager entlassen worden und dürfte, wenn mich nicht alles täuscht, auf dem Weg nach München sein. Daß sie sich bei Ihnen melden wird, eine Unterkunft besitzt sie kaum, glaube ich annehmen zu können. Ich habe einige Fragen an sie zu richten, nur teilweise dienstlicher Natur, teilweise persönlicher ..." – er kam mit dem Satz nicht zu Ende, brach ihn ab, und fuhr fort: „... eine offizielle Vorladung schiene mir unter den Umständen nicht angebracht, deshalb würden Sie mich verpflichten, wenn Sie mich von ihrer Ankunft verständigten; ich würde dann eventuell hierher kommen oder einen anderen neutralen Ort wählen, auf jeden Fall ..." – und auch dieser Satz kam nicht zu Ende.

„Selbstverständlich", sagte Adam. „Ich hoffe nur, daß sie mich wirklich besucht, was durchaus nicht sicher ist. Wir sind etwas auseinandergekommen ..."

„Ich weiß", sagte Frank. „Auf jeden Fall ..."

„Selbstverständlich", wiederholte Adam.

Er begleitete Frank zur Tür. Als er sie hinter seinem Gast geschlossen hatte, blieb er einen Augenblick im dunklen Vorzimmer allein. Aus dem Wohnzimmer hörte er die angeregten Stimmen seiner Mutter und seines Freundes. In der benachbarten Kirche begannen die Weihnachtsglocken zu läuten. Ein breites Lächeln ging über das breite Gesicht Adam Wilds. Und was macht es, Mutter, dachte er, wenn gute Menschen auch noch andere Motive haben als die der reinen Güte ...

212

DIE JAHRE
1946 bis 1948

VIERTES KAPITEL

Inge Schmidt kann nicht weiter

Den ganzen Tag war Föhnwetter gewesen. Der Schnee begann plötzlich zu schmelzen; wie schmutzige Kanäle waren die Straßen. Die Schneeschaufler standen bis zu den Knöcheln im Wasser und sahen dem Schnee nach, der ihnen unter den Händen davonschwamm. Der warme Wind kroch den Menschen über den Nacken und unter das Hemd. Es war ein Frühlingsversprechen wie das Flüstern einer Frau, die kokett und lasterhaft und begehrenswert ist und zugleich unerreichbar.

Der Himmel war trügerisch blau gewesen am Tage; nun begann es zu regnen. Der dünne und warme Regen trieb den grauen Schnee vor sich her. Man wußte nicht, ob die Abendnebel aus dem Boden aufstiegen oder vom Himmel fielen.

Seit einer Stunde ging Inge durch Regen und Nebel. Das Wasser sickerte durch ihre dünnen Schuhsohlen. Erst auf der Brücke über der Isar blieb sie stehen.

Im Schein der blassen Laterne auf der Brücke sah sie den Fluß, der die zerrissenen Eisklumpen abwärts schwemmte. Sie wußte nicht, woher die Erinnerung aufstieg, aber sie mußte an ihre frühen Schultage denken. Am Wintermorgen pflegte sie an der Straßenbahnhaltestelle zu stehen und zu warten, bis sich der Straßenbahnwagen aus der Dunkelheit löste. Wie das Auge eines einäugigen Ungeheuers, so kam ihr das Licht der Straßenbahn durch den gelben Nebel entgegen. Eine beinahe unwiderstehliche Lust ergriff sie dann, sich vor das Ungeheuer zu werfen: manchmal mußte sie ihre Fäuste zusammenpressen und sich mit Gewalt festwurzeln am Boden, um der Versuchung zu widerstehen. Das dunkle Wasser lockte sie jetzt mit der gleichen geheimnisvollen Anziehungskraft, und sie wußte nun auch, daß sie dieser Lockung halber hierhergekommen war.

Sie wußte nicht, ob sie sterben wollte; nur, daß sie nicht leben wollte, wußte sie mit Sicherheit.

Es war seit Wochen so gewesen. Wenn sie nachts das Licht auslöschte und langsam einschlief auf dem Diwan im Wohnzimmer, den sie in Eile hergerichtet hatte und der oft noch den Geruch eines Mannes besaß, dann hatte sie nur den Wunsch, nicht aufzuwachen am Morgen. Jeden Morgen aber weckte sie das gleiche Geräusch: ihr Vater schlurfte in seinen Filzpantoffeln durch das Zimmer und tastete sich vorsichtig an ihr vorbei zur Toilette. Sie öffnete die Augen nicht, aber sie wußte, daß er einen Blick auf die scheinbar Schlafende warf und auf die Handtasche, schwarz und geräumig, ein P.X.-Geschenk von Lincoln Washington Haymes. Er wagte es längst nicht mehr, sich der Handtasche zu nähern; er hatschte weiter, sie hörte das Rauschen der Wasserspülung, und er ging ins Schlafzimmer zurück und wartete geduldig, bis sie aufwachte.

So begann der Tag. Ihr Vater saß ihr beim Frühstück schweigend gegenüber. Sie haßte seine Demut, wie sie einst seinen Hochmut gehaßt hatte. Sie schämte sich nicht, eine Hure zu sein; sie schämte sich, weil alle Menschen Huren schienen. Ihr Vater war eine Hure, den ganzen Tag verbrachte sie mit Huren, und Huren waren auch die Gäste der Nacht. Wenn sie am P.X. vorbeiging, standen draußen die Frauen, auf irgendeinen günstigen Amerikaner wartend. Huren. In der „Mücke" ließen die Kellner die Deutschen warten und liefen hurtig wie die Wiesel, wenn sie ein Amerikaner anbrüllte. Huren. Bei der Ausgabe der Lebensmittelkarten knurrten die Beamten die Männer und Frauen an, die seit Stunden Schlange standen, aber sie sprangen dienstbeflissen auf, wenn ein Sieger das Zimmer betrat. Huren. Manchmal hörte sie Gesprächen ihres Vaters mit den Nachbarn zu, wenn sie sich gegenseitig und sich selbst versicherten, daß sie nie Nazis gewesen seien. Huren. Die Amerikaner, die zu ihr kamen, drückten sich an den Wänden entlang, wenn sie das Haus verließen. Huren. An den Wänden der Häuser begann jetzt eine Aufschrift zu erscheinen, mit einem seltsam verschnörkelten „A", die lautete: „Ami-Hur". Was war eine ‚Ami-Hur', dachte Inge, da alle Huren waren?

Der Ekel, der sie seit Wochen würgte, war nur insoferne körperlich, als er sich auf ihren Körper übertrug. Sie fürchtete die Männer nicht mehr; sie waren zu jämmerlich, als daß man sie fürchten mußte. Die verheirateten Männer hatten ein schlechtes Gewissen; die Junggesellen haßten sich selbst, weil sie zahlten; die Soldaten hatten Angst vor der Ansteckung. Wenn man sie durchschaute, wurden sie alle zahm. Aber sie waren nicht weniger ekelerregend, weil sie zahm waren.

Aus anderen als körperlichen Gründen wuchs der Ekel, ein ständiges Gefühl, daß man sich loslösen mußte und davonlaufen vor sich selbst, weil überall, wo man weilte, ein Gestank war. Sie hatte nie jemand gehört, den sie liebte, und sie betrog keinen Geliebten und keine Erinnerung. Sie fror in den Armen ihrer Gäste, aber sie empfand zu wenig, um zu leiden. Es war etwas anderes, der Ekel vor dem weichen Brei, in den man griff und in dem die Menschen zu schwimmen schienen wie tote Fliegen. Niemand schien es zu kümmern, daß der Brei voller toter Fliegen war. Und wer sagte, daß man im Grunde nicht selbst schon ein totes Insekt war, in der verfaulenden, stinkenden Masse?

Es war keine Verzweiflung in Inge, als sie hinunterblickte in den schwarzen, lauten Fluß. Es würde kalt sein da unten, aber es würde ebenso kalt sein im Haus am Friedhof. Nur wäre die Kälte da unten sauber, eisig sauber. Und die Kälte würde nicht so lange dauern. Die andere Kälte, die lebendige, die würde abgelöst werden von einer neuen Kälte, morgen früh. Die Ewigkeit war kurz und das Leben lang.

Dennoch wandte sie sich ab vom Brückengeländer. Sie stand jetzt mit dem Rücken zum Fluß und versuchte nachzudenken, ohne in das Wasser zu schauen, wie sie sich in ihrer Kindheit schließlich immer abgewandt hatte von dem herannahenden Ungeheuer.

„Was machen Sie denn hier?"

Die Stimme, die so sprach, erklang unmittelbar neben ihr; sie hatte nicht gehört, daß sich ihr jemand näherte.

„Sie sehen ja, was ich mache", sagte Inge.

Hans Eber musterte sie im Schein der Straßenlaterne.

„Ich nehme an, Sie wollen ins Wasser springen", sagte er.

„Ich bin keine Rückenschwimmerin", sagte Inge.

„Sie haben eine halbe Stunde ins Wasser gestarrt", sagte Hans.

„Was geht Sie das an?" sagte Inge.

„Nichts", sagte Hans. „Wenn Sie unbedingt wollen . . ."

Sie sah ihn an. Er war mittelgroß, hatte dunkelbraune Haare mit einer großen, freundlichen Welle über einer hohen Stirn. Er trug keinen Hut. Sie konnte seine Augen nicht sehen, aber es mußten helle Augen sein. Er trug einen Trenchcoat, wie man ihn nur noch selten sah, einen gutsitzenden, beinahe neuen Trenchcoat.

„Wenn Sie mitkommen wollen", sagte Inge. Das würde ihn abschrecken, dachte sie. Aber das „Sie" klang seltsam.

„Ach so", sagte der Mann.

„Was heißt ach so?" sagte das Mädchen und zuckte die Achseln.

„Nichts", sagte Hans. „Entschuldigen Sie; ich habe mich offenbar geirrt."

Inge lachte. Es klang beinahe wie ein jungmädchenhaftes Kichern.

„Warum lachen Sie?" fragte Hans.

„Darf sich eine Hur' nicht umbringen?" sagte Inge.

„Also wollten Sie doch ins Wasser springen?"

„Vielleicht", sagte sie und drehte sich wieder dem Wasser zu. Jetzt, da jemand mit ihr sprach, hatte sie keine Angst mehr vor dem Ungeheuer.

Hans wußte nicht, was er sagen sollte. Ungeschickt sagte er: „Aber Sie sind noch so jung . . ."

„Sind Sie von der Sittenpolizei?" sagte sie.

„Ich meine zum Sterben", sagte er.

„Sie wissen selbst, daß das Unsinn ist", sagte sie. „Was hat das mit dem Alter zu tun?" Sie wartete auf keine Antwort, sondern fuhr fort: „Sie können jetzt gehen. Ich bringe mich nicht mehr um. Danke für die Störung."

„Kommen Sie", sagte er. „Dort drüben ist ein Restaurant. Sie sollten etwas Warmes trinken."

„Ich sage Ihnen, Sie brauchen keine Angst zu haben. Es wird nicht in der Zeitung stehen."

Er nahm sie beim Arm. Er sagte:

„Wenn ich vorhin ja gesagt hätte, wären Sie ja auch mitgegangen."

Sie wandte sich um und sah ihm ins Gesicht.

„Das hätte Sie mindestens ein Päckchen Zigaretten gekostet", sagte sie.

„Ich habe keine Zigaretten", sagte er. Aber er ließ ihren Arm nicht los.

Sie ließ es geschehen und tat, als beachtete sie es nicht.

Sie gingen über die Brücke, der Stadt zu. In der Nähe des Viktualienmarktes war noch eine Gaststätte offen. Sie setzten sich in eine Ecke, und Hans bestellte eine Suppe. Als sie ihn ansah, senkte er den Blick.

„Sie sehen wie ein Kind aus", sagte er.

„Sie sind auch kein Greis", sagte sie.

„Ich will auch nicht ins Wasser springen", sagte er.

Sie schälte sich langsam aus ihrem Armeedecken-Mantel.

„Warum nicht?" fragte sie.

„Komische Frage", sagte er. „Muß man unbedingt lebensüberdrüssig sein?"

Sie begann, die heiße Suppe zu löffeln.

„Na Prost, wenn Sie es nicht sind", sagte sie.

Jetzt sah er sie von der Seite an.

„Stimmt das, was Sie mir vorhin gesagt haben?" fragte er.

„Nein; ich wollte mich nur rühmen", sagte sie ironisch.

„Und seit wann . . .?" fragte er.

„Für eine Suppe haben Sie schon zuviel Fragen gestellt. Haben Sie eine Zigarette?"

„Nur eine deutsche", sagte er und kramte das krumme Zwanzigstel seiner Monatsration aus der Tasche.

„Zünder haben Sie wahrscheinlich auch keine", sagte sie.

„Doch." Und er zündete ihr die Zigarette an.

„So", sagte sie. „Jetzt können Sie ruhig nach Hause gehen. Sie haben ein gutes Gewissen. Sie haben mir vorhin das Leben gerettet."

Er fragte: „Wie heißen Sie?"

„Inge. Und Sie?"

„Hans."

Das heiße Wasser, das sie Suppe nannten, hatte ihre Wangen gerötet. Sie sah aus wie ein fieberndes Kind. Als sie ihn ansah, schaute er wieder weg, damit sie nicht glaube, daß er sie angestarrt hatte.

„Meinethalben", sagte sie, „fragen Sie schon! Alle besseren Herrn fragen nach einer Weile. Fragen ist im Preis inbegriffen. Nur fragen sie meistens nachher. Aber Sie können es gratis haben."

„Sie haben wahrscheinlich nichts zu essen gehabt", sagte Hans.

„Das auch", sagte sie.

„Und jetzt . . . ?"

„Jetzt habe ich zu essen."

„Warum wollten Sie dann, vorhin . . . ?"

„Erstens wollte ich gar nicht", sagte sie. „Ich habe es mir bloß durch den Kopf gehen lassen. Und zweitens kotzt es einen auch an, wenn der Magen voll ist. Dann erst recht." Er wollte etwas sagen, aber sie ließ ihn nicht zu Wort kommen. „Die Frage kenne ich auch." Den Tonfall eines Unbekannten nachahmend, sagte sie: „Warum suchst du dir keinen anständigen Beruf, Kleine? Das fragen sie auch, nachher, die Kotzmittel. Warum, warum? Weil es keinen Sinn hat. Oder wissen Sie einen anständigen Beruf? Haben Sie zufällig einen anständigen Beruf? Haben Sie nicht irgend etwas verkauft, für diesen Mantel, das Ihnen gar nicht gehört hat? Ich verkaufe wenigstens, was mir gehört." Sie knöpfte ihren Mantel zu. „Es ist spät", sagte sie abrupt. „Ich wohne weit. Es ist bald Polizeistunde."

Sie stand auf. Hans zahlte.

„Ich begleite Sie", sagte er.

Er erwartete Widerspruch, aber sie sagte:

„Wenn es zu spät wird, können Sie zu mir heraufkommen."

Er nahm ihren Arm.

„Ich komme schon nach Hause", sagte er.

George gewinnt eine Runde

Die Familie Eber hatte sich zurückgezogen; George und Frank waren allein im Salon.

„Was darf ich dir anbieten?" fragte George.

„Danke, nichts", sagte Frank. „Ich habe mit dir zu sprechen."

„Das klingt ja ganz ernst", lächelte George. Er setzte sich seinem Bruder gegenüber an den Kamin.

„Ich bin auch nicht zum Spaß hierhergekommen", sagte Frank. „Ich möchte dir einige Fragen stellen."

„Bitte . . ., wenn ich sie beantworten kann."

„Ich beginne mit dem geringsten", sagte Frank. „Du hast dieses Haus beschlagnahmt. Besitzt du eine Einweisung des billeting office?"

„Du beliebst wohl zu scherzen", sagte George.

„Durchaus nicht."

George schlug die Beine übereinander. „Nicht, als ob ich dir Rechenschaft schuldig wäre", sagte er. „Aber ich habe natürlich keine Einweisung. Man hat mir zugemutet, in einem der Löcher in der Tegernseer Kaserne zu wohnen. Das war für deutsche Unteroffiziere gut genug; jetzt bringt man dort amerikanische Offiziere unter. Die müssen verrückt sein in eurem billeting office."

„Und du hast dir darauf eigenmächtig dieses Haus angeeignet."

„Selbstverständlich. Lebst du eigentlich auf dem Mond, Frank?"

„Was soll das heißen?"

„Das heißt, daß deine Frage kindisch ist. Tausende von Offizieren haben, ‚eigenmächtig', wie du so schön sagst, Häuser und Wohnungen beschlagnahmt. Du tust ja geradezu, als ob wir in Freundesland wären. Wozu haben wir eigentlich den Krieg gewonnen?"

„Offenbar, damit du in einer eleganten Villa leben kannst", sagte Frank.

„Unter anderem auch deshalb", sagte George. „Und nur zu deiner Information: zum Unterschied von vielen unserer Kameraden bin ich sehr vorsichtig vorgegangen. Die schmeißen die Leute wahllos auf die Straße. Ich habe mir das Haus dieses Ober-Nazi ausgesucht."

„Aber du gestattest diesem Ober-Nazi, samt seiner Familie hier zu wohnen", sagte Frank. „Wie du weißt, verstieße das auch dann gegen das non-fraternization-Gesetz, wenn du das Haus nicht willkürlich beschlagnahmt hättest."

„Erstens müßte ich ihnen, wenn ich sie auf die Straße setzte, eine Unterkunft besorgen", sagte George. „Zweitens sorgen sie für mich; ich erspare mir Dienstboten. Und drittens beabsichtige ich, mit der Tochter des Hauses ins Bett zu gehen. Ist das jetzt klar?"

„Völlig klar", sagte Frank. „Ich hoffe, daß dir ebenso klar wird, was ich jetzt zu sagen habe. Du wirst innerhalb vierundzwanzig Stunden das Haus räumen. Ich werde dann dafür sorgen, daß es – ohne besondere Schwierigkeiten für dich – auf dem regulären Weg beschlagnahmt wird. Solltest du bis morgen abend das Haus nicht geräumt haben, werde ich Colonel Hunter Bericht erstatten und deine sofortige Versetzung veranlassen. Ist das klar?"

George nahm ruhig, wie er es bei seinem ersten Besuch getan hatte, die kleine weiße Porzellanfigur vom Kaminsims und begann damit zu spielen. Er sagte:

„Major Green, Sie sind offenbar größenwahnsinnig geworden. Das goldene Blättchen auf deiner Schulter und die paar Bändchen auf deiner Brust sind dir zu Kopf gestiegen. Du sprichst ja wie ein General – nur würde ein General kaum so albern daherreden."

Frank traf keine Anstalten, sich zu erheben.

„Heißt das", sagte er, „daß du nicht bereit bist, auf meinen Vorschlag einzugehen?"

„Genau", sagte George. „Aber dein Vorschlag, wie du deine Drohungen nennst, interessiert mich trotzdem. Ich möchte nämlich wissen, wie der Jude und Amerikaner Frank Green dazu kommt, die Deutschen zu verteidigen?"

„Du versuchst, den Spieß umzudrehen, George", sagte Frank. „Es wird dir nicht gelingen."

George stand auf und lehnte sich an den Kamin.

„Ich drehe gar nichts um", sagte er. „Vor neun Monaten,

als Deutschland bedingungslos kapitulierte, war vorgesehen, aus dem ganzen Land einen einzigen Ackerboden zu machen. Aber mit jedem Tag, der vergeht, werden wir weicher." Es klang beinahe aufrichtig und um Überzeugung bemüht, als er fortfuhr: „Siehst du denn nicht, was vorgeht, Frank? Unsere Besatzungsoffiziere sind lauter Idioten. Die wertvolleren Leute in der Armee rüsten ab und eilen, so schnell sie nur können, nach Hause. Sie haben ganz recht: der Krieg ist gewonnen, warum sollten sie für fünfhundert Dollar im Monat hier herumsitzen und die Deutschen umerziehen? Übrigbleibt der Auswurf. Du kennst doch den Oberst McLellan. Seine Leidenschaft sind elektrische Spielzeug-Eisenbahnen. Jeder Deutsche, der ihm eine neue Lokomotive bringt, ist ein Ehrenmann. In Frankfurt hatte ich einen General, der hat nach Fotografien schon das zwölfte abscheuliche Ölgemälde seiner Frau anfertigen lassen. In allen Größen stehen sie in seinem Schloß herum, und die Maler, vorwiegend Hitlersche Hofmaler, bekommen doppelte Rationen." Sein Gesicht wurde hart. „Unsere amerikanischen Landsleute", sagte er, „sind dumme Kinder, das weißt du so gut wie ich. Sie sind enorm gutartig, oder enorm bösartig, auf jeden Fall sind sie enorm dumm."

Frank stand abrupt auf.

„Du wirst jetzt gleich die Nationalhymne anstimmen", sagte George ruhig, „aber das ändert nichts an den Tatsachen. Unsere Landsleute lassen sich von den Deutschen um den Finger wickeln. Es ist nicht alles Korruption. So ein deutsches Straßenmädchen ist einfach gescheiter als ein amerikanischer Oberst. Außerdem sehen unsere Landsleute die Welt aus der Klosettperspektive. Sie haben Frankreich gehaßt, weil die Klosetts verstopft waren, und sie lieben Deutschland, weil das Wasser rinnt, wenn man an der Schnur zieht. Auch das wissen die Deutschen. Frank ... Du hast die Menschen immer so gesehen, wie du sie sehen wolltest. Aber es ist Zeit, daß du erwachsen wirst. Wir leben hier unter Amerikanern, die kein Gehirn, und unter Deutschen, die kein Rückgrat haben. Was besser ist, kannst du dir auswählen. Aber du glaubst doch hoffentlich nicht,

223

daß die Deutschen bereit sind, sich unserthalben zu ändern? Sie werden uns ein paar neue Jazzlieder ablauschen, Coca-Cola trinken, sich in Papiertaschentücher schneuzen, die Konstruktion des Jeep nachmachen, und bestenfalls werden die deutschen Frauen draufkommen, daß es eine gute Idee ist, ihre Männer wie Dienstboten zu behandeln. Das, allerhöchstens, dürfte der Triumph der Umerziehung sein. Wir haben den Wurm nicht zertreten, solange er sich wand, und wir werden die Folgen tragen müssen."

Frank setzte sich wieder in seinen Stuhl. Er sagte:

„Stunden würden nicht reichen, wenn ich dir erwidern wollte, George. Es will oft scheinen, als hätten die Zyniker die Klugheit gepachtet. Dem Verneinenden ist eine besondere Brillanz eigen; es leuchtet durch die Nacht. Aber es leuchtet eben nur durch die Nacht. Indessen bin ich nicht gekommen, um mit dir die Frage Deutschland, Amerika und Besatzung zu erörtern ..."

„Nein", unterbrach ihn sein Bruder, „du bist gekommen, um mir ein Haus abzujagen."

„Deshalb bin ich gekommen, wenn auch nicht nur deshalb", sagte Frank, „und das werde ich tun. Es wäre mir lieber gewesen, wenn du deine Unregelmäßigkeiten, um ein höfliches Wort zu gebrauchen, nicht in ein ideologisches Mäntelchen gekleidet hättest. Aber da du nun einmal darauf bestehst, plötzlich eine Gesinnung zu haben, soll es mir recht sein. Ich will also für einen Moment annehmen, daß du in allem die Wahrheit gesagt hast, George, in allem." Er suchte die Augen seines Bruders und sprach erst weiter, als er sie gefunden hatte. „Wie erklärst du dann, daß du mit Schwarzhändlern und Gestapoagenten in Verbindung stehst?"

„Spionierst du mir nach?" fragte George. Sein vierkantiger Schädel lief rot an.

„Vielleicht", sagte Frank. „Woher ich es weiß, ist gleichgültig. Ich weiß es."

George stellte die weiße Porzellanfigur auf den Kamin zurück. Er faßte sich schnell und sagte:

„Jetzt amüsierst du mich nur noch."

„Ich verlange eine Antwort", sagte Frank.

„Du langweilst mich", sagte George, „und außerdem geht meine Geduld zu Ende. Zuerst kommst du hierher und redest großkotzig von Armeevorschriften und ihrer Befolgung oder Verletzung. Dann wieder stellst du mir die gestrenge Frage, warum ich mit Schwarzhändlern und Gestapoagenten verkehre. Ich könnte dir jetzt raten, dich zum Teufel zu scheren, denn du weißt so gut wie ich, daß ich gar nicht ermächtigt bin, dir über meine Arbeit Auskunft zu geben. Aber ich will dir dennoch sagen, daß ich mit Schwarzhändlern und Gestapoagenten verkehre, weil ich den Befehl erhalten habe, es zu tun. Die Armee hat es zwar versäumt, die gütige Erlaubnis des Majors Green einzuholen, aber sie baut eine Spionageorganisation auf, wenn du es genau wissen willst, mit Hilfe eines früheren deutschen Generals und der halben Gestapo. Daß man es dir nicht auf die Nase gebunden hat, spricht ausnahmsweise für unsere Landsleute. Und jetzt, da ich dir auch diese Frage beantwortet habe, tue mir den Gefallen und geh schön nach Hause und weine deinen Kummer über die böse Welt in deine Armeekissen."

Frank rührte sich nicht. Er war kreidebleich geworden und wußte nicht, ob er sich zu erheben vermochte.

„Ist das wahr, George?" fragte er endlich.

„Frage meinethalben Hunter, auf den du so große Stücke hältst. Sage bloß nicht, daß du es von mir weißt."

„Und du machst das mit, George?"

George zuckte die Achseln. Es klang herablassend, beinahe mitleidig, als er sagte:

„Ich sage doch, du lebst auf dem Mond, Frank."

Nun stand Frank auf.

„George", sagte er, „ich will dich etwas fragen."

„Ja?"

„Denkst du nie an Mama?"

„Was soll das . . . ?"

„Das sind doch die Menschen, die Mama umgebracht haben, George."

„Die, warum gerade die?" sagte George. „Warum nicht Herr Eber, dessen Haus du verteidigst? Warum nicht die Kleine, um deren Ehre du besorgt bist?" Er trat einen

Schritt auf Frank zu und stand jetzt unmittelbar vor ihm: „Und warum nicht Elisabeth von Zutraven, deren Freilassung du veranlaßt hast?" Wie das Beil einer Guillotine, so hing der Name einen Augenblick lang in der Luft. Dann fuhr George fort: „Mich machst du nicht mehr dumm, Frank. Dein ganzes Leben lang hast du versucht, mich dumm zu machen. Ich war immer das schwarze Schaf, und du warst das weiße Lamm. Jetzt nicht mehr, Frank. Wage es nie wieder, Mamas Namen zu erwähnen, verstehst du? Ich hasse die Deutschen, die sie umgebracht haben. Aber ich hasse sie alle. Und ich nehme meine Revanche, wo ich sie finde. Ich plündere sie aus, und ich demütige sie und schlafe mit ihren Weibern, und wenn es sein muß, verbünde ich mich mit ihnen auch, um sie auszupressen wie die Zitronen und dann wegzuwerfen. Amerika und die Armee und deine ganze schale Gerechtigkeit ist mir vollkommen gleichgültig, Frank; ich bin hierhergekommen, um mich für Mama zu rächen, und wenn du dich mir in den Weg stellst, Frank, werde ich ..." Er kam nicht zu Ende. Er wandte sich ab von seinem Bruder und ging auf die Tür zu. „Und jetzt geh", sagte er, „ehe ich mich vergesse."

Und Frank ging. Er nahm in der dunklen Halle seinen Mantel und seine Mütze; dann stand er draußen in der kalten Januarnacht.

Er ging, so schnell ihn seine Füße trugen, durch die verschneite Allee auf die Isar zu. Ein Gefühl der Lächerlichkeit überkam ihn – den korrekten, auf Recht und Gerechtigkeit bedachten Major Frank Green, der ausgezogen war, um seinen Bruder aus einem zu Unrecht beschlagnahmten Haus zu vertreiben und der wie ein geprügelter Hund vertrieben wurde aus dem beschlagnahmten Haus. Er wußte zugleich, daß er sich nicht davongeschlichen hätte, wäre er sich seines Rechts unbedingt bewußt gewesen, und das war das Schlimmste, daß er sich seines Rechts nicht mehr unbedingt bewußt war. Er kannte George, aber vielleicht war das Gefährliche, daß er ihn kannte, denn Urteil hieß auch Vorurteil: er konnte George von jugendher andere Motive als die der Eigensucht und Habsucht und Geltungssucht nicht zuschreiben. Hatte ihn George überrumpelt, und bewegte seinen Bruder in Wirklichkeit, was ihn immer bewegt hatte, oder stand er jetzt, vor einigen Minuten, einem neuen George gegenüber, einem gar, der nie so gewesen war, wie Frank ihn gesehen hatte?

Aber es war nicht George allein. Er, Frank, hatte an diesen Krieg geglaubt, beinahe wie an einen heiligen Krieg, geglaubt an das Land, das dem Jüngling einst Asyl geboten und das ihm dann Waffen geliehen hatte für den heiligen Krieg. Auch der heiligste Krieg war ein besudeltes Geschäft, das wußte Frank, und er betrog sich nicht, indem er etwa leugnete, daß das Kriegshandwerk auch ihn beschmutzt hatte. Aber das war zweifellos keine Lüge, keine Erfindung Georges: während ein amerikanischer Soldat nicht unter einem Dach schlafen durfte mit einem Deutschen oder einer Deutschen, sponnen sich schon feine Fäden nicht nur zu den Deutschen, und nicht nur zu den Nazis unter ihnen, sondern zu den Schuldigsten unter den Schuldigen, zu den Denunzianten und Mördern. Mußte er, der groteske Major Frank Green, nicht den Verstand verlieren, wenn er daran dachte, daß er Colonel Hunter mit List und Tücke die Freilassung des Oberst Sibelius abringen mußte und daß der gleiche Colonel Hunter seinen Bruder angewiesen hatte, Spione und Agenten von gestern in den Dienst der Sieger zu stellen? Mit der Überzeugung von der kollektiven Schuld der Deutschen war Frank ins besetzte Land gekommen, aber von Tag zu Tag hatte er mit wachsendem Glücksgefühl das mitgebrachte Urteil revidiert: nun aber wollte es ihm mit einemmal wieder scheinen, als gäbe es die Kollektivschuld Deutschlands in der Tat und als ginge sie nur unter in der Kollektivschuld der Menschheit. Daß er zugleich die schwachen Punkte erfaßte in der aggressiven Verteidigung Georges, half ihm wenig – etwa, daß Rache menschlich war oder immerhin verständlich, aber deshalb noch lange nicht gerechtfertigt und bestehend unter der Prüfung; daß jedes Bündnis mit dem Feind auch dann zweifelhaft schien, wenn es einer späten Vergeltung dienen sollte; daß kollektive Schuld, sofern es so etwas wirklich gab, nicht individuell bestraft werden konnte und nicht zum willkürlichen Vorteil des einzelnen.

Er ging schnell durch die verödeten Straßen, und er erreichte vor Mitternacht das Innere der Stadt. Als er sich bei der Fahrbereitschaft in der Ludwigstraße einen Wagen geben ließ, um heimzufahren, wußte er mit Klarheit nicht mehr als im Moment, als er das Haus seines Bruders aufgewühlt verlassen hatte. Aber als er neben dem Fahrer im offenen Jeep saß und ihm der eisige Januarwind um die Ohren blies, da war es, als brächte der Wind den Rhythmus eines längst vergessenen Gedichtes von Walt Whitman – und, daß diese Zeilen aufstiegen aus den tiefsten Tiefen seines Unterbewußtseins, erschien ihm Rätsel und Wunder. „Den Staaten, oder jedem von ihnen, oder jeder Stadt in den Staaten, / Widerstehe viel und gehorche wenig ..." – so lauteten die ersten Zeilen, mehr wußte er nicht, aber die Worte, die Buchstaben beinahe, waren dem Major Frank Green plötzlich wie eiserne Haken, von verwegenen Bergsteigern einst in die steilen Felsen geschlagen und an denen sich Bergsteiger später festhalten konnten in Bergnot. Er wußte nicht, wem er viel widerstehen sollte, wem wenig gehorchen, zu groß war noch die Verwirrung in und um ihn – das aber wußte er: daß er widerstehen wollte und sich nicht fügen in der Verwirrung.

Mrs. Hunter wird eifersüchtig

Es war beinahe frühlingshaft warm, als Colonel Graham T. Hunter in seinem Wagen dem Münchner Bahnhof zustrebte, um seine Frau und seine Kinder abzuholen.

Betty wird einen falschen Eindruck vom bayrischen Wetter bekommen, dachte der Colonel.

Er wollte nichts empfinden als erwartungsvolle Freude, aber er konnte sich nicht ganz von den Sorgen befreien, die sich seiner in den letzten Tagen immer mehr bemächtigt hatten.

Die „Operation Familie", die vor einigen Wochen angelaufen war, hatte sich, soweit er es übersehen konnte, als Fehlschlag erwiesen, in gewissem Sinne sogar als einer der katastrophalsten in der ganzen Politik der Besatzung. Gerade auf dem Schreibtisch Colonel Hunters häuften sich seit Tagen die Beschwerden, die ungünstigen Gutachten auch, die Offiziere der psychologischen Kriegsführung ausgearbeitet hatten.

Ob es in der Natur der Sache lag, ob die nach Deutschland strömenden Amerikanerinnen selbst schuld waren: die Besatzungsmusik, bisher traurig und gewaltig, grausam und atonal, durchzog ein Ton der Frivolität. Die Uniformen der Sieger, sauber, stets frisch gebügelt und aus vorzüglichem Material, waren immerhin Uniformen gewesen, und so schien der Kontrast zwischen ihnen und den abgerissenen Uniformen der Heimkehrenden, der grauen und armseligen Bekleidung der Zivilbevölkerung erträglich. Zwischen den Kleidern der Besatzungsfrauen aber, auffallend und elegant wirkend, noch wenn sie von den Stangen billiger amerikanischer Warenhäuser stammten, zwischen ihren halbhohen und hohen Schuhen, ihren schmucken Handtaschen, ihren bunten Schals, ihren Pelzmänteln und, auf der anderen Seite, den schiefen, flachen Schuhen der deutschen Frauen, ihren zertragenen, farblosen Mänteln, ihren grauen Filzhüten, war der Kontrast kraß und herausfordernd. Die amerikanischen Frauen waren gepflegt, im Sinne einer Haut- und Körperkultur, die Zeitaufwand und kosmetische Mittel erforderte, und selbst wenn sie Schminke und Lippenstift mit Mäßigung verwendeten, waren sie noch wie modische Mannequins, die sich wiegend durch ein Obdachlosenasyl stolzieren.

Mit den amerikanischen Frauen waren ihre Wagen eingetroffen, schmucke Chevrolets und Fords und Buicks in allerhand schillernden Farben, zu Hause in Amerika selbstverständliche Requisiten einer mittelständischen Behaglichkeit, hier jedoch rasende Symbole eines ungeahnten Luxus. Die Jeeps und Command Cars und Leichtlastkraftwagen der Armee hatten den Besiegten Bewunderung abgerungen, denn sie gehörten zu der amerikanischen Motorisie-

rung, welche die Deutschen als einen der Gründe ihrer
eigenen Niederlage erkannten; die Automobile der Amerikanerinnen jedoch wurden zu provozierenden Farbflecken
im deutschen Grau.

Auch hatte die Armee, schließlich einem Land angehörend, in dem die männlichen Errungenschaften vorzüglich
dem Gefallen der Frauen dienen, für die Frauen der Sieger Einrichtungen geschaffen, welche die Sieger selbst nie
beanspruchten. In einzelnen Städten waren die „Commissaries", die Einkaufsläden der amerikanischen Familien, in
öffentlichen Geschäftslokalen untergebracht, so daß das
hungernde Volk durch die breiten und glitzernden Fensterscheiben eine Wunderwelt des Überflusses zu sehen bekam
– zu Pyramiden häuften sich hier die sterilisierten däni-
schen Milchflaschen, die taufrischen grünen Salate des Südens, die saftigen rosa Schinken, sonnenstrahlende Orangen sogar, die viele deutsche Kinder noch nie gesehen hatten und für seltsame Spielbälle hielten. In Berlin etwa
hatte ein gedankenloser Kommandeur die Verkaufsstellen
in einer Vorstadt-Station der U-Bahn errichten lassen, mitten auf dem Bahnsteig, so daß die zur fruchtlosen Arbeit
Strebenden sich die Nasen an den erleuchteten Fensterscheiben platt drückten, während sie auf die spärlich und
unregelmäßig abfahrenden Züge warteten. Es war vielleicht keine absichtliche Provokation, sondern nur Gedan-
kenlosigkeit, wenn die Frauen der Sieger aus diesen „Commissaries" hinausspazierten auf die verschütteten Straßen,
mit riesigen braunen Papiersäcken in den Armen, die auch
dann Neid und Mißgunst erregt hätten, wären sie nicht beinahe zerrissen unter der vielfarbigen Last unbeschränkter
Güter.

Auch die Beschlagnahme der Häuser erfolgte nun in an-
getriebenem Tempo. Ganze Plätze, ganze Straßenketten,
ganze Villenviertel mußten über Nacht geräumt werden,
um dem Familiennachschub Platz zu machen. Die Deutschen waren seit jeher ein patriarchalisches Volk gewesen,
und zu Hause waren die besiegten Männer Sieger geblieben: nichts mußte also den Stolz des deutschen Mannes
mehr verletzen als der Befehl, seine Siebensachen zu pak-

ken und mit Frau und Kind hinauszuziehen auf die Straße, weil Wohnung und Haus von fremden Frauen und Kindern benötigt wurden.

Freilich: das weibliche Wesen, hier in Gestalt der amerikanischen Frau, trug nicht dazu bei, die Härten der „Operation Familie" zu mildern. Männer, denen die Erfahrung selbstverständlich ist, daß Erfolg und Siege Schritt für Schritt, mit Kampf und Kompromiß errungen werden, erfassen leichter die Fragilität des Errungenen; in den Stolz über den Triumph mischt sich fast immer das Bewußtsein seiner Fragwürdigkeit und das Risiko seines Verlustes. Die Sieger nahmen den Sieg nicht ganz wörtlich; die Frauen aber, auf den Sieg ihrer Männer stolzer als sie selbst, legten häufig verletzenden Hochmut zur Schau. Noch in dem Soldaten, dem Haß und Verachtung des Feindes eingeimpft worden war, lebte der Respekt für den Besiegten, um so mehr als die meisten Besatzungsoffiziere und G.I.s zu Beginn des Jahres 1946 Frontsoldaten waren, die ihrem Gegner den Sieg mühsam und unter Opfern abgerungen hatten – die Frauen aber hatten die Gegner nicht gekannt, sondern lernten nur die Besiegten kennen.

Auch in der englischen und französischen Zone verschärfte die Familienoperation die lauernden Konflikte, obwohl die fremden Frauen dort, vom Krieg härter geprüft, aus ihrer neuen Umgebung nicht so auffallend hervorstachen – in der amerikanischen Zone verwandelte sich die Operation jedoch zum Nachteil für die Eroberer. Da sich die geistigen und seelischen Nationaltrachten der Frauen in den einzelnen Ländern von denen der Frauen anderer Länder deutlicher unterscheiden als die Nationaltrachten der Männer, gewann das Fremde nun viel schärfere Akzente. Und weil das Fremde fast immer auch grotesk wirkt, begann eine Krise des Respekts. Die amerikanischen Frauen spielten eine neue Rolle als Vertreterinnen des Sieges in einem fremden Land, vertraut war ihnen aber nur die Rolle der Beherrschung ihrer Männer. Den siegreichen Soldaten, der den Kinderwagen schob, während seine Frau müßig neben ihm einherschlenderte; den Herren des Hauses, der morgens seiner Frau den Kaffee zum Bett brachte; den Soldaten, der jedem weiblichen Wesen den Stuhl unter das Gesäß schob; den Offizier, der hinter einem Turm von Paketen verschwand, während seine Frau den Wagen lenkte – diese fremden und absurd wirkenden Sitten konnten die Deutschen nicht achten, und obschon sie die weibliche Invasionsarmee mehr haßten als die männliche, registrierten sie doch nicht ohne Schadenfreude, daß es Wesen gab, welche die Sieger unter ihren Augen zu Besiegten degradierten.

All dies war Colonel Hunter bewußt, als sein Wagen vor dem zerstörten Münchner Bahnhof hielt und er den Bahnsteig betrat, wo der Militärzug aus Frankfurt wenige Minuten später einfahren sollte.

In einem Fenster des beinahe leeren Zuges entdeckte Hunter sogleich die Seinen. Betty hielt die kleine Beverly im Arm. Hinter der Frau, die auf den reichgelockten grauen Haaren einen winzigen, mit Blumen übersäten Hut trug, tauchte der hübsche, dunkle Kopf der fünfzehnjährigen Ruth und der blonde, fröhliche Knabenkopf des siebzehnjährigen Bob auf.

Der Fahrer des Colonel befehligte ein Heer von Trägern, die sich um das Gepäck der Familie bemühten, und so konnte sich Hunter ganz seiner Familie, vor allem der noch nicht vierjährigen Beverly, widmen.

Ihr gehörte seine ganze Zuneigung. War es je sentimentale Phrase gewesen, daß man es Kindern ansah, ob sie Kinder der Liebe seien, so erwies sich ihre Willkürlichkeit im Falle dieses goldblonden, blauäugigen Mädchens, das zwölf Jahre nach seiner Schwester geboren worden war und gewiß mehr als zwölf Jahre, nachdem sich die Liebe aus der Ehe des Colonels Graham T. Hunter wie einer jener Hochzeitsgäste entfernt hatte, deren man sich nur noch von Fotografien des Vermählungsfestes vage erinnert. In Beverlys Nähe, die im Krieg geboren wurde, hatte Hunter insgesamt nur wenige Monate verbracht, und doch liebte er das engelhaft schöne Kind, das seine Enkelin hätte sein können, mit einer Zärtlichkeit, die er seinen beiden älteren Kindern nie hatte zuteil werden lassen. Für Beverly freilich war ihr Vater ein Fremder, ein liebenswürdiger Herr, der eine schmucke Uniform, unzählige bunte Bändchen auf der Brust und einen merkwürdigen Vogel auf den Schultern trug: um so mehr entzückte es den Colonel, daß sie sich ihm sofort anvertraute und auf seinen Knien mit fröhlicher Familiarität Platz nahm.

Betty Hunter besaß die außerordentliche Fähigkeit der meisten Amerikanerinnen, nichts außerordentlich zu finden. Bestürmten Ruth und Bob ihren Vater mit unzähligen Fragen, so warf Mrs. Hunter durch ihre ungefaßten Brillengläser nur beiläufige Blicke aus dem Fenster des Automobils, das durch die nachmittägliche Ruinenstadt im vorgeschrieben mäßigen Tempo der Isar zustrebte. Sie berichtete von der Überfahrt auf dem nicht unkomfortablen Truppentransporter „General Brooks", von dem stürmischen Flug nach Frankfurt und der ereignislosen Bahnfahrt, übermittelte die Grüße von Bekannten, Verwandten und Kameraden ihres Mannes, schien aber jetzt schon die besetzte Stadt als einen jener „military posts" zu betrachten, in die zu übersiedeln und aus denen ebenso wieder wegzusiedeln das natürliche Schicksal einer Soldatenfrau war.

„Ich hoffe, das Haus wird dir gefallen", sagte Hunter. „Es ist, wie ich dir schrieb, geräumig, und im Sommer wird der Garten sehr schön sein. Ich wollte es dir überlassen, ein Stubenmädchen zu finden; ich habe nur ein Kindermädchen angestellt. Die alte Paula, die mich betreut hat, wird dir sicher entsprechen."

„Ein Stubenmädchen?" sagte Mrs. Hunter. „Ist das notwendig?"

„Wir haben Anrecht auf drei Personen", sagte der Colonel. „Sie werden von der Armee bezahlt." Er war froh, daß Betty keine weiteren Fragen nach dem Kindermädchen stellte.

Der Wagen hatte die Isar überquert, war den Giesinger Berg emporgeklettert und bog nun in die Grünwalder Allee ein.

„Hier scheint nicht viel zerstört zu sein", sagte Betty.

„Nein, wir haben Glück", meinte Hunter. „Besonderes Glück, weil dieser Stadtteil, er heißt Harlaching, demnächst von der Armee ganz beschlagnahmt wird. Die meisten Offiziere müssen hierher übersiedeln."

Die Harthauser Straße, in die der Wagen nun einschwenkte, schien zu illustrieren, was der Colonel eben gesagt hatte. Vor vielen Villen standen amerikanische Lastwagen, aus denen Möbel, Eisschränke, Lampen und Säcke mit Kohle und Holz ausgeladen wurden. Hie und da sah man einen Handkarren oder einen kleinen Wagen, auf die ausgebooteten Besitzer ihre spärlichen Habseligkeiten verstauten.

Dem Colonel wäre es lieber gewesen, wenn die Fahrt länger gedauert hätte. Er bedauerte seit Tagen, daß er Marianne von Artemstein angestellt hatte, aber es widerstrebte ihm, die Anstellung rückgängig zu machen. Jetzt verstärkt sich jedoch das Unbehagen, mit dem er der Begegnung zwischen seiner Frau und der jungen Gräfin entgegensah, in dem Maße, in dem sich der Wagen dem Hause näherte.

Das Gartentor stand offen, der Wagen fuhr in den Park ein und blieb vor dem Haus stehen. Beverly, von der langen Reise übermüdet, war im Arm ihres Vaters eingeschlafen. Ruth und Bob sprangen als erste aus dem Automobil, während der Colonel sein jüngstes Kind behutsam heraushob.

Im Vorzimmer warteten Paula, die Wirtschafterin, und Marianne auf die Ankommenden.

„Das ist unsere Paula", sagte der Colonel.

Betty nickte, zurückhaltend, aber nicht unfreundlich. Paula begrüßte ihre neue Herrin höflich, aber nicht ohne Mißtrauen.

„Und das ist Fräulein von Artemstein", stellte Hunter vor. „Meine Frau ..."

Die beiden Frauen musterten einander einen Moment lang ohne zu sprechen. Marianne war um gut einen Kopf größer als Mrs. Hunter. Sie trug das einfache Kostüm, in dem sie sich seinerzeit dem Colonel vorgestellt hatte, ein sommerliches Kostüm, das der kalten Jahreszeit keineswegs mehr entsprach. Mit ihren schlicht nach rückwärts gekämmten tiefschwarzen Haaren, ungeschminkt, von leuch-

234

tend weißem Teint, wirkte sie dennoch wie die Hausfrau, die einem Gast liebenswürdig entgegengekommen ist: die kleine Frau mit den hervorquellenden Locken unter dem billigen Blumenhut, das alternde Gesicht allzu sorgfältig hergerichtet, in einem plumpen und mittelmäßigen Pelz, stand vor ihr beinahe so, als wollte sie sich um eine Stellung bewerben. Das Unbehagen des Colonels steigerte sich zu verwirrender Peinlichkeit. Er stand da, die schlafende Beverly im Arm, abseits und ungeschickt. Er wollte das Schweigen überbrücken, aber es fiel ihm nichts ein.

„How do you do", sagte Betty endlich. „Do you speak English?"

„Yes, I do, Madame", sagte Marianne.

„That's fine", sagte Betty, ohne der Wartenden die Hand zu reichen.

Nun löste sich Marianne aus ihrer Erstarrung. Sie trat auf den Colonel zu und nahm ihm das schlafende Kind behutsam ab.

Im Laufe des Nachmittags, den er sich aus dem feierlichen Anlaß freigenommen hatte, bedauerte Hunter immer mehr das Engagement Fräulein von Artemsteins. Ohne eine Spur der Ermüdung zu zeigen, ergriff Betty, in der Einrichtung neuer Heime erfahren, Besitz von dem Haus, in dem der Colonel mehr als ein halbes Jahr allein gewohnt hatte. Sie schien, empfand Hunter, zwischen der Köchin und dem Kindermädchen keinen Unterschied zu machen: im gleichen Ton erteilte sie beiden ihre präzisen und umsichtigen Weisungen. Noch ehe Hunter das Thema anschneiden konnte, hatte sie Marianne geheißen, mit Beverly in deren Zimmer zu essen, während sich die Familie immer zu späterer Stunde um den Speisetisch versammeln würde. Obschon nichts sonderbar war an der Tatsache, daß eine Hausfrau ihre eigene Domäne nach eigenem Gutdünken einrichtete, war es dem Colonel, als beobachtete ihn das Kindermädchen mit einem gewissen sympathisierenden Mitleid. Betty, um mehrere Jahre jünger als Hunter, brachte ihm in Anwesenheit dieser Frau dennoch sein eigenes Alter zum Bewußtsein: er dachte, daß er sich bei ihren flüchtigen Begegnungen Marianne gegenüber als Gleichaltriger benommen haben mußte, denn warum sollte sonst ihr Blick jetzt mit impertinenter Verwunderung zwischen ihm und seiner Frau hin- und herwandern. Am meisten verblüffte es Hunter jedoch, daß sich sein wachsendes Ressentiment nicht gegen den schönen Eindringling richtete, sondern gegen die Frau, mit der er ein Leben verbracht und die wiederzusehen er sich seit langem gefreut hatte. Er beschäftigte sich dann auch den größeren Teil des Nachmittags mit Bob und Ruth, mit denen er durch Haus und Garten streifte, denen er beim Auspacken behilflich war, und deren Erzählungen er gerade noch mit einigem Interesse zu lauschen vermochte.

Während des Abendessens fragte sich Hunter immer wieder, ob ihn seine Phantasie narrte, ob sein Gewissen seinem Bewußtsein vorauseilte oder ob sich Betty tatsächlich ungewöhnlich benahm: sie schien über das Ende der langen Trennung keine noch so zurückhaltende Freude zu verraten, verfiel immer wieder in brütendes Schweigen und wies schließlich die Kinder ungeduldiger zurecht, als es ihrer gemessenen Art entsprach.

Als Hunter nach dem Abendessen, mit Betty endlich allein gelassen, versuchte, bei einem Glas des gewohnten abendlichen Whiskys herzliche Töne anzuschlagen, wurde ihm jedoch eindeutig klar, daß er kein Opfer seiner Einbildung geworden war.

Marianne hatte noch einmal angeklopft und gefragt, ob sie gebraucht werde; Mrs. Hunter erklärte kühl, daß sie ihrer nicht mehr bedürfe, und wandte sich, sobald sich die Tür hinter dem Mädchen schloß, an ihren Mann.

„Seit wann ist sie im Haus?" fragte Betty.

Der Colonel sah sie verwundert an. „Seit heute früh", sagte er.

„Und seit wann kennst du sie?"

„Sie stellte sich im Sommer zum erstenmal vor", antwortete Hunter mit wachsendem Erstaunen.

Betty, die einen Schlafrock angelegt hatte, zündete sich, noch ehe ihr der Colonel Feuer reichen konnte, eine Zigarette an. Sie rauchte selten und zog mit der Geste des ungeübten Rauchers an ihrer Zigarette.

236

„Ich will sie nicht haben", sagte sie.

„Was hast du gegen sie, Betty?" fragte der Colonel, ohne sich seine Ungeduld anmerken zu lassen.

„Sie ist mir nicht sympathisch", sagte die Frau.

„Ist das kein voreiliges Urteil?"

„Nein; ich möchte, daß sie morgen geht."

„Nun", sagte Hunter, „es wird nicht einfach sein, einen Ersatz für sie zu finden."

„Es muß genug deutsche Mädchen geben, die dankbar sind, wenn sie etwas zu essen bekommen."

„Gewiß. Aber auch der Posten eines Kindermädchens im Hause des Abwehrchefs ist eine Vertrauensstellung. Man hat sich mit dem Akt Fräulein von Artemsteins monatelang beschäftigt."

„Ich kann Beverly sehr gut allein betreuen",sagte Betty. „Es ist mir schließlich nichts Neues."

„Bitte", sagte der Colonel. „Wenn du meinst . . ."

Ein tiefer Widerwille überkam ihn vor seiner eigenen Schwäche. Dennoch hob er sein Glas und sagte:

„Auf unser neues Heim, Betty!"

Mrs. Hunter nippte leicht an ihrem Glas.

„Du mußt morgen gleich Daisy MacCallum anrufen", sagte Hunter. „Sie ist vor einer Woche eingetroffen." Er sprach von der Frau des Generals. „Ted hat sich mir in der letzten Zeit besonders freundschaftlich erwiesen."

„Ted ist immer sehr freundschaftlich, wenn es ihn nichts kostet. Wird er bald den vierten Stern bekommen?"

„Ich nehme es an", sagte der Colonel.

Sie saßen sich zu beiden Seiten des ungeheizten Kamins gegenüber. Und während das Gespräch von einem gleichgültigen Thema zum anderen hinüberwechselte, war es Hunter, als liefe zwischen ihnen eine gläserne Wand quer durch das Zimmer. Er hatte keine leidenschaftlichen Szenen des Wiedersehens erwartet; sie hatten sich beide stillschweigend damit abgefunden, daß ihre Ehe ein Treffpunkt gemeinsamer Interessen, ein Spielfeld ihrer Kinder, eine Ruhestätte der Gewohnheit geworden war, aber die Aufrichtigkeit dieser Erkenntnis war auch kennzeichnend für ihre verständnisvolle Zuneigung. Auch sie empfand

Hunter jetzt nicht: an Stelle des fröhlichen, wenn auch nicht überschäumenden Wiedersehens schien kalte Zurückhaltung, vielleicht sogar Feindseligkeit getreten zu sein.

Plötzlich stockte das Gespräch; Betty hatte eine Frage Hunters nicht beantwortet. Statt dessen sagte sie:

„Du hast mir nichts zu sagen, Graham?"

„Ich weiß nicht, was du meinst."

„Deine Geschmacklosigkeit wundert mich, Graham. Wenn nichts anderes, deine Geschmacklosigkeit!"

„Jetzt muß ich dich bitten, Betty, etwas deutlicher zu werden."

„Du hättest deine Geliebte nicht ins Haus bringen müssen. Oder ist das hier üblich?"

Der Colonel sprang auf.

„Betty!" sagte er. Er konnte nicht mehr sagen.

Die Frau zündete sich eine zweite Zigarette an. Ihre Lippen zitterten.

Sie sagte: „Es sollte mich nicht überraschen, Graham. Man erzählt zu Hause Wunderdinge über die hiesigen Zustände. Eine Geliebte zu haben, scheint zum guten Ton zu gehören; daß sich die deutschen Frauen um ein Päckchen Zigaretten verkaufen, ist ja bekannt. Das Offizierskorps scheint sich zu benehmen wie bei einer Provinzkonvention der American Legion. Deine Briefe sprachen Bände. Ich hätte vorbereitet sein müssen."

„Nun ist es aber genug", unterbrach sie Hunter. „Du sprichst Beschuldigungen aus, ohne den geringsten Anhaltspunkt zu besitzen."

Betty griff in die Tasche ihres Schlafrocks. Sie lachte auf, kurz und bitter.

„Es ist beinahe lächerlich, daß ich es in der ersten Stunde finden sollte. Es war keine Indiskretion. Es lag in einem Buch auf deinem Nachtkästchen."

Sie reichte ihm einen Briefumschlag. Er enthielt, der Colonel wußte es sogleich, den weihnachtlichen Gruß Marianne von Artemsteins.

Er streckte seine Hand nicht aus; der Brief blieb in der Hand seiner Frau.

„Und was soll das beweisen?" sagte Hunter. „Ich glaube, ich dürfte doch etwas mehr Vertrauen beanspruchen. Fräulein von Artemstein hat mir zu Weihnachten ein Buch geschickt. Das ist alles."

„Schicken hier Kindermädchen ihren künftigen Arbeitgebern Weihnachtsgeschenke?"

„Kindermädchen, Kindermädchen", sagte Hunter mit wachsendem Ärger. „Unsinn! Sie ist eine Gräfin Artemstein und die Tochter eines Generals. Es war sehr freundlich, daß sie sich meiner zu Weihnachten erinnert hat."

Betty stand auf.

„Eine Gräfin und die Tochter eines deutschen Generals!" sagte sie. „Für den Chef der amerikanischen Abwehr wie geschaffen. Bitte, Graham, erspare uns weitere Diskussionen. Es ist alles zu durchsichtig und zu peinlich. Ich erhebe keinen Anspruch auf deine Liebe, aber ich wünsche nicht, in meinem Haus beleidigt zu werden. Ich möchte die Gräfin beim Frühstück nicht mehr sehen. Gute Nacht, Graham!"

Einen Moment wußte Hunter nicht, ob er sie zurückhalten sollte. Zurückhalten, wozu? Um sie von der Haltlosigkeit ihres Verdachtes zu überzeugen? Um ihr zu sagen, daß die Dinge hier, in diesem Falle und in tausend anderen Fällen, nicht so einfach lagen; daß ein Kindermädchen kein Kindermädchen war und eine Gräfin keine Gräfin, und daß die Maße nicht stimmten, die Begriffe nicht und nicht die Schlußfolgerungen? Oder um ihr zu sagen, daß er nicht daran dachte, eine Ungerechtigkeit zu begehen, nur weil sie die Maße noch nicht kannte und falsche Schlüsse zog?

Aber er ließ sie gehen. Er setzte sich in seinen Sessel am Fenster. Es war ihm auf einmal, als stünde das Haus allein in der Nacht, als wäre weit und breit kein Haus, kein Mensch, nicht einmal ein Hund. Er hatte geglaubt, die Fremde würde schwinden mit den vertrauten Gesichtern. Aber die Fremde schwand nicht. Die vertrauten Gesichter wurden fremd.

Die Kommandeuse flieht nach Berlin

Mit der Unvermeidlichkeit, wenn auch der bedacht langsamen Sicherheit des Schicksals woben sich die Netze um den Major William S. O'Hara.

Er wußte es und konnte sie doch nicht zerreißen.

Der ehemalige Gestapoagent Dieter Griff hatte, an jenem Abend vor Weihnachten, die Schutzbefohlene des Majors in seine Wohnung aufgenommen. Er tat es weder aus Mitleid noch aus Überzeugung, sondern weil sie dem verwegenen, vielleicht auch verzweifelten Mann Bill O'Hara Vorteile in Aussicht stellte, die Griff allzu verlockend schienen, um sie ohne weiteres abzulehnen. In einer Münchner Vorstadt, in der Untersbergstraße, bewohnte Griff zwei in besseren Zeiten erworbene Zimmer, und da er den größten Teil des Tages außer Haus verbrachte, lebte hier die Kommandeuse zwar nicht so komfortabel wie in der Pasinger Villa, aber immerhin weit bequemer, als sie es in einem amerikanischen Militärgefängnis getan hätte.

O'Hara besuchte sie nur selten und unter den äußersten Vorsichtsmaßnahmen. Griff entfernte sich dann immer diskret aus seiner Wohnung, die er dem Paar überließ. Diese Besuche, gefährlich bei allen Vorkehrungen, waren dem Major ein unentbehrliches Bedürfnis. Bei seinen ersten absonderlichen Liebesvisiten versuchte er noch die Rolle zurückzugewinnen, die er vom Tage seiner Bekanntschaft mit der ehemaligen Kommandeuse gespielt hatte. Aber Irene Gruß erfaßte sofort, daß seine Versuche nicht ernst gemeint waren, daß ihn jetzt vielmehr eine Leidenschaft gefangenhielt, die den ganzen Reiz des Neuen besaß. Sie behandelte ihn wie einen Gefangenen.

An diesem Februarabend des Jahres 1946 hatte sich der Major schon um sieben Uhr abends ins Haus geschlichen. Griff war wenige Minuten vorher ausgegangen: Irene und er waren wie gewöhnlich allein. Er hatte während des Tages unmäßig getrunken, was er jetzt wieder häufiger tat, teils um sich zu betäuben, teils um für seine riskanten Besuche Mut zu gewinnen. Auch eine Flasche „Bourbon" hatte er mitgebracht, und er saß trinkend Irene Gruß im

Wohnzimmer gegenüber. Es war ein seltsames Zimmer, das für die Rendezvous der Kommandeuse mit ihrem Geliebten einen höchst ungeeigneten, stimmungsfremden Hintergrund abgab. Der Junggeselle Griff hatte sein Gewerbe während des ganzen Krieges im Ausland betrieben und von dort zahllose Trophäen mitgebracht: nicht etwa die Skalpe der Männer, die seine Denunziationen ins Jenseits befördert hatten, sondern Souvenirs harmloserer Art – falsche orientalische Teppiche, türkische Dolche, serbische Stickereien, einen bronzenen Eiffelturm samt Thermometer und eine abscheuliche Rembrandtkopie aus Holland. In diesem Museum also saßen O'Hara und Irene Gruß – sie auf dem Kanapee, das mit einem afrikanischen Teppich bedeckt war; er in einem Lehnstuhl, den Griff aus einem im Empirestil eingerichteten französischen Haus entwendet hatte.

„Griff will dich sprechen", sagte die Frau. „Du sollst auf ihn warten."

„Was will er?"

„Du sollst endlich das Altmetall aus Lindau abholen lassen."

„Wie sich Griff das vorstellt! Ich kann doch nicht einfach schon wieder einen Lastwagen nach Lindau schicken."

„Griff ist es ganz egal, wie du es tust. Du hast es zweimal fertig gebracht; du kannst es jetzt auch."

„Ich lasse mich von Griff nicht mehr erpressen."

„Du bist nur ein Feigling", sagte sie ruhig. „Er kann morgen jemand anderen finden, der es tut."

O'Hara trank ein halbes Glas Whisky leer.

„Du verteidigst Griff", sagte er mit verglasten Augen. „Du schläfst mit Griff!"

Die Frau wußte sofort, was O'Hara mit diesem Satz beabsichtigte. Er kam hierher, um mit ihr zu ringen. Er hatte bei diesem Kampf nichts zu verlieren: blieb er oben, so hatte er eine Chance, sie zu demütigen, und erlag er, dann wurde ihm jene Wonne zuteil, die er spät entdeckt hatte, aber um so gieriger suchte.

„Du schläfst mit Griff", wiederholte O'Hara. „Du willst

mir doch nicht einreden, daß du die Nächte verbringst, ohne mit ihm zu schlafen."

„Was geht dich das an, ob ich mit ihm schlafe", sagte die Frau. „Du hast ja nicht den Mut, mich von hier wegzubringen. Ich kann in diesen zwei Löchern verkommen."

„Ich werde dich schon wegbringen", sagte O'Hara schwach.

Sie stand auf. Sie trug ihr strenges, graues Kleid mit dem weißen Kragen. Sie stemmte ihre Hände in die Hüften und sagte:

„Du wirst mich nie wegbringen. Du bist zu feig. Nicht einmal einen Lastwagen kannst du beschaffen. Zuerst habe ich dich gehaßt, Bill, dann habe ich dich verachtet. Jetzt verachte ich dich nicht einmal. Man verachtet kein Stück Dreck. Ich habe nicht einmal mehr Lust, dich zu bestrafen."

Sie wußte, daß dieser Satz das Signal war.

„Aber ich will bestraft werden", sagte O'Hara. „Ich habe den Wagen nicht beschafft. Ich habe dich nicht weggebracht." Er pries seine Verfehlungen an, als wären sie Tugenden.

Sie wandte sich ab.

„Geh!", sagte sie. „Ich habe keine Lust."

Er erhob sich wankend.

„Ich will nicht gehen", sagte er. „Ich will bestraft werden."

Sie sah ihn immer noch nicht an.

„Sag: ‚Ich bin ein feiges Schwein'!" befal sie, sich ihm plötzlich zuwendend.

Er sagte: „Ich bin ein feiges Schwein!"

„Sag: ‚Ich bin ein feiges amerikanisches Schwein'!"

„Ich bin ein feiges amerikanisches Schwein!"

„Sag: ‚Ich bitte um Prügel'!"

„Ich bitte um Prügel!"

„Auf die Knie!"

Er sank in die Knie.

Sie setzte sich, langsam, jede Minute auskostend, in den Empirestuhl, in dem er zuvor gesessen hatte. Sie streckte dem Knienden ihren Fuß entgegen.

„Schuh!" sagte sie.

Er zog ihr den Schuh aus, einen plumpen, schweren Schuh, für den Winter geeignet, den er ihr im P.X. gekauft hatte.

„Apportieren!" sagte sie.

Er nahm, immer noch kniend, den Schuh in den Mund. Auf den Knien rutschte er einen Schritt näher. Dann, als sie ihm den Schuh abnahm, wandte er sich um. Er handelte nach hergebrachtem Ritus, beinahe wie nach den Gesetzen einer alten, heidnischen Zeremonie, deren jede Einzelheit ihm bekannt war. Er ließ sich auf seine Hände nieder, und jetzt wirkte er wirklich wie ein großer, rothaariger Hund. Sie begann mit dem Schuh auf ihn einzuschlagen. Sie hatte den Schuh an der Spitze erfaßt und prügelte ihn, wo die Schläge gerade hinfielen; sie folgte keinem Ritual, einem Rhythmus bloß, einem sich von Sekunde zu Sekunde, von Schlag zu Schlag schneller werdendem Rhythmus.

„Sag, daß du mehr willst!" flüsterte sie zwischen den Zähnen.

„Mehr, mehr!" winselte er.

Den einen Schuh in der Hand, erhob sie sich, und begann, ihn zugleich mit Tritten zu traktieren.

„Den Gürtel!" sagte sie.

Der Rausch hatte jetzt auch von ihr Besitz ergriffen; die Grenzen zwischen der kühl absichtlichen Demütigung, die sie geplant hatte, um ihn zu fesseln und zu befriedigen, und ihrer eigenen Lust, von Existenzangst verdrängt und dennoch stärker als die Angst, verschwammen; Herrin und Sklave, Prügelnde und Geprügelter wurden wieder eins in der kranken Lust, welche die Rollen verteilte, wie sie ihrer zu leidenschaftlicher Erneuerung bedurfte.

Der Mann lockerte, unter Schlägen sich halb aufrichtend, den Gürtel seiner Uniformhose, als das Knarren des Schlüssels in der Wohnungstür beide plötzlich und eisig ernüchterte. Die Frau ließ den Schuh fallen und schlüpfte in ihn. Der Mann erhob sich, hochrot im Kopf, und schnallte sich hastig den Riemen wieder um.

Ohne anzuklopfen betrat Griff das Zimmer. Er trug, wie immer, seinen schwarzen Ledermantel. Er hatte keinen

Hut und seine Haare waren naß. Sein pockennarbiges Gesicht war noch bleicher als sonst. Er setzte sich wortlos auf einen niedrigen Stuhl neben dem achteckigen, ägyptischen Kaffeetisch. Den Mantel legte er nicht ab.

O'Hara, auf einen Angriff gefaßt, im Bestreben, ihn im vorhinein abzuwehren, sagte:

„Ich konnte das Altmetall noch nicht abholen lassen, aber ..."

Er kam nicht weiter. Griff unterbrach ihn:

„Davon reden wir später." Er wies auf die Kommandeuse. „Sie müssen sie wegschaffen. Jetzt ist es geschehen. Sie sind uns auf der Pelle."

O'Hara wurde weiß. Der Kontrast war besonders abrupt, als aus dem geröteten Gesicht das Blut wich und sich die Blässe, einem Aussatz gleich, über die flachen Züge ausbreitete.

„Sie werden seit Wochen beobachtet, O'Hara", sagte Griff. „Sie müssen ja völlig ahnungslos sein, daß Sie es nicht bemerkt haben!"

„Woher wissen Sie ...?" stammelte der Major.

„Mein Verbindungsmann zu den Amerikanern hat es zufällig erfahren. Ein Captain hat ihm gesagt, daß sein Bruder die Untersuchung führt."

„Green ...", sagte O'Hara.

„Stimmt", sagte Griff.

„Was sollen wir machen?" fragte O'Hara. Er wirkte jämmerlicher als zuvor, als er kniend um Strafe winselte.

„Das hängt davon ab", sagte Griff. Und nochmals auf Irene Gruß weisend: „Ich kann sie den M.P.s übergeben." Er sprach von ihr, als wäre sie nicht anwesend. „Wieviel Geld haben Sie eigentlich, O'Hara? Dollars, meine ich."

„Hier ... ich habe zweihundert Dollar. Aber ..."

„Es kostet fünfhundert", sagte Griff.

„Ich kann es mir beschaffen", sagte O'Hara.

„Schön. Ich werde sie zu einem Freund bringen. Der schafft sie morgen nach Berlin. Er kriegt hundert Dollar. Sie bringen mir morgen früh die sechshundert."

„Fünf, dachte ich", sagte O'Hara schwach.

Griff stand auf.

„Fünf für mich. Machen Sie sich fertig, Frau Gruß."

Dieser Griff, der ehemalige Gestapoagent, der mit so wachem kaufmännischen Sinn und so selbstbewußter Umsicht zu handeln glaubte, indem er dem bedrängten amerikanischen Major und seiner Geliebten die zwar etwas verstopften, aber immer noch gangbaren Kanäle seiner früheren Beziehungen zur Verfügung stellte, hatte den Major Frank Green, der mit der Untersuchung in Sachen O'Hara betraut war, erheblich unterschätzt. Zur Stunde, als Dieter Griff, keine Vorsichtsmaßnahme außer acht lassend, die ehemalige Kommandeuse in ihr viertes Münchner Versteck brachte, von wo sie am Tag darauf in die einstige Hauptstadt des Deutschen Reiches befördert werden sollte, wo vier Mächte herrschten, wo Hyänen um die Häuser kreisten und Aasgeier auf den Ruinen kreischten – zu eben der gleichen Stunde befand sich der Major Frank Green in einem entschärften Bombenflugzeug, das ihn nach Berlin brachte.

Mit der Schulweisheit, die Frank Green auf den „Intelligence"-Schulen Amerikas erworben und in der Praxis des Krieges öfters erprobt hatte, wäre der Major vermutlich nie auf Irene Gruß' Spuren gelangt. Die Abwehr aller Länder, er selbst wußte es am besten, ist eine einzige Geschichte von frivolem Betrug und geschickter Propaganda, von gewissenloser Unfähigkeit und verheimlichten Niederlagen – die besondere Mission Frank Greens war aber noch erschwert durch die hochnotpeinlichen Rücksichten, die er auf einen noch keiner Übeltat überführten und gutbeleumundeten Offizierskameraden nehmen mußte. Auch Colonel Hunters ausdrückliche Weisung, den Skandal, wenn irgend möglich, zu vermeiden; die Notwendigkeit ferner, in erster Linie der gesuchten Verbrecherin habhaft zu werden und nur in zweiter Linie O'Hara zu überführen – all diese Rücksichten wirkten hemmend auf die Bestrebungen des Abwehrmajors. Als ihm dann der Zufall zu Hilfe kam, mußte Frank daran denken, daß man es den ebenso unwissenden wie phantasiebegabten Drehbuchautoren billiger Spionagefilme nicht verübeln könne, wenn sie sich des Zufälligen großzügig bedienten: die Erfolge der Abwehr, seltener als der Laie es zu vermuten wagt, werden fast ausschließlich durch die suspekten Zufälle erzielt.

Zu diesen Zufällen zählte es, daß Frank in der „Mücke" den ehemaligen Gefreiten Josef Maurer kennenlernte. Seit dem Tag, an dem er seinen Bruder George, bis ins Innerste aufgewühlt, verlassen hatte, war Frank entschlossen, seiner eigenen Aufgabe um so gewissenhafter nachzugehen, je überzeugter er war, daß sie in seinem eigenen Lager von unsichtbaren Kräften verbrecherisch interpretiert wurde. Seine Besuche in der „Mücke", die er jetzt regelmäßig frequentierte, führten ihn auf die Spur Dieter Griffs, der immer noch steckbrieflich gesucht wurde, während er schon längst unter dem Schutz des amerikanischen „Intelligence" stand. Gerade als er zuschlagen und Griff verhaften wollte, belehrte ihn Josef Maurer – ein Agent aller und gegen alle –, daß der ehemalige Gestapochef vorzügliche Beziehungen zu den Amerikanern besaß und daß Frank wohl daran täte, sich bei seinem eigenen Bruder und Major O'Hara über den privilegierten Deutschen zu erkundigen. Wenn Frank auch falsch spekulierte – indem er nämlich annahm, O'Haras doppelte Verbindung zu Griff und der Kommandeuse habe vorerst undurchsichtige politische Ursachen – so kam er doch zu dem richtigen Schluß, daß der Gestapoagent über Irene Gruß unterrichtet sein müsse. Der Versuchung grüner amerikanischer Banknoten, die Frank aus eigener Tasche spendierte, konnte Maurer nicht widerstehen, während er andererseits schnell erfaßt hatte, daß ein respektabler Agent mindestens für zwei Seiten tätig sein müsse. Er ging in Franks Auftrag der Angelegenheit Irene Gruß nach, ließ zugleich aber auch an Griff eine wohlbezahlte Warnung verlauten. Den Sachverhalt so zurechtschminkend, wie es seinen Zwecken entsprach, teilte Maurer dem Major Green mit, die Kommandeuse befinde sich bereits in der Obhut eines Berliner Gestapomannes namens Jäckele, der sich gegenwärtig als Kellner des Nachtlokals „Mademoiselle" seinen Unterhalt verdiene. Würde Major Green, wie Maurer annahm, der Kommandeuse in Berlin habhaft werden, so wäre ihm,

Maurer, Lob und Belohnung sicher, während andererseits die Gefahr von Griff, mit dem den ehemaligen Gefreiten andere, wichtigere Pläne verbanden, abgewendet worden sei. So setzte er Frank zwar verfrüht, aber dennoch auf die richtige Spur.

Etwa zur gleichen Zeit also, als sich Irene Gruß auf dem Weg nach Berlin befand, betrat Frank Green, mit einem Foto Jäckeles ausgestattet, das Nachtlokal „Mademoiselle".

Schon vor dem Lokal, im ersten Stock eines nur halb zerstörten Hauses, hatte sich Frank ein seltsames Bild geboten. Vor dem Gebäude, das nicht weit vom Potsdamer Platz entfernt lag, hatte sich eine Schlange gebildet: deutsche Frauen und Männer und Soldaten der vier siegreichen Nationen. Die Frauen und die wenigen deutschen Männer, geübt im Schlangestehen um Brot und Milch und ein Stück Fleisch, standen geduldig da und warteten auf ein Stück Vergnügen. Die Soldaten hatten den Vortritt; sie schoben die wartenden Frauen und Männer beiseite, so daß manche, die an der Spitze der Schlange standen, noch lange warten mußten, ehe sich ihnen das paradiesische „Mademoiselle" öffnete. Zuweilen griff ein Soldat ein Mädchen aus der Masse der Tanzhungrigen heraus, und es folgte ihm, ohne zu fragen.

An der Garderobe beobachtete Frank eine ungewöhnliche Szene. Ein englischer Soldat wollte seinen Karabiner um jeden Preis in der Kleiderbewahrung abgeben. Er fuchtelte mit dem Gewehr vor der Nase der alten Garderobenfrau, die, angesichts des Gewehres, beinahe von Panik ergriffen wurde und zurückwich, sich aber energisch zur Wehr setzte und den Karabiner nicht in Empfang nahm.

Man gelangte in das Tanzlokal durch einen länglichen, reich mit Gold verzierten Vorraum, in dem die Tische so nahe nebeneinander standen, daß sich Frank zwischen ihnen nur mit Mühe hindurchzwängen konnte. Von den Wänden des alten Nachtlokals war an vielen Stellen die goldene Pracht, an manchen auch die weiße Farbe, herabgebröckelt, und die rührige Direktion, die über keine neue Farbe verfügte, hatte die abgeschabten Stellen mit roten Plüschfetzen verhängt, die jetzt wie blutige Wäsche herabhingen von einem Wäscheseil. Im Tanzsaal waren die Risse, welche die Bombenexplosionen verursacht hatten, zu groß, um mit Plüsch verhängt zu werden, und die Wände wirkten wie fleckige Leintücher. Durch ein kleines Loch oberhalb der Bartheke, das man aus irgendeinem Grund nicht hatte verstopfen können, regnete Sand haarfein ins Lokal. Auf der Theke stand ein Sektkübel und in den Sektkübel rieselte der Staub mit der langsamen Regelmäßigkeit einer Sanduhr. Wenn sich der Kübel mit dem porös-schmutzigen Inhalt gefüllt hatte, nahm ihn ein Barmann, trug ihn zum Fenster und leerte ihn, ohne hinabzublicken, auf die Straße.

Durch den Staubregen entdeckte Frank hinter der Theke sogleich den ehemaligen Gestapomann. Er war ein großer, quadratisch gebauter Mensch mit kurzen Haaren und auffallend abstehenden Ohren; er sah aus wie ein zusammengeschrumpfter Roboter. Er trug einen weißen Kittel, schenkte roten Wein aus und behielt den sich langsam füllenden Sektkübel im Auge. Frank beschloß, die Polizeistunde – in Berlin neun, statt zehn Uhr – abzuwarten und ihm dann zu folgen.

Er fand endlich, in der unmittelbaren Nähe der Jazzkapelle, einen Platz. Die Kapelle spielte dröhnend, saxophonbetont, in ewig gleicher Lautstärke. Sie spielte modeverflossene Lieder, Liederruinen aus der Zeit vor dem Dritten Reich und dem Jazzverbot. Und da auch die Anzüge der deutschen Männer, die Smokings der Jazzspieler und die Kleider der Frauen hervorgekramt schienen aus den Kisten der Vergangenheit, stieg in Frank die Erinnerung an die Stummfilmzeit auf: den Ausschnitt aus einem Stummfilm hätte die Szene in der Tat abgeben können.

Auf dem Tanzboden jedoch tummelte sich eine Welt, der Stummfilmzeit fremd, die uniformierte Welt der Sieger. Ein amerikanischer Flieger, blond und stattlich, preßte sein Gesicht an die Wangen eines deutschen Mädchens, das mit ihren allzu rosigen Wangen, geflochtenen Blondhaaren und dicken Waden wie die bösartige Karikatur eines deutschen Mädchens aussah. Ein britischer Sergeant bestand darauf, eine vorbeieilende Kellnerin, die eine goldverzierte

rote Uniform trug und den Platzanweiserinnen in einem
Zirkus glich, an sich zu reißen und sie im Tanze über das
ungebohnerte Parkett zu wirbeln. Ein französischer Offizier demonstrierte einer blonden Schönheit, die zweimal
so groß war wie er, einen neuen Tanz und drängte dabei
die anderen Tänzer vom Boden. Die Mehrzahl der Tanzenden waren Russen. Majore mit goldenen Epauletten, einfache Soldaten in fleckigen Blusen, Offiziere in Galauni-
formen und Sergeanten in Röhrenstiefeln, alle mit Orden
behangen, preßten deutsche Mädchen an sich, als wäre
alles vergessen: Stalingrad und die Ukraine, die Belage-
rung von Berlin und die Greuel des Sommers. Die russische Armee, die plündernd, raubend, brutalisierend in
Berlin gehaust hatte, schien gezähmt: deutsche Huren und
amerikanischer Jazz zauberten ein sentimentales Lächeln
auf die sturen Gesichter der Sieger aus dem Osten.

An Franks Tisch saß schon ein russischer Soldat zwischen zwei deutschen Frauen. Die eine, blond und rund,
hatte ihre Hand auf seinen rechten Schenkel gelegt; die
andere, dunkel und dünn, auf seinen linken. Es waren
gleichgültige Hände; nichts weniger als etwas Erotisches
konnte einem einfallen bei ihrem Anblick. Der Soldat trug
auf seiner fleckig-grauen Bluse fünf oder sechs Orden, darunter die Medaille von Stalingrad. Er war stumpf von
Trunkenheit, murmelte unzusammenhängende russische
Sätze und hatte seine linke Hand in den Busenausschnitt
des dunkelhaarigen Mädchens mit den umschatteten braunen Augen versenkt. Sie beachtete es nicht, als wäre ihre
Brust ein toter Gegenstand, tot wie seine kurzen, schmutzigen Finger. Über den Sieger hinweg unterhielten sich
die beiden Frauen über Lebensmittelkarten und Woh-
nungsprobleme.

„Frau Krahl ist mit ihren drei Kindern auf der Straße",
sagte die Schwarzhaarige.

Der Russe hatte ihre Brustknospe gefunden und versuchte, sie zwischen zwei Finger zu nehmen. Sie beachtete
es nicht.

„Er wird gleich unter den Tisch fallen", sagte die Blonde
und lächelte dabei den Russen an, als sagte sie etwas Lie-

benswürdiges. „Vielleicht kann sie zu den Schulzes ziehen",
fuhr sie fort.

„Sie darf aus dem Russensektor nicht heraus", sagte die
Dunkelhaarige, die Frank an die unterernährten Pflanzen
auf den sonnenarmen Balkonen der Vorstadtkasernen erinnerte.

Er zündete sich eine Zigarette an und reichte sein Päckchen den Mädchen über den Tisch. Die Blonde, von jener
Schüchternheit, die Dirnen oft kennzeichnet, wenn sie sich
irgendwo nicht zu Hause fühlen, begann gierig zu rauchen;
die andere ließ die Zigarette in ihre Handtasche gleiten.
Der Russe war zu betrunken, um der Einmischung des
Amerikaners gewahr zu werden.

„Kommen Sie oft hierher?" fragte Frank, um ein Gespräch zu beginnen.

„So oft ich kann", sagte die Blonde.

„Immer mit Russen?"

„Nein; wer sich findet", antwortete sie sachlich. Zugleich
kam ihr zum Bewußtsein, daß der amerikanische Major
bedenklich gut deutsch sprach. Sie versuchte zu lächeln.
„Sie sprechen aber gut deutsch", sagte sie.

Frank wandte sich an die Dunkelhaarige.

„Und Sie?" fragte er. „Kommen Sie oft hierher?"

„Ich bin zum erstenmal hier."

Die Blonde erklärte: „Sie war im Konzentrationslager.
Halbjüdin. Ihren Vater hat man erschlagen."

Beinahe, als hätte er es verstanden, nahm der Russe
seine Hand aus dem Busenausschnitt des Mädchens. Aber
er wollte nur nach dem Weinglas greifen, das vor ihm
stand. Er trank es leer. Dann tastete er wieder nach dem
Busen des Mädchens, fand den Ausschnitt nicht mehr und
ließ seine Hand mit einem ärgerlichen Laut auf ihre Knie
fallen.

Die Blonde wollte das Gespräch mit Frank fortsetzen.
Sie sagte:

„Schade, daß nicht mehr Amerikaner hierherkommen."
Uneingedenk der russisch-amerikanischen Allianz, fuhr
sie fort: „Die Russen sind Schweine. Mich haben sie in
einer Nacht vierzehnmal vergewaltigt. Schon im Sommer.

Rose haben sie dreimal umgelegt, eine Stunde nachdem sie aus dem Lager kam."

„Schweig!" sagte die Schwarze.

„Warum?" sagte die andere. „Weil wir jetzt mit ihnen ausgehen? So müssen sie wenigstens zahlen." Und zu Frank: „Oder soll man stolz sein? Sie wären auch nicht stolz, wenn man sie vierzehnmal . . . ?"

Frank wußte keine Antwort. Wie sollte er wissen, was es hieß, vierzehnmal an einem Tag vergewaltigt zu werden? Er sah weg und schwieg.

„Wein!" schrie der Russe. Die vorbeigehende Zirkuskellnerin beachtete ihn nicht. Auch die beiden Mädchen beachteten ihn nicht. Er lag jetzt zurückgelehnt zwischen ihnen, seine Arme hingen schlaff herab und er wirkte wie einer jener Hampelmänner, die lustig mit Händen und Füßen strampeln, wenn man an ihren Schnüren zieht und die zusammensinken, wenn man die Schnüre losläßt.

Frank hatte inzwischen die Bar nicht aus den Augen gelassen. Nun erhob er sich und schlenderte zur Theke hinüber. Er mußte sich an amerikanischen, englischen, russischen und französischen Gewehren vorbeizwängen, die an die Tische gelehnt standen. Sie wirkten beinahe wie die Gewehrpyramiden der Manöver und Straßensperren.

Die Luft war unerträglich schwül. Die Fenster, zur Rechten der Bar, mit Holz verschalt, waren hermetisch geschlossen.

Frank stieß ein Fenster auf. Die schneidende Luft des Winternachmittags strömte in den Saal, die unvergleichlich prickelnde, scharfe Luft der Stadt Berlin. Jetzt erst wurde Frank bewußt, daß draußen hellichter Tag war. Während sich in den beleuchteten Sälen Männer und Frauen der Illusion der Nacht hingaben, verströmte die Wintersonne von einem wolkenlos blauen Himmel herab ihre wärmenden Strahlen auf die gemarterte Stadt. Rundum waren nur Ruinen. Von einem vielstöckigen Warenhaus, dem Lokal gegenüber, stand nur noch eine Wand, und in den breiten, länglichen und leeren Schaufenstern lag mannshoch der schmutzige, schwarze Schutt. Die fragilen Buchstaben, die den Namen des Warenhauses an-

zeigten, hatten, wie es oft geschah, der Zerstörung stand-
gehalten: wie trunken hingen sie vom vierten zum dritten
Stockwerk herab. Sie hatten beinahe etwas Menschliches
– die beiden Enden des Buchstabens „M" pendelten von
der Wand wie die strampelnden Füße eines Menschen, der
aus einem Fenster über der Tiefe hängt. Auf einem offenen
Platz, denn offen waren die meisten Plätze Berlins, gleich
neben dem Warenhaus, räumten Frauen, mit Eimern in
der Hand, Kopftüchern über den Haaren, den Schutt weg:
ein tragikomisches Beginnen, lächerlich klein im Verhältnis zum Maß des Vernichteten. Auf den Schutthügeln bauten Kinder Berge, Tunnels und Häuser, auch sie in einem
armen Bestreben, denn der Sand zerstörter Häuser eignete
sich nicht zum Bau von Häusern aus Sand.

Den Sieger in amerikanischer Uniform überkam das
Elend. Die in Schutt gelegte Stadt mit ihren Mauern ohne
Häuser und ihren Häusern ohne Dächer; die Frauen da unten, die aussahen, als gehörten sie zu dem russischen Dorf,
das nach Berlin marschiert war; die Frauen im Lokal,
deren hektisches Lachen an sein Ohr drang; die klein-
städtische Stille der winterlichen Reichshauptstadt und
der hysterische Jazzlärm hinter ihm; die siegestrunkenen
Soldaten, die den Sieg versoffen, Gewalt übten an Unschuldigen und sich verbrüderten mit Schuldigen; Kat-
zenjammer ohne Erwachen und Ernüchterung in neuem
Trunk; und er selbst, schwankend zwischen Ekel und Mitleid, befriedigter Rache und unbefriedigtem Recht – gab
es einen Ausweg, und wo war er, wenn es ihn gab? Es
war grotesk, wenn die Huren erzählten, man habe sie vergewaltigt, aber gespenstisch war das Mädchen aus dem
Konzentrationslager; es war grotesk, daß ihm die deutsche
Dirne so viel näher sein sollte als der alliierte Kamerad,
aber die sich mühenden Frauen auf dem leeren Platz erinnerten ihn an seine Mutter; es war grotesk, daß die Jazz-
band trommelte, während der Sand in den Sektkübel rieselte, aber vielleicht war der Totentanz das Zeichen eines
neuen Lebens – und vielleicht war die Verwirrung nur in
ihm, dem Major Frank Green, Franz Grün aus München.

Er schloß das Fenster und wandte sich der Bar zu. Er

besann sich seiner Mission. Ein amerikanischer Major hatte eine Nazi-Kommandeuse nach Berlin geschmuggelt und der Obhut eines Gestapoagenten anvertraut, der hinter einer Theke der „Mademoiselle" roten Wein ausschenkte. Das war, was man einen Tatbestand nannte. Vielleicht war es gut, daß es Tatbestände gab, so abgründig sie auch sein mochten. Vielleicht enthob einen die Möglichkeit, das Rechte zu tun im Kleinen, der Notwendigkeit, Gerechtigkeit zu üben im Großen.

Frank sah auf die Uhr. Er griff, beinahe automatisch, nach seiner Pistole und versicherte sich, daß sie noch in ihrer Ledertasche steckte. Er rechnete nicht mit Widerstand. Aber was bedeuteten sie ohnedies, die physischen Gefahren, neben den Gefahren, die mit diesem Frieden begonnen hatten ...

Elisabeth findet ein Asyl

Dr. Adam Wild hatte mit Recht vermutet, daß sich Elisabeth von Zutraven nicht bei ihm melden würde, auch wenn sie ihr Weg, wie Major Frank Green annahm, nach München führen sollte. Erst am 24. Februar 1946 begegnete Adam der Frau des in Nürnberg angeklagten Kriegsverbrechers, und nur ein Zufall, wenn es Zufälle gibt, brachte sie auch an diesem Tag zusammen.

Adam war, nicht zum erstenmal, vor das amerikanische Militärgericht zitiert worden, welches die Anklage gegen den Arzt wegen „Aufruhrs, Gewalttätigkeit gegen ein Mitglied der Besatzungstruppen und schwerer Körperverletzung" vertrat. Noch war die eigentliche Anklage nicht erhoben, die Verhandlung nicht angesetzt, aber man hatte Adam über den gleichen Vorfall viermal verhört und wollte ihn offenbar zum fünftenmal ins Gebet nehmen.

Es war im übrigen eine gütige Fügung des Schicksals, daß Adam Wild an diesem kalten und trockenen Wintermorgen nicht in neue Kalamitäten geriet, denn viel hätte nicht gefehlt und zu seinem ohnedies nicht unbeträchtlichen Sündenregister hätte sich ein neues, gravierendes Delikt gesellt.

Adam hatte am Morgen mehrere Patienten besucht, die allesamt im Schwabinger Stadtteil wohnten. Die Epidemien, mit denen man für den Winter 1945/1946 mit Sicherheit gerechnet hatte, waren wie durch ein Wunder ausgeblieben, aber in den letzten Tagen war die Zahl der Erkrankungen rapid gestiegen, und immer noch herrschte ein beängstigender Mangel an Ärzten und Arzneien. Das Münchener Gesundheitsamt in der Königinstraße inserierte in allen Zeitungen nach „politisch unbelasteten Ärzten", aber Adam hatte sich nicht gemeldet, teils, weil ihm der Gedanke widerstrebte, nach vielen bestandenen medizinischen Prüfungen auch noch eine Prüfung politischer Zuverlässigkeit bestehen zu müssen; teils auch, weil er ungern, wie dies unvermeidlich war, die Praxis eines Belasteten übernommen hätte. Zudem hatte er mit den Kranken, die sich ihm schon früher anvertraut hatten, alle Hände voll zu tun.

Er war, dies kam endlich hinzu, kein begeisterter Arzt, und selbst die Frage, ob er ein guter Arzt war, hätte er nicht ohne weiteres bejaht. Zum großen Arzt, zum Berufsbesessenen, fehlte ihm auf jeden Fall die Überzeugung von der Unfehlbarkeit oder auch nur Zulänglichkeit der medizinischen Wissenschaft. Er wußte mit jener Nüchternheit, die der Feind jeder genialen Ausübung eines Berufes ist, daß die Linderung körperlicher Leiden nicht viel, auf keinen Fall alles bedeute, während er andererseits zuviel Respekt vor den Mysterien der Seele empfand, als daß er sich ihnen quacksalbernd genaht hätte. Besonders in den Kriegsjahren, die er fast ausschließlich in einem bayerischen Lazarett verbracht hatte, war es Adam klar geworden, daß die Menschen nicht wußten, was ihnen fehlte; daß es sie nicht unbedingt dort schmerzte, wo sie den Schmerz am deutlichsten empfanden; daß sie nicht litten, wo sie zu leiden glaubten oder vorgaben; und da die Selbstdiagnose, auf die alle Medizin aufgebaut ist, kläglich versagte, maß sich Adam nicht an, selbstsichere oder gar hilfreiche Diagnosen stellen zu können. Kümmerte er sich fortgesetzt um Dinge, die ihn „nichts angingen", so in erster Linie deshalb, weil er fühlte, daß die Kranken nur zu einem Teil an sich selbst, zu einem anderen aber an der Welt litten, und daß Spezialistentum bereits dort begann, wo man die individuellen Schmerzen aus denen der Kollektivität herauslöste. Hatte er sich dennoch gerade in den letzten Monaten mit wachsendem Eifer, mit Aufopferung beinahe, seinem Beruf gewidmet, so geschah es in erster Linie, weil ihn die unnatürlichen Schwierigkeiten herausforderten, die sich der Ausübung seiner Profession widersetzten. Es genügte nicht mehr, irgendwelche lateinischen Bezeichnungen auf ein Rezeptformular zu setzen, man mußte vielmehr sehen, wo man die Arznei herbekam; man konnte nicht verschreiben, was man für richtig hielt, sondern das Nächstbeste, das tatsächlich vorhanden war, und ging es um moderne Medizinen wie Sulfonamide oder Penicillin, dann wurde der Arzt zum Bittsteller, Bestecher oder Schwarzhändler, der sie den fabelhaft ausgerüsteten amerikanischen Krankenhäusern mit List, Tücke oder Zureden entlockte.

Adam hatte es sich so eingerichtet, daß der Patient, den er an diesem Tag zuletzt besuchte, nicht weit vom Militärgericht wohnte, und über die Theresienstraße strebte er jetzt dem Gericht zu. In dieser Straße, meistens von kleinbürgerlichen Familien bewohnt, wurde er Zeuge jenes Vorfalls, der ihn beinahe zum Eingreifen veranlaßt und damit in neue Schwierigkeiten gestürzt hätte.

Vor einem dreistöckigen Haus, der Technischen Hochschule benachbart, hatte sich eine Menschenmenge angesammelt, die dem traurigen Schauspiel der Delogierung sämtlicher Hausbewohner zusah. Warum ausgerechnet dieses Haus, dessen schäbige Wände das innen seit Jahrzehnten verkochte Gulasch zu atmen schienen und in dem so unzweifelhaft Pensionisten wohnten wie Tuberkulose in einem abgezehrten Körper, warum gerade dieses Haus der Beschlagnahme anheimgefallen war, gehörte zu den unergründlichen Rätseln der Besatzung. Wie Adam aus den Gesprächen der gaffend Umherstehenden erfuhr, waren die Bewohner am Abend zuvor von der Delogierung unterrichtet worden und nun, kurz vor Mittag, hatten sie fix und fertig bereit zu sein, um ihre Wohnungen zu verlassen und hinauszuziehen in ein obdachloses Schicksal. Der Auszug, der die Wohnungen für D.P.s aus Polen und der Tschechoslowakei frei machen sollte, war allerdings durch Maßnahmen der Besatzungsbehörde nicht unerheblich erleichtert worden: nichts nämlich, außer ihren persönlichen Kleidungsstücken, einigen Kochbehelfen und aufgesparter Nahrung – sofern solche vorhanden war – durften die Vertriebenen mitnehmen. Ein Dutzend G.I.s überwachte die Aussiedlung, die sich widerstandslos und mit jener selbstverständlichen Disziplin vollzog, der sich zu fügen den Deutschen in jeder Lebenslage gegeben ist. Drei oder vier Leiterwagen standen auf der rechten Straßenseite, unmittelbar vor dem Haus, und einer der Bewohner hatte sogar eine Pferdedroschke mit einem unterernährten Gaul aufgetrieben: ein überaus seltsames und in gewisser Hinsicht symbolisches Gefährt war dies, eine schwarze Kutsche, in der sonst, zu friedlichen Zeiten, die Münchner traditionell den Begräbniswagen nachzufahren liebten. Zum Glück waren die D.P.s, die in das Haus einziehen wollten, nachdem sich der Leichenzug entfernt hatte, noch nicht anwesend: die amerikanischen Soldaten repräsentierten die Staatsautorität; es gab, so hätte man annehmen können, keine Reibungsfläche, an der sich die schlummernde Revolte hätte entzünden können.

Es gab, richtiger, keine Reibungsfläche, bis die Spielsachen, den Kindern einer der Parteien gehörig, auf der Bildfläche erschienen. Bis dahin hatte die Menge – zwanzig Leute etwa, auf der gegenüberliegenden Straßenseite versammelt – stumm dem Schauspiel zugesehen. Es war keine Revolte in dieser Menge von fröstelnden Frauen und Männern, weniger Mitleid als Furcht, das beängstigende Gefühl, daß einem morgen, ebenso plötzlich, ebenso ohne Warnung, das Gleiche zustoßen könnte. In diesem Sinne glich die Menge allerdings jenen Neugierigen, die sich gern vor einem Leichenhaus versammeln, zum Teil angezogen vom bloßen Schauspiel; zum Teil froh, nicht zu den Leidtragenden zu gehören; zum Teil erschauernd vor der Plötzlichkeit und Endgültigkeit des Dahingehens. In den Gestapozeiten hatten manche die Türglocke gefürchtet, unsicher auch ohne schlechtes Gewissen, und als die „Befreiung" kam, sollte sie den gewissensreinen Bürger befreien von der Klingelpsychose, – aber die Türglocke war das schellende Sinnbild der Furcht geblieben, und wenn man jetzt auch kaum noch an Konzentrationslager und gewaltsamen Tod dachte, so läutete die Glocke doch nicht selten den Tag der Verhaftung, oft den Tag des Auszugs, des Verlustes und der Obdachlosigkeit ein. In dem Haus in der Theresienstraße war das verhängnisvolle Glöckchen erklungen – gelähmt von dem drohend ähnlichen Schicksal starrte die Menge.

Dann kamen die Spielsachen. Ein gutgewachsener Mann, vierzig vielleicht, mit einem großen Schnurrbart, ein Familienvater vom Scheitel bis zur Sohle, schleppte sie aus dem Haustor und auf die schwarze Kutsche zu, die er sich wohl durch besonders günstige Beziehungen verschafft hatte. Es waren nicht allzu zahlreiche Spielsachen – eine Puppenküche, zwei Puppen, ein automatisches Automobil ohne Schlüssel und ein Schaukelpferd –, alle etwas mitgenommen von der Zeit, von jener zerspielten Patina, die liebgewordene Spielsachen allemal auszeichnet. Ihm folgte sein Söhnchen, ein Junge von etwa vier Jahren, ein blondes und etwas bleiches Kind, viel zu „erwachsen" angezogen, genau wie es einem Kind entsprach, das in diesem von Gulaschgeruch getränktem Kleinbürgerhaus geboren war und eigentlich hier sein Leben hätte verbringen sollen.

Sein Vater hatte die anderen Spielsachen im Wagen untergebracht und wollte gerade das Schaukelpferd verstauen, als ein amerikanischer Soldat, der Aussiedlungsmannschaft angehörend, an ihn herantrat, ihm mit Worten und Gesten bedeutete, daß er das Schaukelpferd nicht mitnehmen könne, daß es vielmehr Teil der Wohnungseinrichtung sei, die unverändert die neuen Bewohner zu erwarten habe. Die gaffende Menge hatte schon aus dem Zögern des Mannes, aus den Gebärden des Soldaten entnommen, was hier vorging, aber sie löste sich aus ihrer Erstarrung erst, als zwischen dem Besitzer des Schaukelpferdes und dem Uniformierten ein regelrechter Kampf um das armselige, buntbemalte Eigentum begann. Dem einen ging es vielleicht um eine Herzensangelegenheit oder um väterliche Autorität vor seinem Kind; dem anderen vielleicht um ein Prinzip: auf jeden Fall wurde das schaukelnde Spielzeug zum Symbol der in Disziplin unterdrückten Erbitterung. Der Vater hatte den Kopf des hölzernen Pferdes ergriffen, der Soldat den hölzernen Schwanz, und wie Hunde an einem Knochen zerrten sie an dem Pferd, der Zivilist entschlossen, es zu behalten, der Soldat ebenso entschlossen, es dem Rebellen zu entwinden. Der kleine Junge, sich an den Rock seines Vaters klammernd, hatte erfaßt, worum es ging, und er begann herzzerreißend zu brüllen: aus Wut und Angst und auch aus Liebe zu dem alten Spielzeug rannen ihm die Tränen die Wangen hinunter, was seinen Vater zu erhöhten Kraftanstrengungen veranlaßte, dem verwirrten und wahrscheinlich auch beschämten Soldaten jedoch ein spätes Einlenken unmöglich machte.

Das war der Moment, in dem die Gefahr sehr nahe kam, daß Adam Wild, in dem die Empörung ohnedies den Siedepunkt erreicht hatte, eingreifen würde: ein höchst gewagtes Beginnen, da zwei weitere Soldaten im Begriffe waren, ebenfalls zu intervenieren und mit Gewalt den Streit zu entscheiden. In der Tat hatte sich Adam bereits aus der murrenden, aber immer noch untätigen Menge gelöst und einen Schritt vorwärts getan, als er von einem starken Arm beiseite geschoben wurde. Es gab nicht viele Arme, die den Riesen so ohne weiteres beiseite schieben konnten, und Adam sah sich überrascht um: dann wunderte er sich nicht mehr, daß ihn der Fremde leichterdings von seiner Bahn ablenken konnte. Ohne daß es Adam bemerkt hatte, war ein Negersoldat, offenbar ein müßiger Spaziergänger, zu der Menge gestoßen: ein Kerl, so groß etwa wie Adam, schlanker zwar als dieser, aber von jenem sehnig-muskulösen Körperbau, der die Boxchampions auch unter Anzug und Mantel verrät. Als der Neger die Fahrbahn überquerte, bemerkte Adam, in solchen Dingen jetzt schon bewanderter, daß der Boxer kein einfacher Soldat war, daß er vielmehr die silberne Spange eines Oberleutnants auf den

Schultern seines braunen Offiziersmantels trug. Mit langen Schritten, nicht eilig, aber entschlossen, ging der schokoladenfarbene Oberleutnant auf die streitende Gruppe zu, packte das Schaukelpferd in der Mitte, unter dem Bauch, und entriß es mit einer einzigen Geste den beiden Männern, die wie zwei Betrunkene zurücktorkelten.

Weder die Beteiligten, noch die Zuschauer wußten im ersten Moment, was eigentlich geschehen war. Der Mann glaubte, der Neger habe den Kampf gegen ihn entschieden; der Soldat nahm an, von unerwarteter Seite sei ihm Waffenhilfe zuteil geworden; die Leute auf der gegenüberliegenden Straßenseite verstanden überhaupt nichts. Der kleine Junge nur, der sein Spielzeug in den riesigen schwarzen Händen verschwinden sah, begann noch lauter zu schluchzen: er hatte sich zuvor beinahe beruhigt und neue Brüllkräfte gesammelt, die jetzt mit voller Stärke ausbrachen.

Der Neger sagte kein Wort. Er stellte das Schaukelpferd auf den Steinboden der Straße; hob den zuerst sich wehrenden, strampelnden Jungen hoch und setzte ihn dann, mit einer ebenso schlichten wie zärtlichen Bewegung auf das sich wild wiegende Pferd. Der amerikanische Soldat, von zwei anderen unterstützt, versuchte zu protestieren. Auf Adams Straßenseite konnte man nicht verstehen, was der schwarze Offizier sagte, aber er ließ sich sichtlich auf keine Argumente ein, sondern warf ruhig und überlegen das Gewicht seiner silbernen Plättchen in die Waagschale. Achselzuckend zogen sich schließlich die G.I.s zurück.

Der Neger beugte sich nieder zu dem Kind auf dem Schaukelpferd. Auf den Wangen des kleinen Jungen waren die Tränen schnell getrocknet. Er lachte. Der Neger, in Kniebeugestellung, gab dem Pferd neuen, schaukelnden Antrieb. Jetzt lachten beide, der Junge und der Neger. Dann erhob sich der Offizier, nahm den Jungen in den einen und das Schaukelpferd in den anderen Arm und brachte sie beide zu dem wartenden, schwarzen Wagen.

In diesem Augenblick, in dem er sich, ohnedies verspätet, entfernen wollte, wurde Adam der Frau gewahr, die neben ihm, mit angehaltenem Atem und sich befreiender Spannung, die Szene beobachtet hatte.

„Elisabeth!" sagte Adam. „Was machen Sie hier?"

„Ich bin etwas spazierengegangen", sagte die Frau und reichte dem Arzt die Hand.

„Ich meine, seit wann sind Sie in München?"

„Seit Weihnachten."

„Und Sie haben mich nicht aufgesucht?" Er nahm sie unter den Arm. „Ich muß jetzt leider auf das Militärgericht. Begleiten Sie mich. Es wird sicher nicht lange dauern."

Keinen Widerspruch duldend, zog er sie mit sich. Vor dem Haus des Militärgerichts blieb er stehen.

„Ich muß mich dringend mit Ihnen unterhalten, Elisabeth", sagte er. „Sie dürfen mir jetzt nicht davonlaufen. Dort drüben ist eine Konditorei, oder was sich ironisch so nennt. Dort setzen Sie sich jetzt schön hin und warten, bis man mich wieder in Gnaden entläßt."

Noch ehe sie widersprechen konnte, war er verschwunden. Eine Stunde später kam er triumphierend zurück.

„Diesmal bin ich mit der Bürokratie ganz gut fertig geworden", sagte er. „Sie nahmen meine Aussage zu Protokoll und ließen mich wieder laufen."

„Was haben denn Sie verbrochen?" fragte Elisabeth.

„Nichts Besonderes", sagte Adam. „So etwas Ähnliches wie vorhin der Negerleutnant."

„War das nicht eine beglückende Szene?" sagte Elisabeth. „Um nichts in der Welt möchte ich sie missen." Sie hielt plötzlich inne. „Mißverstehen Sie mich nicht, Doktor Wild . . ."

Er sah sie fragend an. „Warum sollte ich Sie mißverstehen?"

Sie senkte die Augen und begann nervös mit dem leeren Zuckerbehälter zu spielen, der vor ihr auf dem Tisch stand.

„Ich verstehe, daß die Menschen aus ihren Häusern müssen", sagte sie.

„So", sagte Adam, „und warum finden Sie das verständlich?"

„Wie viele tausend Menschen haben wir auf die Straße geworfen", sagte sie. „Nur kamen sie bei uns gleich ins Gefängnis oder ins Konzentrationslager."

„Soll das ein Grund sein, Schaukelpferde zu requirieren?"
sagte Adam. „Einmal muß der Unsinn doch aufhören."

„Das fällt uns aber erst ein, seit wir besiegt sind", sagte
Elisabeth.

„Es ist manchem schon früher eingefallen", sagte Adam
„Außerdem stört mich die Ungerechtigkeit erst in zweiter
Linie ihrer selbst halber. Sie hat leider die Wirkung eines
Freispruchs. Natürlich haben Sie recht: die Alliierten können gar nichts tun, was auch nur annähernd so schrecklich
wäre wie das, was hier begangen worden ist. Aber was
glauben Sie ging in den Leuten vor, die in der Theresienstraße Zeugen dieser Szene geworden sind, ehe der Neger
eingriff? Die anderen sind auch nicht besser, das denken
sie, das heißt, jene unter ihnen, die sich überhaupt einer
Schuld bewußt sind. Die Ungerechtigkeit der Sieger über-
deckt die Schuld der Besiegten, das habe ich an ihr auszu-
setzen, meine liebe Elisabeth, so wahr ich davon überzeugt
bin, daß wir zum Teufel gehen werden, wenn wir nicht aus
eigenen Stücken bekennen, was wir getan haben. Sie fragten mich vorhin, was ich verbrochen habe, um mit dem
Militärgericht in Konflikt zu geraten? Nun, was immer es
gewesen sein mag, ich habe seither allerhand Applaus von
der falschen Seite geerntet, und ich könnte davonlaufen
vor solchem Beifall und mißverstandener Solidarität. Ich
habe so wenig Sympathie für die Lumpen, die uns verdorben haben wie eh und je, und was ich den Eroberern
verüble, sind nicht ihre verhältnismäßig verständlichen
Verfehlungen, sondern ihre verhältnismäßig ungeheure
Dummheit, und daß sie nicht sehen, welchen Gefallen sie
den Verbrechern tun, wenn sie einem unschuldigen Kind
sein Schaukelpferd wegnehmen."

Ganz plötzlich hielt er inne. Er wurde rot, was ihm selten passierte, und weil er sich seines Errötens bewußt
wurde, errötete er noch mehr.

Sie sagte: „Sprechen Sie ruhig weiter, Doktor Wild. Sie
sind der erste Mensch, dem zuzuhören mir seit vielen Monaten wohlgetan hat."

Er sah sie überrascht an.

„Es ist keine Rücksicht, sondern eine Rücksichtslosigkeit,

wenn man sich von einem Krüppel abwendet", sagte sie. „Die Menschen wenden sich ‚rücksichtsvoll' ab, wenn sie meinen Namen hören. Aber das ist nicht das Schlimmste. Auch die Demütigungen sind es nicht. Sondern, wenn es jemand in meiner Anwesenheit nicht wagt, die Verbrecher beim Namen zu nennen. Das ist die mißverstandene Solidarität, von der Sie vorhin sprachen." Sie sah ihm gerade ins Gesicht und sagte: „Halten Sie mich für eine Nationalsozialistin, Doktor Wild?"

„Ich weiß nicht", sagte er.

„Ich danke Ihnen für Ihre Ehrlichkeit."

„Das ist keine Antwort."

„Weil es keine Antwort gibt", sagte sie. „Aber wenn Sie zuhören, will ich Ihnen etwas erzählen."

„Natürlich", sagte er.

„Es war im Sommer 1943", begann sie. „Zutraven war damals Gouverneur in Frankreich. Ich brauchte Erholung. Zu viel war geschehen, das mich in Verwirrung gestürzt hatte. Ich wollte weg aus dem besetzten Land, das mein Mann mit Hilfe französischer Verräter regierte. Ich fuhr zu Freunden nach Holland. Aber es gab kein Entrinnen; noch gehörte uns ja halb Europa. Der dortige Gouverneur, ein Österreicher, gab mir zu Ehren einen Empfang; dem konnte ich mich nicht entziehen, obwohl mir dieser Teufel in der Gestalt des ewig sitzengebliebenen Studenten zutiefst widerlich war. Die Frau eines Beamten des Gouverneurs erzählte mir, man könne im Haag billig Gold kaufen; es sei sozusagen eine Okkasion. Ich sagte gedankenlos, mehr der Konversation halber, daß es mich interessiere, und prompt holte sie mich am folgenden Nachmittag im Wagen des Gouverneurs ab. Schon auf der Fahrt überkam mich ein unbehagliches Gefühl, denn wir fuhren durch Vorstädte, ein Arbeiterviertel, Straßen, die nicht so aussahen, als ob sie einen Juwelierladen beherbergten. Vor einem Schulgebäude aus roten Ziegeln hielten wir endlich. SS-Leute bewachten das Gebäude. Wir stiegen die Treppen hinauf, an ausgestopften Tieren und Schmetterlingskästen vorbei; die Frau immer voran; ich verstand immer weniger. Dann betraten wir ein Klassenzimmer. Es war ein gewöhn-

liches Klassenzimmer, mit Landkarten und naturgeschicht-
lichen Abbildungen an den Wänden, mit Schulbänken und
einem Podium und einer schwarzen Tafel. Auf den Pulten
aber, über Tintenfässer und Tintenflecken lagen, säuberlich aufgereiht ..." – sie unterbrach sich, sammelte ihre
Kräfte und fuhr fort – „ ... goldene Zähne. Hunderte von
goldenen Zähnen, Doktor Wild, vielleicht Tausende." Ihre
Stimme versagte. Noch einmal nahm sie sich zusammen:
„Satanisch war die Ordnung, Doktor Wild. Einzelne Gruppen von Zähnen waren zu ganzen Gebissen zusammengestellt, im Halbkreis lagen sie da, sie fletschten einen geradezu an, die Zähne der toten Juden, die man in den KZs
vergast hatte. An den Gebissen waren Preistafeln angebracht, niedliche Preistäfelchen, und in der Tat, die Preise
waren erstaunlich niedrig. Die Frau des Beamten stand
neben mir und plauderte mit einem SS-Offizier über die
Preise, und sie bemerkte gar nicht, was in mir vorging. Ich
lief aus dem Zimmer, ich rannte die Treppen hinunter,
zum Wagen, die Frau konnte mir kaum folgen; im Wagen
brach ich zusammen und begann zu weinen, und das Weib
verstand immer noch nicht, was geschah."

Sie unterbrach sich, als hätte sie eine Geschichte ohne
Pointe erzählt und als wäre sie sich ihrer Pointelosigkeit
erst jetzt bewußt geworden.

„Und was taten Sie dann?" fragte Adam. Es klang streng
und wenig ermunternd.

„Ich flog noch am selben Tag nach Paris zurück. Zutraven war nicht zu Hause. Ich fuhr in sein Büro, verschaffte
mir Eintritt, stellte ihn. ‚Hast du das gewußt?' fragte ich
ihn. ‚Weiß das der Führer?' Er lachte. ‚Du lebst auf dem
Mond', sagte er. ‚Wo gehobelt wird', sagte er, ‚da fallen
auch Späne'. Wörtlich. Späne nannte er das, Millionen er-
mordete Menschen."

„Und?" sagte Adam. „Was taten Sie dann?"

„Was ich dann tat, Doktor Wild, wissen Sie."

„Ich weiß nur, was man von Ihrem berühmten Auftritt
mit Hitler munkelte."

„Das war nicht entscheidend. Was war überhaupt entscheidend? Ich verließ Zutraven nicht, ich floh nicht ins

Ausland. Ich tat, was ich für richtig hielt – und ob es richtig war, weiß ich nicht." Sie ergriff Adams Hand. „Glauben Sie mir, Doktor Wild, Sie glauben mir vielleicht – ich tat, was ich konnte. Ich verhinderte ein halbes Dutzend Judentransporte aus Frankreich. Ich versteckte französische Widerstandskämpfer. In unserem ganzen Haushalt gab es nur noch Männer und Frauen der ‚résistance'. Ich weiß, wie bedeutungslos es war, neben dem Ungeheuerlichen, von dem sie jetzt alle nichts wissen wollen, einschließlich Zutraven, in Nürnberg ..."

„Elisabeth", sagte Adam, „ich will nicht untersuchen, ob Sie recht taten, oder nicht. Es steht mir nicht zu. Aber wollen Sie mir eine Frage beantworten?"

„Ja."

„Wollen Sie wirklich behaupten, daß Sie bis zum Sommer neunzehnhundertdreiundvierzig nicht wußten, was in unserer aller Namen geschah?"

„Ich wollte es nicht wissen, Doktor Wild."

Sie sah ihn an, als wartete sie auf ein Urteil.

„Wir wollten es nicht wissen", sagte er nach einem kurzen Zögern. „Und das Schlimmste ist, daß wir es immer noch nicht wissen wollen." Er ließ ihre Hand nicht los und fuhr plötzlich fort: „Ich habe noch eine Frage, Elisabeth, und ich habe Gründe: es ist wichtig, daß Sie sie beantworten."

„Fragen Sie!"

„Es war zu Anfang des Krieges. Ich ging zu Ihrem Vater. Es handelte sich um eine alte Frau, eine Jüdin. Ihr Mann war ein Kollege Ihres Vaters gewesen. Sie war Ihre Nachbarin. Frau Grün. Ich bat Ihren Vater, bei Ihnen zu intervenieren. Zutraven war damals Reichskommissar. Ist die Intervention zu Ihnen gedrungen? Haben Sie etwas unternommen?"

Frau Grün: der Name der Toten schwebte im Raum der leeren, ungeheizten Konditorei wie ein Gespenst bei einer spiritistischen Séance, sichtbar und unsichtbar, unsichtbar den einen und berührbar beinahe den anderen.

Elisabeth ließ die Hand Adams los.

„Warum fragen Sie?" sagte sie.

„Gleichgültig", sagte er. „Wollen Sie mir antworten?"
Aber sie antwortete immer noch nicht.

„Sie wissen, was geschah?" fragte sie endlich.

„Ja", sagte er. „Sie starb im KZ an Angina pectoris."

Sie sagte: „Mein Vater kam zu mir. Ich ging zu Zutraven. Er sagte, Theresienstadt sei ein Anhaltelager, in dem
Juden vor ihrer Auswanderung versammelt würden. Er
versprach mir, Frau Grün würde eine Sonderbehandlung
erfahren."

„Das hat sie", sagte Adam. „Man hat sie nicht umgebracht. Sie durfte eines natürlichen Todes sterben."

„Das war alles, was ich getan habe", sagte Elisabeth.

Die Tränen rannen ihre Wangen hinunter. Es war, als
weinte sie nicht, denn ihr Körper blieb unbewegt, unbewegt selbst ihr Gesicht. Nur die Tränen rannen über
ihre Wangen. Sie unternahm keinen Versuch, sie einzu-
dämmen oder zu trocknen. Es war nicht einmal sicher, ob
sie wußte, daß sie weinte.

„Franz Grün sucht Sie", sagte Adam. „Deshalb suchte
auch ich Sie."

„Ich weiß", sagte Elisabeth.

„Und . . . ?"

„Ich will ihn nicht sehen."

Adam legte einen Geldschein auf den Tisch.

„Gehen wir", sagte er. „Kommen Sie; ich möchte, daß
meine Mutter mit Ihnen spricht!" Er nahm sie beim Arm,
fast unsanft.

Als sie hinaustraten auf die Straße, fragte er:

„Wo wohnen Sie?"

Sie versuchte ein Lächeln, aber es verrutschte auf ihrem
Gesicht.

„Wo es sich gerade findet", sagte sie.

„Sie können bei uns wohnen", sagte Adam. „Ein Diwan
ist gerade frei geworden." Und als sie zu widersprechen
versuchte: „Wir werden sehen. Vorderhand müssen Sie
einmal mit meiner Mutter sprechen."

„Über Franz Grün?" fragte sie abwehrend.

„Vielleicht", sagte Adam.

„Es hat keinen Sinn", sagte Elisabeth. „Es läßt sich nicht

gutmachen. Was mit seiner Mutter geschah, wird ewig zwischen uns stehen."

„Ich weiß", sagte Adam. Aber er wußte auch, daß sie sich verraten hatte ...

Der Gouverneur gibt eine Party

Colonel Hunter konnte es sich schwer erklären, denn wenig wußte er von Frauen und ihren überraschenden Reaktionen, warum Betty beinahe widerspruchslos nachgab, als er ihr am Morgen nach ihrer Ankunft erklärte, daß er nicht bereit sei, ihre Forderung zu erfüllen.

„Es tut mir leid, Betty", sagte er, als sie das Frühstück zusammen einnahmen, „aber ich habe nicht die Absicht, dich und mich lächerlich zu machen – und auch eine evidente Ungerechtigkeit zu begehen, widerstrebt mir. Ich werde Fräulein von Artemstein nicht entlassen."

Betty Hunter war, das ahnte der Colonel nicht, dankbar, daß er so sprach. Sie hatte ihre übereilten Worte vom Vorabend bereut. In den langen Jahren ihrer Ehe hatte ihr Hunter keinen Anlaß zu Mißtrauen gegeben, und sie war beschämt, daß sie sich bei der ersten, zweifelhaften Gelegenheit zu einer so lebhaften Äußerung mangelnden Vertrauens hatte hinreißen lassen.

Nüchterne Überlegungen gewannen nun die Oberhand. War das Kindermädchen die Geliebte ihres Mannes, dann konnte er seine ehebrecherischen Beziehungen ebensogut oder leichter außerhalb der vier Wände seines Heimes fortsetzen. Er würde, so dachte Betty, ihrem Wunsch gerade dann nachgeben, wenn er wirklich etwas zu verbergen hatte.

Auf der anderen Seite ließ sich der seltsame Weihnachtsbrief nicht aus der Welt schaffen. Auch was man in Amerika von deutschen Frauen gehört hatte, die es darauf anlegten, amerikanische Männer zu erjagen; was man vernommen hatte von der leichten Beute, welche die Amerikaner im besetzten Land wurden, war zweifellos wahr. Dennoch erwachten in Betty, nachdem ihr erster Zorn verflogen war, ihre verschütteten weiblichen Instinkte. Diese Instinkte sagten ihr, daß zwischen ihrem Mann und der Gräfin nichts vorgefallen sei, noch nichts, daß ihre Ankunft vielmehr eine keimende Gefahr, für den Augenblick zumindest, erstickt habe. Gewiß waren die Absichten der deutschen Frau, die sich in ihr Heim eingeschlichen hatte, unmoralischer Natur. Aber in Betty Hunter lebte noch etwas von dem Geiste der amerikanischen Pioniersfrauen, die ihre Männer vor drohenden Gefahren zu behüten verstanden. Der Gedanke, daß ihr Mann ein noch so zaghafter Verführer sein könnte, kam ihr nicht: nur der Verführte konnte er sein, und ihre Aufgabe war es also, ihn vor der Verführung zu schützen. Auch die Waffen zu strecken, entsprach nicht der Tradition, die Mrs. Hunter hochhielt. In dieser ersten, schlaflosen Nacht im fremden Haus kam Betty zu dem Schluß, daß sie ein oft hartes und freudloses Leben an Grahams Seite nicht verbracht hatte, um sich von einer hübschen Larve so schnell in die Flucht schlagen zu lassen. Sie war eine Soldatenfrau, gewohnt die strategischen Möglichkeiten, die taktischen Kräfteverhältnisse und die Reserven der Arsenale vorsichtig abzuschätzen. Die andere Frau war schön und jung, hier zu Hause und wahrscheinlich zum Äußersten entschlossen – aber sie, Mrs. Graham T. Hunter, vertrat das siegreiche Amerika, die Heimat, die Familie, die Vergangenheit und wahrscheinlich auch die Zukunft. Die Feindin, denn das war Marianne von Artemstein zweifellos, im Auge zu behalten, war also klüger als eine frühe Entscheidung gewaltsam heraufzubeschwören – sie war schon entschlossen, einen taktischen Rückzug anzutreten, als sie der Colonel dieser Notwendigkeit enthob.

Von diesen überlegten und zugleich weiblichen Erwägungen wußte Hunter nichts, aber mit wachsendem Erstaunen verfolgte er die Entwicklung in seinem Heim.

Betty legte ein eigenartiges, dem Colonel fremdes Verhalten an den Tag. Sie erschien schon zum Frühstück, was sie seit Jahren nicht getan hatte, sorgfältig gekämmt und hergerichtet; sie rief ihn während des Tages mehrere Male ohne besonderen Anlaß zu freundlicher Erkundigung an; sie kümmerte sich, seit Jahren zum erstenmal, um sein persönliches Wohlbefinden und Wohlbehagen mehr als um die Kinder, denen allein sie sich sonst widmete; sie stellte, und dies fiel ihm am meisten auf, keine vorwurfsvollen Fragen über seine Position und die unwahrscheinlichen Möglichkeiten seiner Beförderung. Beschränkte sie ihre Zärtlichkeiten im ehelichen Schlafzimmer auch auf jenes Maß, das seit langem das Maß ihrer Ehe geworden war, so demonstrierte sie in der beschränkten Öffentlichkeit ihres Hauses doch eine Zärtlichkeit, die er seit Jahren vermißt oder, richtiger, zu vermissen allmählich vergessen hatte.

Marianne von Artemstein, auf der anderen Seite, nahm den Fehdehandschuh in ebenso weiblich instinktiver Abwehr auf. War sie je darauf aus gewesen, den Colonel als Mann zu erobern, so hatte sie ihre Truppen offenbar umgruppiert, und sie marschierten in entgegengesetzter Richtung, in der Mrs. Hunters. Soweit dies möglich war, ohne Mangel an Höflichkeit und Respekt zu bezeugen, übersah sie ihren Brotgeber und widmete sich ausschließlich ihrer Herrin. Sie gab nicht nur den Kindern, sondern auch Betty geduldige und geschickte Deutschlektionen; sie zeigte Mrs. Hunter die Stadt München und deren Umgebung; sie erschloß der kaufbegierigen Frau eine Reihe von ungewöhnlichen Quellen, und brachte Händler ins Haus, die Lederhosen, Maßkrüge, Münchner-Kindl-Puppen, Nymphenburger Porzellan, Lodenmäntel und andere bayerische Herrlichkeiten feilboten. Sehr zum Mißbehagen und auch zur Enttäuschung des Colonels, der vor solchem Schacher Ohren und Augen verschloß, wußte die Gräfin auch Stangen von Zigaretten, P.X.-Kaffee und Besatzungsgeld in mild-illegaler Weise bestens zu nutzen, niemals für sich selbst, sondern so, daß die verschiedenen Sammlungen, die Mrs. Hunter in neu erwachter Leidenschaft anlegte, ohne größere Geldausgaben schon in kurzer Zeit zu beachtlichen Dimensionen anschwollen.

Der vor seinem eigenen privaten Dasein längst müde gewordene und widerstandslos resignierende Colonel aber fühlte sich mit wachsender Überraschung in den Mittelpunkt einer unterirdisch gärenden weiblichen Intrige gestellt, und er wäre kein Mann gewesen, hätte er nicht von dem zwar trüben, turbulenten und beunruhigenden, aber auch erfrischenden Wassern des Jungbrunnens gekostet, den solche Werbung erschlossen hatte.

An diesem Abend kamen Hunter die geänderten Verhältnisse seines Daseins besonders deutlich zum Bewußtsein. Er saß in seiner besten Uniform, mit allen seinen Orden angetan, flüchtig in der Armeezeitung „Stars and Stripes" blätternd, im Salon, während sich oben Mrs. Hunter zum Ausgehen vorbereitete. Der Militärgouverneur des Landes und Hunters Vorgesetzter, Generalleutnant Theodore E. MacCallum, hatte auf Schloß Seehöhe, seiner privaten Residenz, zu einer Abendgesellschaft gebeten, und Betty war im Begriffe, ihr Abendkleid anzulegen. Sie ließ sich dabei, Hunter wußte es, von Marianne beraten, bis in die kleinste Einzelheit von Blume und Schmuck und Schminke, und als sie endlich das Wohnzimmer betrat – viel zu spät, was ihren Gewohnheiten fremd war –, war der Colonel sprachlos vor der eleganten und, wie ihm schien, jugendlich veränderten Frau. Wäre ihr Marianne, den Mantel der Herrin über dem Arm, nicht bis in den Salon gefolgt, hätte Hunter seinem Gefallen zweifellos in einem Kompliment Ausdruck verliehen, aber er vermochte es nicht in Anwesenheit des Kindermädchens: er registrierte ärgerlich, daß er sich tatsächlich benahm, als müßte er die Gefühle einer Geliebten schonen.

Erst im Wagen, der durch den Winterabend dem Starnberger See zustrebte, an dessen Ufern das historische Ludwigs-Schloß lag, in dem der Militärgouverneur residierte, holte der Colonel das Versäumte nach – mit schüchterner Zärtlichkeit nahm er die Hand seiner Frau und pries ihr Kleid und ihr vorzügliches Aussehen.

Alle Fenster des Schlosses waren hell erleuchtet und Dutzende von Armeewagen standen in dem großen Hof, der in seiner versteinerten Pracht an die Tage des wahnumwölkten und romantischen Wittelsbachers gemahnte. Daß in diesem Schloß, mit seinen Zinnen und Türmen, seinen Freitreppen und seinen Wendeltreppen, seinen Gemächern und Kammern, dem steingewordenen Traum eines extravaganten und kunstliebenden Königs, gerade ein amerikanischer General Hof halten sollte, war nicht absonderlich, denn gerade dieses Schloß, kurios für seine Landsleute und die meisten Europäer, entsprach völlig den Vorstellungen, die sich MacCallum und die Amerikaner von dem romantischen Europa machten.

Mehrere Dutzend Gäste hatten sich zu dem „Buffet supper" des Generals eingefunden, einer nicht nur an Dimensionen ungewöhnlichen Angelegenheit, sondern ungewöhnlich auch, weil der General zum erstenmal Amerikaner und Deutsche gemeinsam zu Gaste sah. Der Generalleutnant und Mrs. MacCallum empfingen ihre Gäste in der Tür des großen, allzu vergoldeten, allzu erleuchteten, allzu royalen Salons: der General in großer Uniform, mit elf Reihen bunter Bändchen auf der immensen Brust, seine Frau jedoch, liebenswürdig von Absicht aber etwas grotesk, in einem schwarzseidenen Dirndl, der stilisierten Tracht der rustikalen Gegend. Mrs. MacCallum küßte Betty auf beide Wangen und zollte ihr ein aufrichtiges Kompliment, das nur durch seine Formulierung unaufrichtig klang – die beiden Damen waren, soweit dies bei dem Altersunterschied und der sehr verschiedenen Abstammung möglich war, herzlich befreundet. Daisy MacCallum war um fünfzehn Jahre jünger als ihr Mann, Ende der dreißig, eine stattliche Blondine; sie war die Tochter eines Plantagenbesitzers aus dem Süden, eines jener „southern gentlemen", deren Familien aus dem Bürgerkrieg ein beträchtliches Vermögen gerettet und den Schrecken der Sklavenbefreiung mit heiler Haut überlebt hatten.

Der General schüttelte Hunters Hand. Sie hatten die Militärakademie von West Point beinahe gleichzeitig absolviert, und der General fühlte sich immer etwas schuldig, daß es der kaum um zwei Jahre jüngere Hunter nur bis zum Colonel gebracht hatte, während seine eigene Schulter drei schmucke silberne Sterne zierten.

„Freut mich, daß du kommen konntest, Graham", sagte der General. „Aber dein Tagwerk scheint nie zu Ende zu gehen. Berlin hat dich auf der Militärleitung bereits zweimal gesucht. Bitte melde dich sprechbereit. Der Leutnant wird dir mein Arbeitszimmer zeigen. Gute Unterhaltung", fügte er hinzu, indem er ein anderes eintretendes Ehepaar willkommen hieß, „– ich sehe dich später."

Der Colonel folgte dem Leutnant in MacCallums Arbeitszimmer, während sich Betty einigen anderen Armeefrauen anschloß.

Daisy MacCallum war, das stellten die Damen neidlos fest, eine vorzügliche Gastgeberin. Das mußte sie auch sein, um diese „party" hausfraulich zu lenken, bei der die Kontraste, die das besetzte Land kennzeichneten, so deutlich zum Ausdruck kamen.

Neben den amerikanischen Offizieren und ihren eingetroffenen Frauen hatten sich hauptsächlich Mitglieder der neugegründeten bayerischen Regierung, sowie bayerische, preußische und schlesische Hocharistokraten eingefunden, die sich der besonderen Gunst des Generals und Mrs. Mac Callums erfreuten. Die amerikanischen Offiziere in ihren schmucken, aber für deutschen Geschmack sehr zivilistischen Uniformen; die bayerischen Minister in ihren einerseits zu weiten und andererseits zu kurzen Anzügen, die Offiziersfrauen in weißen oder pastellfarbenen Tüllkleidern, die provinziell wirkten, aber offensichtlich neu waren; die Aristokratinnen in schwarzer Seide, geschmackvoll aber modeverwelkt; sehr viel echter Schmuck auf Hals und Armen der Besiegtenfrauen, sehr spärlicher Schmuck und meistens falsch um die Dekolletés der Siegerfrauen; Mrs. MacCallum zu allem Überfluß in der dörflichen Tracht – das alles bot ein Bild, das ein zeitgenössischer Maler unter dem Titel „Besatzung 1946" hätte festhalten können.

An der Gastgeberin lag es, die in der Musik des königlichen Saales mitschwingende Atmosphäre unausgesprochener Spannungen mit kluger Hand zu glätten.

Auf der einen Seite fühlten sich die amerikanischen Offiziere und ihre Frauen den deutschen Gästen überlegen, auf der anderen Seite bewegten sie sich unfrei und von unterdrückten Minderwertigkeitsgefühlen geplagt unter den Grafen und Fürsten, Durchlauchten und Hoheiten. Auch die deutschen Gäste waren nicht unbefangen. Eine preußische Prinzessin war in erster Linie gekommen, um einen Oberstleutnant kennenzulernen, der über die Ausreiseerlaubnis für Deutsche zu bestimmen hatte; ein österreichischer Graf hatte die nachbarliche Einladung angenommen, weil er durch die neugeknüpften Beziehungen hoffte, sein Haus am Starnberger See vor der Beschlagnahme zu retten; mehrere Träger vielzackiger Kronen waren einfach hungrig oder durstig. Auch ein Mitglied des bayerischen Königshauses befand sich unter den Gästen, ein Nachfahre des im Starnberger See umgekommenen Bayernkönigs – ein Prinz, der mit einigem Glück in diesem goldüberladenen Hause Gastgeber hätte sein können und nicht ohne bemühte Grazie seine Befangenheit vor der paradoxen Situation überspielte.

Auf beiden Seiten versuchte man, sich so frei und unbefangen wie möglich zu geben, aber auf beiden Seiten scheiterte dieses Bestreben an dem ununterbrochenen Ringen um Würde – daß Titel und Namen sie zutiefst beeindruckten, wollten die republikanischen Sieger ebensowenig zeigen wie es die Deutschen nicht wahrhaben mochten, daß opportunistische Gründe sie in erster Linie hierher geführt hatten. Das krampfhafte Festhalten an der eigenen Würde führte auch zu gegenseitiger, bösartiger, wenn auch nie offen ausgesprochener Kritik – es gereichte den vornehmen deutschen Gästen zu stiller Befriedigung, daß die Amerikaner in den Gesprächen über historische Gegenstände, die der Hintergrund geradezu herausforderte, krasses Unwissen an den Tag legten, während andererseits die Amerikaner nicht unhämisch den schwer beherrschten Appetit der aristokratischen Gäste registrierten. Politischen Unterhaltungen über den beendeten Krieg ging man allerdings aus dem Weg, denn über den invitierten Deutschen, so unschuldig sie individuell sein mochten, schwebte die Anklage der Kollektivschuld, während sich die Sieger allesamt als Gastgeber fühlten, denen es nicht anstand, die Gäste an die Schmach ihrer Nation zu erinnern. Kam man dennoch, wie dies zuweilen unvermeidlich war, auf das Dritte Reich und den Krieg zu sprechen, dann nahm man Zuflucht zu gewissen bewährten Gesprächsfloskeln – daß, zum Beispiel, Hitler seine Nation ebenso verdorben habe wie die Welt; daß es Wahnsinn gewesen sei, die schönen Brücken über den Autobahnen noch im letzten Moment zu sprengen, oder daß man sich über die Unversehrtheit dieses oder jenes Domes aufrichtig freue: harmlose Themen verhältnismäßig, auf die man sich ohne Schwierigkeiten zu einigen vermochte.

Jeder Befangenheit bar war in dieser Umgebung vielleicht nur Walter Wedemeyer, Eigentümer der „Mücke", Villenbesitzer am Starnberger See, selbst weder Amerikaner noch Regierungsmitglied noch Aristokrat, der die ehrende Einladung dem Umstand verdankte, daß ihn ein höherer Offizier eines Tages beim General eingeführt hatte, dem er seine Zauberkunststücke vorführen durfte. Der General hatte an Wedemeyer sogleich, wie man sagt, „einen Narren gefressen". Diese Sympathie ging über die Bewunderung für den König der Amateurzauberer hinaus, vielmehr wurde der General selbst von Zauberleidenschaft befallen, und er ergriff die sich bietende Gelegenheit, das Handwerk des Magiers zu erlernen. Hüten die meisten Zauberkünstler auch ihre Kniffe und Griffe als strenges Berufsgeheimnis, so sah der besiegte Magier doch ein, daß es ein guter Handel sei, wenigstens einen Teil seines fingerfertigen Blendwerks mit dem siegreichen General zu teilen, und zweimal in der Woche erschien nun Wedemeyer, ein schwarzes Köfferchen in der Hand, im Ludwigsschloß, wo er dem Gouverneur magische Privatstunden erteilte.

Auch heute sollte Wedemeyer, es war als Höhepunkt des Abends gedacht, die vollendeten Künste, die auch seinem gelehrigen Schüler noch fremd waren, den Versammelten vorführen: inzwischen hatte er sich aber nutzbringend betätigt, indem er vier ausgezeichnete Musiker herbeischaffte, die jetzt im großen Salon zum Tanz aufspielten. Musik und Tanz lösten die Spannungen: die Frauen der Offiziere, meistens aus Kleinstädten des amerikanischen Südens, fanden es reizend, mit Trägern unaussprechlich nobler Namen zu tanzen, die Aristokratinnen wiegten sich nicht ungern in den Armen der uniformierten Naturburschen aus Texas, Nebraska und Georgia.

Beim Büfett, auf dem die kulinarischen Wunderdinge

der Armee großzügig aufgehäuft waren, stießen Hunter und MacCallum wieder aufeinander.

„Hast du mit Berlin gesprochen?" fragte der General.

„Noch nicht", erwiderte der Colonel. „Die Leitung ist gestört. Ich habe sagen lassen, daß ich hier zu erreichen bin."

Der General, sein Whiskyglas in der Hand, nickte. „Wenn ich dich den Damen entführen darf", sagte er, „ich möchte mich ein paar Minuten mit dir unterhalten."

Hunter folgte dem General in sein Arbeitszimmer, das sich an den großen Salon anschloß und dessen weiße, mit goldener Stukkatur verzierte Flügeltür halb offen stand.

Der General wies auf einen Sessel neben dem großen, schwarzlackierten Schreibtisch.

„Da ist das Telefon gleich zur Hand", sagte er.

Hunter setzte sich nieder. Es fiel ihm auf, daß das Feldtelefon, ein handlicher Apparat in einer Lederkassette, mit der antiken Einrichtung merkwürdig kontrastierte.

„Man hat ja im Büro nie Zeit", fuhr der General fort. „Ich wollte seit Tagen mit dir über dieses sogenannte Entnazifizierungsgesetz sprechen. Ich nehme an, daß du die neuen Verordnungen verstehst; ich verstehe von dem Ding nämlich kein Wort."

Er ging mit großen Schritten im Zimmer auf und ab. Er war ein Mann von etwa fünfundfünfzig Jahren. Seine Brust, einen Brustkasten in der Tat, zierten unzählige Orden, die sich der General in heißen Panzerschlachten erworben hatte. Er wirkte allmählich selbst wie ein Panzer. Daß er Gouverneur des besetzten Landes Bayern geworden war, hatte vorwiegend militärische Ursachen: seine Panzer waren aus dem Süden nach Deutschland vorgestoßen, und man sah keinen Grund, warum man ihm nicht die politische Verwaltung des eroberten Landes anvertrauen sollte. Den Amerikanern, in Amerika besonders, gereichte es zudem zur Beruhigung, MacCallum in Deutschland zu wissen, denn der General war ein Nationalheld, an dessen Namen sich manche kriegerischen Legenden knüpften, denen sich farbfrohes Wesen immer wieder neue Nahrung lieferte. Laut und grob, zugleich aber jovial und kameradschaftlich, machte MacCallum insbesondere von dem Recht

274

amerikanischer Generale, jede beliebige Uniform zu tragen, reichlich Gebrauch, und seine Untergebenen vergnüg-
ten sich damit, zu erraten, was für ein neues Kostüm „Ted"
morgen zur Schau stellen werde. Auch heute trug er zu
den vorschriftsmäßigen hellgrauen Hosen mit der dunkel-
grünen Jacke einen Ledergürtel samt Ledergurt um die
Schultern: eine schmucke und unpraktische Tracht aus dem
ersten Weltkrieg, wie sie einst den unsterblichen Helden
Pershing geziert hatte.

„Was soll das ganze Gesetz", begann der General. „Man
sollte ein paar tausend Lumpen an die Wand stellen und
die anderen verhungern lassen. Male dir bloß aus, was geschehen wäre, wenn das Pack den Krieg gewonnen hätte!
Ich würde längst an einem Kandelaber baumeln, und du
säßest für Lebzeiten hinter Gittern. Und was tun wir? In
Nürnberg verhandeln wir bis zum Jüngsten Gericht, und
ich soll jetzt aus Deutschen ‚Spruchkammern' zusammen-
stellen, die andere Deutsche ‚gerecht' aburteilen. Ich erkläre dir, die Herren in Washington haben Kartoffelkäfer
im Kopf, wenn sie überhaupt etwas im Kopf haben. Man
hat ein großes Theater gemacht, weil ich die Deutschen von
Dachau ein paarmal durch das Konzentrationslager defilie-
ren ließ, aber eigentlich sollte man jeden Tag ein paar tausend Amerikaner durchs Lager marschieren lassen, damit
ihnen die gottverdammte Humanitätsduselei vergeht."

Hunter hatte aufmerksam zugehört. An dem auf und ab
marschierenden General vorbei blickte er hinaus in den
Salon, um dessen Büfettisch sich jetzt die gierigen Gäste
drängten. Einen Augenblick lang trat die Versuchung an
ihn heran, den General zu fragen, ob er die Deutschen auf
diese Weise verhungern lassen wolle, aber er sagte nur:

„Ich weiß nicht, Ted. Vielleicht denken sie sich doch
etwas dabei, in Washington. Ich freue mich, daß du mit mir
sprichst. Ich soll doch jetzt diesen General Stappenhorst
ausgraben, der die Abwehr Ost geleitet hat. Es ist ihm sogar Straffreiheit zugesichert worden. Glaubst du, daß uns
die Russen in den Rücken fallen wollen?"

„Das ist schon möglich", sagte MacCallum und setzte seinen Panzervormarsch durch das Arbeitszimmer fort, „und

ich hätte, weiß Gott, nichts dagegen. Ich war so schön in Schwung, als mich die Idioten aufgehalten haben, ich hätte gleich bis Moskau vorstoßen können. Meinethalben kann es morgen wieder losgehen, schließlich sind die Bolschewiken nicht besser als die Nazis. Aber dazu brauche ich doch nicht diese Krüppel-Armee! Die Deutschen möchten sich ihre Häuser doch nur wieder von den Russen aufbauen lassen und ihre Teppiche zurückstehlen. Natürlich wäre Deutschland heute ein fabelhaftes Aufmarschgebiet, zu zerschmeißen gibts hier ja nichts mehr, aber man soll mir bloß nicht zumuten, mit dieser Ruine von einer Wehrmacht Krieg zu führen."

„Aber ich werde wohl oder übel die sogenannten Spruchkammern aufstellen müssen", sagte Hunter sachlich.

„Darüber eben wollte ich mit dir sprechen", sagte Mac Callum. „Stell auf, was du willst, aber verschone mich mit den Einzelheiten. Und vor allem will ich keine Weichlinge in den gottsverfluchten Spruchkammern, die jeden Deutschen gleich weißwaschen. Ob du einen Rechtsanwalt oder einen Straßenkehrer hinsetzt, ist mir gleichgültig, aber ich will Leute sehen, die durchgreifen."

„Ich verstehe", sagte Hunter. Draußen spielte wieder die Kapelle. Weißer Tüll und glatte Uniformen und alte Smokings flitzten an der offenen Tür vorbei. Er fragte: „Und dieser General Stappenhorst ...?"

„Von dem will ich schon gar nichts wissen", sagte Mac Callum. „Wenn es nach mir ginge, hätte ich den Kerl längst einkassiert und an dem ersten besten Baum aufgehängt. Ich habe dir die Weisung weitergegeben, die Klubsessel-soldaten in Washington haben sich ihn ja ausgesucht. Mach, was du willst; ich will mit dem faulen Zauber nichts zu tun haben." Er blieb stehen. „Übrigens, Graham, ich habe dich zur Beförderung vorgeschlagen. Was die im Pentagon mit meinem Vorschlag machen, weiß ich natürlich nicht; vielleicht glauben sie, du hast zu viel Pulver gerochen und bist schwarz im Gesicht und sie schicken mir einen von ihren eigenen Hosenscheißern. Aber meines Erachtens solltest du den Stern längst haben, und ich will nicht Mac Callum heißen, wenn du ihn nicht bekommst."

Hunter stand auf.

„Ich danke dir, Ted", sagte er.

„Nichts zu danken, Graham", sagte der General. „Erstens verdienst du es, und zweitens handle ich in meinem eigenen Interesse." Er lachte. „Mir ist es lieber, ein Brigadier macht den Dreck. Mir wäre es am liebsten, sie machten dich gleich zum Gouverneur und ich könnte heimgehen und den Burschen einheizen. Zu Hause kann man vielleicht noch etwas ausrichten; hier werde ich bald nichts tun, als den Krauts zum Tanze aufspielen." Er wandte sich der Tür zu. „Na, ich habe dich lange genug in Anspruch genommen. Du mußt dir übrigens diesen Zauberer ansehen, ganz patenter Kerl, du fällst auf den Hintern, was dir der vormacht."

Er winkte dem Colonel zu und verließ das Zimmer.

Hunter konnte ihm nicht gleich folgen. Eine warme Welle überflutete ihn. General Graham T. Hunter! Die längst begrabenen Träume standen auf. Sie waren lebendig begraben worden, diese Träume, und aus Angst, sie tot zu sehen, endgültig und für immer tot, hatte er sich ihrer Gruft nicht mehr genähert. Nun klopften sie am Sarg und waren nicht tot. Sollte er sofort hinauseilen in den Saal, in dem sich die Paare jetzt im Dreivierteltakt wiegten, und Betty suchen und ihr schnell erzählen, was er vom General gehört hatte? Oder sollte er die große Nachricht lieber für sich behalten, um sie nicht aus ihrer Resignation zu schütteln, die er in letzter Zeit beinahe dankbar zur Kenntnis genommen hatte? Er wußte nicht, ob er der frohen Versuchung widerstehen könnte, aber zugleich überkam ihn wieder die alte, vertraute Furcht, die Behutsamkeit vor der Enttäuschung.

Solche Zweifel beschäftigten ihn noch, als das Feldtelefon zu läuten begann. Er nahm den zusammenklappbaren Hörer aus der Ledertasche und meldete sich.

„Sind Sie selbst am Apparat, Colonel Hunter?" fragte der Militärtelefonist am anderen Ende.

„Am Apparat", sagte Hunter.

„Berlin ist jetzt da."

Gleich darauf hörte er, wie er erwartet hatte, die Stimme des Majors Frank Green.

„Entschuldigen Sie die späte Störung, Colonel", sagte Frank. „Ich habe also die Garbo gefunden." Garbo war der Codename für die Kommandeuse. „Sie ist mit Verspätung hier eingetroffen, aber sie ist dort, wo wir sie erwartet haben. Nun möchte ich nicht handeln, ehe ich Ihre Instruktionen habe."

„Was wollen Sie wissen, Frank?"

„Die Verbindung zwischen ihr und Gable ist abgerissen." Der Name des zweiten Filmstars war der vereinbarte Codename für O'Hara. „Es ist zweifelhaft, ob wir Gable je überführen können, wenn ich die Garbo jetzt mitnehme."

„Was schlagen Sie vor?"

„Ich habe vor einer Stunde mit dem Büro in München gesprochen. Gable bewirbt sich seit einigen Tagen um eine Berliner Mission. Man sollte die beiden gleichzeitig hochnehmen."

„Was für Garantien haben Sie, daß Ihnen die Garbo inzwischen nicht durch die Maschen schlüpft?"

„Ich arbeite weisungsgemäß mit Captain S. zusammen. Sie steht Tag und Nacht unter Bewachung."

Hunter zögerte einen Augenblick.

„Einverstanden", sagte er schließlich. „Wir können ja Gable hinaufschicken, wann es uns genehm ist. Fliegen Sie morgen früh zurück und berichten Sie mir. Setzen Sie neben S. noch seine zwei Leute ein."

„Schon geschehen, Colonel."

„Danke, Frank. Melden Sie sich bei mir, sobald Sie hier sind."

„Yes, Sir. Gute Nacht."

„Gute Nacht, Frank."

Er legte den Hörer nieder, blieb aber am Schreibtisch stehen. Ein Gefühl des Unbehagens überkam ihn, als wäre die Temperatur seines Körpers plötzlich unter den Gefrierpunkt gefallen. Der Fall O'Hara! Wie würde sich der Fall O'Hara, der unvermeidliche Skandal, auswirken auf seine Beförderung? Ein Offizier des Colonels Hunter im Bündnis mit einer Konzentrationslager-Kommandeuse!

Er wandte sich der Tür zu. Und ehe er sie noch erreichte, hatte er beschlossen, Betty nichts von seinem Gespräch mit

MacCallum zu sagen. In der Tür blieb er stehen. Draußen war die Musik verstummt. Man gruppierte sich um das Podium. Auf dem Podium verbeugte sich ein kleiner, schwarzer Mann, der wie eine große Plastilinfigur aussah. Der General gab das Zeichen zum Applaus.

Frank Green schlägt zurück

Martha Zobel hatte Bohnenkaffee gekocht: der dampfende Kaffeetopf stand auf dem runden Tisch des Wohnzimmers. Sie selbst hatte sich auf Geheiß ihres Verlobten in das anschließende Schlafzimmer zurückgezogen. General a. D. Ferdinand Stappenhorst; der frühere Gestapochef Dieter Griff; der ehemalige Oberstleutnant Wilhelm Gebauer; der einstige Gestapochef von Budapest, Helmuth Hueber, und Obersturmbannführer Gert Mante saßen um den säuberlich gedeckten Kaffeetisch.

Oberst Zobel saß, wie gewöhnlich, in seinem Lehnsessel am Fenster. Das Plüschfauteuil des Wohnzimmers war in den letzten Wochen immer mehr seine Zufluchtsstätte geworden: eine absonderliche Insel in der Flut, die um ihn brandete. Fast den ganzen Tag saß er mit dem Rücken zum Zimmer, und hinter seinem Rücken, im wahrsten Sinne des Wortes, rollte das befremdende Schauspiel ab, das er mit erlahmendem Widerstand über sich ergehen ließ.

Gert Mante war aus der Wohnung, in der er vor Monaten ein Asyl gefunden hatte, nicht ausgezogen, er hatte sich bei den alliierten Behörden nicht gemeldet: er hatte, im Gegenteil, von der Wohnung seines künftigen Schwiegervaters hemmungslos Besitz ergriffen. Er schlief, neben Martha, im Bett des Obersten, und er hatte den überladenen Salon in sein von Tätigkeit pulsierendes Büro verwandelt. Ehemalige Wehrmachtsoffiziere, Gestapoagenten, SS-Leute, frühere Funktionäre des SD gingen im Wohnzimmer des Obersten Zobel aus und ein, als stünde man mitten im Krieg und als hätte der junge Obersturmbannführer mitten in München seinen Gefechtsstand errichtet. Manchmal erschienen die unbekannten Männer schon früh morgens, knarrenden Schrittes, mit dicken Aktentaschen in der Hand; mit knarrenden Stimmen erstatteten sie Gert ihre Berichte, deren Sinn der Oberst nicht verstand; gleich darauf flitzten sie wie hastige Ordonnanzen davon; in einer Ecke des Zimmers wurde schon eifrig verhandelt, während der Oberst noch in Pantoffeln und Schlafrock versuchte, seine eben erst verlassene Ruhestätte auf dem Kanapee eilends in Ordnung zu bringen. Oft blieben die Freunde Gert Mantes bis in die späten Abendstunden; sie saßen über Akten gebeugt oder diskutierten laut und ungeniert; zum Schneiden war dann der Rauch im Zimmer; der Oberst aber saß abgekehrt am Fenster, starrte hinaus in die Dunkelheit und kam sich immer mehr vor, als wäre er nur noch das Gemälde des verstorbenen Obersten Werner Zobel, das stumm und taub und vergessen an der Wand seiner ehemaligen Wohnung hing.

Sein künftiger Schwiegersohn und dessen Freunde übersahen ihn mit respektierlicher Gleichgültigkeit oder frechem Takt. Wenn neue Besucher erschienen, was fast täglich geschah, wurden sie dem Oberst vorgestellt, meistens so, daß sein eigener Name laut ausgesprochen, der Name des Besuchers jedoch undeutlich hingemurmelt wurde. Gert Mante unternahm keinen Versuch, ihm etwas zu verheimlichen oder ihn heranzuziehen, und Martha, die ihn anfangs zu begeistern versucht hatte, behandelte ihn von Tag zu Tag deutlicher als einen alten Sonderling, den zu stören kein Anlaß bestand, wenn er sich selbst nicht störend bemerkbar machte.

So oft er es vermochte, verließ der Oberst das Haus, um ausgedehnte Spaziergänge in der winterlichen Stadt zu unternehmen oder seine spärlichen Rationen aus den leeren und überlaufenen Geschäften abzuholen. Er stand stundenlang Schlange vor einem Laden, unterhielt sich mit den anderen Wartenden; solche Ausgänge wurden ihm, merkwürdig genug, zur einzigen Erholung, denn unter den Hausfrauen, Pensionisten, Beamten hatte er wieder das Gefühl, lebendiger Teil einer leidenden aber lebensechten

Gemeinschaft zu sein, statt Zuschauer einer Welt von geschäftigen Gespenstern. Mit dem Rest der Hartnäckigkeit, die den Regimentskommandeur einst ausgezeichnet hatte, klammerte er sich an äußere Formen: er bestand darauf, nichts zu essen als seine eigenen Rationen, nichts zu rauchen als seine zwanzig Zigaretten im Monat und den Bohnenkaffee nicht anzurühren, dessen Geruch ihm Tag und Nacht in die Nase stieg.

Auch an diesem Abend hielt sich der Oberst von der Konferenz abseits, die im Salon stattfand. Wenn die Herren um den Kaffeetisch zuweilen ihre Stimmen senkten, einen verstohlenen Blick des gegenseitigen Einverständnisses nach dem Versteinerten werfend, der in seinem Fauteuil saß, so war ihre Vorsicht unbegründet, denn der Oberst hatte sich geübt in der Kunst des Nichtzuhörens; ja, es geschah ihm zuweilen, daß er aufschreckte, wenn ihn jemand ansprach, so sehr vertieft war er in seine um die gleichen Punkte kreisenden Gedanken, in Erinnerungen echter Friedenstage und der Kriegszeit, und in die Visionen geschlagener Schlachten, die reitenden Geistern gleich hinzogen über die Ruinen, auf die er hinaussah.

Der General, der, wie immer, die Besprechung leitete, sprach im übrigen nicht aus Rücksicht auf den Oberst so ungewöhnlich leise, auch nicht aus Mißtrauen: beinahe flüsternd zu sprechen war seine Art, als wollte er seinen Zuhörern bedeuten, daß sie ihn nur vernehmen könnten, wenn sie in vollständiger Stille verharrten.

Er war ein Mann von höchstens vierzig, und man hätte ihn auch nicht für mehr gehalten, obwohl sein Schädel so absolut kahl war, daß ihn nicht einmal der übliche Schatten verlorener Haare umrandete. Er hatte ein schmales, längliches Gesicht, das fast ebenso kahl war wie sein Schädel. Er hatte beinahe keine Augenbrauen, beinahe keine Lippen, beinahe keine Ohren. Hätte sich der General eine Perücke über seine charakteristische Glatze gestülpt, man hätte seiner auch mit Hilfe eines noch so präzisen Steckbriefes kaum habhaft werden können.

„Meine Herren", sagte der General, „es ist so weit. Captain Green dürfte im Laufe des Abends aufkreuzen. Wir sollen nächste Woche unsere Büros beziehen und mit dem Ernst der Arbeit beginnen. Ich habe eine Reihe von Bedingungen ausgearbeitet, unter denen wir endgültig bereit sind, die deutsche Abwehr aufzustellen. Der bisherige Zustand muß selbstverständlich aufhören: wir haben den Amerikanern bereits unschätzbare Dienste geleistet, ohne ihnen die Einseitigkeit unserer Beziehungen entsprechend deutlich zu machen."

Um den Tisch ging ein Murmeln der Zustimmung. Der General griff nach einem Papier, das vor ihm auf dem Tisch lag und begann seine Bedingungen zu verlesen:

„Erstens: Die neue Abwehr wird unter deutscher Leitung stehen und ausschließlich Deutsche beschäftigen. Zweitens: Über die Personalpolitik bestimme ich allein. Drittens: Sämtliche Mitglieder meines Amtes erhalten sofortige Amnestie. Viertens: Dem Amt wird ein noch zu bestimmendes Dollarbudget zur Verfügung gestellt, über dessen Verwendung ich allein zu bestimmen habe. Fünftens: Die Tätigkeit der Organisation richtet sich ausschließlich gegen den Osten, sie nimmt an keiner Aktion teil, welche zur Diffamierung von Deutschen oder den Angehörigen der Hilfsvölker wegen Handlungen oder Funktionen im Dritten Reich führen könnte." Der General setzte ab. „Bin ich verstanden worden, meine Herren?"

Die Herren nickten. Nur Gert Mante fragte:

„Glauben Sie, Herr General, daß die Amerikaner diese Bedingungen annehmen werden?"

„Selbstverständlich", sagte der General. Über seine nackten Züge ging ein Lächeln. „Es handelt sich hier um eine Art, sagen wir, bedingungslose Kapitulation. Die Amerikaner haben keine Wahl. Sie stehen einem neuen Feind gegenüber, von dem sie so gut wie nichts wissen. Die landesverräterische Regierung Roosevelt hat es absichtlich verabsäumt, die Abwehr Ost auszubauen. Auch bei angestrengtester Arbeit von zehn Jahren könnten die Amerikaner keinen Geheimdienst aufziehen, welcher der Abwehr das Wasser reichen würde, die ich ihnen innerhalb von sechs Monaten aus dem Boden stampfen kann. Mit Ihrer Hilfe, meine Herren, können wir einen beträchtlichen Teil unserer alten Leute wieder ausfindig machen und einstellen."

Für einen Moment herrschte Stille. Dann sagte Mante: „Gestatten Sie mir eine weitere Frage, Herr General. Glauben Sie an einen ehrlichen Gesinnungswechsel der Amerikaner? Welche Garantien haben wir, daß uns die Amerikaner nicht ausnützen und dann zum alten Eisen schmeißen?"

„Der Krieg mit der Sowjetunion ist unvermeidlich, Herr Obersturmbannführer", erwiderte der General. „Das weiß ich besser als es den Amerikanern selbst klar ist. Eine Abwehr ohne Armee ist selbstverständlich genau so ein Unding wie eine Armee ohne Abwehr. Ich würde niemals meinen Dienst für die Amerikaner organisieren oder ihn den Amerikanern zur Verfügung stellen, wenn ich nicht wüßte, daß das Amt Stappenhorst innerhalb der kürzesten Zeit Teil der neuen deutschen Wehrmacht sein wird. Meine Garantie sind nicht die Amerikaner, sondern die eisernen Notwendigkeiten der Zeit. Meine Garantie ist die Wehrmacht."

Gert Mante war unter den Männern um den Kaffeetisch der einzige, der früher nicht zu den engsten Mitarbeitern Stappenhorsts gehört hatte. Er war der einzige, der zuweilen einen skeptischen Gedanken einzuwerfen wagte.

„Ich zweifle nicht an Ihrer Voraussicht, Herr General", sagte er. „Ich gebe nur zu bedenken, daß die sogenannte Entmilitarisierung gegenwärtig mit beschleunigter Energie vorangetrieben wird."

Der General neigte sich leise vor, korrekt und höflich, als wollte er bekunden, daß er klugen Einwänden stets zugänglich war.

„Sie müssen die Dinge im großen Konzept sehen, meine Herren", sagte er. „Amerika ist eine Demokratie, in der der Pöbel regiert. Der Pöbel fordert gegenwärtig die Zerschlagung des deutschen Militärapparats. Zugleich verlangen die amerikanischen Mütter aber die Heimkehr ihrer ‚boys'. Mit der deutschen Wehrmacht zerschlagen die Amerikaner also gegenwärtig auch ihre eigene Wehrkraft. Die Amerikaner, die den Krieg ausschließlich durch ihre materielle Überlegenheit gewonnen haben, können es sich zur Not leisten, so dumm zu sein, wie es dieses dümmste Volk der Erde nun einmal ist. Wir, meine Herren, müssen vorausschauen." Er senkte, soweit dies überhaupt noch möglich war, seine Stimme: das war das Zeichen, daß er erhöhte Aufmerksamkeit forderte. „Ich habe eine Theorie, meine Herren, die ich als die ,Wurzeltheorie' bezeichnen möchte. Der Bauer kann es nicht verhindern, daß die Stiefel brutaler Eindringlinge über seinen Boden stampfen. Er kann nur besorgt sein, daß sie auf seinem Grund und Boden nicht die Wurzeln ausreißen. Solange die Wurzeln erhalten bleiben, gibt es eine Zukunft. Ich habe nicht die leiseste Absicht, darüber will ich keinen Zweifel lassen, den Amerikanern einen Liebesdienst zu erweisen. Worauf es mir ankommt, ist die Erhaltung jener Wurzeln, aus denen später die neue Wehrmacht und damit ein neues, starkes und mächtiges Reich entstehen kann. Bin ich verstanden worden, meine Herren?"

Die Herren nickten und murmelten.

„Ich zolle Ihrem Konzept restlose Bewunderung, Herr General", sagte Mante. „Gerade in dem Sinne Ihres Konzeptes scheint es mir aber von besonderer Wichtigkeit, die Verräter in unseren eigenen Reihen, besonders die Offiziere des 20. Juli, sowie die Saboteure innerhalb der Wehrmacht, aus unseren Reihen herauszuhalten."

Der General runzelte die Stirne. Die Runzeln auf seiner Stirne bildeten drei Wellenlinien.

„Herr Obersturmbannführer", sagte er, jetzt wieder jeder Zoll ein kommandierender General, „wenn wir zusammen arbeiten sollen, müssen Sie mich richtig verstehen." Er sagte nicht: wir müssen uns richtig verstehen – es war eindeutig, daß Mante ihn zu verstehen hatte. „Wir können nur ein Ziel haben, und das Ziel heißt Deutschland. Was die künftige Wehrmacht betrifft, so wollen wir trachten, Freunde zu gewinnen und keinen deutschen Soldaten zu brüskieren. Die Besatzungsmacht tut alles dazu, damit die Männer, die bis zur Katastrophe abseits standen, zu uns stoßen. Wir müssen verzeihen lernen. Wir wollen auch denen ein Obdach bieten, die spät und erst unter dem

Eindruck von Niederlage, Diffamierung und Demütigung zu uns finden."

Er erhob sich brüsk und wandte sich um. Er hatte mit dem Rücken zum Fenster und zum Lehnsessel des Obersten gesessen. Jetzt stand er mit dem Rücken zu Mante und seinem Stab, dem Oberst zugewandt.

„Herr Oberst Zobel", sagte er, „ich weiß nicht, ob Sie unserer Unterhaltung gefolgt sind."

Der Oberst drehte sich um und sah den vor ihm stehenden General an. Sein einziger Gedanke war, ob er aufstehen sollte. Aber er war zu müde, um aufzustehen.

„Nein", sagte er, „ich glaube nicht, Herr General, daß ich . . ."

„Herr Oberst, ich richte einen Appell an Sie", sagte der General.

Der Oberst erhob sich und blieb an sein rotes Plüschfauteuil gelehnt stehen. Er wollte nicht mehr, daß man Appelle an ihn richte. Er hatte gerade an den ersten Winter in Rußland gedacht. Es waren schwarze Flecken auf dem endlosen Schnee. Von weitem hätte man glauben können, es säßen Raben auf den weißen Feldern. Aber es waren tote Soldaten.

„Männer wie Sie, Herr Oberst . . .", sagte der General.

Aber er kam nicht weiter. Im Vorzimmer schrie eine Frau. Es war Marthas Stimme. Die Männer um den Tisch sprangen auf. Der General wandte sich der Tür zu. Der Oberst schien versteinert.

Ein amerikanischer Major, mit vorgehaltenem Revolver, betrat das Zimmer. Hinter ihm tauchte ein Leutnant auf; drei oder vier amerikanische Soldaten mit schußbereiten Gewehren rückten ihm nach.

„Hände hoch!" befahl der Major.

Die Männer hoben automatisch die Arme. Martha, die gleichzeitig mit den Soldaten das Zimmer betreten hatte, tat das gleiche. Sie stand bleich, an die Wand gelehnt.

Der Oberst dachte: Das stimmt doch alles nicht. Von solchen Szenen liest man in Büchern, aber sie ereignen sich nicht. Zugleich fühlte er eine gewisse Erleichterung.

Der Major trat auf den General zu.

„Generalleutnant Ferdinand Stappenhorst?" fragte er. Er sprach deutsch.

„Der bin ich", sagte der General nicht ohne Würde.

Die Soldaten betasteten Taschen und Körper der Umherstehenden.

Außer Oberstleutnant Gebauer besaß niemand einen Ausweis.

„Meine Papiere sind in meinem Schlafzimmer", sagte Oberst Zobel.

„Ihre Papiere brauche ich nicht", sagte der Major. „Setzen Sie sich nieder." Und zu Martha: „Sie auch."

„No arms", meldete einer der Soldaten.

Der Major wandte sich an den Leutnant: „Nehmen Sie die Leute mit." Dann an den Oberstleutnant: „Sie können gehen. Geben Sie Ihre Adresse an." Er stand jetzt vor Zobel und steckte seinen Revolver ein. „Mit Ihnen möchte ich mich allein unterhalten, Herr Oberst Zobel."

Der General hatte sich endlich von seiner Verblüffung erholt.

„Was soll das eigentlich?" sagte er. „Ist das eine Falle? Haben Sie einen Haftbefehl, Herr Major?"

„Wenn Sie unbedingt wünschen", sagte der Amerikaner. Er nahm zwei Papiere aus der Brusttasche. Eines hielt er Stappenhorst vor. Er sagte: „Der andere ist für den Obersturmbannführer Mante."

„Die Haftbefehle sind im Mai neunzehnhundertfünfundvierzig ausgestellt", sagte der General.

„Sie sind gültig", sagte der Major.

„Der Haftbefehl gegen mich ist zurückgezogen", behauptete der General. „Erkundigen Sie sich bei Captain Green im Intelligence Service in der Ludwigstraße."

„Mein Bruder hat mir nichts von einer Zurückziehung des Haftbefehls gesagt", erklärte Frank. „Eine Zurückziehung läge in den Akten. Überdies kommen Sie ohnedies in die Ludwigstraße."

„Das wird Sie teuer zu stehen kommen", sagte Mante.

Die beiden Gestapoleute zogen sich schweigend ihre Mäntel an.

„Es tut mir leid", sagte der General und verbeugte sich leicht vor Oberst Zobel.

Der Oberst saß bewegungslos in seinem Sessel. Er hielt sich mit beiden Händen an den Lehnen fest.

Oberstleutnant Gebauer entfernte sich.

Martha schluchzte. Sie wollte sich Mante nahen, aber einer der Soldaten verstellte ihr den Weg.

„Ich komme in einer Stunde nach", sagte Frank zum Leutnant.

Als sich die Tür hinter der Gruppe geschlossen hatte, wandte sich Frank an Martha:

„Ich möchte mit dem Herrn Oberst allein bleiben."

Sie ging, immer noch weinend, ins Nebenzimmer.

Frank trat ans Fenster.

„Wenn Sie gestatten . . .", sagte er. „Zu viel Zigarettenrauch." Es klang etwas sarkastisch. „Herr Oberst Zobel", fuhr er schnell fort, „ich hätte Sie selbstverständlich ebenfalls verhaften können. Sie haben in Ihrer Wohnung heute nicht nur eine Verschwörergruppe beherbergt, der steckbrieflich verfolgte Kriegsverbrecher Mante wohnt sogar bei Ihnen. Haben Sie eine Erklärung?"

„Herr Mante ist mit meiner Tochter verlobt", sagte der Oberst.

„Wissen Sie, wessen Herr Mante beschuldigt wird?"

„Er war SS-Offizier."

„Ist das alles, was Sie wissen?"

„Ja."

„Herr Mante war an den Greueln von Oradur aktiv beteiligt. Er hat unschuldige Frauen und Kinder erschießen lassen. In Rußland ließ er zweihundert Kriegsgefangene ermorden." Er schloß das Fenster. „Das Erschütterndste, Herr Oberst, ist, daß Sie es vielleicht wirklich nicht gewußt haben. In diesem Land hat niemand etwas gewußt." Es klang nicht sarkastisch. Er wandte sich wieder dem Oberst zu. „Was täten Sie, Herr Oberst, wenn ich Ihnen nachweisen würde, was ich von Herrn Mante soeben behauptet habe?"

„Ich würde jede Verbindung mit ihm abbrechen!"

„Ist das alles?"

Der Oberst zögerte. „Was könnte ich sonst tun?" fragte er.
Frank setzte sich nieder.

„Was wissen Sie von den Männern, die sich hier in Ihrer Wohnung versammelten?"

„Nicht viel", sagte der Oberst. Er empfand eine gewisse Sympathie für den jungen Major, der mit einem so angenehmen süddeutschen Einschlag deutsch sprach und aus seiner deutschen Abstammung offenbar kein Hehl machte. Er sagte: „Darf ich Sie etwas fragen, Herr Major?"

„Bitte."

„Sind diese Leute hier in eine Falle gegangen?"

„Ich weiß nicht, was Sie darunter verstehen."

„Ich meine, hat man sie unter falschen Vorspiegelungen aus ihren Verstecken getrommelt, um sie dann auf einmal festzunehmen?"

„Drücken Sie sich etwas präziser aus, Herr Oberst."

„Nun", sagte Zobel, „Sie sprachen vorhin von einer Verschwörung. Ich versichere Ihnen, Herr Major, daß ich von einer Verschwörung nichts weiß. Ich sage das nicht, um mich zu entschuldigen. Ich hatte den Eindruck, die Herren stünden im Dienste Ihrer ... der Amerikaner."

„Haben die Herren das behauptet?" fragte Frank.

Seine Frage klang so aufrichtig, daß der Oberst aufhorchte. Zum erstenmal an diesem Abend fühlte er sich nicht todmüde. Er begann zu verstehen, warum ihn der Major schonend behandelte. Er sagte:

„Selbstverständlich. Wußten Sie das wirklich nicht, Herr Major?"

„Nein", sagte Frank.

„Ich verstehe nicht", sagte der Oberst, und stand auf. „Sie erwähnten vorhin, daß Sie der Bruder von Captain Green seien."

Frank nickte.

„Captain Green geht seit Wochen in diesem Haus aus und ein", sagte der Oberst. „Das Geld, die Zigaretten, die Ausgangsscheine ..." Er brach plötzlich ab.

„Sprechen Sie weiter!" sagte Frank.

Der Oberst setzte sich wieder in seinen Lehnstuhl. Er blickte zum Fenster hinaus und schwieg.

„Sie wollen korrekt sein, Herr Oberst", sagte Frank.

„Es ist nicht meine Aufgabe ..." sagte Zobel.

„Sie irren sich, Herr Oberst", sagte Frank. „Es ist Ihre Aufgabe. Mit wem sind Sie solidarisch? Mit diesen Mördern? Oder gar mit dem amerikanischen Geheimdienst? Um Himmels willen, Herr Oberst, man muß doch wissen, wo man hingehört."

Der Oberst sah ihn nicht an. Er sagte:

„Wer weiß denn heute, wo er hingehört?"

„Es gibt mehr als Sie glauben", sagte Frank.

Nun wandte sich ihm der Oberst wieder zu.

„Herr Major", sagte er, „Sie sind ein Sieger, und ich gehöre der besiegten Nation an. Sie tragen eine Uniform, meine hat man mit Füßen getreten. Aber ich bin alt, und Sie sind jung. Ich glaube, Sie sind aufrichtig. Auch ich will mit Ihnen aufrichtig sein. Was in meinem Haus seit Jahr und Tag vorgeht, treibt mir den Ekel in die Kehle und die Schamröte ins Gesicht. Wenn diese Leute in eine Falle gegangen wären, hätte ich etwas Hoffnung geschöpft. Vielleicht wäre die Anwendung solcher List nicht ganz korrekt gewesen, aber daran hat man sich ja gewöhnt. Das Arge ist, Herr Major, daß es offenbar keine Falle war. Ich habe das scheußliche Gefühl, daß es ein Irrtum ist. Nehmen Sie es mir nicht übel, aber ich fürchte, daß Ihre Lage schlimmer ist als meine." Er schien mit jedem Wort seine Hemmungen mehr und mehr zu verlieren, mehr und mehr sprach er wie jemand, in dem sich längst gehegte Gefühle endlich einen Weg bahnen. „Das Pack wird morgen wieder frei sein, Herr Major. Ich komme nächste Woche vor die Spruchkammer ..., und Herr Mante steht in amerikanischen Diensten! Was Sie hier heute unternommen haben, legal wie es sein mag, war eine individuelle Aktion. Wir wissen aus dem Dritten Reich, was von individuellen Aktionen zu halten ist. Sehen Sie denn nicht, wie hoffnungslos das alles ist? Was werden Sie sagen, was werde ich sagen, wenn Herr Mante morgen wieder meine Wohnung besetzt?" Er machte mit seinen langen, dürren Fingern eine resignierte Handbewegung. „Sie gehen vielleicht nach Hause, Herr Major Green. Für Sie wird das morgen alles ein Alptraum sein, den Sie von Tag zu Tag mehr vergessen. Aber wir? Wir müssen hier bleiben, Herr Major."

„Bitte sprechen Sie weiter, Herr Oberst."

„Wozu?" sagte Zobel. Er erhob sich wieder und begann auf und ab zu gehen. „Als Sie hereinkamen, wollte mir General Stappenhorst gerade einen Antrag stellen. Ich weiß nicht, was er mir vorschlagen wollte. Aber wenn Herr Mante morgen oder übermorgen, ich weiß es nicht, wieder frei ist, werde ich den Antrag womöglich annehmen. Es wird mir gar nichts anderes übrigbleiben." Er lachte auf, kurz und bitter. „Wie Sie richtig sagen, Herr Major, man muß irgendwo hingehören."

Frank stand auf.

„Wir wollen die Probe aufs Exempel machen", sagte er. „Ich bin Ihnen sehr dankbar, Herr Oberst." Er sagte nicht, wofür er dem Oberst dankbar war.

Die beiden Männer, der alte Oberst in Zivil und der junge Major in Uniform, standen sich einen Moment lang gegenüber. Jeder wartete, daß der andere die Hand ausstrecke. Schließlich tat Frank die erste Geste.

„Gute Nacht, Herr Oberst!"

„Gute Nacht, Herr Major!"

Kaum hatte sich hinter Frank die Tür geschlossen, als Martha das Zimmer betrat. Ihre Augen waren vom Weinen gerötet, aber sie schien sich gefaßt zu haben.

„Was hat er gesagt? Was wollte er?" Mit solchen und anderen Fragen bestürmte sie ihren Vater.

Der Oberst wich den Fragen aus. Das Zimmer war immer noch voller Rauch, und er ging zum Fenster, um es zu öffnen. Ohne seine Tochter anzusehen, sagte er hart:

„Mach mir mein Bett. Ich schlafe heute in meinem Bett."

Die Nacht war ohne Gespenster

Es war der letzte Samstag im Februar. Auf der Erde lag noch der Winter, aber am Himmel war schon Frühling.

Inge und Hans waren mittags aus Garmisch-Partenkirchen aufgebrochen. Hans bewegte sich auf Skiern: Inges Skier, oder Karins richtiger, die er ausgeliehen hatte, trug er auf den Schultern. Inge konnte nicht Schi laufen, heute wollte er ihr die erste Lektion erteilen.

Damals, als er sie auf der Isarbrücke getroffen und nach Hause gebracht hatte, war Hans Eber entschlossen, sie nicht wiederzusehen. Er hatte sich immer lustig gemacht über die „Spießer", aber ebenso machte er sich lustig über die Erzählungen aus der Jahrhundertwende; die Leute hatten nichts besseres zu tun, als die Seelen der Dirnen zu retten. Es war nichts als eine ungeschickte Höflichkeitsfloskel gewesen, besonders unangebracht in dieser Situation, als er sie fragte, wann er sie wiedersehen würde. Sonntagnachmittag, hatte sie gesagt, sei sie zu Hause. Gegen vier, wenn er kommen wollte.

Er dachte nicht daran, sein Versprechen einzulösen, aber am Sonntag um vier stieg er die knarrenden Holztreppen des Hauses am Ostfriedhof hinauf. Sie hatte ihren Vater fortgeschickt; sie waren allein. Sie mußte ihn erwartet haben, denn der Kaffeetisch war gedeckt. Zuerst sprachen sie nur, um eine Brücke von Worten über ihre Verlegenheit zu bauen. Sie sprach von Bombennächten; er von Frontnächten – beide hart und ohne Mitleid, sich bloß erinnernd, wie junge Menschen früher von Sommernächten gesprochen hatten. Dann erzählte sie von ihrer Mutter, die ihren Vater verlassen hatte, und er erwähnte seinen Vater, der seiner Mutter untreu geworden war. Sie kannte den Namen Eber nicht; er fragte sich, ob sie überhaupt etwas anderes kannte als den Friedhof, die Bombennächte und die Huren vom Sendlinger Tor-Platz. Sie hörte ihm zu, nicht so sehr verwundert über das, was er sagte, als darüber, daß ihr jemand etwas erzählte.

Als ihr Vater heimkam, ging Hans. Seither trafen sie sich in kleinen, kalten Kaffeehäusern. Sie waren so unaufrichtig mit einander, daß sie niemals auch nur mit einem Wort auf ihre erste Begegnung und ihr erstes Gespräch zurückkamen, und so aufrichtig, daß sie Hand in Hand den gleichen Kreis um die Lüge beschrieben. Eines Tages nannten sie sich auf einmal Du, aber er dachte nie daran, sie zu berühren, und sie fürchtete den Moment, wenn sie ihm abends die Hand zum Abschied reichen mußte. Sie beschlossen immer wieder, einander nicht mehr zu sehen und sahen einander immer wieder. Je größer die Zeitspannen waren zwischen ihren Begegnungen, desto deutlicher wurde ihre Furcht, daß eines Tages geschehen müßte, was nicht geschehen durfte, weil die Sternstunde der ersten Begegnung zwischen Mann und Frau nicht auszulöschen ist und nicht wegzudenken.

Hans wußte nicht, was ihm den Gedanken eingegeben hatte, den Wochenendausflug in die Garmischer Berge vorzuschlagen. „Wollen wir Samstag nicht Schi laufen gehen?" – die alltägliche Frage war von jener zarten Unaufrichtigkeit, die ihr Verhältnis kennzeichnete. Er wollte nicht wissen, daß Samstag der große Bummeltag der Prostituierten war, und als sie mit kindlicher Freude ja sagte, vergaß sie für einen Augenblick, ihm ihre Hand zu entziehen.

Sie trafen sich Samstagmittags auf dem Bahnhof und fuhren nach Garmisch-Partenkirchen. Wenn es in diesen Wintertagen 1946 in Deutschland etwas gab, das an das Dasein vor Krieg und Besatzung erinnerte, dann waren es die Samstagszüge. Die Alliierten fuhren in ihren Wagen und Jeeps und Sonderzügen zu fröhlichem Weekend, und wenn auch der einzige Sportzug, der München verließ, zusammengestellt aus altertümlichen Waggons, zu bersten schien unter seiner lufthungrigen Last; wenn die Bekleidung der Sportbegeisterten auch an die Maskerade eines Faschingszuges erinnerte; wenn man in den Abteilen auch einen Mann, der eine Touristensalami verzehrte, mit verwundertem Neid maß, so herrschte doch im ganzen Zug eine ausgelassene Stimmung, als wären diese, keinem praktischen Ziel zurollenden Räder der Beweis, daß das Leben am Ende triumphieren würde.

Die Tage begannen merklich länger zu werden. Der

Schnee war, was die Schiläufer „ideal" nennen: hart, pulv-
rig, nicht zu tief und eislos. Es war widerstandskräftiger
Schnee: die strahlende Sonne, die auf dem blauen Himmel
stand, schien ihn nicht zu schmelzen, sondern eher zu festi-
gen. Wie eine fröhliche Gruppe weißer Köche um eine riesige Schaumtorte, so standen die Alpen um die Schneetäler.

Hans stellte die Schier nieder.

„Jetzt mußt du es versuchen", sagte er.

„Muß ich wirklich?"

„Zum Spaß habe ich die Dinger nicht geschleppt."

Karins Schihosen, Karins Pullover waren Inge viel zu
weit. Dennoch sah sie in der farbfrohen Kleidung – schwarz
die Hosen, gelb der Pullover, rot der Schal und hellblau die
Mütze, ihre eigene – nicht hilflos aus, nicht bemitleidens-
wert, eher lustig und verkleidet, wie ein kleines Mädchen,
das die Kleider ihrer älteren Schwester angelegt hat.

Hans kniete nieder und schnallte ihr die Schier an.

„Hier, die Stöcke", sagte er.

Sie stand schwankend auf den schmalen Brettern.

„Zuerst mußt du gehen lernen", sagte Hans.

Er nahm ihre Hand und führte sie zu einem Hügel.

Sie erwies sich als eine gelehrige Schülerin, geschickt und
angstlos, jedem Wink zugänglich und dankbar für jede
Hilfe.

„Jetzt mußt du es allein probieren", sagte er nach einer
kurzen Weile.

„Ich werde gleich hinfallen", sagte sie.

„Es wird nicht zum letztenmal sein."

Sie stieß mit den Stöcken ab und glitt den Hügel hinunter. Gleich darauf machten sich die Bretter selbständig,
beschrieben ein X, und sie saß strampelnd im Schnee.

„Aufstehen!" rief er ihr zu. „Versuche, selbst aufzustehen!"

Er stand nur wenige Meter hinter ihr, bereit, ihr auf die
Beine zu helfen, sollte sie es selbst nicht vermögen. Aber
wie er ihr nachblickte, in die Sonne und den Schnee blin-
zelnd, da ging ein kalter Schauer über seinen Rücken, und
er wußte auf einmal nicht, wie und warum er hierher geraten war. Es schien ihm, als wäre die Wirklichkeit ein in

der Mitte durchschnittener Apfel, die eine Hälfte taufrisch und rosig und gesund, die andere verfault und braun und krank. Das Mädchen im Schnee, mit Wangen, die gerötet waren von Luft und Erregung, lachend über seine eigene Not mit einem hellen Lachen in Bedrängnis und Ergötzen, war echt wie die eine Hälfte der Frucht – aber echt war auch die andere Hälfte; die Hure, die abends um die wartenden Neger strich, die sie mitnahm in das Haus am Friedhof, und die eines Nachts auf der Brücke über der Isar gestanden hatte. Ich bin kein Spießer, zum Teufel mit den Spießern, ich bin kein Spießer, zum Teufel mit ihnen: aber es erwuchs ihm keine Antwort aus solcher Selbstverhöhnung, denn er hatte sich ja auch zuvor nicht entrüstet über die eine Wahrheit, sondern er stand nur verwirrt vor beiden Wahrheiten.

Sie hatte sich beinahe aus eigenen Kräften aufgerichtet, als er zu ihr hinunterfuhr, um ihr zu helfen. Mit besonderer Vorsicht hob er sie hoch, säuberte er sie vom Schnee, reichte er ihr sein Taschentuch: er handelte mit der Zärtlichkeit des Schuldbewußten.

Sie bemerkte nichts. Nach einigen weiteren Lektionen sagte sie:

„Du hast aber nichts davon. Ich warte jetzt irgendwo, und du läufst, wo es dir Spaß macht."

„Morgen", sagte er, „das hat bis morgen Zeit."

Sie fuhren, gingen und fuhren nach Garmisch hinunter.

Das liebliche bayerische Städtchen mit seinen winkeligen Gassen, holzgetäfelten Häusern, Madonnennischen, spitzen Giebeln, buntbemalten Häuserwänden, glich einem amerikanischen Heerlager. Die deutschen Besucher verschwanden unter den Hunderten von Soldaten, die von dem Wintersportparadies Besitz ergriffen hatten. An den Türen der Hotels und Gaststätten waren Tafeln angebracht: „Off Limits!", „Für Deutsche verboten!", „Nur für Alliierte!" Auch München war voll von solchen Tafeln, auf Restauranttüren fand man sie und Amtstüren, auf Wohnungen und Bars und Gartenzäunen, aber in der Großstadt wirkten sie nicht so beleidigend wie in diesem bayerischen Dorf, das wenige mahnende Spuren des alles erklärenden

Krieges aufwies und das in seiner Architektur, seiner Position in der Landschaft und seiner Bäuerlichkeit so deutsch war wie ein Mädchen von der Waterkant, ein Gedicht von Mörike, ein Wein aus Rheinhessen oder eine Oper von Richard Wagner. Es war nicht bloß, daß es die Verbotstafeln den Besuchern schwierig machten, Nahrung und Unterkunft zu finden, das war auch in der Stadt nicht anders, aber hier flößten sie ihnen auch ein Gefühl des schlechten Gewissens ein – Ihr wollt euch vergnügen, ihr Deutschen, schienen die Tafeln zu sagen: habt ihr denn Hitler vergessen und den Krieg und eure Verbrechen und euer Elend?

In einer kleinen Gastwirtschaft unweit vom Bahnhof konnten sich Hans und Inge schließlich zu einem auf Karten verabreichten Abendessen niederlassen. An dem gleichen Tisch saßen noch sechs oder sieben junge Leute, in übermütig heiterer Stimmung, wie sie sich eben nach einem Tag im Freien fast immer ergibt. Ihre Wangen waren gerötet, ihre Ohren brannten, sie sprachen sorglos vom Wetter, von den sportlichen Leistungen des vergangenen und über die vielversprechenden Aussichten des nächsten Tages. Auch Hans und Inge waren bald in das laute und fröhliche Gespräch verwickelt; nur zuweilen warf Hans einen verstohlenen Blick auf das ungezwungen plaudernde Mädchen an seiner Seite, und in dem Glücksgefühl über diese Wandlung, an der er einen guten Anteil haben mußte, verschwand die Furcht vor den beiden Wirklichkeiten; es war ihm, als gäbe es nur eine.

Beim Abendessen erfuhren sie auch, daß auf einem toten Gleise der Eisenbahn ein paar ausrangierte Waggons standen, die ein geschäftstüchtiger Unternehmer gekauft oder gemietet hatte und in denen er den müden Sportlern eine zwar nicht gerade bequeme, aber vor Nacht und Witterung sichere Unterkunft anbot. Hans beschloß sogleich, das Lokal früh zu verlassen und sich auf dem Bahnhof nach diesem neuartigen Hotel umzusehen – als er zahlte und aufstand, war ihm jedoch der wahre Grund seiner Hast klar: mit Erleichterung hatte er die Auskunft vernommen, nicht so sehr, weil er vorher besorgt gewesen war, die Nacht im Freien verbringen zu müssen, sondern vielmehr, weil er annahm, in dem Gasthof auf dem toten Gleise würde er dem nächtlichen Alleinsein mit Inge ausweichen können.

Trotzdem war ein banges Schweigen zwischen den beiden, als sie aus dem raucherfüllten, von der Ausdünstung menschlicher Körper geheizten, von dem Naß trocknender Schuhe und Anzüge dampfenden Lokal hinaustraten in die eisige Winternacht. Der Mond war beinahe voll; der Sternenhimmel offen und leuchtend; die weißen Straßen von gespenstisch klarem Blau überzogen; der Schnee zu eisigen Formen erstarrt. Sie gingen nebeneinander dem Bahnhof zu, der Mann mit großen, Sicherheit mimenden Schritten, das Mädchen beinahe laufend, ungeschickt und stolpernd in den zu großen Schischuhen. Sie hatten das Gespräch über die nächtliche Unterkunft vermieden, und auch jetzt, als abgewendet schien, was sie vermeiden wollten, konnten sie darüber noch nicht sprechen.

Sie hatten beinahe den Bahnhof erreicht, als geschah, was Hans in seinem Unterbewußtsein seit Wochen gefürchtet, wovor Inge seit Wochen bewußt gebangt hatte.

Sie kamen an einem kleinen Gasthof vorbei, einem der vielen mit der Tafel „Für Deutsche verboten!" als ihn eine Gruppe von Negern verließ. Die Röhre einer grellen Neonlampe leuchtete über dem Eingang. Es waren fünf Neger, drei Schützen und zwei Unteroffiziere, Riesenkerle alle, die Mützen schief auf den Köpfen, zwei von ihnen sichtlich unter dem Einfluß wärmenden Alkohols. Vielleicht war es nur, daß Hans den lauten, singenden Soldaten ausweichen wollte, vielleicht war in ihm auch eine Stimme des Instinkts aufgeklungen – mit seiner freien Hand ergriff er Inges Hand und zog sie wie beschützend näher an sich.

Diese plötzliche, intime Geste des Zivilisten mit dem Mädchen, eine Geste, die frauenlosen Soldaten im fremden Land immer zum Ärgernis wird, erregte die Aufmerksamkeit der Neger oder zumindest eines von ihnen. Sie blieben stehen. Der größte der Soldaten, wohlgebaut, breitschultrig, beinahe von weißer Hautfarbe, nüchtern, griff nach Inge. Es war kein böser Griff, nicht einmal herausfordernd, keinen Anlaß bietend zu einem Protest ihres Beschützers: er wirbelte das Mädchen einfach herum, so daß sich ihr Gesicht dem Neonlicht zukehrte und er sie näher betrachten konnte.

„Well, I'll be God damned", sagte der Neger, „if that's not Inge."

Was er sagte, verstand Inge nicht; sie verstand nur ihren Namen.

Hans hatte verstanden. Er ließ ihre Hand los.

Der Soldat erklärte etwas seinen Kameraden, aber er sprach zu schnell, mit dem singenden Akzent des amerikanischen Südens: Hans konnte ihm nicht folgen. Die betrunkenen Soldaten indes schienen zum Glück nichts übrig zu haben für die Erzählungen oder Absichten ihres Kameraden; es drängte sie zu einem neuen Lokal, und sie nahmen den Nüchternen in die Mitte, so daß der ganze Spuk in wenigen Minuten verflogen war. Der große Neger winkte Inge noch zu, rief ihr etwas nach wie „See you in Munich", dann wankte die Gruppe über die vereiste Fahrbahn einer gegenüberliegenden Soldatenbar zu.

Hans und Inge standen einen Augenblick erstarrt. Sie sahen sich nicht an. Schließlich wandte sich Hans zum Gehen. Er ging jetzt langsam; sie folgte ihm, einen Schritt zurückbleibend, als wäre aus seinem Gang die Sicherheit gewichen, die Fröhlichkeit aus ihrem.

Der Bahnhof war dunkel, als sie ankamen.

„Wollen wir nicht zurückfahren?"

„Es gibt keinen Zug", sagte Hans.

Sie fanden das Zughotel. Es lag, oder stand vielmehr, abseits von der Station. Sie mußten eine Weile an den Gleisen entlanggehen. Dann stiegen sie über ein Schienenpaar. Der Gasthof 1946 bestand aus drei alten Waggons dritter Klasse. Auf dem Gleise neben dem Zug stand ein beleibter Mann, seine noch beleibtere Frau neben ihm: sie verkauften die „Zimmerkarten", wie Zirkusleute manchmal Eintrittskarten für Manegewagen verkaufen. Es wurden nicht viel Worte gewechselt. Der Mann drückte Hans die Karten in die Hand; die Frau stieg mit Inge und Hans in den Zug, geleitete sie an mehreren Abteilen vorbei und schloß ein Abteil auf. Es war dunkel im stehenden Eisenbahnwaggon. Nur durch die schmutzigen Fensterscheiben, sofern sie nicht mit Holz vernagelt waren, siebte sich das dünne, weiße Mondlicht.

Dann waren sie allein.

Inge setzte sich in einen Winkel des Abteils, an der Tür. Hans nahm zwei Decken aus seinem Rucksack. Die eine breitete er über die Holzbank aus, auf der Inge saß, die zweite behielt er für sich selbst. Den halbvollen Rucksack legte er auf Inges Bank unter das Fenster, wie ein Kissen.

Sie sagten immer noch nichts.

Er legte sich nieder. Er lag auf dem Rücken, mit offenen Augen. Das Mondlicht fiel in sein Gesicht. Das Mädchen konnte er nicht sehen; es saß im Schatten, am anderen Ende der anderen Bank.

Ein lachendes Paar ging durch den Korridor.

Hans schloß die Augen. So lag er eine Weile, als ob er schliefe.

Dann hörte er, daß sich das Mädchen niederlegte. Er konnte jetzt beinahe ihren Atem spüren, denn ihr Kopf war seinem Kopf ganz nahe: nur die schmale Passage zwischen den beiden Bänken trennte sie.

Vom Eingang aus lag er auf der rechten Bank; sein rechter Arm hing hinunter. Er hatte das Gefühl, daß ihr linker Arm auch von der Bank hing, und so verhielt er sich ruhig, damit sich ihre Hände nicht berührten.

Auf einmal hörte er ihre Stimme. Sie fragte:

„Schläfst du?"

„Nein."

Aber er machte die Augen noch immer nicht auf.

Nach einer Weile sagte sie:

„Ich hatte nichts mit ihm zu tun. Er war ein Freund von Haymes."

„Ich weiß nicht, wer Haymes ist."

„Es ist gleichgültig", sagte sie.

„Es ist gleichgültig", sagte er.

Obwohl er die Augen noch immer geschlossen hielt, wußte er, daß der Mond untergegangen war oder verschwunden aus dem schiefen Dreieck des halb vernagelten Fensters. Es war dunkel. Er öffnete die Augen.

Er spürte jetzt noch deutlicher, wie nahe ihre Hand seiner Hand war. Ihre beiden Hände schienen wie Lippen, die sich einander nähern. Die beiden Hände schienen zu atmen. Es war als atmeten sie einander entgegen.

„Es muß einmal vorbei sein", sagte er.

„Was?" fragte sie.

„Alles", sagte er.

Sie verstand. Das Abteil war eiskalt, aber ihr war fiebrig heiß. Sie glaubte, es käme von der beißenden Schneeluft, die sie den ganzen Tag umweht hatte. Zugleich wußte sie aber auch, daß es nicht so war. Wie ihre Hand, beinahe den schmutzigen Fußboden berührend, seiner Hand entgegenfieberte, so fieberte auch ihr Körper dem Mann entgegen, der auf der anderen Holzbank lag. Sie bemühte sich verzweifelt, die Bilder der Männer heraufzubeschwören, die sie kennengelernt hatte in den letzten Monaten. Die Männer auf der Straße, die Männer auf dem Diwan mit den Löwenknöpfen. Sie wollte sie sehen. Sie dachte, das Fieber würde weichen, wenn es ihr gelänge, sie zu sehen. Aber es gelang ihr nicht. Die Nacht war ohne Gespenster.

Auch er versuchte, die Männer in dem Zimmer über dem Friedhof zu sehen. Das Mädchen in ihren Armen. Die Soldaten und die Zivilisten, die Neger und die anderen. Den Mann von vorhin und den, der Haymes hieß. Das Mädchen auf der Brücke zu sehen und im Restaurant am Viktualienmarkt. Aber auch er sah nichts.

Wer die Hand zuerst ausstreckte, wer sie zuerst um die Spanne eines Gedankens der anderen Hand näherte, wußte keiner von beiden. Aber auf einmal berührten sich ihre Finger. Sie berührten sich, und sie verkrampften sich ineinander.

Von draußen drangen im Schnee knirschende Schritte zu ihnen. Die Stimme des Mannes, der Karten für den toten Zug verkaufte.

„Es ist alles vorbei", sagte Hans.

„Ich weiß", sagte Inge.

Er stand auf, ohne seine Hand aus ihrer Hand zu lösen. Er setzte sich neben sie auf die Holzbank.

„Nein", sagte sie, „wir wollen schlafen." Es klang bittend.

„Wir können nicht schlafen", sagte er. „Wir wollen nicht schlafen. Sonst geht es nie vorbei."

Sie richtete sich auf. Er wußte nicht, warum sie sich aufrichtete: ob sie ihn umarmen wollte, ob sie bereit sein wollte für seine Umarmung, ob sie vor ihm fliehen wollte.

Er wartete ihre Entscheidung nicht ab. Er nahm sie in seine Arme.

Die Holzbank war schmal; Inge drückte sich an die schiefe Wand des Holzsitzes.

Er sagte: „Ich liebe dich."

Und dann war es, als flöge der stehende Zug mit tausend Geschwindigkeiten und als entführte er sie in tausend Fernen. Er wußte, daß sie die drohenden Gespenster hinter sich ließen, vielleicht auf dem Bahnhof, von dem sie sich in rasender Fahrt entfernten. Sie aber wußte nur, daß alles anders war ...

Oberst Sibelius wird Kellner

Mannigfach und ihm selbst kaum noch verständlich waren die Erfahrungen, die der ehemalige Oberst Achim Freiherr von Sibelius in diesen späten Februartagen und frühen Märztagen des Jahres 1946 sammelte.

Die Tätigkeit des früheren Generalstabsoffiziers und ehemaligen Verschwörers war zur Sammlung von Erfahrungen vorzüglich geeignet: er suchte eine Stellung.

Mit Adams Hilfe hatte Sibelius ein Zimmer in Schwabing, unweit vom Haus seines Freundes, gefunden, wo er möbliert zur Untermiete wohnte, und er machte sich nun mit Energie daran, eine „bürgerliche Existenz" aufzubauen.

Sein erster Weg führte ihn in eine Kamerafabrik, oder richtiger in die Ruinen einer solchen Fabrik, einem mittleren Unternehmen, das seine Erzeugung mit alliierter Hilfe und für alliierte Zwecke gerade aufgenommen hatte. Sibelius wußte nicht mehr von Kameras als die meisten eifrigen Amateurfotografen, aber ein Bekannter, dem er zufällig auf der Straße begegnet war, hatte ihm erzählt, daß die Direktion einen Verbindungsmann zu den Amerikanern suche und der Oberst, der über mehr als durchschnittliche Englischkenntnisse verfügte, beschloß, sein Glück zu versuchen. Von der alten Fabrik stand nur noch die Fassade, in der Baracke jedoch, die im Hinterhof errichtet worden war, herrschte reges Leben. Der Bewerber wurde nach längerem Warten in einem wohlig nach frischer Farbe und Maurertünche riechenden Büro von dem Direktor empfangen, einem jungen Mann im Sportanzug, mit einer schwarzgefaßten Hornbrille, der ununterbrochen amerikanische Zigaretten rauchte, wenn er nicht gerade Chewing gum kaute. Der Direktor, der eine mindestens monatelange Verbindung mit den Amerikanern haben mußte – er begann seine Sätze wiederholt mit dem nachdenklichen Wörtchen „well" und gebrauchte verschwenderisch den plastischen Ausdruck „O.K." – zeigte sich von seiner jovialsten Seite: allerdings bis zu dem Moment nur, als Sibelius gestand, Oberst im Generalstab gewesen zu sein. Kein Beruf sei weniger geeignet, meinte der Direktor dann, den Amerikanern Vertrauen einzuflößen, und an dieser Ansicht änderte sich auch nichts, als Sibelius zögernd bemerkte, er sei nach eingehender Untersuchung als unbelastet entlassen worden. Beschäftigt, wie der junge Mann war, ließ er sich anschließend doch zu einer längeren Erklärung herbei: er verstehe wohl die bedrängte Lage seines Besuchers, doch müßten jetzt „andere" drankommen, die im Dritten Reich gelitten und keine führenden Positionen bekleidet hätten. Sibelius war versucht, den Kameradirektor nach dessen eigenen Taten oder Leiden unter Hitler zu befragen, aber er wollte die einseitige Konversation nicht unnötig verlängern und empfahl sich schließlich, begleitet von den guten Wünschen des Direktors.

Das nächste Mal bewies er größere Vorsicht. Mit Empfehlungen seines in München ansässigen Schwagers begab er sich in den Zeitungsvertrieb Bacher, der ebenfalls erst seit kurzem funktionierte und intelligentes, wenn nicht unbedingt fachkundiges Personal suchte. Hier empfing ihn der Personalchef, ein gewisser Herr Güntter, ein vierschrötiger Mann mit einem halb kahlrasierten Kopf und einer norddeutsch sachlichen Sprache. Als auch dieser Näheres über die Vergangenheit des Barons wissen wollte, beeilte sich Sibelius mitzuteilen, daß er zwar Berufsoffizier und Oberst im Generalstab gewesen sei, daß er jedoch zu dem Kreis um den Grafen Stauffenberg gehört und am 20. Juli eine gewisse Rolle gespielt habe. Er hatte seine kurzgefaßte Lebensgeschichte noch nicht beendet, als ihm sein Irrtum klar wurde. Herr Güntter entpuppte sich als ehemaliger aktiver Offizier, Oberstleutnant in einer Panzerjägerdivision und Träger des Ritterkreuzes mit Eichenlaub. Er selbst, Herr Güntter, habe sich nicht träumen lassen, daß er einst einen Personalchef in einem Zeitungsvertrieb „abgeben" müsse. Er betonte im übrigen seine unpolitische Haltung, seine Objektivität und seine demokratische Bereitschaft, zugleich erklärte er jedoch, ein Geschäftsbetrieb unterscheide sich in einer Hinsicht wenig vom Heer: Loyalität werde auch in einem Zeitungsvertrieb verlangt, und wer die staatliche Autorität verraten habe, von dem könne man füglich auch keine Treue zu einem zivilen Arbeitgeber erwarten.

Nach verschiedenen weiteren Versuchen, die aus sachlicheren Gründen scheiterten, ergänzte Sibelius seine Erfahrungen durch einen Besuch in der Porzellanfabrik Veltheim, welche die Offizierskasinos der Alliierten in drei Besatzungszonen versorgte. Dort hatte er es mit einem sehr sympathischen Mann zu tun, einem Herrn von Güstloff, mit dem er sich sofort verstand, und der ihm, auch als er die mit äußerster Behutsamkeit vorgetragene Biographie Sibelius' erfuhr, seines Wohlwollens versicherte. Leider, so meinte Herr von Güstloff entschuldigend, könne er nicht nach eigenem Gutdünken handeln; die Veltheimschen Werke stünden gegenwärtig unter treuhänderischer Verwaltung, denn Herr Veltheim senior sei ein „alter Kämpfer" gewesen, jedermann wisse jedoch, daß der Senior über kurz oder lang in seine Fabrik zurückkehren werde, und einen prominenten Mann des 20. Juli würde er dann als seinen Mitarbeiter schwerlich schätzen.

Daß er auch in der Kunstdruckerei „Thalia" nicht unterkam, war auf die Hemmungen des Obersten zurückzuführen, die er auch in seiner bedrängten Lage nicht ganz zu überwinden imstande war. In diesem Fall trat man sogar an ihn heran, und es bestand gute Aussicht auf einen verhältnismäßig bequemen und lohnenden Posten. Der Eigentümer der Druckerei, ein sehr repräsentativ wirkender Herr Böller, suchte Sibelius in dessen Kämmerlein auf und bot ihm an, einen Scheinvertrag mit ihm zu schließen. Er selbst, Herr Böller, sei nicht unerheblich belastet, denn er habe zwölf Jahre ausschließlich NSDAP-Aufträge ausgeführt – „ich bin kein Politiker, aber man muß schließlich leben, Herr Oberst" –, die Druckerei würde also an die Besatzungsmacht fallen, wenn Herr Böller nicht selbst in aller Eile einen entsprechenden Treuhänder fände. Selbstverständlich, meinte der Besucher des Obersten, müßte zwischen ihm und Sibelius ein „gentlemen's agreement" getroffen werden: in ein oder zwei Jahren dürften doch wohl wieder normalere Zustände hergestellt sein. Als Sibelius meinte, daß er sich als Strohmann kaum eigne, verließ ihn Herr Böller mit der halb ärgerlichen und halb bedauernden Versicherung, daß es ihm nicht schwerfallen werde, für Sibelius einen „realistischer denkenden" Ersatz zu finden.

„Es ist merkwürdig", sagte Sibelius einige Tage später zu seinem Freund Adam Wild, „mit welcher Sicherheit man Schritt für Schritt absinkt, wenn man auf Stellungssuche geht. Man ist, sozusagen, mit sich selbst in einem dauernden Schacher begriffen. Man reduziert seine eigenen Ansprüche, die materiellen sowohl wie die moralischen. Was man gestern noch ausschlug, würde man heute akzeptieren, und was einem heute als Zumutung erscheint, kann morgen verlockend wirken. Zuerst will man nichts verschweigen, dann verschweigt man vieles, und am Ende ist es nicht ganz sicher, ob man nicht zur Lüge Zuflucht nimmt. Dennoch bleibt die Erfahrung nicht ganz unprofitabel. Heute, zum Beispiel, werde ich einen Herrn Wedemeyer aufsuchen, den Besitzer eines Nachtlokales, die ‚Mücke' genannt, der angeblich einen verläßlichen Oberkellner sucht. Vor kurzem wäre ich mir noch im Oberkellnerfrack etwas absonderlich erschienen, nun hoffe ich jedoch, den Posten zu bekommen, und du darfst mir glauben, daß ich ihn ohne Einbüßung meiner sogenannten Würde bekleiden könnte, erstens weil es durchaus kein unwürdiger Beruf ist, zweitens aber, weil ich froh bin, den Versuchungen einträglicherer, in Wirklichkeit aber viel unwürdigerer Positionen entgangen zu sein."

Adam Wild ermutigte seinen Freund, und so begab sich der ehemalige Generalstabsoberst Baron Sibelius an diesem ersten Märztag des Jahres 1946 schon gegen Mittag in die „Mücke", um sich Herrn Wedemeyer vorzustellen.

Das Nachtlokal in den Ruinen zeigte sich an diesem Morgen von seiner am wenigsten verlockenden Seite. Nur ein Zirkus hätte um diese Stunde noch trauriger wirken können als das Nachtlokal, und an einen morgendlichen Zirkus erinnerte die „Mücke" in der Tat. Die sonst mit allerhand billigen aber bunten Fetzen verhängten Fenster standen offen, und die Strahlen der schwachen Märzsonne fielen ernüchternd in die entblößten Räume. Der Staub lag beinahe so dicht auf dem Parkett, dem Klavier, den Tischen und den auf den Tischen umgestülpten Stühlen wie der Sand in der Manege eines Zirkus. Die Rettungsringe, die vom Plafond hingen, die halbleeren Flaschen hinter der Bar, die große Mücke aus Seilen wirkten wie die traurigen Gegenstände aus einer Requisitenkammer.

Auch Walter Wedemeyer, der den Stellungsuchenden an einem der eben erst notdürftig gescheuerten Tische empfing, wirkte verstaubt und gestrig. Sein rundes, glattes Gesicht, sonnenbedürftig dem Fenster zugekehrt, war jetzt voller Falten, beinahe so, als wären die Runzeln, die beim Lächeln entstehen und sonst wieder verschwinden, festgefroren auf seinen Zügen. Seine während der Nacht ununterbrochen zur Schau gestellte Berufsliebenswürdigkeit hatte tiefe Spuren hinterlassen, und wie das Gesicht eines Clowns, der sich bei der Mittagsprobe ohne Zuschauer produziert, wirkten die Mienen des Zauberers.

„Ich habe Ihr Angebot überprüft, Herr von Sibelius",
sagte Wedemeyer, „und ich bin also einverstanden. Über
die Bedingungen werden wir uns schnell einigen. Ich lebe
gern und lasse gern leben. Sie würden pro Tag einen Dollar
bekommen, in Reichsmark natürlich, aber dem täglichen
Schwarzmarktkurs angepaßt. Dazu freies Abendbrot, von
den Trinkgeldern nicht zu sprechen, die meistens in Ziga-
rettenwährung bestehen und daher nicht unbeträchtlich
sind. Das, glaube ich, ist sehr anständig, mehr kann man
heutzutage nicht verlangen."

Sibelius verbeugte sich leicht, zum Zeichen, daß er das
Angebot zu schätzen wisse.

„Die Frage ist bloß", fuhr Wedemeyer fort, „ob Sie
keine Hemmungen haben, den Posten so auszufüllen, wie
ich es mir vorstelle."

„Es gibt genug aktive Offiziere", sagte Sibelius, „die
viel geringere Funktionen gerne akzeptieren."

Wedemeyer spielte mit seinen ungewöhnlich fetten Ohr-
läppchen.

„Sie wissen, Herr von Sibelius", sagte er, „daß die
‚Mücke' ein Konzessionsunternehmen ist. Das bedeutet,
daß mir die Amerikaner die Konzession entziehen können,
wann es ihnen beliebt."

„Das ist wohl mit den meisten Unternehmungen so",
meinte Sibelius.

„Gewiß. Aber der Fall liegt hier besonders verwickelt.
Ich spreche mit Ihnen ganz offen. Die ‚Mücke' sollte den
Amerikanern die Möglichkeit geben, gewisse Gruppen –
Gestapo-Leute, Schwarzhändler, Leute, die im Trüben
fischen – besser zu überwachen. Nun arbeiten die Ameri-
kaner mit eben den gleichen Gestapo-Leuten, mit Schwarz-
händlern und mit allen, die im Trüben fischen. Das ist ihre
Sache, werden Sie sagen. So einfach liegen die Dinge aber
nicht. Denn zugleich arbeiten sie auch gegen dieselben
Leute. Es scheint überhaupt jeder mit jedem und jeder
gegen jeden zu arbeiten. Ich könnte Ihnen Dinge erzählen,
die würden sie nicht für möglich halten. Zwei Brüder, zum
Beispiel, beide Offiziere der Besatzungsarmee, erteilen mir
Aufträge, die einander diametral entgegengesetzt sind."

Er setzte ab, als wartete er auf eine neugierige Frage. Sibelius tat ihm den Gefallen und sagte:

„Wie hängt das mit meinen Funktionen zusammen, Herr Wedemeyer?"

„Ich muß wissen, was in meinem Lokal vorgeht", antwortete Wedemeyer. „Vier Augen sehen mehr als zwei, vier Ohren hören mehr als zwei."

„Ich soll also Ihre Gäste bespitzeln", sagte Sibelius. Aber es klang nicht entrüstet.

„Wenn Sie so wollen", sagte Wedemeyer.

Sibelius überlegte. Endlich sagte er:

„Der Antrag ist ungewöhnlich, obwohl er mich nicht überraschen sollte. Schließlich sind Sie nicht auf mich verfallen, weil ich ein so bewährter Oberkellner bin. Hemmungen, sagten Sie vorhin. Meine Hemmungen, Herr Wedemeyer, sind relativ, das heißt der Zeit angepaßt. Ich möchte Ihnen eine Frage stellen."

„Bitte."

„Ich habe keine moralischen Hemmungen, Leute der Art, die Sie beschreiben, zu überwachen oder zu bespitzeln, worauf es ja hinauskommt. Aber ich möchte wissen, zu welchem Zweck ich sie bespitzeln soll."

Wedemeyer blinzelte in die Sonne.

„Das weiß ich nicht, Herr von Sibelius", sagte er, und er sagte es überzeugend. „Wissen ist Macht – das ist eine Banalität, und wie alle Banalitäten enthält sie einen Kern Wahrheit." Er sah sich um. „Ich möchte wissen, was hier vorgeht. Mir ist dieses Lokal und was in ihm vorgeht, unheimlich geworden. Ich kenne Ihre Vergangenheit, Herr von Sibelius, und sie unterscheidet sich sehr wesentlich von meiner. Sie schwammen gegen den Strom; ich schwamm immer mit dem Strom. Zum erstenmal in meinem Leben weiß ich nicht mehr, in welcher Richtung der Strom fließt." Über sein rundes Gesicht ging ein Lächeln, etwas resigniert und sich selbst verspottend. „Ich möchte nicht in die Lage kommen, gegen den Strom zu schwimmen. Es würde meinem Charakter widersprechen; ich würde wahrscheinlich umkommen. Genügt Ihnen das?"

Er sagt wenigstens, was die meisten nur denken, überlegte Sibelius. Auch er lächelte.

„Einverstanden, Herr Wedemeyer."

Wedemeyer erhob sich. Sibelius sah, daß er erleichtert aufatmete wie jemand, der ein unangenehmes Gespräch hinter sich gebracht hat. Er bemerkte auch, daß ihm Wedemeyer die Hand reichen wollte, daß er sich aber besann und sich die besiegelnde intime Geste ersparte.

„Schön, Herr von Sibelius", sagte er, „Sie können heute abend antreten." Er musterte einen Augenblick den kleinen Mann mit dem wohlgepflegten Schnurrbart, den säuberlich gekämmten grauen Haaren, der militärisch aufrechten Haltung. „Schön", wiederholte er, „kommen Sie heute nachmittag gegen drei; wir wollen Ihnen den Frack anpassen. Wir erfinden eine Geschichte über Sie für die anderen Angestellten. Den Namen Sibelius behalten wir bei, wegen der Ausweispapiere. Das ‚von‘ wollen wir lieber weglassen."

„Ich werde es mit Fassung zu tragen wissen", lächelte Sibelius.

Wedemeyer begleitete seinen neuen Ober auf die Straße hinaus. Die Märzsonne stand jetzt im Zenit. Die in die Ruinen hineingebaute Baracke der „Mücke" mit dem erbleichten Neonlicht über dem Eingang wirkte wie eine Flüchtlingsbaracke. An dem gegenüberliegenden Haustor, das wie das Tor aus einem Baukasten wirkte, von nirgends nach nirgends führend, lehnten zwei halbwüchsige Jungen und rauchten mit einer Intensität, als sei eine Zigarette zu rauchen eine ausfüllende Beschäftigung. Zwischen den beiden Straßenseiten stand eine Wand von Staub.

„Ich werde Ihnen das Nebenzimmer zuweisen", sagte Wedemeyer. „Wir haben für heute eine besonders bemerkenswerte Tischbestellung. General Stappenhorst, der ehemalige Abwehrchef Ost, ist vor einigen Tagen unter sensationellen Umständen verhaftet worden. Die Reporter bekamen Wind davon; wahrscheinlich haben Sie es in der ‚Süddeutschen Zeitung‘ gelesen. Die Zeitungen wissen nicht oder dürfen nicht davon berichten, daß der General gestern wieder freigelassen wurde. Er wird heute abend unser Gast sein ..."

Es wird Frühling in Deutschland

Wenige Minuten, nachdem er von Adam Wild die Nachricht erhalten hatte, daß sich Elisabeth von Zutraven bei dem Arzt befinde, wurde Major Frank Green in das Büro des Colonels Graham T. Hunter beschieden.

Schon die Haltung des hageren Fräulein Bauer, der Sekretärin des Colonels, verhieß nichts Gutes. Das spitznasige Fräulein gehörte zu jenen Sekretärinnen, welche die Stimmung ihrer Chefs in vielfach vergrößerter und vergröberter Form wiedergeben. Sie wirkte wie ein tippender Eiszapfen, als sie, von ihrer Schreibmaschine kaum aufblickend, sagte:

„The Colonel is expecting you, Major."

Hunter saß hinter seinem Schreibtisch, als Frank eintrat, aber er hatte offenbar nicht gearbeitet, sondern sich auf den Besuch seines Untergebenen nachdenklich vorbereitet.

„Setzen Sie sich, Frank", sagte der Colonel. „Ich habe mit Ihnen zu sprechen." Und kaum, daß Frank Platz genommen hatte: „Sagen Sie, Frank, haben Sie eigentlich völlig den Verstand verloren?"

„Ich nehme an, daß Sie von der Affäre Stappenhorst sprechen, Colonel", sagte Frank. „Ich höre, er wurde heute früh auf freien Fuß gesetzt."

„Genau das meine ich", sagte Hunter.

„Ich habe", begann Frank seine Erklärung, „durch einen deutschen Agenten den Aufenthalt des von uns gesuchten Generals erfahren. Ich erfuhr ferner, daß er eine Gruppe von ehemaligen Offizieren und Gestapo-Leuten um sich versammelt. Ich habe mir seinen Akt vorlegen lassen. Der Akt enthielt keine Rückziehung des Haftbefehls. Ich hielt es für notwendig, zuzuschlagen, ehe er uns durch die Maschen geht."

„Sie waren sich nicht bewußt, daß er für uns arbeitete?"

„Nein, Sir."

Der Colonel begann mit übertriebener Sorgfalt seine Brille zu putzen. „Frank", sagte er, „Sie haben mich in eine äußerst peinliche Lage gebracht. Der General muß annehmen, daß in meinem Amt die rechte Hand nicht weiß, was die linke tut. Nun, das läßt sich vielleicht durch das Wesen unserer Arbeit erklären." Es war keine Strenge in seiner Stimme, kaum ein Vorwurf. „Sie haben auch, wie immer, völlig korrekt gehandelt. Sie haben, darüber hinaus, den SS-Offizier Gert Mante stellig gemacht, dessen Auslieferung sowohl von den Franzosen als auch von den Russen betrieben wird." Es klang beinahe, als hätte er Frank in sein Büro bestellt, um ihm ein Lob auszusprechen. Dann jedoch fuhr er fort: „Zugleich haben Sie einen totalen Mangel an Urteilskraft an den Tag gelegt. Wenn nichts Schlimmeres. Sagen Sie, Frank, haben Sie mich von dieser Aktion absichtlich nicht vorher verständigt?"

„Ja, Colonel."

„Was heißt das?"

Frank sah seinem Vorgesetzten ins Gesicht. Er sagte:

„Ich fürchtete, daß Sie die Aktion verhindern würden."

Mit einer Hand, deren leises Zittern Frank bemerkte, setzte sich Hunter die Brille auf.

„Sie haben also doch gewußt, daß Sie eigenmächtig handeln?" sagte er.

„Ich sagte schon, daß ich von einer Zurückziehung des Haftbefehls nichts wußte. Ebenso wußte ich inoffiziell, daß einige Offiziere unseres Dienstes mit Leuten wie Stappenhorst verhandeln. Ich habe mein offizielles Unwissen benützt, um zu tun, was mir richtig schien."

„Wollen Sie mich mit Aufrichtigkeit entwaffnen, Frank?" fragte der Colonel.

„Nein, Colonel", sagte Frank. „Offiziere, die nach dem Punktsystem der Dienstjahre und Auszeichnungen mindestens achtzig Punkte besitzen, können um ihre Entlassung bitten. Ich habe heute früh mein Gesuch an Sie aufgesetzt."

„Was, zum Teufel, soll das wieder heißen?"

„Colonel", sagte Frank, „Sie wissen, daß ich bereit war, bei Ihnen zu bleiben, solange Sie meine Dienste brauchten. Bis heute früh dachte ich nicht daran, zu gehen. Die Freilassung des Generals Stappenhorst beweist mir, daß ich hier nichts mehr verloren habe. Ich habe in der Illusion gelebt, daß dieser Krieg ein Kreuzzug war. Ich möchte mir die Illusion bewahren."

Der Colonel stand auf. Auch Frank erhob sich.

„Bleiben Sie sitzen", sagte Hunter kurz. Er begann im Zimmer auf und ab zu gehen. „Sie wissen genau, warum wir Stappenhorst freilassen. Wir brauchen ihn. Es ist nicht unser Fehler, daß sich unsere Verbündeten von gestern von Tag zu Tag mehr als bedrohliche Feinde entpuppen. Sie können sich Ihre Feinde nicht aussuchen, Frank. Gestern waren wir von den Nazis bedroht, morgen bedrohen uns die Kommunisten. Ich will annehmen, daß Sie in erster Linie Amerikaner sind."

„Wir können uns vielleicht unsere Feinde nicht aussuchen, Colonel", sagte Frank. „Aber zweifellos unsere Verbündeten. Zuerst haben wir zusammen mit den Kommunisten Krieg geführt gegen die Nazis. Wollen wir jetzt mit den Nazis Krieg führen gegen die Kommunisten?"

„Wir wollen überhaupt nicht Krieg führen", sagte Hunter. „Aber es kann sein, daß er uns aufgezwungen wird. Das ist bedauerlich, kaum zehn Monate nach Kriegsschluß. Aber es ist ebenso wahr, wie es bedauerlich ist."

„Im großen Konzept der Weltpolitik mag das richtig sein, Colonel", erwiderte Frank. Er suchte nach Worten. „Ich habe Geschichte studiert, nicht angewandte Politik. Vielleicht gestattet es die Politik, daß wir uns in Widersprüche verwickeln, die mir unbegreiflich sind. Wir haben rund zweihundertfünfundsiebzigtausend Deutsche eingesperrt, aber wir lassen ausgerechnet Stappenhorst frei. Wir haben beinahe eine Million Fragebogen ausgeschickt, aber der Generalleutnant Stappenhorst ist befreit von der Beantwortung aller Fragen. Wir betrachten die Russen schon als unsere Gegner, aber in Nürnberg sitzen sie immer noch zu Gericht über unsere Gegner von gestern. Wir spielen uns als die Beschützer von fünf Millionen Zwangsarbeitern auf und wissen ganz genau, daß keine fünfhunderttausend wirklich verschleppt wurden. Wir erklären, daß Polen, Tschechen, Ungarn den Deutschen allein kraft ihrer Nationalität moralisch überlegen sind, aber seit voriger Woche etablieren wir Alarmsysteme in den bayerischen

Bauernhöfen, weil sie von herumziehenden ‚Zwangsverschleppten' ausgeplündert werden. Wir sprechen von Gerechtigkeit und werfen unschuldige Menschen auf die Straße, während sich Schuldige in luxuriösen Häusern breitmachen. Wir haben das ‚non-fraternization'-Gesetz immer noch nicht zurückgezogen, aber in der ‚Mücke' treiben sich im Laufe eines Monats Hunderte von G.I.s unbehelligt mit deutschen Huren herum. Wir wollen den Deutschen die Segnungen unserer Demokratie bringen und unterrichten sie im Boogie-Woogie." Er unterbrach sich, sprach aber gleich mit erhöhter Intensität weiter. „Kein Volk, Colonel, ist selbstloser in einen Krieg gezogen. Sie halten uns zu Hause wirklich für bewaffnete Missionare. Wir wollen das Beste. Ich weiß es, Sie wissen es. Aber wie, in Gottes Namen, sollen es die Besiegten glauben?"

Der Colonel stand am Fenster. Er sagte:

„Wir begehen Fehler, Frank. Selbstverständlich. Wir sind ein junges Volk, wir sind im Handwerk der Besatzung nicht geübt."

„Vielleicht", sagte Frank. „Vielleicht aber auch nicht. Vielleicht gibt es überhaupt kein Volk, das sich dazu eignet, ein anderes zu erziehen."

„Und was schlagen Sie vor?" sagte der Colonel. „Sollen wir dieses unselige Land sich selbst überlassen? Müssen wir nicht wenigstens einen Versuch unternehmen, den Deutschen unsere bessere Lebensform zu geben, die sie sich selbst nicht erkämpfen konnten?"

„Ich weiß nicht", sagte Frank. „Ich will nichts vorschlagen. Ich will nur kein ‚kleiner Mann' sein. Sie wissen am besten, wie viele deutsche Kriegsgefangene ich im Laufe des Krieges vernommen habe. Wie vielen habe ich die Frage gestellt: Wie kamt ihr dazu; warum habt ihr nicht Widerstand geleistet; wie konntet ihr in eurem Namen geschehen lassen, was geschah? Ich kam oft gerade zu Ihnen, Colonel, wenn mir die stereotype Antwort der Kriegsgefangenen den Magen umdrehte. ‚Ich bin ja nur ein kleiner Mann' – das haben sie geantwortet, hundertmal, Hunderte von Deutschen. Deshalb erschienen sie mir so gottverlassen, so hoffnungslos." Er stand auf. „Und nun verlangen

Sie von mir, Colonel, daß ich ein ‚kleiner Mann' werde. Ich hasse ‚kleine Männer'. Ich will mich bemühen, zu verstehen, gewiß, aber ich will protestieren können, wenn ich am Schluß immer noch nicht begreife. Ich will mich nicht fügen, wenn ich nicht verstehe. Es besteht nicht die geringste Aussicht, Colonel, daß ich den Fall Stappenhorst verstehe. Nicht die geringste." Leise fügte er hinzu: „Vielleicht halten Sie mich für unverschämt, Colonel. Ich glaube es nicht. Ich bin überzeugt, daß ich sprechen durfte. Das ist mein amerikanisches Credo." Beinahe bittend fügte er hinzu: „Lassen Sie mich heimgehen, Colonel!"

Hunter wandte sich ihm nicht zu; er stand immer noch am Fenster und blickte hinaus. Eine Stille, die Frank ewig zu währen schien, war zwischen den beiden Männern. Von draußen kam das eintönige Hämmern der Bauarbeiter, die dabei waren, die aufgerissene Straße zu reparieren. Dann sagte Hunter:

„Frank, Sie dürfen mich nicht im Stich lassen. Die Verwirrung ist groß. Sie ist vielleicht größer als Sie ahnen. Sie schafft sich neue Begriffe, und je klarer die Begriffe sind, desto größer wird die Verwirrung. Ich habe Sie neulich beschuldigt, mehr oder weniger offen, pro-deutsch zu sein, weil Sie sich für irgendeinen Offizier des zwanzigsten Juli einsetzten. Ich weiß schon, jetzt beschuldigen Sie mich der pro-deutschen Verschwörung, weil ich den General freisetzte. Dabei sind wir vermutlich weder das eine noch das andere. Wir torkeln ahnungslos in die Fallen klar umrissener Begriffe. Manchmal scheinen sie mir wie eine Straße, die man im Nebel gefunden zu haben glaubt, und in Wirklichkeit sind es nur Straßengräben. Die Besatzung ist zehn Monate alt, Frank. Geben Sie uns beiden eine Chance, uns aus den Nebeln herauszuarbeiten." Er wandte sich um. Er sah, wie dies oft geschah, plötzlich viel älter aus, als er war. Die Uniform schien zu dem schmalen, grauen Kopf nicht mehr zu passen. „Frank", sagte er leise, „mich ekelt der Fall Stappenhorst genau so an wie Sie. Ich habe heute Nacht kein Auge zugetan. Dort", er wies auf den Schreibtisch, „liegt noch der Entwurf meines eigenen Gesuches, heimgeschickt zu werden." Er fuhr eindringlich, beinahe beschwörend fort: „Aber was geschieht, Frank, wenn wir heimgehen? Ich meine nicht nur Sie und mich. Sondern alle, die nachdenken. Sind Sie sicher, daß Männer nachrükken, die das Richtige tun? Sind Sie sicher, daß nicht jemand meinen Platz einnimmt, der einen Fall O'Hara vertuscht – ein Beispiel von vielen." Er deutete auf das Fenster. „Da gehen sie unten, die besiegten Deutschen, und blicken manchmal vielleicht zu diesen Fenstern herauf, mit Haß oder Vertrauen, jedenfalls mit Neid, und haben keine Ahnung, wie schwer es ist, zu siegen."

Frank trat unwillkürlich einen Schritt näher. Jetzt stand auch er am Fenster. Auch dies geschah nicht zum erstenmal, daß er eine große Wärme vor diesem Mann empfand, mit dem ihn von Anbeginn nichts verbunden hatte, und der ihm doch, noch in seiner zögernden Unsicherheit und seinen wankenden Zweifeln, wie ein Vater erschien.

„Ich weiß", sagte er herzlich. „Und das Schwierigste scheint mir manchmal die Erbschaft der Besiegten. Ich weiß nicht, ob Sie verstehen, was ich meine. Ich würde nicht einen Moment zögern, Colonel. Aber dann muß ich daran denken, ob nicht in diesem gleichen Raum, vor ein oder zwei Jahren, ein deutscher Oberst und ein deutscher Major einander gegenüberstanden und einander überredeten, auszuharren, obwohl sie wußten, daß alles falsch und verfahren und sinnlos war. Ob sie nicht auch sagten: wir müssen bleiben, weil nichts Besseres nachkommt. Und sie blieben, und jetzt klagen wir sie an, weil sie geblieben sind und weil die Maschine, da sie blieben, weiterlief. Wohin soll das führen, Colonel?"

„Wir wollen sehen, wohin es führt", sagte Hunter. „Es führt zu nichts, wenn wir desertieren. Kann ich mit Ihnen rechnen, Frank?"

Frank senkte den Blick. Schon war er entschlossen, zu bleiben, aber noch suchte er vor sich selbst nach einer Antwort, ob er aus Schwäche blieb, ob er nie ernstlich zu rebellieren beabsichtigt hatte, ob er wirklich überzeugt war. Es war merkwürdig für Frank, der sonst so methodisch bestrebt war, die Triebfedern seiner Handlungen bloßzulegen, daß er nicht mehr wußte, ob ihn ein mutiger Entschluß trieb, oder ob er einer Schwäche erlahmend nachgab.

Der Colonel nahm sein Schweigen für eine Zusage. Er kehrte zu seinem Schreibtisch zurück. Bewußt änderte er Ton und Thema. Er sagte:

„Der Fall O'Hara. Ich habe ihn heute früh nach Berlin fahren lassen. Er fuhr per Jeep. Können Sie morgen früh das Flugzeug nehmen?"

„Ja", sagte Frank. „Um elf, glaube ich. Ich kann am Nachmittag in Berlin sein."

Er verabschiedete sich schnell und ging. Fräulein Bauer, die eine heftige Auseinandersetzung erwartet und vielleicht auch gehofft hatte, daß ein gedemütigter Major das Zimmer des Chefs verlassen würde, sah ihm verwundert nach. Sie verstand die Amerikaner von Tag zu Tag weniger.

Frank ging in sein Büro, telefonierte an den „adjutant general", daß er, auf Wunsch des Colonels, Reiseorders für den nächsten Tag nach Berlin brauche, und machte sich auf den Weg nach Schwabing.

Frau Wild öffnete ihm. Adam sei nicht zu Hause, sagte sie, aber Elisabeth erwarte ihn. Dann ließ sie ihn mit der Frau in dem überladenen Antiquitätensalon allein.

„Ich habe dich überall gesucht", sagte Frank. „Ich hätte dir beinahe schon die M.P.s auf den Hals gehetzt. Warum hast du dich nicht gemeldet?"

Sie lächelte. „Ich kann so schwer danke sagen."

Er errötete. „Das habe ich nicht gemeint. Ich hatte mit deiner Entlassung nichts zu tun."

„Ich weiß, daß du mit ihr zu tun hattest", sagte sie.

Er wollte schnell das Thema wechseln.

„Wie wäre es, wenn wir spazierengingen", sagte er. „Es ist beinahe Sommer draußen."

„Können wir denn . . .?" fragte sie.

„Für die Abwehr gilt das ‚non-fraternization'-Gesetz nicht. Wenn es überhaupt noch für jemand gilt."

Er wartete im Salon, während sie sich im Nebenzimmer den Mantel anzog. Er blickte hinaus auf die Ruinen, die in der Nachmittagssonne noch unwirklicher wirkten als sonst. Er mußte, ohne sogleich zu wissen warum, an einen Besuch denken, den er in seiner Kindheit einem Wallfahrtsort abgestattet hatte. Es war Sommer. Die Krüppel, die von überall gepilgert kamen, badeten in der Sonne. Wie Krüppel, die in der Sonne baden, waren die Häuserrümpfe.

Als Elisabeth zurückkam, trug sie einen hellgrauen, kleidsamen Lodenmantel und einen weißen Schal über den dunkelblonden Haaren. Der weiche Rahmen des Tuches brachte die regelmäßige Feinheit ihrer Züge noch deutlicher zum Vorschein, und Frank mußte an die Gemälde Guido Renis denken, an die italienischen Edelfrauen, die er, mit solchen Tüchern über den Haaren, zu malen liebte. Wie anders sieht sie aus als im Lager, ging es ihm durch den Kopf, wie wenig ist sie gealtert.

Sie wanderten neben einander die Barer Straße abwärts, der zerstörten Pinakothek zu.

„Es hatte einen ganz bestimmten Grund, warum ich dich sehen wollte", sagte Frank. „Einen bestimmten, viele unbestimmte Gründe", fügte er schnell hinzu. „Du wirst in den nächsten Wochen vor die Spruchkammer kommen."

„Ich weiß", sagte sie.

„Ich verrate dir kein Geheimnis", sagte er, „die Vorerhebungen stehen ungemein günstig. Ich kann dir keine Einzelheiten sagen, aber die Ermittlungen in Paris stellen dir ein ganz ungewöhnliches Zeugnis aus. Deine Chancen für einen Freispruch sind sehr gut, wenn . . ."

„Wenn ich mich von Zutraven lossage", ergänzte sie.

„Das ist nicht notwendig. Wenn du nicht darauf bestehst, dich zu ihm zu bekennen."

Einen Augenblick lang ging sie schweigend neben ihm. Dann sagte sie:

„Franz, glaubst du, daß er zum Tode verurteilt wird?"

„Ich weiß es nicht. Ich glaube nicht."

„Man sollte keinen Menschen hängen, Franz."

Sie sagte es schlicht, ohne Pathos. Er konnte nicht gleich erwidern. Er dachte: Wenn die Passanten wüßten, worüber sich der amerikanische Major und die deutsche Frau unterhalten! Man sollte keinen Menschen hängen, Franz.

„Vielleicht", sagte er. „Aber darüber wollen wir jetzt nicht sprechen."

„Ich müßte mich zu ihm bekennen, wenn sie ihn hängen", sagte sie hart.

„Du wirst vor die Spruchkammer kommen, bevor sie in Nürnberg ein Urteil fällen. Man erwartet das Urteil nicht vor Ende September." Erst jetzt wurde ihm klar, was sie soeben gesagt hatte. „Und wenn das Urteil mild ausfällt?", fragte er.

Sie vermied es, ihn anzuschauen.

„Ich habe nichts mit Zutraven gemeinsam", sagte sie. „Nichts."

Sie waren bei den Ruinen der Pinakothek angelangt. Er wurde sich auf einmal bewußt, was ihn in diese Richtung getrieben hatte. In ihrer frühen Jugend hatten sie beide eine mehr als alltägliche Liebe zur Malerei entwickelt. Sie sagte manchmal, daß sie Malerin werden wollte. Zuweilen, im Sommer, stand eine Staffelei im Garten des Nachbarhauses. Er pflegte sich heranzuschleichen und sie bei der Arbeit zu belauschen, denn sie wollte ihm nie ein Bild zeigen, das sie gemalt hatte. Sie waren oft zusammen in der Pinakothek gewesen. An solchen Ausflügen hatte Georg nie teilgenommen; vielleicht war das einer der Gründe, warum Frank sich ihrer so zärtlich erinnerte. Indes wollte er sie an diese Tage nicht erinnern: wohlfeil, schien es ihm, waren Anleihen an die Erinnerung.

Da sagte sie: „Erinnerst du nicht?"

„Ja", sagte er.

Sie überquerten die Straße und stiegen, beinahe als wären sie sorglose Touristen auf einem Ausflug in altrömischen Ruinen, über den Wirrwarr von Steinen, herausgebrochenen Teilen eines alten Gittertores, verrosteten Traversen und zerschlagener Stukkatur.

„Es wird Frühling", sagte sie.

Und als er sich umsah, bemerkte auch er das erste Grün auf den Sträuchern zwischen den Steinen. Dürre Äste hatten die Sträucher, wie die Arme unterernährter Kinder, aber mit einigen Blättern schon, freche und liebliche Triumphe mitten in der Verwüstung. Aus dem Lehmboden sproßten die ersten gelben Blumen. Unter den Steinen schienen sie hervorzukriechen, ängstlicher noch als sonst die zaghaften Boten des Frühlings.

Sie war auf einen Quaderstein gestiegen und zögerte einen Augenblick, den kleinen Sprung zu wagen. Er reichte ihr die Hand.

Als sie wieder unten war, wollte er ihre Hand loslassen, aber sie ließ seine Hand nicht los. Sie sah ihn an und sagte: „Franz, warum tust du das alles für mich?"

Er sagte: „Ich liebe dich."

Sie blieben stehen, einander gegenüber, und konnten nichts sagen, aber er schien betroffener als sie. Sie hatte diese Worte vielleicht erhofft oder gefürchtet, nicht heute und nicht hier, aber sie kamen für sie nicht so überraschend wie für ihn, der sie aussprach. Hätte er sich früher gestanden, was er ihr jetzt gestand, die Worte wären endlose Umwege gegangen bis zu seinen Lippen. Nun hatte er es ausgesprochen, vielleicht nur, weil er der Lüge nicht fähig war. Er hätte, ihre Frage beantwortend, seine Motive beschönigen müssen oder verändern. Unendlich einfach und unendlich verwirrend war die Wahrheit.

Über ihr Gesicht ging ein Lächeln. „Ich habe es gewußt, Franz", sagte sie. „Vielleicht habe ich deshalb gefragt." Und ehe er noch etwas erwidern konnte: „Es tut gut, Franz. Es muß keinen Sinn haben."

Sie ließ seine Hand los und wandte sich zum Gehen.

„Willst du es vergessen?" fragte er.

„Warum?"

„Zutraven", sagte er. „Es ist kein Kampf."

„Es ist nicht Zutraven", sagte sie. „Es sind die zwölf Jahre. Sie bleiben."

„Sie müssen nicht bleiben", sagte er.

„Doch", sagte sie. „Vielleicht kann ich es dir einmal erklären. Aber nicht heute."

„Hast du Angst vor den Menschen?" fragte er.

„Das auch. Die Frau des Kriegsverbrechers und der amerikanische Major. Man muß nichts hinzufügen."

„Aber was man hinzufügt, darauf kommt es an."

„Nur wenn man sehr viel Mut hat", sagte sie. „Ich habe keinen. Ich habe es bewiesen."

„Das ist nicht wahr", sagte er.

„Es ist wahr", sagte sie. „Ein andermal, Franz. Aber es tut trotzdem gut."

Sie standen wieder auf der Straße. Als sie sich umsahen, wunderten sie sich, daß sie nicht allein waren. Auf den Ruinen saßen ein paar Arbeiter und verzehrten eine spärliche Mahlzeit. Andere kletterten über die Ruinen. Amerikanische Soldaten kamen vorbei und musterten den Major und die deutsche Frau. Sie grüßten nicht.

Der Abend begann sich zu senken, als sie, ihre Rückkehr unwillkürlich verzögernd, in die Straße einbogen, in der Adam Wilds Haus stand. Sie hielt plötzlich inne. Er folgte ihrem Blick und sah zwei weiß angestrichene M.P.-Jeeps, die vor dem Haus warteten.

„Komm nicht mit", sagte sie. In ihrer Stimme war Panik. „Sie holen mich."

„Unsinn", sagte er.

Er blieb an ihrer Seite, als sie sich dem Haus näherten. Vier oder fünf M.P.s standen an die Wagen gelehnt. Sie ließen den Major und die Frau passieren.

Sie stiegen schweigend, voll verhaltener Ahnungen, die Stiegen hinauf.

Sie wollten gerade läuten, als sich die Tür der Wohnung Adams öffnete. Ein M.P.-Leutnant trat heraus. Er sah die beiden einen Augenblick lang verblüfft an. Dann hob er die Hand zur Mütze. Er wandte sich an den Major.

„Frau von Zutraven?" fragte er.

„Ja", sagte Elisabeth, Frank zuvorkommend.

„Kommen Sie mit", sagte der Leutnant brüsk. „Sie sind verhaftet."

„Haben Sie einen Haftbefehl, Lieutenant?" fragte Frank auf englisch.

Immer noch verblüfft, wies der Leutnant den Befehl vor.

„Darf ich meine Sachen packen?" fragte Elisabeth.

Der Leutnant sah den Major an und nickte. Wenige Minuten später kam Elisabeth wieder aus der Wohnung. Sie trug ein Köfferchen in der Hand. Sie eilte schnell an Frank vorbei, die Stiegen hinunter.

FÜNFTES KAPITEL

Ein Affenkäfig wird gesäubert

Wochen vergingen, ehe Elisabeth von Zutraven erfuhr, warum sie in das Anhaltelager bei Augsburg eingeliefert wurde, und auch dann blieb die Auskunft dürftig und zweifelhaft.

Im Vergleich zur Baracke, in der ihr ein Platz angewiesen wurde, war die Unterkunft im Frauenlager bei Nürnberg geradezu luxuriös. Gab es dort Pritschen und Feldbetten, so schliefen die Frauen hier auf dem Boden, und die Strohsäcke, die man ihnen zuwies, litten an Altersschwäche und Strohschwund. In Nürnberg waren nur die Frauen der Kriegsverbrecher interniert, eine Gesellschaft, der Elisabeth schon in den Tagen des Dritten Reiches abgeneigt war, die sich jedoch von der Augsburger Gesellschaft sehr günstig unterschied. Zwar begegnete Elisabeth auch hier schon in den ersten Stunden den Frauen der Nürnberger Angeklagten – die Frau des Marschalls hatte ihr „Bett" neben ihr; an der gegenüberliegenden Wand befand sich der Strohsack der Frau eines Gauleiters – aber im großen und ganzen sah man in Augsburg nicht auf gesellschaftliche Selektion. Zur Rechten Elisabeths hauste Frau Kein, ehemalige Wärterin in einem Konzentrationslager, eine riesige Person mit männlichen Zügen und von maskulinem Körperbau, von der es hieß, daß sie persönlich für den Martertod von Hunderten von Jüdinnen verantwortlich sei. Zwei Tage nach Elisabeths Eintreffen wurden auch zwei junge Frauen der Baracke zugewiesen, die bereits in der nationalsozialistischen Zeit zahlreiche Konzentrationslager kennengelernt hatten, als sogenannte „asoziale Elemente" wohl: Lesbierinnen waren es, die man, höchst paradoxerweise, von Lager zu Lager schleppte, obschon sie ihrer gemeinsamen Internierung mehr und mehr

Geschmack abgewannen. Andere noch zählten zu den Bewohnern der langgestreckten, schmalen Baracke: eine Nachrichtenhelferin, die wie ein Mannequin aussah und nicht wußte, wie sie hierherkam; ein „Blitzmädel", das vernachlässigt, von Schmutz starrend, den ganzen Tag vor sich hindöste; eine weitere ehemalige Wärterin eines Frauen-Konzentrationslagers in hochschwangerem Zustand, die Filmschauspielerin Lia Rehn, einst vielbeneidete Freundin unter den vielbeneideten Freundinnen des Propagandaministers; eine Frau Begel schließlich, Gattin eines hohen SS-Offiziers, der selbst im anschließenden Anhaltelager für Männer, wenige Meter nur von der Baracke entfernt, interniert war.

Die Nächte waren es, die Elisabeth in dieser Umgebung am meisten fürchtete.

Eines Nachts, es war gleich zu Anfang, fiel der Schein einer Taschenlampe plötzlich auf die Strohsäcke der Frauen. Ein Soldat der Wachmannschaft stand in der Tür.

„Frau Begel, kommen Sie mit", sagte er.

Die Frauen richteten sich auf ihren Strohlagern hoch.

Frau Begel war eine große, dunkelhaarige Frau, die nur aus Knochen zu bestehen schien. Ihre starken Backenknochen beherrschten ihre eingefallenen Züge und knochig waren ihre übergroßen Hände. Elisabeth hatte gleich am ersten Tag Frau Begels Geschichte erfahren: doppelt erschreckte es sie also, als man die Mitgefangene mitten in der Nacht aus der Baracke holte. Die Frau des SS-Generals hatte ihre beiden Kinder getötet. Es war in einem Wald geschehen, 1945, in den Bergen um Berchtesgaden. Dorthin war die Familie Begel vor den einmarschierenden Franzosen geflohen; dort hatte der SS-General beschlossen, sich und seine Familie umzubringen. Er fand jedoch den Mut nicht, die Pistole auf den neunjährigen Sohn und die dreijährige Tochter zu richten: die Frau nahm ihm die Waffe ab und schoß ihre Kinder in den Kopf. Wenige Minuten später, als sie kaltblütig sich selbst und ihren Mann richten wollte, schwärmten schon die siegreichen Alliierten durch den Wald, und der SS-General zog die Gefangenschaft dem Freitod vor. Seither war das Leben der Frau

320

nur noch Haß: fanatisch haßte sie die Sieger, aber fanatischer noch den Mann, der zu sterben verabsäumt hatte. Sie hatte im Dritten Reich nicht zu den Frauen gehört, die Elisabeth bei sich „Haustiere" nannte: sie hatte von den Taten ihres Mannes gewußt und sie gutgeheißen. Massenmord, Mord, auch Kindermord, akzeptierte sie als das „harte Gesetz der großen Zeit", aber sie verabscheute den Mann, dessen Heldentum nicht ausreichte, sich selbst zu morden.

Die Frauen erhoben sich, als der Soldat mit Frau Begel gegangen war. Sie hatte nichts an als ein Nachthemd, aus Säcken zusammengeflickt: der Wärter hatte es ihr nicht gestattet, sich anzuziehen. Durch ein kleines Fenster in der Barackentür sahen die Frauen die Gefangene, die, mit dem Soldaten Schritt haltend, über den Hof neben ihm einherging. Von den Wachtürmen strich das Licht der Reflektoren kalt, langsam und regelmäßig über den Hof und die Hütten. Eine Stunde später tauchte ihre Gestalt wieder auf, tauchte unter in der Dunkelheit und tauchte wieder auf im Scheinwerferlicht: nun aber sahen die überraschten Frauen, daß sie einen dicken Pullover über dem Nachthemd trug, grotesk noch in dieser Situation, denn unter dem warmen Sweater umflatterte das weite Nachthemd ihre knochigen Knie. Etwas Unbestimmtes, Glitzerndes trug sie in der Hand.

Sie betrat die dunkle Baracke, tastete sich zu ihrem Strohsack und ließ sich nieder. Niemand sprach. Erst als der Lichtkegel wieder durch die Fenster fiel, sahen die anderen, daß Frau Begel aufrecht auf ihrem Strohsack saß. Sie sagte:

„Das Schwein ist tot."

Es blieb still. Die Frau wartete auf keine Frage. Sie fuhr fort:

„Er hat sich endlich erhängt. Drüben. Ich hätte ihn gern gesehen. Mit Draht hat er sich erhängt. Er hat ihm die Kehle durchschnitten. Sein Pullover ist noch voller Blut."

Der Scheinwerfer hatte die Baracke verlassen. Sie saß im Dunkeln. Die Geliebte des Propagandaministers begann hysterisch zu schreien. Die Lesbierinnen bemühten sich um sie. Die schwangere KZ-Wärterin erbrach sich. Die Frau des Marschalls sagte befehlend: „Schweigen Sie!" Aber die Frau wiederholte den Rest der Nacht: „Das Schwein ist tot!" Zum Morgenappell ging sie im Nachthemd, mit dem Pullover des Toten. Er war wirklich voller Blutflecken.

Es war nicht die einzige Nacht, deren Alptraum sich einprägte in die Erinnerung Elisabeths, und noch Jahre später verwandelten sich Erinnerungen wieder in Alpträume.

Mitte März kam die eine KZ-Wärterin nieder. Sie war eine blonde Frau, fünfunddreißig etwa, mit winzigen Augen und breiten Lippen, einer übermästeten und kranken Ente nicht unähnlich. Sie besaß kein Kleid und konnte auch keins bekommen; sie trug die rauhen, grauen Arbeitshosen wie zur Zeit ihrer Festnahme. Mit jedem Tag wurden der Schwangeren die Männerhosen enger und enger; länger und länger mußte die Schnur gezogen werden, die sie um ihre Hüften gebunden hatte. Mit dem wachsenden Bauch wuchs aber auch die Spanne zwischen den beiden Enden der Hosenöffnung, so daß der entblößte Bauch, nur von einem schmutzigen Hemd bedeckt, immer deutlicher aus der Hose trat.

Es war nachts, elf Uhr vorbei, als die Wehen einsetzten, einen Monat zu früh, und ärztliche Assistenz herbeizuholen erwies sich als aussichtslos. Wer sich ohne Bewachung zu nächtlicher Stunde vor die Baracke wagte, auf den feuerte man von den bemannten Wachtürmen: nur die Frau des Marschalls entschloß sich endlich, die Tür zu öffnen und laut nach Hilfe zu rufen. Der Ruf gellte durch die Nacht, dramatisch und doch nicht ganz echt, wie jemand ruft, der zwar der Hilfe bedarf, aber nicht selbst in Bedrängnis ist.

Niemand antwortete. Elisabeth und die Frau des Gauleiters streiften die Hosen der Frau herunter. Sie wand sich in Schmerzen. Der Geburtshelferinnen waren viele, aber ihre Arbeit, ohnedies nicht sachkundig durchgeführt und mühsam, weil die nicht mehr junge Frau ihr erstes Kind zur Welt bringen sollte, wurde noch erschwert durch die Streiche des Scheinwerferlichtes, das, einem bösartigen Kobold gleich, gerade in dem Moment aus der Baracke huschte, als man seiner am meisten bedurfte. Ein Wunder war es also, daß Frau Begel, mit dem Sweater ihres toten Mannes angetan, ein lebendiges Kind aus dem Mutterleib hob: die Frau des Marschalls stand immer noch hilferufend in der offenen Tür, und so vermengte sich der Laut ihrer Stimme mit dem ersten Schrei des Neugeborenen. Die Frau des Gauleiters beugte sich über den blutüberströmten Körper der Mutter und biß die Nabelschnur ab, denn scharfe Objekte zu besitzen war verboten, und auch ein anderes gehöriges Instrument war nicht zur Hand.

Es war in diesem Augenblick, daß das streifende Licht die Baracke wieder erhellte, und die Frauen, kniend oder stehend um die Gefangene, sahen ein pechschwarzes Negerkind mit dichten, schwarzen Haaren, ein Häuflein dünner, schwarzer Haut über mageren, spitzen Knochen, fremd, elend und unerwünscht im beinahe abweisend ausgestreckten Arm der weißen Mutter.

Die KZ-Wärterin und ihr Kind, erhalten durch ein teuflisches Wunder, wurden frühmorgens abtransportiert, aber einige Tage darauf bezogen zwei andere Frauen mit ihren schreienden Babys Elisabeths Baracke. Die eine war eine Französin, vierundzwanzig Jahre alt, wie sie behauptete, aber es war schwierig, ihr Alter zu bestimmen, denn sie war kahlgeschoren: die Bewohner des lothringischen Dorfes, aus dem sie stammte, hatten die „Deutsche-Hure" ihres Haarschmucks beraubt. In den letzten Monaten, in denen sie von Lager zu Lager zog, waren ihre dunklen Haare etwas nachgewachsen, und dadurch wirkte sie merkwürdigerweise noch kahler, denn die kurzen, borstigen Haare gaben ihr das Aussehen eines männlichen Sträflings. Die zweite war ein Mädchen aus Berlin, in einer zerlumpten Uniform, hübsch in seiner arroganten und herausfordernden Art. Beide Frauen hatten vor einigen Monaten Kinder zur Welt gebracht, zwei kleine Mädchen – noch von einem Deutschen sollte das Kind der Französin stammen, von einem Russen, der sie vergewaltigt hatte, schon das Kind der Deutschen. Als sie zum erstenmal die Baracke betraten, wußte Elisabeth nicht sogleich, daß sie Kinder hatten, denn sie trugen nur zwei große braune Pappschachteln vor sich her, mit der Aufschrift CARE: diese amerikanischen Almosenschachteln dienten den beiden Würmern als Wiege und Kinderwagen. Auf ihren Reisen von Lager zu Lager, so berichteten die Frauen, seien sie unzähligen jungen Müttern begegnet, die ihre Kinder in CARE-Paketen mit sich schleppten, Kinder ihrer toten Männer, Kinder von Besatzungssoldaten, Kinder von Siegern und Besiegten, Früchte einer großen Liebe, einer einzigen Nacht, der Gewalt oder des Handels für ein Stück Brot.

Wenig Schlaf fand Elisabeth in den Nächten, und hart waren die Tage des Lagers. Um die sadistische Erfindung des Appells, dieses sinnlosen und daher demütigenden Aufrufens von Namen, vom Militär aller Länder erdacht und von den Lagerkommandanten aller Länder übernommen, drehte sich auch das Leben im Augsburger Frauenlager. Zweimal, dreimal im Tag wurden die Frauen aufgerufen: morgens wurden sie oft so früh von ihren Strohsäcken gejagt, daß sie sich nicht ankleiden konnten und in ihren Nachthemden dastanden, in endlosen Reihen, in militärischer Ordnung. Es ging auch hier nicht darum, festzustellen, ob sie alle anwesend waren: niemand hätte den elektrisch geladenen Draht um das Lager zu passieren vermocht. Zudem wurden nicht die kompliziert-deutschen Familiennamen ausgerufen, sondern, der Einfachheit und doppelten Demütigung halber, die Vornamen, so daß auf den Ruf Elisabeth, Maria, Grete, Inge oder Berta gleich ein Dutzend Frauen mit „Hier!" in komischem Durcheinander antworteten.

Der Demütigungen gab es viele, selbstverständliche und allgemeine wie die Appelle im Nachthemd, aber auch brutale und raffiniert ausgeklügelte. Wenn die Frauen, und darin bestand ihre hauptsächliche Beschäftigung, die schmutzigen Unterhosen der Wachmannschaften wuschen, wurde ihre Arbeit oft von beleidigenden Reden der Soldaten begleitet, und insbesondere ein modernes Sadisteninstrument trat dann in seine Rechte – die Kamera, deren höhnisches Linsenauge die ehemaligen „hohen Frauen" immer wieder bei niedriger Beschäftigung festhielt. Aber auch individuelle Späße ersannen die Wachmannschaften

– Private Brown brachte eines Tages ein Hitlerbild in Elisabeths Baracke und ließ die Frauen auf dem Bauch das auf den Fußboden gelegte Bild ablecken, bis die Farbe aus den Zügen ihres ehemaligen Führers wich; immer wieder vergnügte sich Corporal Flanaggan damit, kleine Hakenkreuzflaggen an die Gefangenen zu verteilen, mit denen sie die Latrinen zu reinigen hatten.

Wenn auch Elisabeth trockenen Fußes durch diesen Schlamm watete, als ginge sie nichts an, was mit ihr geschah und was sie tat, blieb sie dennoch nicht unberührt von der Erniedrigung. Ihre Schande floß freilich aus Quellen, von denen die Lagerherren nichts ahnten. Die Gemeinschaft war es vor allem, die sie demütigte: daß sie in ein Schicksal gezwungen wurde mit KZ-Kommandeusen und Prostituierten, daß sie nicht imstande war, immer wieder und bei jeder Gelegenheit den sich ihr klagend Anvertrauenden zu sagen: Ich habe nichts, nichts mit euch gemeinsam. Die sadistischen Garden beleidigten sie weniger als die jeder fraulichen Würde baren Mitgefangenen – die Geliebte des Propagandaministers etwa, die prahlte, sie werde sich die Freiheit durch ihre Beziehungen zu einem Leutnant erschlafen; das schmutzstarrende „Blitzmädel", das in der Nacht der Baracke auf ihrem Strohsack laut und hemmungslos die Gunst eines Wärters genoß; die Lesbierinnen, die Elisabeth mehr als einmal von ihrem Strohsack jagen mußte, wenn sie sich ihr zärtlich näherten, während die Kinder schrien, die Frau des Gauleiters laut und jammernd betete und die Frau des Marschalls schnarchte.

Mit der Frau des Marschalls, die ihrerseits Elisabeth als die einzige Ebenbürtige betrachtete, wenn auch mit einer gewissen Distanz, hatte Elisabeth manches Gespräch, und diese Gespräche waren fast schlimmer als die ausgeklügelten Torturen.

Die Frau des Nürnberger Mitangeklagten Kurt von Zutravens stellte eine Mischung aus Würde und Würdelosigkeit dar, die sich Elisabeth schwer erklären konnte. Sie besaß noch einen eleganten, schwarzen Mantel der französischen Modeschöpferin Lanvin, die sie einst besonders gefördert hatte, und sie zeigte sich ausschließlich in dieser modischen Kreation. Zugleich war sie von unglaublichem Appetit, den zu beherrschen sie nicht imstande war, so daß sie mehr als einmal zu abendlicher Stunde, den Lanvin-Mantel wallend über ihrem Nachthemd, am Zaun des anschließenden Männerlagers entlangkroch, um ein Stück Brot oder gar ein Stück Wurst aufzuklauben, das die männlichen Gefangenen, offenbar etwas reichlicher versehen, herübergeworfen hatten. Wenn sich Elisabeth von der Frau, die diese illegale Nahrung in einem stillen Winkel heißhungrig verzehrte, abwandte, als hätte sie nichts gesehen, dann erkannte sie deutlich ihren eigenen Konflikt: wie sie, einerseits, diesen Sturz für gerechtfertigt hielt, und wie sie, andererseits, wünschte, die Sieger sollten sich nicht laben können an dem Elend der Gestürzten.

„Ich bin nicht hungrig", sagte Elisabeth an einem lauen Märzmorgen zur Frau des Marschalls, als die ihr, zum erstenmal, ein Stück Käse anbot, das sie am Abend vorher am Stacheldraht aufgelesen hatte.

Es war kurz nach dem Morgenappell; sie benützten eine freie Stunde, um frei im Lager auf und ab zu gehen.

„Ich weiß, was Sie denken, meine Liebe", sagte die Frau des Marschalls und versteckte den Rest der amerikanischen Käseration in ihrer Manteltasche. „Aber ich habe die Verpflichtung, hier lebend herauszukommen. Mein Mann braucht mich, und eines Tages wird mich unser Volk brauchen."

Elisabeth blieb stehen. „Ist das Ihr Ernst?" fragte sie.

„Warum sollte es nicht mein Ernst sein?"

„Wissen Sie denn nicht, was unseren Männern bevorsteht?"

„Sie werden es nicht wagen! Man wird sie, höre ich, auf eine Insel im Mittelmeer verbannen. Und wenn wir zurückkehren von dieser Insel, wird es nicht für hundert Tage sein."

Sie gingen weiter.

„Ich verstehe Sie nicht", sagte Elisabeth. „Sehen Sie denn nicht, daß es, wie immer die Urteile ausfallen mögen, ein für allemal vorbei ist? Nicht nur, weil wir besiegt sind, sondern weil dem Volk die Augen aufgegangen sind. Was geschah, konnte nur geschehen, weil es die Mehrheit des Volkes nicht gewußt hat."

„Sie sind also auch ein Opfer der alliierten Greuelpropaganda geworden, Frau von Zutraven", sagte die Frau des Marschalls bitter.

„Greuelpropaganda?" erwiderte Elisabeth ruhig. „Wollen Sie wirklich sagen, daß Sie auch heute noch nicht wissen, was geschehen ist?"

„Wir haben zweifellos Fehler begangen", sagte die Frau des Marschalls. „Und es waren schwere Fehler darunter. Das ist klar. Wir würden es das nächste Mal besser machen. Aber wir haben ein Weltreich aufgebaut, Frau von Zutraven."

„Wir haben ein Verbrecherreich aufgebaut", sagte Elisabeth.

„Ich lehne es ab, mich weiter mit Ihnen darüber zu unterhalten", sagte die Frau des Marschalls. Aber sie konnte der Versuchung, Elisabeth zu überzeugen, nicht widerstehen – mit wem auch sollte sie sprechen, wenn nicht mit der Frau des ehemaligen Gouverneurs? „Ist Ihnen, Frau von Zutraven, dieses Lager nicht Beweis genug, daß die Sieger schlimmer sind als wir es je waren?"

„Nein", sagte Elisabeth fest. Auch sie empfand das Bedürfnis, ihre verschwiegenen Gedanken auszusprechen. „Auch wenn ich die schmutzigen Unterhosen des Captain Smith waschen muß, vergesse ich nicht, daß aus den Dampfkesseln dieses Lagers keine tödlichen Gase steigen. Und die Millionen, die in Auschwitz und Belsen und Mauthausen vergast wurden, waren unschuldig, aber Sie und ich sind es nicht. Ich bedaure, daß sich die Sieger wie Schurken benehmen, aber ich bedaure es nur, weil sie Menschen wie Sie demütigen statt sie zu beschämen." Etwas milder fuhr sie fort: „Ich tue mir nicht leid. Aber die Sieger tun mir leid, weil sie es versäumen, Ihnen und mir durch etwas mehr Güte zu zeigen, wie schlecht wir gewesen sind."

Die Frau des Marschalls blieb stehen. Sie richtete sich zu ihrer ganzen Höhe auf und sagte:

„Ich bedauere Ihren Mann, Frau von Zutraven! Und ich werde Ihre Worte nicht vergessen, wenn der Tag der Abrechnung kommt."

„Der Tag der Abrechnung ist schon gekommen", sagte Elisabeth.

Sie wollte noch etwas sagen, denn die Frau, die vor ihr stand, tat ihr leid, wenn auch anders, als die Frau des Marschalls Mitleid erwartete. Sie tat ihr leid, und sie beneidete sie, und beides aus den gleichen Gründen. Sie war blind, die Frau des Nürnberger Angeklagten, blind vor den gestrigen Ungerechtigkeiten und Verbrechen und Greueln, und sie lebte einem entsetzlichen Erwachen entgegen; zugleich liebte sie aber ebenso blind den Mann, der sie im Dritten Reich zu seiner Frau gemacht hatte – und weil sie ihn liebte, drehte sich ihr Dasein um einen festen, sicheren Punkt.

Elisabeth kam nicht dazu, etwas zu erwidern, denn die Frauen wurden zu einem neuen, überraschenden Appell zusammengetrommelt.

„Hundert Gefangene werden zu Arbeiten außerhalb des Lagers gebraucht", verkündete Sergeant Haigh, ein großer blonder Junge aus Texas, dem alle Lagerinsassen zugetan waren, weil er versuchte, wann immer es ihm sein Dienst gestattete, zu helfen, und der einmal sogar einen brutalen Gefreiten vor den versammelten Gefangenen zurechtgewiesen hatte. „Wenn sich nicht genug Freiwillige melden", fügte er hinzu, „werden wir hundert bestimmen müssen."

Weit mehr als hundert meldeten sich, unter ihnen Elisabeth, denn es gab wenige Gefangene, denen die Aussicht, das Lager für einige Stunden verlassen zu dürfen, nicht verlockend erschienen wäre; auch konnten die Arbeiten außerhalb des Stacheldrahtes kaum härter sein als jene, die sie hier täglich auszuführen hatten.

Zwei bewaffnete Soldaten gingen voran, zwei am Schluß, zwei an der Seite: dann setzte sich die Kolonne in Bewegung. Es war eine seltsame Kolonne, ungewöhnlich selbst in dieser Zeit, in der man an seltsame Aufzüge gewöhnt war. Viele Frauen trugen grobe Arbeitshosen, andere wieder ausgemusterte Teile amerikanischer Uniformen, einige schließlich auch die Kleider, in denen man sie im Frühjahr, Sommer oder Winter festgenommen hatte. Man hatte ihnen Besen, Schaufeln und Eimer in die Hand gedrückt, und so zogen sie nun, Alte und Junge, Häßliche und Hübsche, fast alle den Kopf gesenkt, durch die Hauptstraße der Stadt Augsburg.

Elisabeth hielt den Kopf erhoben, nicht aus Hochmut oder aus Trotz, sondern weil sie auch in dieser Lage ihr Interesse an den Menschen nicht ganz zu unterdrücken vermochte. Die Passanten blieben am Rande der Gehsteige stehen, als die Frauenkolonne an ihnen vorbeimarschierte. Es war weder Sympathie in ihren Gesichtern noch Abneigung, weder Solidarität noch Haß, nur eine dumpfe Neugier und zuweilen eine schlecht verborgene Schadenfreude über dieses eine Elend, das sie nicht teilen mußten. Am unverschämtesten gafften die Frauen, die nämlichen, die den Machthabern von gestern am lautesten zugejubelt hatten, und Elisabeth mußte daran denken, wie wenig fähig der Solidarität ihr eigenes Geschlecht war, und daß gestürzte Frauen zumeist nur eine prickelnde Sensation waren, während gestürzte Männer wenigstens tragisch wirkten.

Eine Augsburgerin, die in der Viererreihe neben Elisabeth einherschritt, hatte die Richtung bald wahrgenommen, in der sich die Kolonne fortbewegte. Es ging zum Zoologischen Garten. Dort wurden die Frauen zuerst zu neuem Appell aufgerufen; dann aber wurden ihnen verschiedene Käfige angewiesen, die sie reinigen sollten. Die Anweisungen erfolgten sachlich und ohne besondere Betonung der absurden Aufgabe, als wäre der Plan nicht dem kranken Raffinement eines Sadistengehirns entsprungen, sondern als wäre ihn auszuführen ein selbstverständliches Gebot.

Der Frau des Gauleiters, einer beleibten Hausfrau aus dem Rheinland, und Elisabeth wurde ein Affenkäfig zugeteilt, ein rundlicher Bau, der einem großen Vogelzwinger ähnelte und, von den anderen Zwingern etwas abseits, mitten im Park stand. Zu Elisabeths Erleichterung befand sie sich im Käfig, dessen Tür hinter ihr verriegelt wurde, allein mit der anderen Gefangenen: die Affen hatte man in ihr Winterhaus gebracht.

Es war knapp nach zwei Uhr, ein strahlend klarer Märznachmittag, der Himmel schwebte, wie der Sonnenschirm über einem Frühstückstisch, in freundlichem Hellblau über dem Garten, und ringsherum grünten die Büsche.

Der Affenmist, der auf dem Steinboden, den Holzplachen, den Turnringen und den herabhängenden Seilen klebte, war zum großen Teil in der Sonne ausgetrocknet und stank nicht mehr. Der Affengeruch war zwar noch deutlich im Käfig, aber er erinnerte Elisabeth an die Tiergartenbesuche ihrer Kindheit und war ihr nicht unbedingt unangenehm. Hie und da setzte sich ein Vogel auf die benachbarten Bäume oder Sträucher, und Elisabeth mußte daran denken, daß sich diese freien Vögel, zufällig in einen Tierpark verirrt, vielleicht lustig machten über die eingesperrten Tiere, nicht anders als sich die freien Menschen über die eingesperrten verwunderten oder über sie lachten. Und als wollte die Wirklichkeit ihre Gedanken illustrieren: die ersten nachmittäglichen Besucher hatten den Zoologischen Garten betreten und blieben erstaunt vor dem Affenkäfig stehen, in dem zwar keine flinken Menschenimitatoren ihre drolligen und bösartigen Spiele trieben, in dem es dafür aber zwei Menschen in Tätigkeit zu sehen gab.

Die Ansammlung vor dem Käfig wurde immer größer. Ein rundlicher Tierfreund wagte endlich eine Frage – er rief den Frauen zu:

„Was macht ihr denn da?"

„Wir putzen", antwortete Elisabeth, ohne aufzusehen: sie meinte, durch verschämtes Schweigen dem Fragenden zuviel Ehre anzutun.

„Warum müßt ihr putzen?" fragte der Rundliche, diesmal nicht ohne Mitgefühl.

„Wir sind Nazis", antwortete Elisabeth. „Wir werden bestraft."

Sie sagte es sachlich, um aufsteigende Sympathie zu

entmutigen, und lächelnd ließ sie sich auf die Knie nieder, um die Steinfliesen zu scheuern.

Nun stand schon ein dichter Kreis von Menschen um den Käfig. Ein invalider Landser in einer zerschlissenen Uniform war unter ihnen; zwei Frauen mit ihren Kindern; der Rundliche, der sichtbar nichts zu tun hatte; ein Greis, der einen Jungen an der Hand führte; zwei Studenten und zwei Studentinnen mit Aktentaschen unter den Armen.

„Sind das auch Affen?" fragte der kleine Junge seinen Großvater.

„Unsinn!" belehrte ihn der alte Mann errötend. „Nazis sind's."

Um den Käfig pflanzte sich das Lachen fort, ein ungesundes, verlegenes Lachen.

„Antworten Sie ihnen nicht!" zischte die Frau des Gauleiters in Elisabeths Ohr.

Beide standen jetzt gebückt und häuften Affenmist auf kleine Schaufeln. Die Frau des Gauleiters, im Lager zur Religion bekehrt, murmelte leise Gebete, wie sie es in den Barackennächten zu tun pflegte.

„Habt ihr Hunger?" fragte schließlich einer der Männer vor dem Gitter. Er war ein professoral aussehender älterer Herr mit einem Kneifer. Seine Stimme klang freundlich.

Die beiden Frauen erwiderten nichts, aber die Umstehenden nahmen ihr Schweigen als ein Zeichen, daß sie in der Tat hungrig waren. Es mochten Nazis unter ihnen sein oder Anti-Nazis, Gleichgültige oder Menschenfreunde, auf jeden Fall gewann das Mitleid mit den bestraften Gefangenen im Affenkäfig die Oberhand. Auf einmal wurde den Frauen von allen Seiten Nahrung gereicht, Brot, ein Stückchen Mettwurst, ein Stück Schokolade sogar; Gebende wurden aus den Gaffenden; die Affen selbst hätten die Bestraften beneidet, so zahlreich waren die Geschenke, die durch die Stäbe gereicht wurden. Behutsam, denn ihre Hände waren schmutzig, behutsam auch, weil sie das Auftauchen ihrer Wärter fürchteten, streckten die beiden Frauen ihre Hände aus dem Käfig, um die Almosen zu empfangen, und sie vergaßen vor diesem Zeichen des Mitgefühls, daß sie erst jetzt zu Tieren des Tiergartens wurden, zu gefütterten Affen im Käfig.

Elisabeth besann sich schneller als die Frau des Gauleiters. Vier längst vergessene Zeilen eines Gedichtes von Rainer Maria Rilke stiegen in ihr auf:

„Sein Blick ist vom Vorübergehn der Stäbe
So müd geworden, daß er nichts mehr hält,
Ihm ist, als ob es tausend Stäbe gäbe,
Und hinter tausend Stäben keine Welt."

In der Schule hatte sie das Gedicht gelernt, „Der Panther" hieß es. Auch ihr Blick war müd geworden vom Vorübergehn der Stäbe. Zugleich überkam sie das Bewußtsein, daß es kein Entrinnen gab vor diesen Stäben; wohin sie auch ging, würden die Stäbe sie begleiten, und hinter ihnen gab es keine Welt, sondern nur eine gaffende Menge.

Sie hatte seit der Katastrophe, besonders in den letzten Wochen, seit die M.P.s sie fortführten von Franzens Seite, einen guten Kampf bestanden gegen das Mitleid mit sich selbst, und nun schien sie dieser Gefahr doch zu erliegen. Es blieb ihr nichts anderes übrig, als hinauszublicken aus dem Käfig. In den Augen der Männer und Frauen und Kinder, die sie durch die Stäbe anstarrten, stand Mitleid, diese gütige Beleidigung, die sie fast ebenso haßte wie die hämischen oder grausamen oder gleichgültigen Blicke ihrer Wärter. So kam es, daß sie geradezu aufatmete, als eine Frau, eine Arbeiterin wohl, die gerade zu der wachsenden Menge der Neugierigen gestoßen war, mit hysterisch kreischender Stimme hineinrief in den Käfig:

„Turn uns was vor, Naziweib!"

Mit der rechten Hand hatte Elisabeth gerade den Turnring der Affen gesäubert; in der linken hielt sie ein wertvolles Stück Wurst, das ihr ein kleines Mädchen scheu durch das Gitter gesteckt hatte. Sie ließ die Wurst fallen.

Das kleine Mädchen begann zu heulen. Der invalide Soldat sagte zur Arbeiterfrau:

„Sie sollten sich schämen!"

„Bonzenweiber sind's", sagte die Arbeiterfrau.

„Sie sind selbst ein Stück Affenscheiße", sagte der Rundliche.

Einige lachten, einige fluchten.

Obwohl sie sich abgewandt hatte, hörte Elisabeth den Tumult, der draußen entstand. Sie wollte nicht hinhören und nicht hinsehen, aber der Käfig war rund, und die Neugierigen folgten ihr, wohin sie auch, fliehend vor den Stäben, ging.

Endlich kamen die M.P.s. Sie waren bisher mit anderen Gefangenen beschäftigt gewesen, die Bewegung um den Käfig holte sie aber herbei und schnell zerstreute sich die Menge.

Eine halbe Stunde später wurde der Käfig aufgesperrt. Die Gefangenen marschierten wieder durch die Stadt. Der Abendhimmel war rot wie das Gesicht eines fiebernden Kindes. Erst, als sie durch das Gittertor wieder das Lager betraten, hatte die Nacht die roten Wolken vertrieben.

Sergeant Haigh stand vor den Baracken und zählte die Heimkehrenden ab. Als Elisabeth an ihm vorbeigehen wollte, hielt er inne:

„Frau Zutraven, ein Offizier will Sie sprechen. Ein Captain Green."

Elisabeths Herz schlug ihr in der Kehle. Sie blickte auf ihre Hände, die voll Affenmist waren. Sie fühlte geradezu, daß sie wie ein Affenkäfig stank.

„Major Green", sagte sie unwillkürlich.

„Nein, ein Captain George Green", sagte er.

In Berlin geschieht ein Mord

Schon kurz nachdem er in Berlin eingetroffen war, erlebte Frank Green eine Überraschung, und die Kette der Überraschungen riß während seines Aufenthalts nicht mehr ab.

Er setzte sich sofort mit Captain Symington in Verbindung, dem Abwehrhauptmann, der die Berliner Abteilung der Hunterschen Einheit leitete und dem die Überwachung der Kommandeuse in Franks Abwesenheit oblag. Major O'Hara sei mit seinem Fahrer Pfc. Jones in Berlin eingetroffen, berichtete Symington, doch habe er mit Irene Gruß, die sich nach wie vor in der Wohnung des ehemaligen Gestapomannes Jäckel verborgen hielt, keine Verbindung aufgenommen. Das war an und für sich nicht verwunderlich; O'Hara plante zweifellos, das Hereinbrechen der Nacht abzuwarten, ehe er sich in die dem Alexanderplatz benachbarte Wohnung begeben würde. Erstaunlich war es jedoch, daß der Major, der sich pflichtgemäß ebenfalls bei Symington gemeldet hatte, dem Captain beim Mittagessen bedeutete, er würde in der ehemaligen Reichshauptstadt einen „ungeahnten Coup" landen und beabsichtige, die „Berlin boys" mit einer „sensationellen" Verhaftung zu überraschen.

Frank konnte nicht ahnen, was O'Hara vorhatte.

Der Major gab sich, obwohl die Flucht seiner Geliebten nach Berlin gelungen war, über die Gefahr, in der er schwebte, keiner Täuschung hin. Er unterschätzte nicht die Fähigkeiten seiner Einheit und nicht mehr die Major Greens. Die Festnahme des Gestapoagenten Dieter Griff brachte ihm noch klarer zum Bewußtsein, daß er sich stets am Rande des Abgrundes bewegte, und obschon Griff wenige Tage später auf freien Fuß gesetzt wurde, konnte O'Hara seine Angst vor der sicheren Aufdeckung nur noch in einem Meer von Alkohol ertränken. Colonel Hunter und Frank, die annahmen, O'Hara bewerbe sich um die Berliner Mission – sie stand im Zusammenhang mit der endgültigen Aufklärung der letzten Stunden Hitlers in der Reichskanzlei –, um Irene Gruß zu treffen und ihr, in der sowjetischen Zone vermutlich, ein sicheres Asyl zu schaffen, Hunter und Frank hatten nicht mit Charakter und Seelenzustand O'Haras gerechnet.

Der ehemalige Polizeisergeant hatte sich in Wirklichkeit zu einem weit verzweifelteren Schritt durchgerungen. Das Verhältnis zu Irene Gruß fortzusetzen, war nicht möglich; ihre Festnahme würde früher oder später ohnedies erfolgen: daß er sie selbst verhafte, schien ihm also der einzige Ausweg. Stand auch O'Hara in den letzten Wochen ständig unter dem Einfluß von Whisky, so war seine Spekulation doch nicht ganz verfehlt. Sollte die Kommandeuse, was

anzunehmen aber nicht unbedingt sicher war, den ver-
hörenden Offizieren ihre Erlebnisse mit dem Major mitteilen, so würde sich die Armee immer noch zwischen der
Glaubwürdigkeit einer nazistischen Verbrecherin und
einem wohlbeleumundeten amerikanischen „field officer"
zu entscheiden haben. O'Hara hatte hier einen ausgesprochenen Vorteil; in einen vermutlich entscheidenden Vorteil
würde sich aber seine ohnedies günstigere Situation verwandeln, wenn er persönlich die Kommandeuse einbrachte.

Die Pläne O'Haras entsprachen zudem seinen persönlichen Gefühlen. Die Lust, Schmerz und Leiden zuzufügen,
die Unfähigkeit zugleich, ohne Ernst oder Spiel in der Tor-
tur die ersehnte Befriedigung zu finden, erschien ihm längst
nicht mehr anormal, geschweige denn pervers: wie manche
Kranke betrachtete er vielmehr seine eigenen Gebrechen
als überlegene Vorteile. In einem geschlossenen Kreis lebten die persönlichen Gelüste und die allgemeine Weltanschauung O'Haras traut beisammen: Grausamkeit war
ihm nicht nur Quelle der Lust, sondern auch Fazit seiner
Überzeugung, aus Lust wurde grausame Gesinnung und
aus grausamer Gesinnung entstand neue Lust, so daß zwischen seinen Tagen und Nächten kein Widerspruch mehr
bestand. Das war mit einemmal anders geworden, als
O'Hara entdeckte, daß sich seine Lustgefühle zwar um
Schmerz, Demütigung, Strafe und vor allem um körper-
liche Züchtigung drehten, daß sie jedoch einem noch won-
nevolleren Zenit zustrebten, wenn er Objekt statt Subjekt
der seelischen und physischen Martern wurde. Hier jedoch
begannen Bruch und Krise in O'Hara. Schmerz, Demütigung, Strafe und Züchtigung auszuteilen, das fügte sich in
das vermeintlich maskuline Weltbild des ehemaligen Polizisten, die Entdeckung aber, daß sie zu empfangen die
gleiche Leidenschaft bei ihm auslöste, stürzte ihn in Widerspruch und Verwirrung: er begann unter seiner Perver-
sion erst zu leiden, als sie sich nicht mehr in das Bild
fügte, das er sich von sich selbst gemacht hatte. So kam es
auch, daß O'Hara, schon von jenem Weihnachtstag an, als
ihm der Zufall eine neue Rolle in seiner Beziehung zu der
Kommandeuse zuschrieb, um die Zurückeroberung seiner

ursprünglichen Rolle rang – kehrten jetzt in seinen Träumen immer die Torturen wieder, die er Irene Gruß zufügte oder unter denen sie litt, so waren sie heute, da er selbst geprügelt wurde, erst recht Wunschträume. Er sah in seinen nächtlichen Phantasien immer wieder, wie man Irene Gruß verhörte, schlug, quälte und schließlich aufhängte – er wollte sie also nicht nur aus dem Trieb der Selbsterhaltung an den Galgen liefern, sondern auch, weil er gewiß war, daß in ihm der Anblick ihrer Hinrichtung jene alte Lust wieder erwecken würde, die ihm, im Verhältnis zur neuen, als eine Rückkehr zur Normalität erschien.

Nicht ahnend, daß er von nicht weniger als vier Offizieren und mehreren Soldaten, darunter Frank Green, auf Schritt und Tritt – ironischerweise gerade nach den O'Hara wohlvertrauten Methoden des Geheimdienstes – beobachtet wurde, hatte sich der Major in das Nachtlokal „Mademoiselle" begeben, wo ihm der neue Barmann den Schlüssel zu der Jäckelschen Wohnung zusteckte. Am 21. März 1946, um sieben Uhr abends, schloß O'Hara also die Tür der Wohnung auf, in der sich die Ereignisse viel schneller und ganz anders entwickeln sollten, als es der Major geplant und angenommen hatte.

Die Berliner Wohnung, in der Irene Gruß hauste, unterschied sich höchst ungünstig von der großbürgerlichen Villa, in die O'Hara sie einst gebracht hatte; auch mit der Zweizimmerwohnung Griffs in München hielt sie den Vergleich nicht aus. Sie bestand aus zwei Räumen eines Kellers, der sich unter einem völlig zerstörten Haus befand. Von der Straße gesehen hätte man überhaupt nicht annehmen können, daß sich in diesem Trümmerhaufen noch eine menschliche Behausung verbergen konnte. Man mußte, an einer wankenden Wand vorbei, über Berge von Schutt klettern, um hinter das ausgebombte Haus zu gelangen: hier erst war eine Treppe freigelegt, die unter die Erde führte. Auch als O'Hara die Holztür am Ende der Stiegen aufschloß, glaubte er noch, daß er sich geirrt habe, denn vollkommene Dunkelheit umfing ihn – erst, als sich sein Auge an die Finsternis gewöhnte, entdeckte er, daß am

Ende eines langen Korridors unter der zweiten Tür schwaches Licht hervorsickerte. Es roch nach Brand und Waschküche und Urin. Mit beiden Händen die Wände des engen Korridors berührend, tastete sich der Major zur Wohnungstür vor.

Er klopfte an.

„Herein!" antwortete Irene Gruß.

Sie saß an einem Tisch, in der Mitte des Raumes, der nur von einer rauchenden Petroleumlampe erhellt war. Zwei Kerzen standen auf dem Tisch, aber sie waren abgebrannt. Sie hatte ihren lila Kimono an, der um so grotesker wirkte, als sie darunter eine graue Männerhose und einen dicken Pullover trug. Sie stand nicht auf. Ohne Überraschung sagte sie:

„Du bist es."

„Hast du mich nicht erwartet?" fragte er.

„Ja", sagte sie gleichgültig.

Er sah sich um. Der Raum mußte einst als Kohlenkeller gedient haben. Die Wände waren schwarz, in einer Ecke lag noch etwas Kohlenstaub. Um so überraschender war die Einrichtung – gute, wenn auch zusammengewürfelte Möbel, ein bequemes, breites Messingbett, an den Wänden sogar einige Gemälde, die an Nägeln hingen, welche zwischen die Ziegelsteine getrieben waren. In einem Winkel stand eine Batterie leerer Weinflaschen, in einem anderen ein ungeheizter Kanonenofen, dessen Rohr in einem Loch in der Wand endete. An einem Kleiderhaken hing der Pelzmantel eines Mannes.

O'Hara setzte sich ihr gegenüber an den Tisch.

Sie fragte: „Was willst du hier?"

„Ein schöner Empfang", sagte er, mit dem unbeholfenen Anflug eines Scherzes.

„Otto sagt, daß es dumm ist", sagte sie. „Vielleicht wirst du beobachtet."

„Wer ist Otto?"

„Jäckel, natürlich", sagte sie.

„Ich will dich mitnehmen", sagte er.

Zum erstenmal kam Bewegung in ihr Gesicht. Er beobachtete sie lauernd aus einem Winkel seiner kleinen, tiefgebetteten Augen. Ihr Gesicht sah alt und verfallen aus. Ihre Haut, auch sonst das Häßlichste an ihr, war gänzlich ungepflegt; es wirkte, als wäre Käse über ihren Zügen zerflossen.

„Was heißt das?" fragte sie.

„Ich habe ein besseres Quartier gefunden", sagte er. „In München. Ich kann dich doch nicht ewig hier lassen – mit deinem Otto."

Er tat, als kümmerte er sich wirklich um ihre günstige Unterbringung, und er spielte auch Eifersucht, denn eifersüchtig wäre er in einer ähnlichen Lage früher gewesen, und es war ihm wichtig, den Faden dort aufzunehmen, wo er abgerissen war.

Sie stand auf und ging zum Ofen, auf dem eine Flasche stand.

„Schnaps?" fragte sie.

Er nickte.

Sie nahm ein schmutziges Wasserglas und füllte es halb voll. Als sie das Glas vor ihm auf den Tisch stellte, sagte sie:

„Ich glaube dir kein Wort."

„Was soll das?"

„Du bist froh, daß du mich los bist. Ich bleibe hier."

„Es geht nicht", sagte er. „Die Berliner sind auf Draht. Sie würden dich finden."

„Ich bleibe", sagte sie.

Er erhob sich, das Glas in der Hand.

„Mach keine Geschichten", drängte er mit schlechtverhohlener Ungeduld. „Ich will nicht, daß sie dich schnappen. Ich habe meinen Jeep draußen."

„Laß mich in Ruh", sagte sie, nicht etwa sich zierend, sondern mit einem drohenden Unterton. „Otto sorgt schon für mich. Du hältst mich für dümmer, als ich bin."

„Ein schöner Dank!" sagte er.

„Du willst mich in eine Falle locken", sagte sie. „Otto weiß es."

Der Schnaps begann in ihm zu arbeiten. Er hatte den ganzen Tag „Bourbon" getrunken, auch am Tag zuvor: „Bourbon" und der billige Schnaps schlugen sich in ihm.

Er hatte bis jetzt überhaupt nicht an Jäckel gedacht. Aber als sie „Otto" zum zweitenmal erwähnte, erschien es ihm plötzlich wichtig, Näheres von Jäckel zu erfahren.

„Du schläfst mit ihm", sagte er. Der Zorn klang diesmal echt aus seiner Stimme; seine Eifersucht schien nicht mehr gespielt.

„Natürlich", sagte sie.

„Schlägst du ihn?" sagte er.

Sie lachte.

„Das geht dich nichts an."

„Schlägst du ihn?" wiederholte er.

„Nein", sagte sie. „Er schlägt mich."

„Ich glaube es nicht."

„Soll ich dir meine Flecken zeigen? Mein Hintern ist wie rohes Fleisch."

Mit einer Geste, deren Obszönität selbst O'Hara überraschte, löste sie den Gürtel ihres Schlafrocks und tat so, als wollte sie auch den Gürtel um ihre Hose öffnen.

O'Haras Gesicht wurde flammend rot.

„Du willst ja prügeln", sagte er. „Du willst ja nicht geprügelt werden."

„Von ihm schon", sagte sie. „Er wird nicht gleich schlapp."

O'Hara fühlte, wie sich seine Fäuste ballten. Er ballte sie nicht; es war, als ballten sie sich von selbst. Einen Augenblick lang war er versucht, seinen ganzen Plan, den er in den Tagen ihrer Trennung so fein gesponnen hatte, fallen zu lassen. Hoffnungslos schien ihm einen Moment lang die Ausführung seiner Absichten, auch wenn es ihm noch gelingen sollte, sie aus dem Keller zu locken. Sie würden ihn festnehmen. Die vertraute Erregung ergriff mit solcher Gewalt von ihm Besitz, daß er sich überzeugen wollte, es habe keinen Sinn, die herrschende Ruhe, ungewiß, wie sie war, mit einem immerhin gewagten Streich zu stören. Sie mußte nicht hängen. Es genügte, wenn er wieder werden konnte, was er ehedem war. Es genügte, wenn er sie jetzt halb totschlug.

Dann jedoch gewann die Vernunft die Oberhand, oder zumindest was Major O'Hara für Vernunft hielt. Er sagte:

„Du willst mich eifersüchtig machen. Wir haben keine

Zeit. Mach dich fertig." Und als wiederholte er einen gut vorbereiteten Text: „Wir können in der Nacht über die Zonengrenze. Heute haben meine Leute Dienst."

Sie wich zurück, in der Richtung des Ofens, aber sie behielt ihn ununterbrochen im Auge.

„Ich sage nein", wiederholte sie.

„Ich befehle dir", sagte er und ging auf sie zu.

„Du lügst", sagte sie. „Du willst mich nicht retten."

„Komm!" befahl er.

„Du willst mich verkaufen", sagte sie. „Ich kenne euch amerikanischen Schweine."

Er blieb stehen.

„Hat das auch Otto gesagt?"

„Vielleicht."

Er wußte nicht, ob sie die Wahrheit sprach, aber es war ihm klar, daß sie ihn durchschaut hatte. Er kam sich so dumm vor wie jemand, der einen anderen für dumm hielt und plötzlich erkennt, daß der Dumme klüger ist als er. Es genügte ihm nicht mehr, sie halb tot zu prügeln. Sie mußte hängen.

Zugleich wurde ihm klar, daß es sinnlos war, Fallen zu stellen, in die sie nie gehen würde.

„Du kommst mit, Nazisau", sagte er.

Auch sie spielte ein gewagtes Spiel. Sie stand mit dem Rücken zum Ofen. Vor dem Ofen lag ein großes, gekrümmtes Schüreisen. Sie bückte sich schnell und hob es hoch. Sie fragte:

„Willst du Prügel, Amischwein?"

Er griff nach seinem Revolver.

„Du kommst mit", sagte er. „Du bist verhaftet!"

Sie lachte laut auf. Er wußte nicht, warum sie lachte, aber er kam sich lächerlich vor, und nichts fürchtete er mehr als die Lächerlichkeit. „Du bist verhaftet": es war in der Tat ein lächerlicher Satz, nicht nur des vertrauten „Du" halber, sondern weil die abgedroschene Polizeiformel zwischen ihm und ihr kläglich versagte. Es geschah O'Hara zum erstenmal, daß der bewährte Schreckenssatz des Polizisten wie ein leerer Topf auf den Boden fiel und zerbrach. Das höhnische Lachen, das von den feuchten

Wänden des Kellers widerhallte, traf nicht nur O'Hara, den Mann und den Major, es traf auch den Polizeisergeanten.

O'Hara hatte mit einem Griff den Revolver aus seiner Tasche geholt. Er ging auf die Frau zu.

„Du wirst hängen", sagte er.

Ihr Lachen brach abrupt ab. Das Licht der Petroleumlampe drang nur schwach in den Winkel des Zimmers. Sie standen im Halbdunkel.

Die Frau nahm den Schürhaken in beide Hände.

Der Major hielt den Finger am Abzug seines Revolvers. Noch konnte er nicht begreifen, ob Furcht, Widerstand oder Mord in ihren Augen stand. Er dachte nur: Sie soll nicht hängen. Ich bringe sie selbst um.

Als er feuern wollte, war es zu spät. Er hatte sich ihr zu sehr genähert. Sie hatte sich aufgerichtet. Mit voller Wucht hieb sie auf seinen Kopf ein. Das spitze, gebogene Ende des Schüreisens traf ihn oberhalb der Stirne. Der Revolver fiel ihm aus der Hand. Er torkelte zurück. Zwischen seinen roten Haaren war die Wunde ein klaffendes Bett, durch das ein roter Strom auf sein Gesicht lief. Sie hieb blind weiter auf ihn ein, immer von neuem. Auch als der Major William S. O'Hara nur noch ein roter Klumpen auf dem schwarzen Fußboden des Kellers war, holte sie zu einem neuen Schlag aus.

So stand sie über dem Toten, als Frank Green und ein halbes Dutzend Militärpolizisten in den Keller drangen.

Der Föhn verwirrt Colonel Hunter

Wie es seiner Überbürdung halber in den letzten Wochen oft geschah, hatte Colonel Hunter zu Hause bis tief in die Nacht gearbeitet. Er hatte noch um neun Uhr abends, nachdem sich die Familie zurückgezogen hatte, Major Green empfangen, der ihn über die Vorfälle in Berlin unterrichtete. Keiner der beiden Offiziere erwähnte es, aber man war – insbesondere nach den aufschlußreichen Verhören mit der Kommandeuse – dem Schicksal dankbar, daß es den Besatzungsbehörden das Heft aus der Hand genommen hatte. Der Presse wurde über die Vorfälle im Keller am Lützowplatz nichts mitgeteilt. Die Verhaftung Irene Gruß' und des ehemaligen Gestapomannes Otto Jäckel wurde in einem wortkargen Kommuniqué verzeichnet; in einem anderen wurde vom Tod des Majors William S. O'Hara aus New York „in Ausübung seiner Pflichten" berichtet.

Frank hatte den Colonel gegen halb elf verlassen. Hunter saß im Salon an einem kleinen Schreibtisch und bereitete seinen Rapport an den General vor.

Die Tür ging hinter ihm auf und wurde ebenso schnell wieder geschlossen.

„Wer ist da?" fragte der Colonel, sich umwendend.

Marianne von Artemsteins Kopf erschien in der Tür.

„Entschuldigen Sie, Colonel", sagte sie, offenbar verwirrt. „Ich wollte mir nur ein Buch holen."

„Können Sie nicht schlafen?"

„Nein; es ist so starker Föhn."

„Bitte", sagte der Colonel, „ich arbeite noch."

Sie war vollständig angezogen; zu einem sportlichen Rock trug sie einen enganliegenden, dunkelblauen Pullover.

Er hörte sie, zu lange schien es ihm, im Büchergestell rumoren. Er wandte sich um.

„Ich wollte schon längst mit Ihnen sprechen, Fräulein von Artemstein", sagte er. „Wenn Sie einen Moment Zeit haben ..."

„Selbstverständlich."

Er bot ihr einen Platz an, und sie setzte sich auf die Couch am Kamin, während er ihr gegenüber in einem Lehnsessel Platz nahm.

„Es handelt sich um die Einkäufe meiner Frau", begann er. „Die Einkäufe auf dem schwarzen Markt ..."

Sie lächelte. „Man kann es schwerlich schwarzen Markt nennen."

„Der Begriff ist dehnbar", sagte Hunter. „Lebensmittel aus dem P.X. und dem Commissary werden bei Deutschen eingetauscht. Ich nenne das schwarzen Markt."

342

„Es gibt so viele kleine Dinge, die Mrs. Hunter freuen", sagte Marianne.

Der Colonel zündete sich umständlich eine Zigarette an. Er sagte:

„Geht es Ihnen wirklich darum, meiner Frau eine Freude zu bereiten, Fräulein von Artemstein?"

Marianne senkte den Blick. „Nein", sagte sie, „es geht mir darum, meine Stellung zu behalten." Und nach einem kleinen Zögern: „Mrs. Hunter war mir am Anfang nicht wohlgesinnt."

„Woraus schließen Sie das?" fragte Hunter.

„Als Frau weiß man das", sagte Marianne.

„Meine Frau hat sich sehr lobend über Sie ausgesprochen", sagte der Colonel etwas betroffen. „Ich wünschte, es hätte nichts mit den ‚Geschäften' zu tun."

„Sie spielen nicht die Hauptrolle", sagte Marianne.

Der Colonel sah sie fragend an. Sie fuhr fort:

„Sie weiß, daß ich keine Gefahr für sie bin."

Hunter wandte den Blick ab. Die Offenheit der Frau verblüffte ihn. Sie hatte den letzten Satz so ausgesprochen, als müßte er wissen, woran sie dachte. Sie hätte also eine Gefahr sein können: dieser Gedanke schwang mit in ihrem Satz. Sollte er sich ärgern? Sollte er sie zurechtweisen? Sollte er einfach übergehen, was sie gesagt hatte? Aber noch ehe er zu einem Entschluß kam, sagte sie:

„Mißverstehen Sie mich nicht, Colonel. Die Amerikanerinnen betrachten uns deutsche Frauen allesamt als Verführerinnen. Es ist nicht Mrs. Hunters Schuld."

„Woraus schließen Sie das?" fragte Hunter, um etwas zu sagen.

„Die Amerikanerinnen haben recht", sagte Marianne. „Sie wissen nicht, Colonel, was in den Villen ringsherum vorgeht."

„Ich will es nicht wissen", sagte Hunter scharf.

„Ich meinte es nicht wörtlich", erwiderte Marianne, ohne die Zurechtweisung zur Kenntnis zu nehmen. „Nicht gerade diese Villen. Die deutschen Frauen sind hungrig. Vor allem nach Brot, gewiß, aber nicht nur nach Brot. Die Männer sind weg. Tot oder zu Krüppeln geschossen oder gefangen. Und die anderen haben selbst Hunger. Sehen Sie deutsche Männer lächeln oder gar lachen? Es ist selten. Wir sind hungrig nach etwas Heiterkeit. Und nach etwas Zärtlichkeit. Hungrige Männer sind nicht zärtlich."

Der Colonel warf seine brennende Zigarette in den Kamin.

„Und die amerikanischen Männer erliegen jeder Versuchung", sagte er. Es war nicht klar, ob es eine Feststellung war oder eine Frage.

„Warum nicht?" sagte sie. Sie sah ihm ins Gesicht, ohne jedes Zeichen der Verwirrung. „Das Exotische ist reizvoll."

„Was nennen Sie exotisch?"

Sie lächelte, beinahe unmerklich, nur mit den Augen. Sie sagte:

„Zärtlichkeit, zum Beispiel."

Hunter stand auf. Er wollte das Gespräch beenden. Aber er sagte gereizt:

„Sie meinen, die amerikanischen Männer brauchen deutsche Frauen, um Zärtlichkeit zu erfahren?"

„Das wäre eine Verallgemeinerung", sagte sie. „Ich wollte nur sagen: Wir sind wirklich eine Gefahr. Wir sind nicht so exotisch wie die Japanerinnen oder die Araberinnen. Wir sind weiß wie die Amerikanerinnen und tragen ähnliche Kleider und haben ähnliche Manieren. Aber für uns ist der Mann noch der Herr. Vielleicht ein Gott. Unsere Welt dreht sich um ihn. Wir sind glücklich, wenn wir ihn glücklich machen. Für Amerikaner sind wir exotisch."

Hunter ging zum Schreibtisch, öffnete die Schublade und tat, als suchte er nach Zigaretten. Er konnte nicht begreifen, warum er dem Gespräch nicht längst ein Ende bereitet hatte. Die Verwirrung, die sich seiner bemächtigte, war um so größer, als sie, das war ihm deutlich, seinem überlegten und methodischen Wesen widersprach. Es war ihm wie einem Gesunden, den eine Herzattacke befällt, die erste, fremd und erschreckend.

Er dachte: Wie ungeschickt packt sie es an, wenn sie mich wirklich versuchen will! Sie spricht so nüchtern von diesen schwierigen und verschwiegenen Dingen, so ohne jede Illusion, als spräche sie noch vom schwarzen Markt. Bieten sich diese Frauen wirklich auf ihrem eigenen schwarzen

Markt an; glauben sie, man nähme sie, wie man Kaffee gegen eine Porzellanfigur eintauscht? Aber er dachte auch: Welch seltsame persönliche Unterströmungen hat dieses nüchterne Gespräch auf einmal bekommen; wie geschickt versteht sie es, die Tiefen aufzuwühlen, ohne je sichtbar die Oberfläche durchbrochen zu haben! Er dachte: Mit welch impertinenter Überlegenheit spricht diese deutsche Frau von unseren Frauen, und wie gewandt versteht sie es, von Betty und mir und sich selbst zu sprechen, ohne unsere Namen zu nennen! Zugleich dachte er auch: Sie hat recht. Ich hätte ebensogut morgen beim Frühstück vom schwarzen Markt sprechen können – nebenbei, ohne der Affäre eine Wichtigkeit zu verleihen, die sie nicht besitzt. Ich wollte ja gar nicht von Bettys ungehörigen Einkäufen sprechen; ich wollte nur die Gelegenheit benützen, mit der Frau allein zu sein. Er dachte: Sie spricht voll Verachtung von den amerikanischen Männern „ringsherum", die sich deutsche Mätressen genommen haben, und sie fordert sogar meine eigene abfällige Kritik heraus. Gleichzeitig dachte er aber auch: Warum sollte ich der einzige sein, der sich prinzipienfest, oder nur dünnblütig und grotesk, die letzte Gelegenheit entgehen läßt?

Als er sich ihr, das gefundene Zigarettenpäckchen in der Hand, wieder zuwandte, hatte sie sich erhoben. Sie sagte:

„Entschuldigen Sie, Colonel! Ich weiß nicht, was mich getrieben hat, ein so persönliches Gespräch zu beginnen." Sie lächelte, jetzt nicht nur mit den Augen, sondern mit dem etwas zu breiten, vollen Mund. „Es ist spät. Gute Nacht!"

Er sah nach der Uhr auf dem Kaminsims.

„Ich muß noch lange arbeiten", sagte er, obwohl er in Wirklichkeit abweisend sagen wollte, daß er das Gespräch gar nicht persönlich aufgefaßt habe.

Statt zu gehen, sagte sie:

„Sie arbeiten zu viel."

„Es läßt sich nicht vermeiden. Wir haben zu wenig Leute."

„Ich glaube, Sie haben das Land noch gar nicht gesehen", sagte sie. „Sie arbeiten auch am Sonntag."

„Ich habe einige Dienstreisen unternommen."

„Jetzt wird es schön am Land", sagte sie. „Sie müßten sich im Sommer ein Haus an einem der Seen nehmen."

„Ein beschlagnahmtes Haus ist genug", sagte er.

„Ich weiß", sagte sie, „so denken nur Sie."

„Es sollte selbstverständlich sein", sagte er beschämt.

Sie lächelte nicht mehr. „Vieles ist selbstverständlich", sagte sie.

Warum geht sie nicht? dachte Hunter. Er sah auf einmal das ganze Haus vor sich, in dessen nächtlichem Salon das Gespräch vor sich ging. Es stand vor ihm wie jene einmal modernen Dekorationen, die ein aufgeschnittenes Haus mit all seinen Zimmern auf die Bühne stellten. Oben, in einem der hohen Ehebetten des gemeinsamen Schlafzimmers, schlief Betty. Sie hatte ein Seidentuch über den in Locken gelegten Haaren und Fett auf ihrem Gesicht. Nebenan schliefen Ruth und Beverly. Im kleinen Dachzimmer las Bob vielleicht noch einen Kriminalroman. Am Ende des Korridors im ersten Stock war das Schlafzimmer Mariannes leer. Wenn man sonst an dem Zimmer vorbeikam, war die Tür oft halb angelehnt und ein eigenartiger Duft erfüllte den Korridor. Es roch nicht nach Parfüm, nicht einmal nach Seife oder Kölnischwasser, es roch herber und unbestimmter, wie das warme Haar einer Frau im Sommer. Und dann sah der Colonel sich und die Frau im Salon, wie sie einander gegenüberstanden und Persönliches und Unpersönliches sprachen, eher feindlich als freundlich, und eins nur in dem rätselhaften Bestreben, das kalte und zwecklose Gespräch zu verlängern. Die anderen Zimmer waren verdunkelt wie auf der Bühne, wo auch nur der Raum beleuchtet ist, in dem sich die Handlung gerade abspielt. Er sah das Zimmer, als sähe er es von außen, vom Zuschauerraum. Aber er saß nicht im Zuschauerraum, und das Zimmer hatte vier geschlossene Wände, und draußen zerrte ein trockener Frühlingssturm an den Bäumen.

Er bemerkte, wie er ungeschickt dastand, das Zigarettenpäckchen immer noch in der Hand, ohne ihm eine Zigarette entnommen zu haben. Er trat einen Schritt näher an sie heran und reichte ihr das Päckchen.

„Zigarette?" fragte er, obwohl er sie nie zuvor hatte rauchen gesehen.

Sie nahm eine Zigarette. Auch er nahm wieder eine Zigarette und legte dann das Paket auf das Kaffeetischchen vor dem Kamin. Ehe er noch nach der Streichholzschachtel greifen konnte, hatte sie ein Streichholz angezündet. Er nahm ihr das Streichholz, mit dem sie seine Zigarette anzünden wollte, aus der Hand. Dabei berührten sich ihre Hände. Er zog seine Hand schnell weg; er setzte ihre Zigarette in Brand, dann seine eigene.

„Sie haben Angst vor mir", sagte sie.

„Nein", sagte er.

„Das ist gut", sagte sie. „Dann muß ich nicht fort."

Hunter wußte nicht, ob es banal oder hilflos klang, oder beides.

„Sie sollen nicht fort", sagte er.

„Ich habe gar kein Buch gesucht", sagte sie. „Ich konnte nur wirklich nicht schlafen."

Noch einmal unternahm er einen Versuch, dem Gespräch seine eigenen Grenzen zu setzen.

„Der Sturm wird immer schlimmer", sagte er.

„Ich werde Sie nicht mehr stören", sagte sie. „Ich werde keine so plumpen Ausreden mehr gebrauchen."

Hunter sah sie an, und wie zuvor überkam ihn auch jetzt wieder ein unbekanntes und beunruhigendes Gefühl. Eine große Müdigkeit war in ihm, so groß in der Tat, daß sie sein ganzes Leben und sein ganzes Wesen zu umfassen schien. Aber aus dieser Müdigkeit brach sein Körper aus, und wie die Handlung in dem einzig beleuchteten Raum des dunklen Querschnitthauses, so war das Geschehen in seinem Körper doppelt lebendig, weil ringsum alles in toter Dunkelheit lag.

Sie wollte die Asche von ihrer Zigarette abstreifen oder die eben erst angezündete Zigarette im Aschenbecher zerdrücken, und um zum Aschenbecher zu gelangen, mußte sie an ihm vorbei. Ihre Schulter streifte seine Schulter. Sie wandte sich abrupt um und ihr Gesicht war nur noch um Haaresbreite von seinem Gesicht entfernt.

Die Zigarette fiel ihr aus der Hand, auf den Tisch.

Als sich ihre Lippen berührten, war in ihrem Kuß die ganze Atemlosigkeit, Rücksichtslosigkeit und Hemmungslosigkeit eines verdrängten, verbotenen und verspäteten Geständnisses.

Hunter wußte nicht, wie lange der Kuß währte. Er wußte nur, daß aus der Besinnungslosigkeit auf einmal wieder der Querschnitt des Hauses vor ihm auftauchte, aber diesmal war es wie knapp vor Aktschluß, wenn in allen Räumen die Lichter aufgehen. Er sah das ganze Haus vor sich – das Schlafzimmer mit Betty und das Kinderzimmer mit Ruth und Beverly und Bobs Zimmer und das leere Zimmer Mariannes.

Er löste sich aus der Umarmung der Frau, und er löste sie aus seiner Umarmung.

Einen Augenblick später hatte sie das Zimmer verlassen. Der Colonel ließ sich in seinen Lehnstuhl fallen. Er begrub seinen Kopf in seine Hände.

Adam kommt vor Gericht

Jetzt war die Besatzung in Bayern ein Jahr alt. Am 27. April 1945 hatte sich die „Freiheits-Aktion Bayern" der Landeshauptstadt München bemächtigt. Am 30. April 1945 legten vierzigtausend Soldaten der geschlagenen Wehrmacht die Waffen nieder. Am gleichen Tag rollten die alliierten Panzer über die Isarbrücken.

Das war vor einem Jahr gewesen.

Ein Jahr war Deutschland bis in den letzten Winkel besetzt. Seit einem Jahr waren keine Bomben gefallen: Still geworden waren die Nächte; Verdunkelung und Feuer waren einer friedlichen, wenn auch kargen Beleuchtung gewichen.

Die Städte im besetzten Land sahen nicht viel anders aus als vor einem Jahr, als die letzten Feuer brannten und die letzten Mauern sanken. Etwas Ordnung war in das Chaos gekommen: die Steine waren hier und dort zu sauberen Haufen aufgetürmt, hier und dort war schon der Schutt weggeräumt, so daß einzelne leere Plätze entstanden, wo früher Steine, Traversen, Glas und Holz mitten in der Stadt einen Urwald der Zerstörung gebildet hatten. Noch standen die Häuser schamlos offen: mit Stufen, die nirgends hinführten; mit grotesk erhaltenen Tapetenwänden zwischen zerstörten Räumen; mit einer komischen Reihe senkrecht übereinander in der Luft hängender Klosetts; mit Türen aus einem halberhaltenen Zimmer ins Nichts; mit einer paradox erhaltenen Küche ohne Wohnung – aber die höhnischen Gegenstände des Lebens waren aus den Ruinen entfernt: es hing kein Bett mehr aus einem halben Schlafzimmer; an der einzigen Küchenwand pendelte keine Bratpfanne mehr; kein Familienbild baumelte schief in einem ausgebrannten Wohnzimmer, und die schwebenden Badewannen gefährdeten nicht mehr die zwischen den Trümmern herumsteigenden Passanten. Aber von neuem Leben aus den Ruinen war noch wenig zu merken. Die Häuser, die das Glück hatten, nur unter irdisches Artilleriefeuer geraten zu sein, nicht unter das Feuer vom Himmel, zeigten noch ihre klaffenden Wunden, und wie Aussatz waren an den Mauern die abgebröckelten Farben. „Der Fehlbedarf an Fensterglas beträgt in Bayern 17 000 000 qm bei einer monatlichen Erzeugung von 400 000 qm, von der nur 80 000 qm für Bayern zur Verfügung stehen", hieß es in einer Verlautbarung; aber es bedurfte so unverständlicher Ziffern nicht – verständlich genug sprachen ja die holzverschalten Öffnungen oder die glaslosen Holzquadrate, eine ununterbrochene Ausstellung von Rahmen ohne Bilder.

Für immer zerrissen schien an diesem Jahrestag das verwundete Land. Seit Jahrhunderten hieß es zu Beginn aller Kriege, daß Grenzpfähle fallen würden, und nun standen neue Grenzpfähle quer durch Deutschland: russische und amerikanische, französische und englische. Im Januar 1946 hatte der „beschränkte Reiseverkehr" zwischen den Besatzungszonen eingesetzt, aber mittelalterlich schwerfällig war dieser Verkehr, und vier verschiedene Sieger versuchten, dem besiegten Land das Gepräge ihres eigenen Daseins aufzudrücken. In der russischen Zone verwandelten sich die Menschen rapid in armselige Kulaken; Chewing gum und Coca Cola wurden die Herrlichkeiten der amerikanischen Zone; Frauen, Mütter, Tanten, Schwiegermütter, die ganze „famille", verdrängten die Deutschen aus ihren Behausungen in der französischen Zone; in der englischen reiste mit den britischen „lorries" der Geist der Kolonialherren von Indien, Burma oder Südafrika. Der Mensch erwies sich wieder als das, was er immer gewesen, als eine miserable Exportware, die mit jeder Reisemeile, mit der sie sich von zu Hause entfernt, mehr und mehr verfault, und die Bekanntschaft zwischen fremden Völkern, von der sich Idealisten und Träumer so viel versprachen, war wie die Öffnung einer Kiste stinkender Austern, die zu lange gereist waren.

Ein Jahr war keine lange Zeit, und unberechtigt war die Ungeduld aller, der Sieger und der Besiegten, aber den Betroffenen schien es nun einmal so, als würde sich zur Endgültigkeit versteinern, was man in den ersten Wochen oder Monaten als unmittelbare und vergängliche Folge des Krieges akzeptiert hatte. Der rebellische Magen war nicht wie ein Wachhund, der sich nach einiger Zeit an den gleichen Besucher gewöhnt – statt sich an den Hunger zu gewöhnen, knurrte und bellte er ihn immer lauter an. Je leerer die Magen waren, desto voller war der schwarze Markt. Im eleganten Bogenhausener Residenzviertel Münchens entstand die Basarstadt der Möhlstraße, ein Stück Istanbul oder Lemberg an der Isar. Sie hätten freilich ihr Wucherhandwerk nicht üben können, diese aus aller Herren Länder zusammengewürfelten Profiteure des Hungers, hätten die deutschen Bauern abgeführt, was sie erzeugten, hätten die geheimen Vorratslager mancher wohlbeleumundeten Kaufleute sich rechtzeitig geöffnet – aber das war es eben, daß die menschliche Solidarität vor dem Elend kläglich versagte und daß man am Ende dankbar war, wenn man für ein Kilo Fleisch hundertsechzig Mark oder zweitausend Mark für ein unentbehrliches Fahrrad bezahlen durfte.

Sittliche Prinzipien flogen wie überflüssiger Ballast über

Bord. Im ersten Jahr der Besatzung verzeichnete die Münchner Polizeichronik, nicht die schlimmste Deutschlands, sechshundert Raubüberfälle auf offener Straße: ein Mann kam nackt auf die Polizeiwache, denn nicht einmal ein Hemd hatte man ihm gelassen; durch die Nächte der Bauernhöfe peitschten die Revolverschüsse vagabundierender Verbrecher; nach der Premiere eines städtischen Theaters waren aus den Toiletten sämtliche Glühbirnen verschwunden; an der belgischen Grenze bildeten Jugendliche die legendären „Rabatzer"-Banden; Banden von Kindern, in den Ruinen hausend und Raubvorräte aufstapelnd unter Trümmern, nannten sich „Blasen"; am Jahrestag der Besatzung suchte die Münchner Polizei drei Raubmörder, dreitausendachthundertdreiundzwanzig Einbrecher und zweitausendsechshundertvierundsiebzig Fahrraddiebe.

Die politische Säuberung hatte an diesem Jahrestag kaum erst begonnen, aber Komödie und Tragödie waren einander schon so nahe wie ihre symbolischen Köpfe über den Toren altgriechischer Theater. Es begann der Wettlauf um den „Persil-Schein", wie man die Bestätigung einer sauberen Vergangenheit witzig nannte. „Hauptschuldige" versuchten nur „Belastete" zu sein; diese wieder nur „Minderbelastete"; diese „Mitläufer" und die „Mitläufer" „Entlastete". Die Definition schlug lebensgefährliche Purzelbäume – wenn es etwa im Artikel acht des Gesetzes „zur Befreiung von Nationalsozialismus und Militarismus" hieß, daß „Militarist" sei, wer „militärische Lehren oder Programme aufgestellt" habe, wenn aber im Artikel sieben des gleichen Gesetzes als Aktivist bezeichnet wurde, wer sich durch nationalsozialistische Verbindungen „vom Wehrdienst oder vom Frontdienst" erfolgreich gedrückt hatte. Noch jahrelang nach diesem Jahrestag ging die Legende um, man habe die Kleinen gehängt und die Großen entwischen lassen – dies wäre wenigstens ein, wenn auch absurdes System gewesen; in Wirklichkeit war aber die Verwirrung viel vollständiger: große und kleine Verbrecher entkamen, und Unschuldige, groß und klein, gerieten in die zermahlende Maschinerie. Eine opportunistische Hure war die Justiz im Laufe der Weltgeschichte unzählige Male gewesen, ohne, wunderbarerweise, ihre Respektabilität je zu verlieren: im Frühjahr 1946 aber wurde sie, jeden Respektes bar, zur lallenden Idiotin.

Ein Jahr nach der Besetzung Deutschlands schrieb man das Wort Kriegsverbrecher noch ohne Anführungszeichen. Über jedem Deutschen, Schuldigen wie Unschuldigen, lastete das Gestern. Man wußte nun, was geschehen war. Einige machten sich schon lustig über die Sieger, aber viele nahmen mit der Niederlage auch die Sieger ernst. Und man ging, mehr noch als am ersten Tag, mit gesenkten Köpfen: weil man Demut empfand oder weil es nützlich war, Demut zu heucheln; weil man sich dessen schämte, was geschehen war oder weil man sich für die Heuchler schämte; weil man den anderen Wissenden nicht ins Auge sehen wollte oder weil man nicht auffallen wollte vor den Unwissenden.

Am Jahrestag der Besetzung Münchens, am 30. April 1946, um fünfzehn Uhr, betraten der Besatzungsmajor Frank Green und der deutsche Arzt Dr. Adam Wild das Gebäude der Militärregierung, in dem die Verhandlung gegen den Arzt stattfinden sollte, der angeklagt war, in einem Frankfurter Anhaltelager einen Soldaten der Besatzungsmacht gröblich mißhandelt und nicht unerheblich verletzt zu haben. Von seinem Recht, sich vor dem amerikanischen Militärtribunal der rechtlichen Assistenz eines amerikanischen Offiziers zu bedienen, hatte Adam Wild Gebrauch gemacht, indem er den Major Frank Green zu seinem Anwalt bestimmte.

Die Verhandlung ging in einem kleinen Saal vor sich und war öffentlich – ein Dutzend Personen etwa hatten sich auch tatsächlich, gewiß nur, weil sie nichts Besseres zu tun hatten, eingefunden. Hinter dem Gerichtshof stand eine riesige Fahne der Vereinigten Staaten; an den Wänden hingen die Bilder von George Washington, Franklin D. Roosevelt und Harry S. Truman. Das Gericht setzte sich aus einem Oberstleutnant, einem Leutnant und einem Sergeanten zusammen; die Anklage vertrat ein Major. Schon die Tatsache, daß dem sogenannten „kleinen Militärgericht" ein Oberstleutnant vorsaß – der geringste Offizier hätte die Funktion erfüllen können – betrachtete der erfahrene Major Frank Green als ein schlechtes Zeichen, und er beschwor Adam Wild, sich auf eine sachliche Verteidigung zu beschränken und sich nicht in prinzipiellen Erklärungen zu ergehen.

Dr. Wild war im Sinne der Anklage geständig; er bestritt nicht, den Korporal Frances D. Crane geschlagen und vielleicht auch übel zugerichtet zu haben. Er hatte allerdings in seinen früheren schriftlichen und mündlichen Aussagen die Ereignisse in der Baracke C des Frankfurter Anhaltelagers ausführlich geschildert und darauf bestanden, daß sein Eingreifen einen Mordversuch, oder doch was einem Mordversuch bedenklich ähnelte, verhindert habe.

Der Ankläger, Major Martin B. Boise, versuchte von Anfang an, dies war Frank wie Adam sogleich klar, die Wichtigkeit dieser Umstände auf ein Mindestmaß herabzuschrauben. Der Major war Berufssoldat, aus dem Mannschaftsstand emporgestiegen, ein Mann von etwa fünfundvierzig, klein von Statur, aber massiv gebaut, intelligent und schlagfertig und dabei von einer so volkstümlichen Diktion, daß Frank von Anfang an befürchtete, er werde das Gericht schon deshalb zu beeindrucken wissen. Wenn auch die Umstände, unter denen sich die Frankfurter Vorfälle ereigneten, für den Angeklagten günstig waren, so wußte Frank doch, daß es dem Militärgericht anheimgestellt war, eine Kerkerstrafe bis zu fünf Jahren über Adam Wild zu verhängen: die Person des Anklägers trug nicht dazu bei, seine Befürchtungen zu zerstreuen.

Eine Tatsache allerdings sprach von vornherein für die Verteidigung. Oberstleutnant Lee E. Perry, Kommandant des Frankfurter Lagers, hatte den Korporal, eben der gleichen Vorgänge halber, vor ein Militärgericht gestellt, das den Gefreiten seiner beiden Streifen beraubt und zu vier Wochen Arrest verurteilt hatte. Diese Mitteilung, mit der Frank das Gericht gleich zu Beginn der Verhandlung überraschte und die der Ankläger nicht bestreiten konnte, schien ihre Wirkung auf die drei Richter nicht zu verfehlen.

Zwei Stunden lang ermangelte die Verhandlung jeder Sensation. Die Anklage, die schriftlichen Zeugenaussagen wurden verlesen und verdolmetscht; Staatsanwalt und Anwalt unterzogen den Angeklagten einem nicht mehr als routinemäßigen Kreuzverhör, und Frank begann schon sich des unangebrachten Pessimismus zu zeihen, als sich Major Boise erhob und das Gericht ersuchte, einige für die Person des Angeklagten, wenn nicht unbedingt für die Sache selbst, wesentliche Indizien unterbreiten zu dürfen.

„Der Mann, den Sie hier sehen", sagte er, „ist, wie ich mit Ihrer Erlaubnis sogleich beweisen werde, ein gefährlicher Nazi – eine Tatsache, die für die Beurteilung des Falles nicht ohne Bedeutung ist. Die Verteidigung hat versucht, uns die Ereignisse im Lager so darzustellen, als hätte der Angeklagte in gerechter Empörung gehandelt. Ich war darauf, angesichts der Verurteilung des mißhandelten Privates Crane, vorbereitet. Wäre nun Dr. Wild der Mann, als den man ihn uns geschildert hat, dann könnte ihm eine solche gerechte Empörung zugemutet werden. Ist er aber ein notorischer Nazi, dann erscheint seine brutale Aktion gegen einen Vertreter der Besatzungsmacht in völlig anderem Licht. Das dürfte meine Bitte an das Gericht, an den Angeklagten gewisse, seine Person und Vergangenheit betreffende Fragen richten zu dürfen, vollauf rechtfertigen."

Der Oberstleutnant, ein vielfach dekorierter Offizier der Panzerjäger, höchstens dreißig Jahre alt, mit einem sportlich offenen und unkomplizierten Gesicht, nickte zustimmend.

„Ist es richtig, Dr. Wild", wandte sich der Major befriedigt an den Angeklagten, „daß Sie zwei Soldaten der Waffen-SS vom zwanzigsten April neunzehnhundertfünfundvierzig bis zum sechsten Mai neunzehnhundertfünfundvierzig bei sich verborgen hielten und mit Zivilkleidern versahen?"

Der Dolmetscher übersetzte. Frank sah Adam fragend an.

354

„Das stimmt", erwiderte Adam.

„Ist es richtig, Dr. Wild", fuhr der Major fort, „daß Sie während des Krieges mit Professor Dr. Wilhelm Voberg, einem der führenden Mitglieder der nazistischen Ärzteschaft, gegenwärtig unter dem Verdacht der Verbrechen gegen die Humanität interniert, freundschaftliche Beziehungen unterhielten?"

„Das ist richtig", sagte Adam.

Soll ich gegen die Fragen protestieren? fragte sich Frank. Er sah Adam an, und es war ihm auf einmal, als rückte das klare, helle Gesicht in nebelhafte Ferne.

Über ein Jahr war er jetzt in Deutschland. Voll vorgefaßter Urteile war er gekommen, voll Hader und Haß. Aber das Chaos war das Element des Hasses, und wenn die Schatten sich hoben und die Strudel zu kreisen aufhörten, stiegen menschliche Gesichter aus dem sich ordnenden Chaos: der Haß versank mit jedem Menschenantlitz, das sich abzeichnete. Eines der Gesichter, das Formen angenommen hatte im wirbelnd dunklen Wasser, das klarste vielleicht und deshalb das beste, war das Gesicht des Deutschen Adam Wild. Nun war es wieder wie das Gesicht eines Ertrinkenden, das in den Strudeln noch einmal auftaucht und dann von den Wellen für immer verschlungen wird. Sollte die Klarheit auch dieses Gesichtes eine Täuschung sein, ein Trugbild nur im Chaos, dann blieb in der wirbelnden Unordnung nur der Haß, den das Chaos geboren hatte.

Nein, ich werde Boise nicht unterbrechen, beschloß Frank. Ich will wissen, ob der Mann, den ich aus dem Lager geholt, den zu verteidigen ich mich anheischig gemacht habe, gelogen hat, und sei es auch nur durch das große deutsche Schweigen.

Er hörte die nächste Frage des Anklägers:

„Ist es richtig, Dr. Wild, daß Sie schon einmal mit den Besatzungsbehörden in Konflikt gerieten, als sie im Hause neben dem ihren eine offiziell verfügte Delogierung zu verhindern versuchten?"

„Ja", antwortete Adam.

„Ist es richtig, daß Sie in das Anhaltelager Nummer vier

für Militaristen einem dort angehaltenen ehemaligen Oberst Achim von Sibelius Papiere zuzuschmuggeln versuchten?"

„So bin ich ja in das Lager gekommen", sagte Adam. „Ich wurde dabei verhaftet."

„Ist es richtig", fragte der Major schließlich triumphierend, „daß Sie nach Ihrer Freilassung eine der führenden Frauen des Dritten Reiches, die Frau des Kriegsverbrechers Kurt von Zutraven, bei sich verbargen, bis sie von der Militärregierung in Ihrer Wohnung festgenommen wurde?"

„Ich habe sie nicht verborgen, aber ich habe sie beherbergt", sagte Adam.

„Geben Sie zu, überzeugter Nationalsozialist gewesen zu sein?" fragte der Ankläger.

„Ich protestiere!" warf Frank ein, noch ehe Adam antworten konnte. Er wandte sich an die Richter. „Schon die bisher vorgebrachten Fragen des Anklägers haben mit dem Fall, der hier verhandelt wird, nichts zu tun. Die letzte Frage ist überhaupt nicht geeignet, neue Tatsachen zu fördern."

„Dem Protest wird stattgegeben", sagte der Oberstleutnant. „Haben Sie sonst Fragen, Major Boise?"

„Keine weiteren Fragen", sagte der Ankläger.

„Major Green — haben Sie Fragen an den Angeklagten?" sagte der Vorsitzende.

Frank wandte sich an Adam: „Können Sie dem Gericht Ihr Verhalten in der Angelegenheit der zwei Soldaten der Waffen-SS aufklären?" Er bemühte sich, einen Ton anzuschlagen, der seinem Amt als Verteidiger entsprach, aber seine Frage klang beinahe aggressiver als die Fragen des Anklägers. Er sah Adam nicht an.

Adams helle Augen blieben ruhig, beinahe heiter. Er sagte:

„Ich möchte mich zusammenhängend verteidigen."

„Ich wünschte, Sie würden meine Fragen beantworten", sagte Frank ärgerlich.

„Das Gericht nimmt zur Kenntnis, daß sich der Angeklagte zusammenhängend zu verteidigen wünscht", unterbrach ihn der Oberstleutnant.

Wenige Minuten später erhob sich Major Boise zu seinem Plädoyer. Mit Geschick baute er seine Anklage auf zwei Punkte auf — daß in der Person des Private Frances D. Crane die Autorität der Besatzungsmacht beleidigt worden sei: nur eine exemplarische Bestrafung Dr. Wilds könne die deutsche Bevölkerung vor ähnlichen Missetaten warnen; daß ferner der Angeklagte zu jenen unverbesserlichen Nationalsozialisten gehöre, die zwar der Partei nicht beigetreten seien, die ihrem Ressentiment jedoch in frechen Angriffen auf die Besatzungsmacht Luft schafften und eine permanente Gefahr bedeuteten, wenn man ihnen nicht rechtzeitig das Handwerk lege.

„Wünscht der Angeklagte selbst zu sprechen oder das Schlußwort seinem Verteidiger zu überlassen?" fragte der Vorsitzende.

„Ich möchte selbst sprechen", sagte Adam, noch ehe Frank etwas einwenden konnte. Er erhob sich und sagte: „Herr Oberstleutnant! Hohes Gericht! Ich muß mich vor allem bei Major Green, meinem Verteidiger, entschuldigen, daß ich selbst das Wort ergreife. Das entspringt keinem Mißtrauen gegenüber Major Green, der sich meiner aufopfernd angenommen hat. Gewisse Tatsachen jedoch, die Herr Major Boise vorgebracht hat und die bisher auch meinem Verteidiger gar nicht oder nur teilweise bekannt waren, kann nur ich aufklären; deshalb ziehe ich es vor, selbst zu sprechen. Ich hatte gehofft, daß hier nicht von meiner Person die Rede sein würde, sondern ausschließlich von den Vorgängen im Anhaltelager vier. Nun aber, da es einmal geschehen ist, muß ich, wenn auch so kurz wie möglich, von mir selbst sprechen. Die zwei Soldaten der Waffen-SS, die ich vom zwanzigsten April bis sechsten Mai neunzehnhundertfünfundvierzig bei mir beherbergte, waren, was der Ankläger zu sagen unterlassen hat, Deserteure der Wehrmacht. Sie waren Brüder, Söhne meines alten Freundes, des Universitätsprofessors Dr. Lohn, achtzehn und neunzehn Jahre alt. Sie gehörten der Einheit des Aushalte-Obersten Waldmüller an und sollten in den letzten, aussichtslosen Kämpfen auf die Schlachtbank getrieben werden. Nach unsäglichen Mühen schlugen sich die Brüder Lohn, halbe Kinder noch, nach München durch, wo ich sie ohne Zögern bei mir verbarg, damit sie den Einmarsch der vermeintlichen Befreier abzuwarten vermochten. Sie werden nun, meine Herren, fragen, warum sich die beiden nicht am dreißigsten April den einmarschierenden Amerikanern stellten, warum ich ihnen vielmehr Zivilanzüge beschaffte, bis sie sich am sechsten Mai – und auch dies zu sagen unterließ der Ankläger – freiwillig meldeten." Er sprach leise, beinahe monoton; nun schaltete er eine kleine Pause ein und fuhr fort: „Ich habe, meine Herren, für mein Verhalten nur eine Begründung – daß ich von der Weisheit der Besatzungsmacht so wenig überzeugt bin, wie ich es von der Moralität des verendeten Regimes gewesen bin. Noch vor einigen Wochen überraschte mich ein Oberst der US-Armee mit der Erklärung, die Waffen-SS und die SS seien ein und dasselbe – beide bestünden aus KZ-Wärtern. Jeder Deutsche weiß, daß die Waffen-SS eine spät geschaffene Einheit der Wehrmacht gewesen ist, der man so wenig freiwillig beitrat wie einer Infanterie- oder Artillerie-Einheit: kein Soldat der Waffen-SS hatte das geringste mit den Konzentrationslagern zu tun. Ich bin, meine Herren, schuldig, geahnt zu haben, daß Sie in Ihrem Troß neben Munition und Konserven auch eine krasse Unkenntnis des besetzten Landes mitführten. Tausende von Soldaten der Waffen-SS, ebenso schuldig oder unschuldig wie jeder andere deutsche Soldat, wurden aus kompletter Unkenntnis der Verhältnisse monatelang jener Behandlung unterworfen, welche allenfalls Mitglieder der SS, und auch von ihnen nur ein größerer Teil, verdienten. Meine beiden jungen Freunde habe ich vor dieser ungerechtfertigten Behandlung nach bestem Wissen bewahrt. Ich habe sie zuerst einem sadistischen Nazi-Obersten, dann einem uninformierten Amerikaner entzogen – trifft mich, wie so viele meiner Landsgenossen, eine Schuld, dann ist es die, daß sich unser Widerstand gegen Bestialität und Dummheit auf so jämmerlich wenig Einzelfälle beschränkte." Er schaltete eine Pause ein, um dem Stenografen die Möglichkeit zu geben, alles, was er eben gesagt hatte, für eine spätere Übersetzung wortgetreu zu notieren. „Der zweite Fall", sagte er dann, „liegt komplizierter. Mein ehemaliger Lehrer, Professor Dr. Wilhelm Voberg, gehörte zu den gefährlichsten Kreaturen, die sich das Dritte Reich geschaffen hat. Der Herr Ankläger sprach von meinen freundlichen Beziehungen zu Professor Voberg. Ich habe seine Frage bejaht, obwohl solche Beziehungen nie bestanden. Aber ich wirkte drei Jahre lang im Lazarett des Professors. In diesem Lazarett wurden ausschließlich verwundete Soldaten der Wehrmacht behandelt – die verbrecherische Tätigkeit Vobergs, der er jetzt angeklagt ist, lag auf seinem privaten Forschungsgebiet. Mir war von Vobergs Experimenten an KZ-Häftlingen nichts bekannt; ich kannte jedoch seine politische Gesinnung. Ich habe mich dieser Gesinnung nicht widersetzt. Dafür habe ich, und ich muß es nun aussprechen, das Vertrauen des Professors benützt, um im Lazarett am Chiemsee ein Dutzend Offiziere, die direkt oder indirekt am zwanzigsten Juli beteiligt waren, unterschlüpfen zu lassen. Ich habe in dem Lazarett für Kriegsgefangene, das unserem Wehrmachts-Lazarett angeschlossen war, jenen amerikanischen Leutnant McManara sowie den französischen Leutnant Miramont beherbergt, welche die Verbindung mit der „Freiheitsaktion Bayern" hergestellt und weiteres, sinnloses Blutvergießen in diesem Land verhindert haben." Er sprach schnell weiter, beinahe als wollte er vermeiden, seinen Feststellungen den Charakter sensationeller Enthüllungen zu verleihen. „Hätte der Herr Ankläger den Fall Voberg nicht vorgebracht, ich hätte mir diese Aufzählung meiner Handlungen ersparen können. Das hätte ich gern getan, nicht aus falscher Bescheidenheit oder aus Immunität gegen den jetzt grassierenden Opportunismus, sondern aus Gründen, die ich Ihnen kurz skizzieren möchte. Der Widerstand, den wir Deutsche gegen die verbrecherische Herrschaft geleistet haben, erscheint Ihnen, meine Herren, äußerst gering. Ich wünschte, ich könnte Ihnen das Gegenteil beweisen. So gering war der Widerstand aber nicht wie er weitgehend individuell war – und das vielleicht läßt ihn in falschem Licht erscheinen. Der kollektive Widerstand, den die Welt von uns erwartete, der Widerstand auf den Barrikaden also, hätte die Optik für sich gehabt: aber eben nur die Optik. Und unser individueller Widerstand wieder hätte, wie man es erwartete, heroisch sein können, aber er war praktisch. Ich hätte den Professor Voberg im Laufe von drei Jahren hundertmal umbringen können: statt lebend vor diesem Gericht, würde ich dann in Bronze auf dem Platz der Opfer des Nazismus stehen. Ich zog den individuellen, unheroischen und praktischen Widerstand vor. Wir Deutsche können nicht verlangen, daß Sie das Paradoxe dieser Lage begreifen. Widerstand und Kompromiß müssen Ihnen als Widersprüche erscheinen, und keiner Illusion gebe ich mich hin, daß ich Ihnen begreiflich machen könnte, wie wenig sie sich ausschließen." Er sprach jetzt eindringlich, um Verständnis ringend. „Wie sollte er auch begreiflich sein, dieser deutsche Widerstand! Ich kenne einen Mann, der hat einen jüdischen Arzt vier Jahre lang in seinem Keller verborgen gehalten – und um es tun zu können, gab er in seiner Villa über dem Keller rauschende Feste für Nazigrößen; ich kenne einen anderen, der wurde Bauernführer, um einschneidende Nazi-Maßnahmen in seinem Dorf zu sabotieren; und schließlich: nur um das Dritte Reich verdiente Offiziere, die in die Nähe Adolf Hitlers gelangten, konnten den zwanzigsten Juli mit einiger Aussicht auf Erfolg organisieren. Wie, meine Herren, sollen Sie das verstehen? Müssen Sie nicht annehmen, daß die Männer des Widerstandes – und es war, ohne Zweifel, eine Minderheit – auf alle Karten gesetzt, an allen Tischen gespielt haben? Wie sollen Sie, von außen kommend, jetzt noch dazu, da der blutige Spuk verflogen ist, unterscheiden können zwischen Kompromiß zum Behufe des Widerstands und Kompromiß zum Behufe des Vorteils?" Er bemerkte, daß die Offiziere des Tribunals ungeduldig miteinander wisperten und kehrte zu dem Gegenstand der Verhandlung zurück. „Ich habe mich der Austreibung einer Familie in dem meiner Wohnung benachbarten Haus widersetzt. Ich tat es aus dem gleichen Grund, aus dem ich dem Oberst von Sibelius zu jenen Papieren verhalf, die ihm schließlich die Freiheit sicherten. Auch habe ich in der Tat Frau Elisabeth von Zutraven bei mir aufgenommen. Alle drei, der Schriftsteller Ernst Helm, mein delogierter Nachbar, der vier Jahre in Hitlers Gefängnissen geschmachtet hatte; Oberst von Sibelius, der Offizier des zwanzigsten Juli, und Frau von Zutraven, die als Frau des Gouverneurs in Frankreich Dutzende vor Verschleppung, Konzentrationslager und sicherem Tod bewahrte – alle drei sind Opfer der Ungerechtigkeit der Sieger geworden. Wer bin ich, wird der Herr Ankläger fragen, um zu bestimmen, was gerecht und was ungerecht ist? Warum aber verlangen Sie von uns, daß unser Gewissen gestern zu sprechen hatte und daß wir heute dieses gleiche Gewissen zum Schweigen verurteilen sollen? Wenn Sie ein anderes Maß der Gerechtigkeit gefunden haben, in ihrem glücklichen Amerika, als das des Gewissens, dann bringen Sie uns dieses Maß – ich kenne kein anderes." Er holte tief Atem und setzte zu den abschließenden Sätzen seines Plädoyers an: „Ich bedaure, Hohes Gericht, wenn ich durch meine gewalttätige Handlung, deren ich hier angeklagt bin, Ansehen und Autorität der Besatzungsmacht untergraben habe. Es soll keine rhetorische Phrase sein, wenn ich sage, daß Sie Ansehen und Autorität der Besatzungsmacht weit mehr untergraben würden, wenn Sie durch meine Verurteilung die uniformierte Bestie in Ihren eigenen Reihen freisprechen. Ich gebe zu, meine Herren, daß das deutsche Unglück von Deutschland heraufbeschworen wurde. Ich gebe zu, daß es bei uns Tausende gab, die wie dieser Korporal Crane waren. Ich gebe zu, daß in Ihren Lagern nicht vergast, nicht gehenkt, nicht einmal auf höheren Befehl gefoltert wird. Ich gebe zu, daß es ein tausendfach größeres Unglück hätte geben können als die deutsche Niederlage – den deutschen Sieg. Aber ich weigere mich und werde mich weigern, das eine Unrecht auf die eine, das andere auf die zweite Waagschale zu legen, und am Ende zu glauben, daß nur Unrecht gegen Unrecht gewogen werden kann. Die Zustände ändern sich, und ich will nicht bestreiten, daß sie sich zuweilen bessern. Aber sie ändern sich nicht und sie bessern sich nicht ohne Widerstand. Die genügsame Zufriedenheit mit dem Wechsel ist der Feind des Wechsels. Meinem Verteidiger, Major Frank Green, den ich vielleicht meinen Freund nennen darf, verdanke ich die Kenntnis einiger Zeilen, die Ihr großer Dichter Walt Whitman geschrieben hat. ‚Den Staaten, oder jedem von ihnen, oder jeder Stadt in den Staaten: / Widerstehe viel und gehorche wenig. / Einmal gehorchen ohne zu fragen, einmal völlig versklavt, / Einmal völlig versklavt, und keine Nation, Staat, Stadt dieser Erde / Wird je nachher die Freiheit wiederfinden.' So lauten die Verse von Walt Whitman. Wir Deutsche haben einmal gehorcht ohne zu fragen; einmal waren wir völlig versklavt. Die Gefahr, daß wir unsere Freiheit nie mehr wiederfinden, ist groß. Einige von uns sind entschlossen, ihr zu widerstehen."

Er setzte sich nieder.

Auf einen Wink des Vorsitzenden erhob sich der Dolmetscher und übersetzte, was Adam gesagt hatte. Die Zuhörer, atemlos, versuchten in den Mienen der Richter zu lesen. Sie blieben unbeweglich. Major Boise lächelte süffisant. Frank suchte Adams Augen: in seinen eigenen Augen war frohe Dankbarkeit und eine Bitte um Vergebung.

Adam und Frank erwarteten, im Korridor auf und ab gehend, das Urteil.

„Verzeihen Sie, daß ich das Wort ergriffen habe", sagte Adam.

„Ich bin glücklich, daß Sie es getan haben", sagte Frank.

Nach einer Beratung von nur einer halben Stunde, kehrten die Richter zurück.

„Im Namen der United States of America!" verkündete der Oberstleutnant: „Der Angeklagte wird schuldig gesprochen, durch den Angriff auf ein Mitglied der Besatzungsmacht Autorität und Ansehen der US-Streitkräfte in Deutschland untergraben zu haben. Er wird unter Anerkennung mildernder Umstände zu acht Wochen Gefängnis verurteilt. Die Gefängnishaft wird durch die vom Angeklagten im Anhaltelager vier verbrachte Zeit als verbüßt betrachtet."

Zwei Frauen im Auditorium begannen zu klatschen. Der

Oberstleutnant warf ihnen einen strafenden Blick zu. Er sagte:

„Die Urteilsbegründung ergeht schriftlich."

Er nahm schnell die vor ihm liegenden Akten und verließ, von den beiden anderen Soldaten gefolgt, den Raum.

Der M.P. im weißen Helm, der an der Tür gestanden hatte, trat zur Seite. Als Adam und Frank die Stiegen hinuntergingen, sagte Frank:

„Sie haben jetzt das beste Amerika erlebt, Doktor Wild."

Adam lächelte. „Der individuelle Widerstand . . .", sagte er. Aber auch auf seinen Zügen malte sich Erleichterung.

Am nächsten Tag veröffentlichten die Münchener Zeitungen im lokalen Teil die folgende Notiz:

„Der Münchner Arzt Dr. Adam Wild wurde wegen eines tätlichen Angriffes auf ein Mitglied der Besatzungsmacht unter Anerkennung mildernder Umstände zu acht Wochen Gefängnis verurteilt."

Von den mildernden Umständen und Adams Rede vor Gericht stand dort kein Wort. Die Besatzung Deutschlands war ein Jahr alt.

»Das haben uns die Amis eingebrockt«

Schwül lastete der Sommertag über der Stadt. Die Fenster im Zimmer der großen Blonden hinter dem Sendlinger-Tor-Platz standen offen. Kein Luftzug kam durch die Fenster. Müde Fliegen klebten an den staubigen Möbeln. Ilse Joachim lag, nur mit einem Schlafrock bekleidet, auf dem Kanapee. Sie lüftete ihren üppigen Busen und ihre massiven Schenkel.

„Schau mich nicht so an", sagte sie zu Inge, die in ihrem leichten Imprimékleid am Tisch saß. „Hast du noch nie eine nackte Frau gesehen?"

„Ich muß mit dir sprechen, Ilse", sagte das Mädchen.

„Klingt ja ganz tragisch", sagte die große Blonde. Sie richtete sich auf und zog ihren Schlafrock zusammen.

„Ich mache Schluß", sagte Inge.

„Mit wem?"

„Mit niemand. Mit dem Bummeln."

„Bist du verrückt geworden?"

„Ich war seit Wochen nicht auf dem Bummel."

„Du siehst auch wieder ganz verhungert aus."

„Es geht nicht", sagte Inge.

„Wegen Hans?"

Inge nickte.

„Will er dich heiraten?", fragte Ilse.

„Ich weiß nicht."

„Was will er? Kann er dich aushalten?"

„Ich weiß nicht, was er will", sagte Inge. „Ich weiß nur, was ich nicht will."

„Mit anderen Worten, die große Liebe."

„Du brauchst es nicht zu verstehen."

Ilse zündete sich eine Zigarette an. „Quatsch!" sagte sie. „Verstehe ich besser als du. Früher war alles in Ordnung. Jetzt glaubst du, daß du ihn betrügst."

„Vielleicht", sagte Inge.

Ilse legte sich flach auf den Rücken und blies die Rauchringe vor sich hin. „Ich hatte auch eine große Liebe", sagte sie.

„Ich weiß, Karl", sagte Inge.

„Aber er hat wenigstens Geld genommen", fuhr Ilse unbeirrt fort. „Das ist einfacher. Es beruhigt das Gewissen."

„Dein Karl interessiert mich nicht", sagte Inge.

„Er war anständig", sagte die große Blonde. „Er hat mir nicht den Beruf verleidet. Aber bei dir ist ohnedies Hopfen und Malz verloren, Kleine. Dir hat das Bummeln nie Spaß gemacht."

„Dir etwa?"

„Was heißt hier Spaß ... Wem macht ein Beruf Spaß? Ich kannte viele Männer, aber nur einer hatte Spaß am Beruf. Ein Schwabinger Maler. Er ist verhungert. Macht es einem Briefträger Spaß, Briefe auszutragen? Na also. Aber er tut sich auch nicht leid. Das meine ich, Kleine. Ich tue mir nicht leid, wenn ich meinen lilienweißen Körper verkaufe. Dilettantinnen sind mir zum Kotzen." Sie richtete sich wieder auf. „An dir habe ich zufällig einen Narren gefressen. Wovon willst du eigentlich leben, Kleine?"

„Ich werde arbeiten."

Ilse lachte. „Meinen Glückwunsch. Auf dich haben sie gewartet."

„Andere leben auch", sagte Inge.

„Und dein Vater?" fragte Ilse.

Inge stand auf. Sie ging zum Fenster, schob die Geranientöpfe beiseite und setzte sich aufs Fensterbrett. Sie saß jetzt hinter Ilse; sie wollte der großen Blonden nicht ins Gesicht sehen. Sie sagte:

„Er hat mich geschlagen."

„Das Schwein!" sagte Ilse. „Weil du nichts nach Hause bringst?"

Inge antwortete nicht.

„Das haben uns die Amis eingebrockt", sagte Ilse. „Väter als Zuhälter. Im Verhältnis zu deinem Vater war Karl ein Gentleman."

„Mußt du heute fortwährend von Karl reden?"

„Du hast ihm doch hoffentlich Bescheid gestoßen", sagte Ilse.

„Seit ich nichts heimbringe, hat er Oberwasser. Ich traue mich nicht nach Hause."

„Hast du es deinem Hans gesagt?"

„Heute sage ich es ihm", antwortete Inge. Sie sah auf die Straße hinunter.

„Kann er dich mit heim nehmen?"

„Sicher nicht."

„Was soll dann das Ganze?" sagte Ilse ärgerlich. Sie wandte sich Inge zu. Ihr unwirscher Ton tat ihr leid. „Du kannst hier wohnen. Nur wenn die Gäste kommen, mußt du 'raus."

„Danke", sagte Inge. Und nach einer kleinen Pause: „Was glaubst du, wie wird er es aufnehmen?"

„Hans?"

„Ja."

„Ich kenne die Männer", sagte Ilse. „Er wird dich wahrscheinlich stehenlassen. Sie sind Heuchler. Am liebsten ist ihnen eine Hur', die nicht sagt, daß sie eine Hur' ist. Vor der Verantwortung rennen sie davon."

Von der Straße kam ein Pfeifsignal. Inge wandte sich um.

„Ich komme", rief sie auf die Straße hinunter.

Sie winkte. Lachend und winkend war sie verändert: ein junges Mädchen, das von einem frühen Verehrer abgeholt wird.

„Viel Glück", sagte die große Blonde. „Du kannst immer hier schlafen."

Hans erwartete sie auf der anderen Straßenseite. Er wollte ihr einen Kuß geben, aber sie reichte ihm nur die Hand.

Sie gingen die Sendlinger Straße entlang, dem Marienplatz zu.

„Was ist los mit dir?" fragte Hans.

Sie blickte vor sich hin. Sie sagte schnell:

„Ich kann nicht nach Hause gehen. Ich habe es dir nicht gesagt, weil du es mir ohndies nicht geglaubt hättest. Seit damals bin ich nicht mehr auf den Strich gegangen. Ich konnte es nicht."

Er nahm ihren Arm. Er lachte, und sein Lachen klang so fröhlich, daß sie ihn unwillkürlich ansah. Er sagte:

„Natürlich habe ich es gewußt. Ist dir dieses ‚Geständnis' so schwergefallen?"

„Nein", sagte sie, und auch sie versuchte zu lächeln. „Aber mein Vater ..."

„Schickt dich dein Vater hinaus?" sagte er.

Sie nickte.

„Ich werde mit ihm sprechen", sagte er. „Komm, wir fahren zu dir."

„Du kannst nicht mit ihm sprechen", sagte sie.

„Ich möchte dich zu mir nehmen", sagte er. Er lachte nicht mehr. „Ich habe längst darüber nachgedacht. Aber unser Haus ist beschlagnahmt. Wir sind alle nur geduldet im Haus."

„Ich weiß, daß es nicht geht", sagte sie.

Sie stiegen in eine überfüllte Straßenbahn ein. Sie standen zwischen schwitzenden, übelriechenden Menschen. Die

Straßenbahn holperte dahin, als führe sie nicht über Schienen, sondern ziellos über ein unregelmäßiges Kopfpflaster.

Er hatte ihren Protest nicht zur Kenntnis genommen; sie näherten sich dem Ostfriedhof.

Dann standen sie vor Inges Haus.

„Komm", sagte Hans. „Es muß sein."

Der Rentner Alois Schmidt hatte sie schon wahrgenommen, denn er lehnte in Hemdsärmeln aus dem Fenster. Als sie das Zimmer betraten, wandte er sich ihnen zu. Inge wußte sofort, daß er getrunken hatte, denn seine Augen waren gerötet wie immer, wenn er trank. Er erwiderte Hans' Gruß nicht, sondern sagte nur:

„Sie sind also derjenige ..."

„Ja, ich bin derjenige", sagte Hans.

„Und wer hat Sie eingeladen?" fragte Schmidt. Er schien sofort zu wissen, warum Hans gekommen war.

„Lassen wir das", sagte Hans. „Ich würde Inge mitnehmen, wenn ich könnte. Vorderhand kann ich es nicht. Bis dahin wird sie hierbleiben, und Sie werden sie in Ruhe lassen."

„So, werde ich das?" sagte Schmidt. „Weil Sie es sagen..."

„Nein", sagte Hans, „nicht weil ich es sage. Sondern weil auf Zuhälterei Kerkerstrafe steht."

Schmidt kam drohend auf ihn zu. „Wer ist hier ein Zuhälter? Sie oder ich?"

„Machen Sie keine Dummheiten, Herr Schmidt", sagte Hans. Er versuchte immer noch, sich zu beherrschen. „Sie sind ein alter Mann; eine Rauferei würde für Sie nicht gut ausgehen. Deshalb bin ich auch nicht hierhergekommen."

Schmidt hielt inne. Er hatte viel getrunken, aber nicht so viel, daß er die ungleichen Kräfteverhältnisse nicht abschätzen konnte. Er sagte:

„Wenn Sie die Hur' haben wollen, können Sie sie haben. Hier muß sie 'raus."

Inge stand zitternd an die Speisekredenz gelehnt.

Hans wußte nicht, was er antworten sollte. Daß sie eine Hure geworden war, weil ihr Vater sie auf die Straße gejagt hatte? Hieße das nicht zugeben, daß sie eine Hure war? Und hatte es einen Sinn, dem Mann vorzuhalten, daß seine moralische Entrüstung erst begann, als sie ihr Gewerbe zu betreiben nicht mehr willens war? Er trat neben Inge hin und sagte:

„Gut, Herr Schmidt. Ich werde sie morgen von hier wegbringen. Sie werden sie nie wiedersehen. Aber ich möchte Ihnen nicht raten, Sie anzurühren."

Alois Schmidt, beinahe schon auf dem Rückzug, schien sich mit einemmal bewußt zu werden, daß ihm die Felle wegschwammen. Er richtete sich auf und sprach nun beinahe mit der Autorität des beleidigten Vaters:

„Was mit meiner Tochter geschieht, bestimme ich. Sie ist minderjährig. Ich weiß nicht, wer Sie sind. Ich will es auch nicht wissen. Wenn Sie glauben, daß meine Tochter für Sie auf die Straße gehen wird ..."

„Haben Sie jemals etwas vom Bankier Eberhard Eber gehört?" sagte Hans.

Er wußte nicht sogleich, warum er den Namen ausgesprochen hatte. Seit seiner frühesten Kindheit hatte er sich des Namens Eber geschämt, und nie zuvor stand der Name Eberhard so tief in Mißkredit wie gerade heute. Und nun, in der dumpfen Kleinbürgerwohnung am Ostfriedhof, ein Mädchen verteidigend, das eine Prostituierte war, warf er den Namen Eberhard Eber doch in die Waagschale. War der Name seines Vaters das einzig Positive, das er besaß? Er stellte sich die Frage zu spät, aber er hoffte gleichzeitig, der Rentner Alois Schmidt werde mit der Achsel zucken oder in ein Hohngelächter ausbrechen.

Tiefer, betroffener Respekt malte sich in den Zügen des Rentners. Er sagte:

„Natürlich. Was haben Sie ..."

„Eberhard Eber ist mein Vater", sagte Hans. „Genügt Ihnen das?

„Wenn es wahr wäre ...", sagte Schmidt verwirrt.

„Ich werde Inge morgen abholen."

„Wenn Sie der Sohn von Eberhard Eber sind ...", begann Schmidt.

„Versuchen Sie keine Erpressung", unterbrach ihn Hans. „Das würde Ihnen schlecht bekommen. Sie haben viel zuviel auf dem Kerbholz, Herr Schmidt." Er wandte sich an Inge. „Ich werde morgen früh hier sein. Hab keine Angst."

Er berührte flüchtig die Hand des Mädchens. Jetzt erst fiel ihm ein, daß er ihr nie seine wahre Identität enthüllt hatte. Aber sie würde ohnedies nicht wissen, wer Eberhard Eber war.

Er handelte schnell, instinktiv, als er zu Stefan Lester fuhr, dem Freund, dem man sich in allen Lagen anvertrauen konnte.

Stefan Lester lag, ein Buch lesend, auf dem Sofa seines kleinen Zimmers. Der Raum ohne Fenster war wie ein Brutofen. Es schien Stefan nicht zu stören. Er empfing Hans auch diesmal mit jener fröhlichen Herzlichkeit, die ihn, seinem körperlichen Gebrechen zum Trotz, stets auszeichnete.

„Du siehst ja aus, als kämst du direkt aus dem Grab", sagte Stefan. „Was ist los?"

Hans setzte sich in den einzigen Sessel. Er wischte sich den Schweiß von der Stirne.

„Soll ich dir eine Zigarette drehen?" fragte Stefan.

„Nein, danke. Du mußt mir helfen, Stefan. Ich befinde mich in einer unmöglichen Situation. Willst du Geduld mit mir haben? Wenn ich von vorne anfange, muß ich sehr weit ausholen. Es war im Winter ..."

Und er begann mit jenem Tag, an dem er Inge Schmidt auf der Isarbrücke aufgelesen hatte.

Stefan hörte geduldig zu.

„Ist das alles?" fragte er endlich.

„Genügt das nicht?" sagte Hans, aber er fühlte sich schon erleichtert.

„Es genügt", sagte Stefan, „aber es ist nicht tragisch." Er sah nach der Uhr. „Ich gehe gleich nachher zu Dr. Wild hinüber. Ich habe ihn zufällig vorgestern getroffen." Er lachte. „Sein berühmter Diwan steht wieder einmal leer. Es ist keine Affäre; wir werden Inge morgen unterbringen."

„Was täte ich ohne dich", sagte Hans.

„Unsinn", sagte Stefan. „Nur eines verstehe ich nicht, nimm es mir nicht übel. Warum zum Teufel hast du mir das nicht alles früher erzählt? Hand aufs Herz, hast du dich wirklich geschämt?"

Hans nickte.

„Es sollte keine unangenehme Frage sein", sagte Stefan. „Du mußt nur wissen, wie blödsinnig es ist."

„Du meinst, ich bin ein Spießer."

„Das wäre nicht das Schlimmste. Du scheinst nur nicht zu wissen, ob du darüber hinwegkommen kannst."

„Ist das so sonderbar?"

Stefan antwortete nicht direkt. „Du findest ihr Schicksal rührend und abscheulich", sagte er. „Aber es ist nicht abscheulich und nicht rührend. Es ist bloß typisch. Du wirst über deine Hemmungen nie hinwegkommen, wenn du glaubst, daß es ein Sonderschicksal ist."

Hans senkte den Blick. „Nicht alle Mädchen ...", begann er.

Stefan unterbrach ihn. „Das steht nicht zur Diskussion. Wir sind für Inge verantwortlich. Das ist entscheidend. Der Hunger allein hat den Alois Schmidt nicht zum Schwein gemacht ..., so schnell operiert der Hunger nicht. Zwölf Jahre der Denunziation haben ihn zum Schwein gemacht. Und glaubst du, sie wäre auf die Straße gegangen ohne die Kindheit, die sie im Dreck verlebt hat? Außerdem sind wir alle ziemlich verlottert, mein Lieber, und es ist höchste Zeit, daß wir es einsehen."

„Und was soll diese Einsicht nützen?"

„Eine ganze Menge. Daß du und ich zum Beispiel aufhören, uns besser zu dünken als Inge Schmidt. Wir gehen alle auf den Strich. Nur hat sie schneller Schluß gemacht. Und genau das müssen wir auch. Schluß machen. Wir müssen uns bei den eigenen Haaren aus dem Dreck ziehen, wie der Baron Münchhausen aus dem Wasser. Der Baron sollte in der Tat unser Held sein – er ist mir unter unseren Heroen ohnedies einer der liebsten. Wenn wir es nicht individuell tun – die deutsche Kollektivität zieht uns nicht aus dem Dreck und die Umerziehung auch nicht."

Hans stand auf und begann im Zimmer auf und ab zu gehen.

„Du hast recht, Stefan", sagte er. „Wie wäre es, wenn ich gleich zu Hause anfinge?"

„Was meinst du?"

„Ich meine, daß ich Alois Schmidt bin", sagte Hans. „Während der ganzen Szene mit Inges Vater mußte ich daran denken, daß ich nicht viel besser bin als er. Ich habe Karin verkauft."

„Du tatest nichts dergleichen."

„Ich habe zugesehen, was zwischen ihr und Captain Green vorgeht. Ich habe mich selbst belogen und tausend Entschuldigungen gefunden. Dann wurde ich träge und habe die Gegebenheiten hingenommen. Genau wie wir es im Dritten Reich taten. Wir sind so beschäftigt, daß uns nie Zeit zur Rebellion bleibt."

„Reden wir ein andermal darüber", sagte Stefan. „Wir wollen gehen. Jetzt finde ich Dr. Wild wahrscheinlich zu Hause."

Es war Abend, als sie auf die Straße traten. Die Luft war immer noch schwül; der Asphalt schien unter ihren Füßen zu schmelzen. Die Stadt roch wie abgestandenes Bier.

„Morgen früh also", sagte Stefan, als sie sich trennten. „Und mach möglichst keine Dummheiten."

Hans ging schnell durch den sinkenden Abend. Eine große Fröhlichkeit war über ihn gekommen. Er spürte die lastende Hitze nicht; es war, als hätte sich der schwere Himmel entladen und als ginge er durch einen kühlenden Sommerregen.

Mit Erleichterung stellte er fest, daß der blaue Sportwagen des Captains nicht vor der Tür stand. Auch daß sich sein Vater und Onkel Oskar zurückgezogen hatten, erschien ihm als ein verheißendes Zeichen. Fräulein Karin befinde sich auf der Terrasse, sagte die Wirtschafterin. Als er die Terrasse betrat, saß Karin, mit einem leichten Sommerkleid angetan, neben dem Strohtisch, auf dem das Grammophon stand. Das Grammophon spielte amerikanische Tanzplatten. Die Dunkelheit begann die Bäume des Gartens einzuhüllen.

Er setzte sich in einen Korbstuhl und sagte:

„Stell das Ding ab. Ich will mit dir sprechen."

„Stört dich die Musik?"

„Ja."

„Ich kann sie leiser stellen." Sie stellte den Apparat auf eine niedrigere Lautstärke ein, aber sie ließ ihn weiterlaufen.

„Karin", sagte er, „was ist eigentlich los mit dir?"

„Was soll mit mir los sein?"

„Wir waren Freunde", sagte er, „ehe ich in den Krieg ging."

„Und . . .?"

„Bitte, mache es mir nicht schwer, Karin", sagte er. „Du weißt genau, daß sich alles geändert hat, seit Captain Green das Haus beschlagnahmte."

„Du hast dich seither unmöglich benommen", sagte sie. „Er hat die Hand ausgestreckt, und du hast sie zurückgewiesen. Ich verstehe dich nicht mehr."

„Er hat die Hand nur nach dir ausgestreckt. Das weißt du genau. Wir werden hier alle geduldet, weil . . ."

„Weil . . .?"

„Muß ich es aussprechen? Bestreitest du es?"

„Nein", sagte sie, „warum sollte ich es bestreiten?"

Er fühlte, daß sie in der Dunkelheit aufstand. Er fürchtete, sie würde gehen, aber sie legte nur eine andere Schallplatte auf. „I am dreaming of a white Christmas", flötete eine Frauenstimme.

„Und warum, Karin?" sagte er. „Erkläre mir um Gottes willen, warum?"

„Warum nicht?" sagte sie. „Willst du dich wie Papa benehmen?"

„Ich weiß nicht, wie sich Papa benimmt."

„Ich kann es dir sagen." Sie setzte sich nieder. Sie sprach jetzt so leise, daß ihre Stimme zuweilen in der Melodie unterging. „Es war nichts geschehen zwischen mir und George, ehe Vater aus der Haft heimkam. George hat sich wie ein Gentleman benommen. Das konnte Papa nicht verstehen. Gleich am ersten Tag machte er mir eine Szene. Erinnerst du dich, wie du mich einmal weinend angetroffen hast? Ich sagte dir nichts, es schien keinen Sinn mehr zu haben. Er hat gewütet. Gegen die Amerikaner und gegen die Emigranten und gegen die Juden. Er meinte es wahrscheinlich gut mit mir. Aber ich hatte seine Reden in den letzten Jahren hundertmal gehört. Ich hatte genug davon. In der gleichen Nacht ging ich mit George ins Bett."

Hans antwortete nicht. Seine Kehle war zugeschnürt. Die leise Musik drang wie das Brausen eines hundertköpfigen Orchesters an sein Ohr.

Endlich sagte er: „Du liebst ihn nicht . . .?"

„Ich weiß nicht", sagte sie. „Ich habe nicht darüber nachgedacht. Lieben ist ein Luxus. Nachdenken auch."

„Aber es hat vorher begonnen", sagte er hartnäckig. „Solange Papa noch in Haft war. Er ließ uns ja hier wohnen."

„Natürlich", sagte sie. „Es begann mit Zigaretten und Schokolade und Lippenstift und Schallplatten. Und mit dem Haus. Ich habe es früher gehaßt, aber ich wollte nicht auf die Straße. Eine Ami-Hur', wenn du willst." Sie sagte es immer noch leise, ohne Anklage und ohne Bitterkeit. „Was weiter?" Du hast die letzten Jahre nicht miterlebt, Hans. Ich meine nicht die Entbehrungen, denn Papa entbehrte ja nicht viel. Ich meine diese tödliche Langweile." Sie lachte kurz auf. „Genau das ist das Wort. Langweile und tödlich. Die einzigen jungen Männer, die ich sah, waren die im Lazarett. Papa bestand ja auf meinen Lazarettbesuchen. Du hast sie nur sterben gesehen, Du weißt nicht, wie Amputierte stinken können. Nein, unterbrich mich nicht. Du hast mich gefragt, jetzt höre zu. Sie waren tödlich, diese jungen Helden im Lazarett. Tödlicher waren nur die anderen, auf Fronturlaub. Ich sehe noch, wie sie im Wohnzimmer sitzen und immer wieder die gleichen Gesten machen. Mit den Händen beschreiben sie den tödlichen Flug ihrer Bombenflugzeuge. Oder wie sie mit ihren Jagdflugzeugen hinter den Amis her waren. Wenn sie lachten, klang es nach Angst. Wenn Papa hereinkam, schlugen sie die Hacken zusammen und faselten vom Endsieg. Dann saßen sie im Luftschutzkeller und wollten lieber an die Front."

„Genug!" sagte Hans. „Ich kenne die ganze Geschichte. Sie läuft darauf hinaus, daß es keinen größeren Sex-appeal gibt als den Sieg . . ., um in der Sprache Captain Greens zu bleiben."

„Vielleicht", sagte Karin.

Auch das war nicht die Karin, die er kannte. Herausfordernd sollte ihre Antwort klingen, aber sie klang nur resigniert.

„Es hat also nichts mit Papa zu tun", sagte er scharf und bemüht, sie aus ihrer Resignation zu locken. Zugleich dachte er: Eberhard Eber und ich bilden wieder eine gemeinsame Front.

„Vielleicht doch", sagte Karin. Sie stand wieder auf, um eine neue Schallplatte aufzulegen.

„Hör doch endlich mit der Saumusik auf", sagte Hans. Sie legte eine neue Platte auf und fuhr fort:

„Es hat mit Papa zu tun. Total besiegt sein und auch noch frech. Das ist typisch für uns Deutsche."

Hans stand abrupt auf.

„Typisch für uns Deutsche bist du", sagte er erbittert. „Typisch für uns ist, daß wir keiner Versuchung widerstehen können." Das Bild Inges tauchte vor ihm auf. Es war ihm, als müßte er zu ihr eilen, und sie um Entschuldigung bitten. Er sagte: „Der Kerl, der ,Ami-Hur' auf die Wände malt, meint die armen, kleinen Huren, die Hunger haben und sich für ein Päckchen Zigaretten verkaufen. Er ist dumm. Papas Politik und dein sogenanntes Kriegserlebnis und deine mißhandelte Jugend und deine Sehnsucht nach Fröhlichkeit – das sind alles faule Ausreden. Nur das mit dem Haus und den Zigaretten und dem Lippenstift und der Schokolade stimmt. Und den Schallplatten." Er ging in der Dunkelheit, doppelt blind, auf den kleinen Tisch zu, auf dem das Grammophon stand. „Du bist eine ,Ami-Hur'", sagte er, und er stieß mit aller Kraft gegen den Tisch.

Der Tisch stürzte um. Das Grammophon fiel krachend zu Boden. Fallend spielte es noch weiter. „The last time I saw Paris", sentimental und schon krächzend. Die anderen Schallplatten zerbrachen auf dem Steinboden. Jetzt schwieg das Lied.

Er stand mitten in der Zerstörung. Die Hitze der Julinacht schien auf einmal gewichen. Der kalte Schweiß trat ihm auf die Stirne.

Aus der Stille kam das leise Schluchzen des Mädchens.

„Was weinst du?" sagte er grob.

„Nichts", sagte sie leise. „Du verstehst nicht ..."

„Was verstehe ich nicht?" Er wehrte sich gegen das Mitleid.

Sie stand auf. Er fühlte, daß sie vor ihm stand, in seiner unmittelbaren Nähe. Sie weinte nicht mehr. Und es war Karins Stimme, die vertraute Stimme ihrer Kindheit, als sie sagte:

„Hans, du mußt mir helfen. Ich bin schwanger ..."

Wohin der Strom fließt

Es war nicht die Art des Oberst Achim von Sibelius, schwierigen oder unklaren Situationen auszuweichen. Als er den Brief eines ihm unbekannten Obersten und Regimentskommandeurs a. D., Werner Zobel, erhielt, der ihn bat, ihn in seiner Wohnung zu besuchen – „im Zusammenhang mit Ihrer Tätigkeit im Nachtlokal ‚Mücke'" – beschloß Sibelius sofort, der Einladung Folge zu leisten.

Am 3. August 1946, um fünfzehn Uhr, genau, wie er aufgefordert worden war, stieg Baron Sibelius die Treppen zu der Wohnung des Obersten hinauf. Martha Zobel öffnete die Tür; gleich darauf ließ sie ihn jedoch mit ihrem Vater allein.

Oberst Zobel befolgte ein altes Gesetz der Höflichkeit: er vermied es, sogleich zum Gegenstand zu kommen. Er erwähnte kurz und wie beiläufig seine eigene Vergangenheit, zeigte sich aber über die Laufbahn seines Gastes vorzüglich unterrichtet. Als auch Oberst von Sibelius auf das Spiel der Konvention einging, gelang es den beiden Herren, einige gemeinsame Bekannte, höhere Offiziere der Wehrmacht, tote und lebendige, zu entdecken. Erst als genügend Namen, Regimentsnummern und Schlachtfelder erwähnt worden waren und Martha einen wohlduftenden Bohnenkaffee auf den Tisch gestellt hatte, kam Oberst Zobel zum Gegenstand seiner Einladung.

„Herr Oberst", sagte er, „ich bin Ihnen sehr dankbar, daß Sie gekommen sind und bitte Sie, was ich zu erwähnen habe, nicht als eine ungebührliche Einmischung in Ihre Privatangelegenheiten zu betrachten. Sie sehen, daß ich über Ihre Tätigkeit in der ‚Mücke' unterrichtet bin, und ich erachte es als meine Pflicht, einen Kameraden auf die Gefahren dieser Tätigkeit hinzuweisen."

Sibelius sagte nichts; er blickte seinen Gastgeber nur fragend an.

„Sie nehmen wahrscheinlich an, Herr Oberst", fuhr Zobel fort, „daß Sie in der Verkleidung eines Oberkellners unerkannt geblieben sind."

Der Baron wußte nicht, ob er sich ärgern sollte. Er beschloß, sich nicht zu ärgern und sagte lächelnd:

„Warum nennen Sie es Verkleidung, Herr Oberst? Ich bin ein Oberkellner."

Der Oberst runzelte die buschigen, weißen Brauen. „Wohl nur dem Anschein nach, Baron. Eine Reihe von Besuchern der ‚Mücke' ist der Meinung, daß Sie angestellt sind, um die Unterhaltungen der Besucher zu belauschen, von gewissen Zusammenkünften zu berichten, kurz, die Gäste des Lokals zu bespitzeln. Bitte, Herr Oberst, unterbrechen Sie mich nicht! Ich gebrauche absichtlich Ausdrücke, die unter anderen Umständen vielleicht beleidigenden Charakters wären: meine Überzeugung, Ihnen mit einer Offenheit kameradschaftlich zu dienen, ermächtigt mich, überflüssige Formalitäten auszuschalten."

„Darf ich vielleicht erfahren", sagte Sibelius, „wen ich bespitzle und in wessen Sold ich stehe?"

„Ich glaube, Herr Oberst", sagte Zobel, „daß Sie sich des Ernstes Ihrer Lage nicht bewußt sind. Das besondere Interesse, das Sie dem Generalleutnant Stappenhorst und seinen Freunden bezeugen, hat sowohl in Offizierskreisen, wie in gewissen amerikanischen Bezirken unliebsames Aufsehen erregt: es ist ein Interesse, das ich nicht als gesund bezeichnen möchte."

376

Sibelius richtete sich in seinem Lehnstuhl auf.

„Herr Oberst", sagte er, „Sie haben sich vorhin in meiner Vergangenheit einigermaßen bewandert gezeigt. Eine genauere Kenntnis meiner Vergangenheit dürfte Sie und Ihre Auftraggeber, denn um solche muß es sich wohl handeln, darüber belehren, daß ich Drohungen auch im Dritten Reich, als man geneigt war, sie als lebensgefährlich aufzufassen, schwerlich zugänglich war. Unter der durchaus nicht zutreffenden Voraussetzung, daß Ihre Vermutungen und Anschuldigungen zu Recht bestünden, ist es immer noch eine Tatsache, daß das Tausendjährige Reich unseres glorreichen Führers ein für allemal vorbei ist und daß Herr General Stappenhorst, zum Beispiel, wenn er mit meiner Bedienung unzufrieden ist, seine Beschwerde höchstens dem Besitzer der ‚Mücke' vortragen kann. Nichts erschiene mir absurder, als wollte ich mich gerade heute durch irgendwelche undurchsichtigen Anspielungen einschüchtern lassen."

Zur Überraschung des Barons reagierte Zobel nicht heftig; er schenkte sich ruhig eine zweite Tasse Kaffee ein und sagte:

„Herr Oberst, Sie scheinen die Lage vollkommen zu verkennen – und dies bringt mich zum zweiten, zum eigentlichen Punkt meiner Einladung, der Sie freundlicherweise gefolgt sind. Ich bin im Begriffe, einen Kriegerverein aufzubauen, unter einem neutralen Namen vorerst, und mich um Ihre Mitarbeit zu bewerben, habe ich Sie hierher gebeten."

Sibelius ließ sich in den Lehnsessel zurücksinken.

„Sie erstaunen mich vollends, Herr Oberst", sagte er. „Zuerst beschuldigen Sie mich irgendwelcher Spitzeltätigkeiten, unter Drohungen beinahe, gleich darauf aber offerieren Sie mir eine Mitarbeit an Ihrem Kriegerverein. Darf ich Sie, ehe ich zu Ihrem Antrag Stellung nehme, um eine Aufklärung bitten."

„Durchaus", sagte Zobel und bot Sibelius eine „Chesterfield" an. Sehr leutselig fuhr er fort: „Ich könnte, Baron Sibelius, ohne weiteres Ihr Vater sein. Obschon wir in der Wehrmacht den gleichen Rang bekleiden" – er sagte „bekleiden", nicht „bekleideten" – „darf ich mich wohl auf mein Alter berufen, wenn nicht auf meine Seniorität. Ich habe einige Erfahrungen hinter mir, auch einigen Ehrgeiz. Deshalb dürfen Sie mir glauben, daß ich es gut mit Ihnen meine, wenn ich sage, daß Sie die Zeichen der Zeit übersehen. Diese Blindheit, wenn Sie mir den kritischen Ausdruck erlauben, bringt die beiden Dinge, die heute zu besprechen meine Absicht war, auf einen gemeinsamen Nenner. Die Zukunft, Baron Sibelius, gehört der Wehrmacht. Wenn Sie heute auch, unter dem Zwang der Ereignisse, ich verstehe das, gewissen zweifelhaften Personen Dienste leisten: Sie sind schlecht beraten, sich gegen Männer wie General Stappenhorst zu engagieren. Ebenso schlecht beraten wären Sie, wenn Sie, voller Vorurteile gegen Ihre alten Kameraden, einem Kriegerverein, wie ich ihn zu organisieren beabsichtige, Ihre Mitarbeit versagten."

„Ich gestehe, Herr Oberst", sagte Sibelius, „daß ich aus dem Erstaunen nicht mehr herauskomme. Sie geben sich, wie ich zu Beginn unseres Gespräches mit Genugtuung feststellte, über meine Gesinnung als ein Offizier des zwanzigsten Juli keiner Täuschung hin. Darf ich fragen, warum Sie einen, in Ihrem Sinne doch wohl notorischen Verräter in Ihrem Geheimbund, denn nur um einen solchen kann es sich ja handeln, aufzunehmen beabsichtigen?"

„Vor allem", erwiderte Zobel, „wollen wir uns darüber im klaren sein, daß von einem Geheimbund nicht gesprochen werden kann – oder doch nur in einem sehr oberflächlichen Sinne. Die Zusammenfassung ehemaliger Offiziere und Soldaten der Wehrmacht wird von den Amerikanern gewünscht und gefördert, wenn es auch der offiziellen Politik Washingtons gegenwärtig zu widersprechen scheint. Zum zweiten betrachte ich Sie, Herr Oberst, durchaus nicht als Verräter: Sie säßen sonst in der Tat nicht an meinem Tisch. Adolf Hitler war, jedes weitere Wort darüber zu verlieren ist überflüssig, der Verderber des deutschen Volkes: er, wenn Sie es so wollen, war der Verräter. Daß wir den Krieg ohne diesen wahnsinnigen Dilettanten gewonnen hätten, darüber besteht wohl kein Zweifel; am allerwenigsten, scheint es mir, unter den Militärsachverständigen der Alliierten. Es ist heute nicht der geeignete Moment, über die verschiedenen Auffassungen, den auf diesen Herrn Führer geleisteten Eid betreffend, zu diskutieren." Mit betonter Wärme in der Stimme fuhr er fort: „Wir, die wir uns in den letzten Monaten zusammengefunden haben, vertreten den Standpunkt, wenn auch, wie ich gestehe, in verschiedenen Schattierungen, daß uns nichts weniger trennen darf als die Person des feigen Selbstmörders von Berlin. Wer die Ehre des deutschen Soldaten wiederherstellen und am Aufbau der neuen Wehrmacht nach bestem Wissen und Gewissen mitarbeiten will, ist uns willkommen – von Männern wie Sie, Herr Oberst, erwarten wir gerade, daß sie uns die noch schmollend Abseitsstehenden zuführen."

Sibelius, der die Zigarette beinahe bis zum brennenden Ende geraucht hatte, zerdrückte sie im Aschenbecher. Er sagte:

„Gestatten Sie mir einige Fragen, Herr Oberst."

„Selbstverständlich."

„Ich sehe um mich nichts als eine radikale Entmilitarisierung. Sogenannte Militaristen – auch ich zählte zu ihnen – werden eingesperrt; Generale säubern die Straßen; hohe Offiziere der Wehrmacht, des Heeres und der Admiralität werden als Kriegsverbrecher angeklagt. Die von Ihnen eben erwähnte Soldatenehre, sofern es eine solche spezifische Ehre gibt, wird mit Füßen getreten. Wie läßt sich dies mit der Duldung oder gar Förderung eines Kriegervereins, von einer neuen Armee nicht zu sprechen, vereinigen?"

„Ihre Logik ist zu logisch, Baron", lächelte Zobel. „Sie vergessen, daß die Amerikaner ihren bisherigen Verbündeten, den Franzosen und Russen, zum Teil auch den Engländern, gegenüberstehen, die allesamt an der ewigen Unterdrückung unserer Nation interessiert sind. Zum zweiten ist die amerikanische Demokratie, wie alle Demokratien, gespalten – in Kurzsichtige und Weitsichtige, möchte ich sagen. Die Kurzsichtigen veranstalten noch Kriegsverbrecherprozesse, die Weitsichtigen organisieren schon eine neue europäische Armee, mit deren Hilfe sie die Ostgefahr zu bannen beabsichtigen. Die Kriegsverbrecherprozesse, und alles, was mit ihnen zusammenhängt, sind natürlich ein grober Fehler unserer naiven amerikanischen Freunde, denn es wird nicht leicht sein, unser Volk später von der Lauterkeit der amerikanischen Absichten zu überzeugen. Gerade wir, die wir besser informiert sind, müssen aber unsere begreiflichen Empfindlichkeiten im Interesse der deutschen Zukunft zurückstellen."

Der Baron versuchte, seine Gefühle zu verbergen. Er sagte nur:

„Sind die Amerikaner jetzt also unsere Freunde, Herr Oberst?"

„Sie sind die Feinde unserer eigentlichen Feinde", sagte Zobel. „Wir haben ihnen auch in der Niederlage Respekt abgerungen. Mit dem zusammenbrechenden britischen Weltreich und dem total verlotterten Frankreich können sie nichts anfangen. Wir sind auf ihre überlegene Mechanisierung und sie sind auf unser Gehirn und unsere Arme angewiesen. Eine solche Vernunftehe ist meistens dauerhafter als eine auf Liebe aufgebaute Beziehung."

„Eine letzte Frage, Herr Oberst. Wie stehen Sie und Ihre Freunde zu den Nazis?"

„Wollen Sie den Begriff präzisieren", sagte Zobel.

„Er bedarf nach einer zwölfjährigen nationalsozialistischen Herrschaft keiner Präzisierung", sagte Sibelius.

„Ich erklärte schon vorhin, daß wir Hitler und alles, was dieser unselige Name bedeutet, ablehnen. Ebenso lehnen wir ab, was in den Konzentrationslagern geschehen ist. Das Rad der Geschichte läßt sich nicht zurückdrehen, aber ein abgerissener Faden läßt sich wieder aufnehmen. Wir wollen mit den Methoden des Dritten Reiches nichts zu tun haben: die notwendigen Ziele des Großdeutschen Reiches lassen sich auch mit anständigen Mitteln durchsetzen." Er beugte sich vor und sprach mit der ganzen Intensität, deren er fähig war: „Herr Oberst Sibelius, Sie sehen einen Mann vor sich, der zu bekennen nicht ansteht, daß er vor einigen Monaten noch ganz anders gedacht hat ..., im Grunde wahrscheinlich nicht anders als Sie heute. Wie wir alle, so war auch ich von der großen Katastrophe vor den Kopf geschlagen. Man sieht in der tiefen Depression, die uns befallen hat, die Dinge in falschem Licht. Ich kam mir vor wie ein Mann, der auf der Brücke steht und nicht weiß, in welcher Richtung der Strom fließt. Gewisse Erfahrungen, über die jetzt zu sprechen noch verfrüht wäre, öffneten mir die Augen. Ich sah, nicht allmählich, sondern beinahe schlagartig, daß der Strom in unserer Richtung fließt. Ich wünschte, ich könnte auch Ihnen die Augen öffnen, Herr Oberst Sibelius."

Der kleine Baron stand auf und durchquerte zwei- oder dreimal den Raum, während ihn Zobel aufmerksam beobachtete. Schließlich blieb er am weinroten Flügel stehen, dem nämlichen, auf dem, vor etwa anderthalb Jahren, der Gefreite Josef Maurer seine Geschenke zum einundsechzigsten Geburtstag seines ehemaligen Regimentskommandeurs aufgetürmt hatte.

„Ich bin Ihnen, Herr Oberst", sagte er, „dankbar für Ihre Einladung, mehr aber noch für die Aufrichtigkeit, mit der Sie sich mir eröffneten. Ich kann Ihnen keine Versprechungen machen, weder in Bezug auf meine bescheidene Stellung in der ‚Mücke', noch in Bezug auf meine Teilnahme an Ihrem Kriegerverein. Nur eines möchte ich sagen, weil es mich, so merkwürdig es Ihnen auch scheinen mag, am tiefsten berührt hat. Die Verschwörung, die am zwanzigsten Juli neunzehnhundertvierundvierzig in so tragischer Weise scheiterte, war keine Verschwörung gegen Adolf Hitler, jedenfalls nicht gegen Adolf Hitler allein. Ihre Version, Herr Oberst, ist die amerikanische: sie macht aus den Männern des zwanzigsten Juli eine läppische Anarchistengesellschaft, die annimmt, ein Regime lasse sich durch die Beseitigung eines einzelnen beseitigen. Der zwanzigste Juli war, was die Alliierten am wenigsten wahrhaben wollen, der bewußte Ausdruck der unbewußten Gefühle der Majorität unseres Volkes: für diesen Ausdruck sind die Stauffenbergs und Witzlebens den Heldentod gestorben. Mehr vermag ich im Moment nicht zu sagen, doch darf ich Ihnen versichern, daß unser Gespräch unter uns bleibt, bis ich mir erlauben werde, zu Ihren Ausführungen Stellung zu nehmen."

Auch Oberst Zobel erhob sich.

„Ich bitte Sie, nicht allzulange zu zögern, Baron", sagte er. „Die Ereignisse schreiten schneller vorwärts, als man gemeinhin annimmt."

Den ganzen restlichen Tag ließ das Gespräch, das er mit dem Oberst geführt hatte, Achim von Sibelius nicht mehr los. Auch als er sich abends, wie immer in der „Mücke" einfand, um seinen Frack anzulegen, klangen in ihm noch die Worte des Oberst Zobel nach. Als er, im kleinen Ankleideraum hinter der Bar, seine weiße Krawatte mit militärischer Sorgfalt knotete, fiel sein Blick in den winzigen Wandspiegel, und zum erstenmal seit seinem Engagement in der „Mücke" überkam ihn ein Gefühl der Komik und Würdelosigkeit. Er hatte es sich nicht anmerken lassen, aber ein kalter Schauer war ihm über den Rücken gelaufen, als Oberst Zobel von der Brücke sprach und von der Entdeckung, in welcher Richtung der Strom floß. Beinahe wörtlich waren dies die Ausdrücke gewesen, die Herr Wedemeyer gebraucht hatte, als er sich den ehemaligen Generalstabsobersten Achim von Sibelius als Oberkellner verschrieb. Da standen sie also auf der Brücke und beobachteten den Strom und trafen ihre Entscheidungen und arrangierten ihr Leben und modellierten ihre Meinungen – je nachdem, in welcher Richtung der Strom floß. Damit nicht genug: der Strom floß offenbar in der gleichen Richtung, in der er schon immer geflossen war. Wozu hatte er in den lebensgefährlichen Tagen sein Leben gefährdet? Darum etwa, daß er jetzt, im speckigen Kellnerfrack, den Generalleutnant Stappenhorst bediene, den gleichen, der bis zum letzten Tag bei seinem Führer ausgehalten hatte, und der wieder die Macht zu besitzen schien, ihm, den Baron Achim von Sibelius, an Leben und Existenz zu bedrohen? Worauf wartete er eigentlich noch? Die Zobels saßen schon wieder in ihren bequemen Wohnungen, tranken Bohnenkaffee und rauchten amerikanische Zigaretten, verständigten sich mit den neuen Herren und bauten eine neue Wehrmacht auf, wie sie nach dem ersten Weltkrieg ihre geheime Reichswehr aufgebaut hatten. Auch mit ihrem Gewissen gerieten sie nicht in Konflikt: im Gegenteil, sie glaubten schon wieder, Deutschland zu dienen; die Erinnerung hatten sie über Bord geworfen, und alle Schuld hatten sie großzügig einem einzigen Mann und irgendwelchen unbestimmten Methoden in die Schuhe geschoben. Noch als er, nach mancherlei Enttäuschungen, aus dem Militaristenlager kam, hatte er gehofft, dem neuen Deutschland dienen zu können, das außerhalb des Stacheldrahtes aus der Betäubung zu erwachen schien, aber die Monate waren vergangen, und es wurde immer deutlicher, daß ihn niemand brauchte – mit Ausnahme des Obersten Zobel vielleicht, der wußte, in welcher Richtung der Strom floß.

Sibelius legte seinen Frack an und warf einen letzten Blick in den Spiegel. Draußen hatte der Betrieb der „Mücke" bereits eingesetzt. In der nächsten Stunde würden Schwarzhändler und Spione, Besatzungssoldaten und Dirnen das Lokal bevölkern. Die Spione würden ihn beobachten, die Schwarzhändler würden ihm ein paar Zigaretten schenken, die Besatzungssoldaten würden ihn anschreien, und nur die Dirnen würden ihn vielleicht auch in seiner Maskerade erkennen.

Er ging zur Tür und betrat das Lokal. Herr Wedemeyer stand hinter der Theke und unterhielt sich mit dem Klavierspieler. Sibelius wartete, bis der Klavierspieler mit dem Dreiecksgesicht zum Piano ging. Dann sagte er:

„Wenn Sie einen Moment Zeit haben, Herr Wedemeyer ... Ich glaube, ich habe auf Ihre Fragen eine Antwort gefunden."

Jetzt wird entnazifiziert

Daß die Spruchkammerprozesse gegen Walter Wedemeyer, Eberhard Eber und Elisabeth von Zutraven, unabhängig voneinander, in einer einzigen Woche stattfanden, war wohl ein Zufall, aber die Entnazifizierungsmaschine lief in der Tat auf Hochtouren.

Der Vorsitzende der Spruchkammer, die den Fall des

Nachtlokalbesitzers und ehemaligen Zauberers Walter Wedemeyer behandelte, war ein ehemaliger höherer Beamter namens Paul Eckschmidt, der im Dritten Reich wegen einer unziemlichen Bemerkung über die „Bonzenwirtschaft" entlassen worden war und später wegen Wehrmachtzersetzung ein Jahr in Festungshaft verbracht hatte. Wedemeyer war überzeugt, daß es sinnlos wäre, einen solchen Mann mit primitiven, wenn auch nicht unüblichen Mitteln beeinflussen zu wollen. Er ließ indes, gelegentlich eines seiner Besuche bei General MacCallum, den er nach wie vor in den magischen Künsten unterwies – und beachtlich waren die Fortschritte des Militärgouverneurs, der schon selbst manch Kaninchen aus dem Zylinderhut zu zaubern wußte –, eine Bemerkung über die bevorstehende Verhandlung fallen, im stillen hoffend, daß der Gouverneur für taktvolle Beeinflussung des Gerichtes sorgen werde.

Als Wedemeyer den Saal betrat, in dem die Verhandlung stattfinden sollte, forschte er allerdings vergeblich in der Miene des Vorsitzenden, eines etwa fünfundvierzigjährigen Mannes von magensauerem Aussehen: Herr Eckschmidt war sich seines Richteramtes voll bewußt und verriet nicht, was in ihm vorging.

Das Rededuell zwischen Ankläger und Angeklagtem gestaltete sich bald zu einer Szene von einigem Humor, obwohl es Wedemeyer sofort klar war, daß der öffentliche Kläger, Rechtsanwalt von Beruf und den Richtern in mancher Hinsicht überlegen, darauf aus war, ihn zum „Nutznießer" oder gar zum „Aktivisten" zu stempeln. Damit stand aber auch Wedemeyers Nachtlokalkonzession auf dem Spiel, und der Zauberer war entschlossen, sich seiner Haut zu wehren.

„Meine Herren", sagte Wedemeyer, „der Herr Ankläger hat bewiesen, daß ich von Militär- und Frontdienst befreit wurde, weil die Kanzlei des Führers für mich intervenierte. Worauf dieser Beweis in Wirklichkeit hinausläuft, ist aber, daß ich lieber zaubern als schießen wollte – wer mir das verübelt, werfe den ersten Stein. Ich gehöre nun einmal zu der Gemeinschaft der orthodoxen Drückeberger; auch hatte ich, wie ich gerne gestehe, keine Neigung, in Hitlers Armee zu Rang und Ehren zu gelangen."

„Auch wenn uns Herr Wedemeyer noch soviel vorgaukelt", entgegnete der Ankläger prompt, „so ändert dies doch nichts an den bewiesenen Tatsachen. Herr Wedemeyer war mindestens elfmal auf dem Berghof eingeladen: sogar den König von Bulgarien und den ungarischen Reichsverweser hat er unterhalten. Das ganze Prinzip der Truppenbetreuung war darauf aufgebaut, daß man die Soldaten munterer in den Tod schicken konnte, wenn man sie gelegentlich amüsierte – wieviel schuldiger als irgendein Komiker, der an der Front seine Späße macht, ist also ein Mann, dessen Bestreben es war, Adolf Hitler zu zerstreuen."

„Der Herr Ankläger schreibt mir Absichten zu, die mir fernlagen", replizierte Wedemeyer. „Nur meine Bescheidenheit verbietet es mir, darauf hinzuweisen, daß ich unglückseligerweise den Ruf genieße, wenn auch nur ein Amateur, so doch einer von Deutschlands besten Zauberern zu sein – die hohen Herrschaften ließen sich die besten Magier ebenso kommen, wie sie aus den Museen die besten Gemälde und aus den Kellern die besten Weine entwendeten. Glauben Sie mir, meine Herren, Adolf Hitler hat mich nicht gemocht, genau so wenig wie er unsere besten Schauspieler mochte: ich wurde nur geduldet, weil ich nun einmal als internationale Koryphäe galt. Insgeheim betrachtete unser applaussüchtiger Herr Führer uns wohl alle als Konkurrenten – vielleicht hätte er uns nicht ungern aufknüpfen lassen. Mich mochte er schon deshalb nicht, weil ich alles konnte, alles, was er nicht konnte – ich zauberte Geld und Nahrungsmittel hervor, und einmal wagte ich es sogar, dem dicken Hermann ein Spielzeugflugzeug aus der Nase zu ziehen. Das war feine Ironie, meine Herren, und ich erlaube mir, ein schriftliches Attest des diensthabenden Adjutanten Friedrich Stoß vorzulegen, wonach mich der Scherz mit dem Flugzeug beinahe ins KZ brachte."

„Herr Wedemeyer tut gerade so, als wäre er aus purer Kunstbegeisterung Zauberer des Führers geworden", unterbrach ihn der Ankläger, „aber er verschweigt, daß er zu einer Zeit, als das deutsche Volk hungerte, mit den köstlichsten Nahrungsmitteln reichlich versehen war und daß seine Villa am Starnberger See von der Einquartierung befreit wurde."

„Und der Herr Ankläger verschweigt", sagte Wedemeyer, „daß die französischen Kriegsgefangenen, drei Atteste habe ich der Spruchkammer vorgelegt, die in Starnberg beschäftigt waren, fast dauernd meine Gastfreundschaft genossen. Ich bin kein Held, meine Herren, und wenn ich nur beschuldigt wäre, mitgelaufen zu sein, wäre ich gerne geständig . . ."

„Ich bitte, diese Äußerung zu Protokoll zu nehmen", warf der Ankläger ein.

„Warum nicht?" sagte Wedemeyer, der die Prozeßführung dem Vorsitzenden immer mehr aus der Hand nahm und die Verhandlung in eine Debatte zwischen sich und dem Ankläger verwandelte. „Warum nicht? Ein Mitläufer, das ist nichts als ein schönes deutsches Wort für Opportunist, den Opportunisten aber bezeichnet des Lexikon" – er nahm ein Papier aus der Tasche und zitierte wörtlich – „als einen Mann, ‚der nur das gerade Erreichbare anstrebt, der den Mantel nach dem Wind hängt und ideen- und charakterlose Zweckmäßigkeitspolitik betreibt.' Nun, wenn es ideen- und charakterlos ist, den Mantel nach dem Wind zu hängen, dann ist es wohl auch ideen- und charakterlos, wenn man es vermeidet, sich mit entblößtem Unterleib auf den heißen Ofen zu setzen. Wahr dagegen ist, daß der Opportunist ein bescheidener Mann ist, der nur das gerade Erreichbare anstrebt, im Regen zum Beispiel möglichst den Regenschirm aufspannt – aber ich will hier keine philosophischen Theorien entwickeln, meine Herren, sondern in aller Offenheit gestehen. Wenn ich mir einige kleine, gerade noch erreichbare Vorteile sichern konnte, weil sich Hitler von mir ein X für ein U vormachen ließ, dann habe ich diese Vorteile nicht mürrisch ausgeschlagen; im Grunde tat ich nichts anderes als der von keiner Spruchkammer verurteilte, sehr respektable Abbé Sèyes, der nach der französischen Revolution, über sein Verhalten befragt, erklärte: ‚J'ai survecu'; ich habe sie überlebt..."

Als er sich niedersetzte, war Wedemeyer von der Wirkung seiner opportunistischen Aufrichtigkeit nicht überzeugt, aber wenige Minuten später schöpfte er aus einer im Saal wenig beachteten Episode berechtigte Hoffnung. Der Ankläger wollte auf die gegenwärtige Tätigkeit des Beschuldigten eingehen, darauf insbesondere, daß Herr Wedemeyer nach wie vor seine Villa in Starnberg besaß und offenbar auch sonst nicht gerade die Entbehrungen seines geprüften Volkes teilte: hier jedoch griff der schweigsam eisige Vorsitzende ein, indem er meinte, Herrn Wedemeyers Existenz nach der Kapitulation stehe nicht zur Debatte. Ob Wedemeyers optimistische Schlußfolgerung, der General habe der Spruchkammer einen zarten Wink erteilt, zutraf, oder ob das Gericht mehr Humor bewies, als man ihm zugemutet hätte: der Zauberer und Nachtlokalbesitzer wurde als Mitläufer „eingestuft" und zu einer Geldstrafe von fünftausend Mark zugunsten des Wiedergutmachungsfonds verurteilt. Da er ein vorsichtiger Mann war, übergab er dem Gericht nicht gleich drei Stangen Zigaretten, welche dieser Summe entsprachen, sondern übersandte den Betrag erst am kommenden Morgen und ohne seinen Ursprung zu verraten.

Weit weniger amüsant, aber um so dramatischer verlief die Spruchkammerverhandlung gegen Dr. Eberhard Eber, die beinahe eine Woche währte und bei der über dreißig Zeugen vernommen und vierzig schriftliche Aussagen verlesen wurden.

Die Dramatik dieses Prozesses, über den die deutschen Blätter ausführlich berichteten und zu dem sogar ausländische Zeitungen und Nachrichtenagenturen ihre Korrespondenten entsandten, war allerdings von eigener Art: sie betraf alle Beteiligten mit Ausnahme des Beschuldigten.

Der aus einem Präsidenten und vier Beisitzern zusammengesetzten Spruchkammer saß ein Mann namens Jeremias Helferich vor, ehemaliger Eigentümer einer niederbayerischen Druckerei, der im Dritten Reich eine zweijährige Kerkerhaft abgesessen hatte und dann noch weitere zwei Jahre im Konzentrationslager Dachau interniert war. Diese politische Vergangenheit seines künftigen Richters mußte Dr. Eberhard Eber bedrücken, um so mehr, als die Spruchkammer Helferich ohnedies im Rufe unerbittlicher Strenge stand: sie hatte in den letzten Wochen einen der nationalsozialistischen Literaturförderung angeklagten Intendanten für drei Jahre, einen kriegshetzerischer Reden überführten Gastwirt für zwei Jahre, einen verschiedener kleinerer Geschäftsenteignungen bezichtigten „Arisierer" sogar für fünf Jahre ins Arbeitslager geschickt. Nur weil Eberhard Eber das bewährte Bankiersprinzip befolgte, über Verhandlungspartner oder gar Verhandlungsgegner eingehende Informationen einzuziehen, erfuhr er, daß Jeremias Helferich nicht unbedingt als ein Opfer des abgetretenen Regimes angesehen werden konnte. Die Besatzungsmacht, im Grunde überzeugt, daß jeder Deutsche, der sich zwischen 1933 und 1945 auf freiem Fuß befand, mit dem System paktiert habe, war ebenso gewiß, daß jeder ein Ehrenmann sein mußte, der in der gleichen Zeit hinter Gittern oder Stacheldrähten gesessen hatte: so kam es, daß Jeremias Helferich den Amerikanern weiszumachen vermochte, ein Widerstandskämpfer gewesen zu sein. In Wirklichkeit hatte er in seiner Provinzdruckerei pornographische Schriften und Bilder erzeugt und mit diesen, insbesondere unter den geschlechtshungrigen Soldaten der Wehrmacht, einen schwunghaften Handel betrieben. Seine „Wehrmachtzersetzung", die ihn bei den Alliierten lieb Kind machte und ihm auch sein neues Amt eintrug, war also nicht unbedingt weltanschualicher Natur: was er den deutschen Soldaten zum Anschauen vorführte, war jedenfalls nur ein Ausschnitt der Welt.

Wenige Tage vor Prozeßbeginn entsandte nun Dr. Eber, dieser Tatsachen gewiß und mit Beweisen für sich reichlich versorgt, seinen Bruder Oskar zu dem Spruchkammer-Präsidenten, keineswegs in drohend erpresserischer Absicht, sondern vielmehr, um ihn mit freundlichen Reden davon zu überzeugen, daß man besser daran täte, gegenseitig Milde vor Recht ergehen zu lassen.

Trotzdem hatten die Berichterstatter, denen Dr. Ebers würdevolle, geruhige Haltung auf der Anklagebank einen gewissen Respekt abrang, nicht ganz unrecht: wie weit Jeremias Helferich die vier Beisitzer zu beeinflussen vermochte, stand nicht fest, auch konnte der Spruchkammer-Obmann die Flut von Beweisen, die der öffentliche Ankläger entfesselte, nur zu einem geringen Teil eindämmen. Zumindest zwei der neun Absätze des Artikels fünf des Entnazifizierungsgesetzes, Absatz vier und Absatz sechs, bezogen sich zweifellos auf Dr. Eber – er hatte sich „in einer führenden Stellung der NSDAP, einer ihrer Gliederungen oder eines angeschlossenen Verbandes oder einer anderen nationalsozialistischen Organisation betätigt", und er hatte, gewisser noch, „der nationalsozialistischen Gewaltherrschaft außerordentliche politische, wirtschaftliche, propagandistische oder sonstige Unterstützung gewährt".

So sehr verschieden die Persönlichkeit des Bankiers von der des Zauberers war, so hatte doch das Ziel ihrer Verteidigung ein gemeinsames Merkmal: Wedemeyer suchte sich aus der Kategorie der Minderbelasteten in die liebenswürdigere Gruppe der Mitläufer zu retten, Dr. Eber begnügte sich damit, den Sektor der Hauptschuldigen zu umgehen, wobei er zugleich reuig die Bestrafung als Belasteter auf sich nahm. Das Bankhaus sollte in den nächsten Wochen unter der fachmännischen Leitung des „nicht betroffenen" Bruders Oskar eröffnet werden: Dr. Eber rechnete nicht damit, ohne ein Berufsverbot auszugehen, es kam ihm bloß darauf an, das Arbeitslager zu meiden.

Überdies war der Bankier aber auch ein voraussehender Mann. Der rege Briefwechsel, den er in den letzten Wochen mit alten Geschäftsfreunden in Amerika, England und sogar Frankreich gepflogen hatte, seine aufschlußreichen Gespräche mit dem zwar zurückhaltenden, aber wohlinformierten Captain Green; der Besuch schließlich, den er von ehemaligen hohen Offizieren empfangen hatte, deren materielle Nöte er zum Glück wenigstens einigermaßen mildern konnte – das alles überzeugte Dr. Eber, daß Zeit zu gewinnen, sein vornehmstes Ziel sein mußte. Man würde, so bedeuteten ihm, offen oder unbewußt, alle seine Beziehungen, sehr bald wieder patriotische Farben tragen, und deshalb trieb Dr. Eber auch vor Gericht Reue und Zerknirschung nicht zu weit – gewiß bedauere er es, dem verbrecherischen Regime gedient zu haben, aber Vaterlandsliebe sei sein bewegender Motor in erster Linie gewesen. Daß Adolf Hitler und seine Trabanten, sagte Dr. Eber, von seinen Ratschlägen und finanziellen Transaktionen, besonders in bezug auf die Währung, profitiert hätten, wäre sozusagen eine unvermeidliche Nebenerscheinung seiner Tätigkeit im Interesse des deutschen Volkes gewesen. Nicht ohne im Auditorium eine deutliche, auf der Richterbank eine schlechtverhohlene Heiterkeit zu erregen, stellte Dr. Eber den Führer als einen außerordentlichen Dummkopf dar, dessen Niedergang nicht zuletzt begann, als er sich des guten Rates seiner Bankiers entledigte, und andeutungsweise ließ der Angeklagte durchblicken, daß sich das gegenwärtige materielle, wenn nicht moralische Elend des deutschen Volkes beheben ließe, wenn die Sieger und ihre deutschen Vertrauensleute nur klug genug wären, sich an einen Fachmann von seinen eigenen Fähigkeiten und Erfahrungen zu wenden.

Das Urteil, das am 13. September 1946 verkündet wurde – am gleichen Tag, an dem in Augsburg Elisabeth von Zutravens Spruchkammerprozeß begann – überraschte niemand so wenig wie den „Bankier des Führers". Er wurde als „Belasteter", nicht als Hauptschuldiger, „eingestuft" und unter Anerkennung einer Reihe von mildernden Umständen zu einer Reihe von Sühnemaßnahmen angehalten, die er mit realistischem Instinkt vorausgesehen hatte. Sein Vermögen wurde zur Gänze eingezogen: aber schon unter der nationalsozialistischen Herrschaft hatte Dr. Eber seine wesentlichen Vermögenswerte teils nach der Schweiz und Argentinien verbracht, teils auf seinen unschuldigen Bruder überschrieben. Er wurde für „dauernd unfähig" erklärt, „ein öffentliches Amt einschließlich des Notariats und der Anwaltschaft zu bekleiden": aber nach einem öffentlichen Amt, einschließlich Notariat und Anwaltschaft, stand Dr. Eber kaum der Sinn. Er verlor das Wahlrecht und das Recht, einer politischen Partei anzugehören: aber so groß war seine Begeisterung für die aus den Ruinen entstehenden Parteien nicht, daß solche Demütigung sein Herz gebrochen hätte. Es wurde Dr. Eber auch verboten, als „Lehrer, Prediger, Redakteur, Schriftsteller oder Rundfunk-Kommentator tätig zu sein": aber an einen Berufswechsel hatte er ohnedies nicht gedacht. Am schwersten traf ihn das Verbot, zehn Jahre lang „in einem freien Beruf oder selbständig in einem Unternehmen oder gewerblichen Betrieb jeglicher Art tätig zu sein, sich daran zu beteiligen oder die Aufsicht oder Kontrolle hierüber auszuüben": aber daß er in der nächsten Zukunft öffentlich hervortreten könnte, hatte er niemals geglaubt. Schließlich verlor Dr. Eber auch, auf Grund des Absatzes zehn des Artikels sechzehn der Sühnemaßnahmen gegen Belastete, „das Recht, einen Kraftwagen zu halten", dies war, er mußte es gestehen, die einzige Strafe, auf die er nicht vorbereitet gewesen war, aber auch sie war er mit Würde zu tragen entschlossen.

Der Prozeß gegen Elisabeth von Zutraven begann unter völlig anderen Auspizien als die Verhandlungen Wedemeyer und Eber.

Die Angeklagte, die aus dem Anhaltelager vorgeführt wurde, wußte nichts von den drei Richtern, die über ihr Schicksal entscheiden sollten. Die Spruchkammer tagte unter dem Vorsitz eines Gewerkschaftsführers, des ehemaligen Bergarbeiters Leopold Roller, eines Mannes von etwa fünfundfünfzig Jahren, breitschultrig, grobknochig, mit einer großen weißen Mähne, der während des Dritten Reiches zwar nicht eingesperrt, aber politisch verfolgt war und sich als Gärtner mit Gelegenheitsarbeiten kümmerlich durchgebracht hatte. Die Anklage vertrat ein Volksschullehrer namens Heinz Golling, ein Kommunist, wie man munkelte, ein kleiner Mann mit einer Habichtnase, auf der eine Brille saß, die er bei jeder Gemütsbewegung ungeduldig aus dem Nasensattel hob; ein Ankläger von außerordentlich scharfem Verstand, der gerade am Tage zuvor einem ehemaligen Kollegen wegen eines geringfügigen Vergehens – er hatte ein Gesangsheft mit plumpalbernen nationalsozialistischen Liedern verfaßt – sechs Jahre Arbeitslager eingebracht hatte.

Der für eine Spruchkammerverhandlung ungewöhnlich große Gerichtssaal war bis zum letzten Plätzchen voll, als zwei Polizisten Elisabeth von Zutraven hereinführten. Sie hatte die gleiche weiße Bluse und den grauen Rock an, die sie an jenem Frühlingstag getragen hatte, als sie mit Frank von ihrem Spaziergang durch die Ruinen der Pinakothek in die Wohnung Dr. Wilds heimgekehrt war. Ihre dunkelblonden Haare hatte sie, wie immer, flach nach rückwärts gekämmt und in der Mitte sorgfältig gescheitelt; sie war etwas abgemagert, doch ihre Haut war weiß und sichtlich gepflegt, wie auch die ruhige, graziöse Ebenmäßigkeit ihrer Bewegungen dem unfreundlichen Auditorium eher den Eindruck herausfordernden Selbstbewußtseins als der Zerknirschung oder Vernachlässigung vermittelte.

Unfreundlich in der Tat waren die meisten der etwa hundertfünfzig Gerichtssaalbesucher, die sich eingefunden hatten, um der Demütigung und voraussichtlichen Verurteilung der einst mächtigen „Bonzenfrau" beizuwohnen. Als sich Elisabeth, gemessenen Blickes, im Saal umsah, glaubte sie sich noch im Affenkäfig des Augsburger Tiergartens: mit einem überraschten und höhnischen Murmeln wurde sie begrüßt, und die glotzenden Blicke galten einem merkwürdigen Tier eher als einer um ihr Dasein ringenden Frau. Daß sich in der letzten Reihe der dunkelbraunen, düsteren Bänke der Major Frank Green befand, konnte Elisabeth nicht sehen: absichtlich, um sie weder zu beeinflussen noch einzuschüchtern, hatte sich Frank hinter den Rücken der zum größten Teil deutschen Zivilisten postiert.

Nachdem die Anklageschrift verlesen worden war, begann der Vorsitzende mit der Vernehmung der Angeklagten.

„Was haben Sie, Frau von Zutraven", fragte er, „zu der Behauptung der Anklage zu sagen, daß Sie der NSDAP schon neunzehnhundertzweiunddreißig, also vor der Machtergreifung, angehörten?"

Elisabeth sprach leise, als sie antwortete:

„Ich war damals beinahe noch ein Kind. Die Ziele der NSDAP waren mir nicht klar."

„Wann sind Ihnen diese Ziele klargeworden?"

„Es geschah nicht auf einmal. Endgültig klar sah ich erst nach Ausbruch des Krieges."

„Haben Sie dann etwas zur Verhinderung der verbrecherischen Ziele der NSDAP unternommen?"

„Ja, soweit es in meiner Macht stand."

„Ihre Macht als Frau des Kulturbeauftragten und Gouverneurs in Frankreich war sehr groß."

„Nein; sie war äußerst beschränkt."

Ein höhnisches Gemurmel ging durch den Saal.

„Können Sie uns einige Beispiele für Ihr angeblich antinationalsozialistisches Verhalten anführen?"

„Ich habe neunzehnhundertdreiundvierzig in Holland durch einen Zufall von den Vorgängen in den Konzentrationslagern erfahren. Wenige Tage später waren mein Mann und ich Gäste Adolf Hitlers auf dem Berghof. Ich fragte Hitler, ob er von diesen Vorgängen wisse."

„Sie wollen also behaupten, daß Sie bis dahin angenommen haben, er wisse nichts von ihnen?"

„Ja. Hitler bekam einen Tobsuchtsanfall. Er erklärte in Anwesenheit von zwölf Männern und Eva Braun, Menschen wie ich seien die Totengräber des Deutschen Reiches. Er sprach von feiger Wehleidigkeit, die schlimmer sei als offene Sabotage. Er forderte meinen Mann auf, das ‚hysterische Weib' heimzunehmen und eines Besseren zu belehren. Wir wurden von ihm nicht mehr empfangen."

„Was haben Sie sonst unternommen?"

„Ich habe, es war kurz nach diesem Auftritt, durch einen Bediensteten erfahren, daß in den Renault-Werken bei Paris ein Judentransport zusammengestellt werde. Ich fuhr in die Renault-Werke, von wo der Transport bereits abgegangen war. Für die kommende Woche war ein neuer Transport geplant."

Sie sprach jetzt so leise, daß sie der Vorsitzende aufforderte, sich deutlicher vernehmbar zu machen.

„Ich fälschte die Unterschrift meines Mannes und verhinderte den Abtransport."

Im Saal wurden Töne der Erregung laut.

„Was geschah mit den Juden?" fragte der Vorsitzende.

„Sie wurden in ein französisches Lager gebracht."

„Sind sie dadurch der Vernichtung entgangen?"

„Das weiß ich nicht."

Die Unruhe im Saal stieg. Jemand lachte laut.

„Sprechen Sie weiter", sagte der Vorsitzende.

„Ich habe in Paris mehrere französische Widerstands-kämpfer in meinem Haus beschäftigt, damit sie der Gestapo entgingen."

„Können Sie diese namentlich anführen?"

„Ich erinnere mich nur an einen gewissen René d'Alambert. Aber es war wahrscheinlich ein Deckname."

Der Vorsitzende sah die Beisitzer an. Alle drei lächelten.

„Taten Sie das Naheliegendste? Haben Sie versucht, Ihren Mann zu bewegen, gegen das Regime Stellung zu nehmen oder seine Ämter zurückzulegen?"

„Darüber möchte ich mich nicht äußern."

„Mit welcher Begründung?"

„Ich habe als Frau Kurt von Zutravens eine Aussage in Nürnberg abgelehnt. Was ich hier im Zusammenhang mit ihm sage, könnte gegen ihn verwendet werden."

„Und das wollen Sie nicht?"

„Nein, das will ich nicht."

„Ist es richtig, daß Sie führende Männer des Vichy-Regimes wiederholt in Ihrem Pariser Haus bewirtet haben?"

„Das war meine selbstverständliche Aufgabe."

„Ist es richtig, daß Sie noch Anfang neunzehnhundert-fünfundvierzig Angestellte der Botschaft, die nicht Mitglieder der NSDAP waren, zum Beitritt zur Partei aufforderten?"

„Ich ließ unter den Frauen der deutschen Angestellten ein aus Berlin übersandtes offizielles Formular zirkulieren."

„Hatten Sie Kontakt mit dem kommandierenden deutschen General in Paris?"

„Ja. Ich habe ihn im Frühjahr neunzehnhundertvier-undvierzig besucht und ihn beschworen, Paris nicht zu verteidigen."

„Wußten Sie damals, daß der Krieg für Deutschland verloren war?"

„Ja."

„Seit wann wußten Sie es?"

„Seit wir neunzehnhundertdreiundvierzig bei Hitler eingeladen waren. Wir verließen ungefähr um Mitternacht den Berghof. Es herrschte vollkommene Verdunkelung. Durch die Nacht tönten schwere Detonationen. Es war kein Fliegerangriff. Als unser Wagen die Bergstraße hinunterfuhr, fragte ich meinen Mann, was die Detonationen bedeuten. Er wußte es nicht. In der Dunkelheit wurden die Explosionen immer stärker, immer unheimlicher."

„Kommen Sie zum Gegenstand!" sagte der Vorsitzende.

„Plötzlich wurde unser Wagen angehalten. Der SS-Offizier, der mit der Taschenlampe ins Innere des Wagens leuchtete, erkannte meinen Mann. Er bat uns, eine halbe Stunde zu warten. Auf die Frage meines Mannes erklärte er, es würden Sprengversuche unternommen. Im Falle einer alliierten Invasion müsse die Verteidigung des Führersitzes gesichert werden. Da wußte ich, daß Hitler auf Dynamit saß. Es war mir klar, daß der Krieg verloren war."

Der Vorsitzende beugte sich vor. Er sagte schnell, beinahe überfallartig:

„Und Sie hielten noch über anderthalb Jahre durch?"

„Ich hatte keine Wahl."

„Der Anklage zufolge bot Ihnen der französische Widerstandskämpfer Jean Lacoste im Juni neunzehnhundertvierundvierzig an, Sie nach England zu bringen. Sie haben sich geweigert."

„Er bot es mir an, weil er meine Gesinnung kannte", sagte Elisabeth. „Aber ich war mit Kurt von Zutraven verheiratet. Damit habe ich auch Capitaine Lacoste gegenüber meine Weigerung begründet. Soviel ich weiß, ist er unbehelligt nach London durchgekommen."

„Hauptmann Lacoste bestätigt dies in seiner schriftlichen Zeugenaussage", erklärte der Vorsitzende. „Allerdings sollen Sie auch gesagt haben, Sie könnten die an der Front stehenden deutschen Soldaten nicht im Stich lassen. Haben Sie das gesagt?"

„Ich erinnere mich nicht, aber ich könnte es gesagt haben."

Am Nachmittag begann die Einvernahme der Zeugen. Zeugen der Anklage und der Verteidigung marschierten auf, und als am Abend der Prozeß auf den nächsten Morgen vertagt wurde, hing Elisabeths Schicksal in der Schwebe.

Was die Zeitungen als die „Sensation" der Augsburger Spruchkammer-Verhandlung bezeichneten, ereignete sich am nächsten Morgen. Ein Zeuge, ein gewisser Abraham Singer, habe sich gemeldet und wünsche auszusagen, erklärte der Vorsitzende; ob er der Angeklagten bekannt sei, wollte er wissen. Nein, antwortete Elisabeth, ihres Wissens habe sie den Namen nie gehört.

Frank, wieder in der letzten Bankreihe sitzend, konnte nicht sagen, ob das Gemurmel, das den Zeugen empfing, freundlich oder unfreundlich war. Er war ein Mann von so hohem Alter, daß sich seine Jahre kaum noch erraten ließen: er konnte fünfundsiebzig sein, aber ebensogut auch neunzig. Groß und hager, mit einer Adlernase, die das eingefallene, knochige Gesicht beherrschte, mit kleinen, aber durchaus nicht altersmüden Augen, mit einem langen weißen Bart, vermittelte er im schwarzen, abgetragenen aber peinlich sauberen Kaftan ein Bild majestätischer Würde. Als ihm Herr Roller einen Platz anbot, erklärte er mit fester, wenn auch leiser Stimme, daß er es vorziehe, seine Aussage stehend zu machen, und auf seinen Stock, einen primitiven Knüppel, gestützt, verharrte er während der kommenden halben Stunde in aufrechter Position.

„Ich bin gekommen", begann er, sich vergeblich um ein akzentfreies Deutsch bemühend, und immer wieder in das gutturale Deutsch der östlichen Juden verfallend, „um zu machen eine Aussage, welche interessieren wird das Gericht. Ich habe gelebt in Lodz, als Deutsche einbrachen in Lodz. Ich bin geflohen gegen Westen, habe mich verborgen und bin gekommen nach Paris zu meinem Sohn. In Paris ich wurde verhaftet von Deutschen, als Deutsche gekommen sind nach Paris. Mein Sohn und ich sind gebracht worden in Lager in Renault-Werken. Ich war bestimmt für Vernichtung. Eines Tages mein Sohn, der gearbeitet hat im Büro, ist gekommen zu mir und hat mich mitgenommen in Büro. Dort wir haben aus Nebenzimmer gehört wie Frau von Zutraven, Frau von deutschem Gouverneur, hat gesprochen mit Lagerkommandanten. Sie ihm gesagt, daß sie sich schämt zu sein eine Deutsche. Sie ihm gegeben ein Papier, daß er nicht abtransportieren lassen darf internierte Juden nach Deutschland. Dann der Lagerkommandant hat etwas gesagt, was mein Sohn und ich nicht haben verstanden. Dann Frau von Zutraven hat gesagt, daß sie wird beten, daß Blut von Juden nicht kommen soll über Deutschland."

Der Vorsitzende hatte den alten Mann aufmerksam beobachtet. Nun unterbrach er ihn:

„Herr Zeuge, Sie sagen, daß Sie das Gespräch aus dem Nebenzimmer hörten. Können Sie die Angeklagte erkennen? Haben Sie mich verstanden?"

Ein Lächeln ging über die Züge des Greises.

„Ich werde sie nie vergessen", sagte er. „Wie sie gekommen ist aus dem Zimmer von Lagerkommandanten, sie vorbeigegangen ist an uns. Und sie hat ausgesehen wie der Engel, den Gott hat herabgesandt von oben. Ich wollte küssen ihre Hand, aber mein Sohn hat mich gehalten zurück, weil ich hätte verraten, daß wir gehorcht an der Tür." Er machte eine kleine Pause. Dann wandte er sich der Angeklagten zu. „Ich bin gekommen aus Paris nach Augsburg, wie ich gehört, daß hier stattfindet Prozeß. Ich mir gesagt, daß Gott mir aufgetragen zu küssen ihre Hand."

Es war, als wagte im Saal niemand zu atmen. Man hörte nur, wie der Stock des Greises aufschlug auf dem Holzboden. Langsam, beinahe tastend, ging er auf Elisabeth zu. Sein Weg schien eine Ewigkeit zu dauern. Dann stand er vor ihr. Er nahm ihre Hand, ohne zu warten, daß sie ihm die Hand reichte, wie ein Arzt die Hand eines Kranken nimmt, um seinen Puls zu fühlen. Er beugte sich nicht nieder oder doch nur ganz wenig: mit einer Geste altmodischer Grandezza hob er die Hand der Frau zu seinen Lippen. Dann wandte er sich von ihr ab, den Richtern zu, etwas abrupt, als wollte er es vermeiden, die Tränen der Angeklagten zu sehen.

„Mein Sohn ist tot", sagte er, „und auch seine Frau und zwei Töchter. Sie sind vernichtet worden. Das ist geschehen viel später. Ich weiß nicht, warum ich bin geblieben am Leben. Aber vielleicht ich bin geblieben am Leben, damit ich Ihnen kann sagen, daß Sie hier anklagen die falsche Frau. Ich habe gesehen Ihr Land zerschlagen. Ich gehöre an einem geschlagenen Volk. Ich kann nicht haben Mitleid mit Mördern meiner Kinder, aber ich kann verstehen ein geschlagenes Volk. Ich bin gegangen durch Ihre Straßen, und ich habe gesehen Ihre Menschen, und Ihr Land sieht aus wie ein Getto, und Ihre Menschen sehen aus wie aus Getto. Wenn Sie verstehen Fluch, der Sie getroffen hat, Sie werden lernen. Ich bin alt geworden, und ich habe gelernt, daß man soll Rache überlassen dem Allmächtigen. Aber wenn man kann sein Zeuge für Gutes, soll man sein Zeuge für Gutes."

Er verließ Elisabeth und ging langsam wieder auf die Mitte des Saales zu. Noch immer rührte sich niemand. Das jüdische Deutsch, billigen Spott und wohlfeile Nachahmung herausfordernd; der Mann im Kaftan ein wandelndes Exempel jener Verdammten und Verhöhnten, die tausendmal abgebildet worden waren in den Journalen des „Tausendjährigen Reiches"; die lamentierende Greisenstimme, eine Parodie beinahe auf die herzlose Parodie – das alles verblich: nichts blieb als die Erscheinung, emporgestiegen wie aus dem Grab, ein Gespenst und dennoch lebendiger als die Wirklichkeit dieses Gerichtssaales zu Augsburg, im September des Jahres 1946.

Nach der Mittagspause hörte die Spruchkammer das Plädoyer des Anklägers und des Verteidigers. Der Ankläger ging mit besonderer Ausführlichkeit auf die Aussage des greisen Abraham Singer ein: die Angeklagte habe sich durch ihre Aktion in den Renault-Werken „rückversichert" – die meisten Nazis hätten ja „ihren" Juden gehabt. In den anderen Punkten der Verteidigung sei man zum größten Teil auf die unbewiesenen Aussagen der Angeklagten angewiesen gewesen.

„Haben Sie noch etwas zu sagen?" fragte der Vorsitzende Elisabeth.

„Als Frau eines hohen Würdenträgers des Dritten Reiches", sagte Elisabeth, „fühle ich mich an den Ereignissen der Jahre neunzehnhundertdreiunddreißig bis neunzehnhundertfünfundvierzig mitschuldig. Im Sinne der Anklage bin ich unschuldig."

Der Gerichtshof zog sich um sechzehn Uhr zur Beratung zurück. Eine Stunde und fünfzehn Minuten später verkündete der Vorsitzende Leopold Roller den Freispruch Elisabeth von Zutravens von sämtlichen Punkten der Anklage; sie wurde als „nicht betroffen" eingestuft. Der Vorsitzende verfügte ihre sofortige Freilassung. Einige Männer im Saal begannen zu klatschen. Eine Frau schrie laut: „Die Großen läßt man laufen!" Roller ließ den Saal räumen.

Frank bahnte sich seinen Weg durch die Menge der sich entfernenden Zuschauer. Er blieb an der Barriere stehen und rief:

„Elisabeth!"

Sie wandte sich um. Er reichte ihr die Hand entgegen, und sie kam auf ihn zu.

„Gleich gegenüber ist ein Kaffeehaus", sagte er leise. „Hole deine Sachen; ich warte dort auf dich. Ich bringe dich nach München."

Sie sagte: „Danke!" Unwillkürlich sah sie sich nach dem Polizisten um, der während der Verhandlung neben ihr gesessen hatte. Aber es war kein Polizist mehr im Gerichtssaal. Elisabeth von Zutraven war frei.

Frank gewinnt die zweite Runde

Frank blieb verblüfft in der Tür des beinahe leeren Kaffeehauses stehen. An einem der kleinen, runden Marmortische saß George Green.

„Ich wußte nicht, daß du in Augsburg bist", sagte Frank, als er an den Tisch seines Bruders trat.

„Nimm Platz", sagte George lächelnd. „Ich dachte mir, daß du in Augsburg bist."

Frank setzte sich nieder. „Warst du im Prozeß?" fragte er.

„Nein; ich bin gerade erst gekommen. Ich gratuliere!"

„Was soll das heißen?"

George lächelte immer noch. „Elisabeth hat mir erzählt, was du für sie getan hast."

Frank wurde bleich. „Wann hast du sie gesehen?"

„Ich habe sie zweimal im Lager besucht. Hast du etwas dagegen?"

Frank antwortete nicht.

„Im übrigen", sagte George, „bin ich nicht gekommen, um euer Wiedersehen zu stören. Ich leide nicht an Pubertätsvorstellungen."

„Du bist, wie immer, geschmacklos", sagte Frank.

„Vielleicht", sagte George.

Frank horchte auf. Es war nicht Georges Art, eine Schwäche einzugestehen oder sich von seinem Bruder zurechtweisen zu lassen.

„Ich bin herübergefahren, Frank", sagte George, „weil ich deine Hilfe brauche."

„Meine Hilfe?"

„Ich weiß, daß es dich überrascht", sagte George. „Am besten ist es", fuhr er fort, „wenn ich dir gleich offen sage, was geschehen ist. Erstens habe ich der kleinen Eber ein Kind gemacht." Er wartete nicht ab, was sein Bruder sagen würde. „Nun, sie hat es mir zu spät gesagt. Es läßt sich nicht mehr abtreiben. Das wäre an sich nicht schlimm; die G.I.s machen jeden Monat ein paar tausend uneheliche Kinder. Es schadet den Deutschen nicht, daß ihr Blut etwas aufgefrischt wird. Es ist auch nicht so, daß ich mit dem Gesetz in Konflikt geraten wäre. Wir können ja vor deutschen Gerichten nicht belangt werden ..."

In Frank stieg der Ekel hoch. „Was soll ich also tun ...?" sagte er.

„Der alte Eber hat Beziehungen zum General. Entnazifiziert ist er jetzt auch. Er hat aber zum Glück den Amtsweg beschritten und sich vorerst bei Hunter melden lassen. Es wäre zu blöd, wenn die Sache vor den General käme. Du stehst doch mit Hunter so gut ..., er soll ihn hinauswerfen."

„Was hast du mit dem Mädchen vor?" fragte Frank. Er konnte George nicht ansehen.

„Was soll ich mit ihr vorhaben? Ich werde ihr natürlich Geld geben; sie kann das Kind irgendwo in der Provinz zur Welt bringen. Was weiter geschieht, ist nicht meine Sache."

„Und was sagt sie dazu?"

„Sie bildet sich ein, daß ich sie eines Tages, wenn die Gesetze aufgehoben sind, heiraten werde."

„Und du ...?"

„Ich bin doch nicht verrückt!"

„Und die zweite Sache?" fragte Frank.

„Man hat gestern bei einer Razzia in der Möhlstraße einen gewissen Jakob Steiner verhaftet. Einen Schwarzhändler ziemlich großen Formats. Keiner von den kleinen Lebensmittelschiebern. Devisengeschäfte, Dollars. Aus bestimmten Gründen möchte ich wissen, was der Mann ausgesagt hat, ohne mich aber selber zu erkundigen. Du kennst doch den Lieutenant-Colonel Wallace vom Dezernat. Wenn du einmal vorsichtig antippen würdest ..."

„Du hast mit dem Mann Geschäfte gemacht, nehme ich an", sagte Frank.

Der Ekel war gewichen: Frank fühlte, wie er in dem stärkeren Gefühl der Genugtuung unterging, das befriedigt ohne zu beglücken. Zugleich versuchte er, in wenigen Sekunden des Schweigens, einen Konflikt zu lösen, den die Genugtuung mit sich gebracht hatte. Die Genugtuung, einmal da, war unersättlich: sie suchte nach neuer Befriedigung, und schamlos fragte sich Frank, ob sie aus der Hilfe fließen würde, die er seinem Bruder zuteil werden lassen konnte, oder, im Gegenteil, aus ihrer Verweigerung. War es demütigender für George, wenn er sich ihm jetzt großmütig zur Verfügung stellte, oder sollte er die Gelegenheit benützen, um ihm zu sagen, was ihm seit Wochen, Monaten, Jahren am Herzen lag?

George nahm ihm die Entscheidung ab. Er sagte:

„Ich weiß, wie du zu mir stehst, Frank. Aber du handelst im eigenen Interesse."

„Was gehen mich deine Angelegenheiten an?"

„Wir tragen den gleichen Namen", erwiderte George. „Außerdem bist du auch kein Unschuldsengel. Nicht, als ob ich es dir übelnähme. Ganz im Gegenteil." Er lächelte wieder. „Es ist gut, zu wissen, daß auch du aus Fleisch und Blut bist. Manchmal habe ich daran gezweifelt."

„Ich habe nie behauptet, daß ich ein Unschuldsengel bin. Aber, wenn du dich deutlicher ausdrücken wolltest . . ."

„Das ist doch überflüssig, Frank. Du hast mir neulich eine Predigt gehalten über uns und die Deutschen, zur gleichen Zeit warst du aber schon hinter Elisabeth her. Auch dagegen habe ich nichts. Ich habe immer gewußt, daß du aus deinen Pubertätskomplexen nicht herausgewachsen bist. Du hast wahrscheinlich nie eine andere Frau geliebt als Elisabeth. Die Treue zum Nachbarstöchterchen – es paßt vorzüglich zu deinem Charakter. Aber es ist natürlich noch mehr; man muß kein Psychologe sein, um es zu verstehen. Keiner von uns ist frei von Rachegefühlen gegenüber diesem Mördervolk, auch du nicht, und du am allerwenigsten. Du glaubst, Hitler habe dir die Geliebte weggenommen – jetzt holst du sie zurück. Meinen Segen hast du. Sie werden Zutraven aufknüpfen, in Nürnberg. Ein paar Jahre später wirst du seine Frau heiraten. Du wirst dir einreden, eine höhere Gerechtigkeit habe gewaltet. Ende. Und wenn sie nicht gestorben sind, leben sie heute noch . . ." Er wandte sich ab von Frank, aber er verstummte nicht, sondern sagte schnell, als kämen seine Worte aus dem Hinterhalt: „Vorderhand aber herrscht noch das ‚non-fraternization'-Gesetz. Es sähe verdammt schlecht aus, wenn es herauskäme – die Frau des Kriegsverbrechers und der Abwehrmajor. Du sitzt so tief in der Patsche wie ich, Frank, du weißt es bloß nicht. Es liegt wohl an der Besatzung – sie reißt uns alle hinein."

Frank zündete sich eine Zigarette an. Als er das Streichholz hochhielt sah er, wie es in seiner Hand zitterte. Einen Moment lang hatte er kein anderes Bestreben, als dem Zittern seiner Hand Einhalt zu gebieten. Dann sagte er:

„Ich bin dir dankbar, George, daß du dich wieder einmal offen gegeben hast. Ich war beinahe versucht, dir zu helfen."

George unterbrach ihn: „Du kannst die Wahrheit nicht vertragen."

„Du kennst die Wahrheit nicht, George. Ich habe in mich hineingehorcht, während du sprachst. Was du gesagt hast, hätte mich betroffen, wenn es wahr gewesen wäre. Es glitt an mir ab, genau wie deine versteckte Drohung. Pubertätskomplexe ..., du wirfst mit Worten herum, die du nicht verstehst. Nur in der Unreife sieht man die Frau als ein Objekt der Eroberung oder der Vergewaltigung, des Kaufes oder der Demütigung. Du bist nie reif geworden, George, deshalb verstehst du auch Elisabeth und mich nicht."

Er hatte erst begonnen, aber es machte ihm nichts mehr aus, daß ihn George unterbrach.

„Du hast neulich von Mama gesprochen", sagte George. „Was hätte Mama mehr weh getan – du und deine ‚reife‘ Liebe zu Frau von Zutraven, oder ich und meine ‚unreifen‘ Abenteuer?"

Auch die Nennung seiner Mutter schien Frank jetzt ertragen zu können.

„George", sagte er, „unser Gespräch im Haus Eber hat sich mir tief eingeprägt. Ich konnte dir damals nicht antworten; du hast mich, ich gestehe es, beeindruckt. Vieles war mir damals nicht klar, und das Gespräch erst hat dazu beigetragen, daß ich mir Klarheit verschaffte. Ich mußte gerade vorgestern an dich denken, als ich aus München hierherfuhr. Mein Wagen wurde auf dem Weg in irgendeiner kleinen Ortschaft auf der Umleitungsstraße angehalten. Es gab eine große Aufregung im Dorf, wegen irgendwelcher wildernder G.I.s. Sie brauchen ja keinen Jagdschein im besetzten Land, und so ziehen sie durch Wälder und Felder und schießen alles tot, was sich bewegt. Es ist ihnen egal, wie und wo es geschieht, und sie richten eine ekelhafte Verwüstung an. Eine schöne Gesellschaft rächender Götter! dachte ich mir. Und dann dachte ich an dich. Was du tust, hat mit ausgleichender Gerechtigkeit so wenig zu tun wie der pirschende Vandalismus unserer Soldaten. Zwischen dem, was die Deutschen taten, und dem, was die Wilderer jetzt tun, besteht kein Zusammenhang. Die Konzentrationslager hat es gegeben, den Krieg haben sie vom Zaun gebrochen, und mit den Schuldigen müssen auch viele Unschuldige leiden. Das kann man hinnehmen. Aber weil es Bestien unter ihnen gab, vielleicht eine unverhältnismäßig große Zahl von Bestien, sind sie noch nicht alle zum Freiwild geworden. Wilderer sind keine Richter; Raub und Verwüstung sind keine Strafen, weder in der Absicht noch in der Dimension noch in der Wirkung. Was immer auch Eber getan haben mag – es gibt dir noch lange nicht das Recht, seine Tochter zu schwängern und dann wegzuwerfen."

George wollte ihn wieder unterbrechen, aber diesmal ließ er es nicht geschehen.

„Laß' mich aussprechen", sagte er. „Du hast behauptet, daß du auf das Spiel mit den ehemaligen Gestapoleuten und den neuen Profiteuren eingehst, weil es ohnedies keinen Sinn hat, zwischen ihnen und den anderen Deutschen zu unterscheiden. Oder so ähnlich. Auch darüber habe ich inzwischen nachgedacht; manche Erfahrung habe ich gesammelt. Du kannst mich nicht mehr verwirren, George. Weil ich Menschen wie Dr. Wild näher kennenlernte, ist es mir klargeworden, daß man den Kampf gegen die Stappenhorsts nicht scharf genug führen kann. Das ist nichts als eine Konsequenz deiner Logik, wenn du es auch nicht verstehen wirst. Wären sie kollektiv schuldig, dann, meinethalben, sollte man die Stappenhorsts benützen und die anderen, die man nicht braucht, den Wölfen vorwerfen. Aber da es Adam Wilds gibt, werde ich, soweit es in meiner Macht steht, nicht ruhen, bis die Stappenhorsts von den Wölfen gefressen werden. Anders wäre es ein Verrat an uns und an den Adam Wilds." Er setzte ab und schloß dann, ruhig und gemessen: „Ein Verrat wäre es auch, wenn ich dir helfen würde, George. Daß du bist, wie du bist, daß du tust, was du tust, erfüllt mich nicht mit Befriedigung. Ich werde nichts gegen dich unternehmen, vielleicht weil ich zu feig bin und in keinen neuen Gewissenskonflikt geraten möchte. Es soll mir recht sein, wenn du mit heiler Haut davonkommst. Aber es ist mir auch recht, wenn sie dich vor ein Kriegsgericht stellen. Es gibt zu viele Leute, die sich anderer schämen, ihrer Brüder zum Beispiel, im wahren und übertragenen Sinne des Wortes. Ich trage genug an dem, was ich selbst falsch mache, ich denke nicht daran, mich auch noch für dich zu schämen."

„Du weißt, was du tust?" sagte George. Seine Lippen waren fast so bleich wie sein Gesicht.

„Genau", sagte Frank.

„Du bist dir auch bewußt, daß damit der Krieg zwischen uns endgültig ausgebrochen ist?"

„Es war vielleicht unvermeidlich, George."

„Deine Lage ist nicht so gut wie du annimmst, Frank. Du glaubst, daß du als ein ehernes Bild der Rechtschaffenheit auf einem Piedestal stehst. Mag sein. Ich stehe auf dem Boden, ohne Piedestal. Du kannst vom Piedestal deiner hochmütigen Sicherheit fallen, ich nicht. Du hast einen frischgebügelten Frack an, ich einen schmutzigen Overall. Du kannst dir ausrechnen, wer in einem solchen Zweikampf die Handicaps gegen sich hat."

Im gleichen Augenblick, in dem er sich brüsk erhob, öffnete sich die Tür des Kaffeehauses.

Elisabeth blieb in der Tür stehen. In ihrer Verlegenheit stellte sie den kleinen Handkoffer nieder und rührte sich nicht. Auch Frank hatte sich jetzt erhoben. Sie sah die beiden Männer an, wie sie dastanden, verwurzelt, den Blick auf sie gerichtet. Sie schien zu erraten, was zwischen ihnen vorgefallen war. Alle drei aber sahen, sich ansehend, in diesem Moment die gleichen Bilder. Die Erinnerung trug sie zurück: George und Frank standen am Zaun des Gartens; drüben, im Garten des Oberlandesgerichtsrates Steer, lief ein Mädchen über das Gras; sie waren alle kaum siebzehn; die leere Augsburger Konditorei war unwirklich wie die vergangenen Jahre, die wehenden Hakenkreuzfahnen, das Pariser Palais, der Angeklagte von Nürnberg, die amerikanische Hochschule, die Landung in der Normandie, der Spruchkammerprozeß und die amerikanischen Uniformen der beiden Männer.

Früher als sie löste sich Elisabeth aus ihrer Erstarrung. Sie hob das Köfferchen wieder hoch. Sie versuchte zu lächeln und kam auf die Brüder zu.

Morgen werden sie Witwen sein

Das Urteil im Hauptkriegsverbrecher-Prozeß von Nürnberg wurde am Dienstag, den 1. Oktober 1946 um fünfzehn Uhr fünfundfünfzig vom Lordrichter Lawrence im Namen des Viermächtetribunals verkündet. Am 16. Oktober sollten die zum Tode Verurteilten hingerichtet werden; am gleichen Tag traten die übrigen Angeklagten ihre Kerkerstrafen an. Am 14. Oktober erhielten sie die Erlaubnis, von ihren Familien Abschied zu nehmen.

Kurt von Zutraven war zu lebenslänglichem Kerker verurteilt worden. Es war ein Urteil, dessen Maß die Weltpresse genau vorausgesehen hatte; die deutsche Öffentlichkeit nahm es ohne Überraschung oder Gemütsbewegung zur Kenntnis.

Um zehn Uhr vormittags, am 14. Oktober, einem regnerischen und verfrüht kalten Herbsttag, wurden die Frauen der Kriegsverbrecher aus dem großen Saal, wo sie seit früh morgens gewartet hatten, von M.P.s in einen langen, vom übrigen Teil des Gebäudes abgesperrten Korridor des Nürnberger Gefängnisses geführt.

Ihre Männer warteten auf sie. Sie standen links vom Eingang, in genau abgemessenen Abständen von drei Metern, an der grauen Wand. Die meisten waren so grau, daß sie eingemeißelten Reliefs glichen.

Die Frauen, mit ihren Kindern manche, nahmen an der gegenüberliegenden Wand Aufstellung. Der Korridor war etwa zwei Meter breit, und die an den beiden Enden postierten Militärposten wachten, daß niemand die unsichtbare Barriere überschreite.

Spukhaft wie das Regime gewesen war, das sie geschaffen, war der Abschied der Verurteilten. Es war kein

Robespierre unter ihnen, kein Danton, kein Saint-Just und kein Desmoulins. Nicht einer von jenen, die sterben sollten, glaubte, daß die Idee, die er einst vertreten hatte, weiterleben werde. Schuldig, mitschuldig oder unschuldig, wie sie sich fühlen mochten: eines Verbrechens fühlten sie sich schuldig, mitschuldig oder unschuldig; was sie Gerechtigkeit nannten, war, im besten Fall, Hoffnung auf persönliche Rehabilitierung – die Idee, sofern es eine solche gegeben hatte, war vor ihnen gestorben, nicht sie starben vor der Idee wie die Männer der französischen Revolution. Daß es keine Szenen gab wie in den Verliesen der Pariser Kerker der Jahre 1789 bis 1799, keine dramatischen Ausbrüche, kein fluchendes Hadern mit dem Schicksal, keinen fäusteballenden Protest gegen die Niederlage, keine triumphale Prophezeiung des kommenden Sieges, hatte wenig zu tun mit Würde, Zurückhaltung oder nordischer Härte. Es war vielmehr so, daß diese Todeskandidaten, die selbst das Ziel ihrer Revolution gewesen waren, nichts besaßen, woran sie sich hadernd, protestierend, triumphierend klammern konnten.

An der Idee oder der Illusion oder an beiden hatten sonst auch die Frauen anderer Besiegter der Geschichte Anteil, aber der schwindelhafte Aufstieg, den diese Frauen an der Seite ihrer Männer erlebt hatten, war nicht viel mehr gewesen als der Sprung aus der kleinbürgerlichen Familienwohnung in das Palais einer großbürgerlichen Arriviertheit. Zwischen ihnen und ihren Männern, im halbdunklen Korridor des Nürnberger Gefängnisses, lagen nicht, wie Deutschland und die Welt es annahm, die Trümmer eines Reiches und eines Reichsgedankens, sondern das zerschlagene Porzellan eines wohlhabenden Haushalts.

Kurt von Zutraven war sein Platz beinahe am Ende des Korridors angewiesen worden, und an fast allen Verurteilten mußte Elisabeth vorbeigehen, um sich schließlich ihm gegenüber aufzustellen. Sie wollte Mitleid empfinden für diese Toten oder lebendig Begrabenen von morgen, Bewunderung zumindest für ihre Haltung, aber sie konnte das eine so wenig wie das andere. Mit Ausnahme des Schlächters von Nürnberg, der alleingeblieben war – keine

Frau stand ihm gegenüber –, der sich mit schlotternden Knien an die Wand lehnte und um sein Leben flehte, obwohl niemand anwesend war, der ihm sein verwirktes Leben hätte schenken können, mit Ausnahme des winselnden Ungeheuers rangen alle Verurteilten erfolgreich um Beherrschung und Würde. Und dennoch schien es Elisabeth, die sich zugleich der Ungerechtigkeit zieh, als käme ihr zum erstenmal der Unterschied zwischen Würde und Größe deutlich zum Bewußtsein, oder doch, daß Würde auch im Tod noch nicht identisch ist mit Größe: es war ihr, als hätte die aufrechte, die mutige Haltung dieser Männer etwas von der steifen und exakten Korrektheit der schlagenden Studenten, die unter den paukenden Hieben eines Säbels nicht zusammenzucken.

Wie im Alptraum eines gespenstischen Karnevals, wenn die Masken an dem unruhig Schlafenden vorbeiziehen, papierne Glotzaugen, Ochsenköpfe mit Hörnern, Clowns, Totenköpfe, riesige Nasen, gepuderte Haare, Gelbe mit Kulihüten, Richter und Henker, so zogen die Köpfe der Verdammten vorbei an Elisabeth von Zutraven. Der Mann, der wie ein Lämmergeier aussah, der einstige Stellvertreter des Führers, winkte ihr zu, ohne sie zu erkennen; der Außenminister war eine weiße Maske, in der nur die Augenbrauen nachgezogen schienen; der Generaloberst und der Feldmarschall wirkten wie vergreiste und verschrumpfte Zwillinge; der Jugendführer sah so bleich und mager aus wie ein lungenkrankes Kind; der greise Gouverneur, gleich neben dem Jüngling, blickte völlig weltfremd und verständnislos. Auf der einen Seite neben Kurt von Zutraven stand der Reichsmarschall, und als Elisabeth an ihm vorbeiging, lächelte er ihr zu, aber er hielt sich die Hand, fleischig und zugleich abgezehrt, schnell vor den Mund, denn er hatte im Gefängnis die Zähne verloren und zahnlos wollte er nicht lächeln. Auf der anderen Seite Kurt von Zutravens, als letzter in der Reihe, stand der Reichskommissar für die Fremdarbeiter, ein gedrungener Mann mit kurzgeschnittenen, dunklen Haaren, einem Boxergesicht und mit einer grotesk fröhlichen karierten Jacke angetan. Er warf Elisabeth einen verächtlichen Blick zu, und sie wunderte sich, daß der Mann, der zwei Tage später sterben sollte, einen heftigen Auftritt, den sie vor einigen Jahren, Ewigkeiten in der Tat, mit ihm gehabt, offenbar nicht vergessen hatte.

„Ich bin so froh, daß sie dich freigesprochen haben" – mit diesen Worten empfing Kurt von Zutraven seine Frau. Er versuchte zu lächeln, aber es gelang ihm nicht, und wie eine Brille, die aus ihrem Futteral gefallen ist, steckte er sein Lächeln schnell wieder ein.

„Ich habe für dich gebetet, Kurt", sagte die Frau. „Es ist immer Hoffnung, solange du lebst."

„Ich weiß", sagte der Mann. „Aber es werden Jahre vergehen, vielleicht Jahrzehnte. Du bist jung. Ich möchte, daß du die Scheidung einreichst, Elisabeth."

Die Frau sah ihn, über die unsichtbare Barriere hinweg, betroffen an. Wußte er etwas; ahnte er etwas? Es war ihr, als wäre das Gewissen ein Lebewesen in ihr, und als säße es dumpf und schwer auf ihrem Herzen. Das Gewissen konnte sie nicht anklagen, aber es war wie das Herz, das auch nicht in Ordnung ist, wenn man es spürt, und vielleicht gerade weil es noch schweigen mußte, lastete das Gewissen so schwer und wartend auf ihrer Seele.

„Nein", sagte sie, „ich werde es nicht tun, Kurt."

Der Mann versuchte, einen leichten Ton anzuschlagen: „Das sind sinnlose Sentimentalitäten, Elisabeth. Es ist keine Desertion, wenn du es tust. Es ist Frieden, man kann nicht mehr desertieren."

„Sprechen wir von etwas anderem", sagte die Frau, und der banale Satz erschien ihr selbst doppelt banal.

„Wir werden uns lange nicht sehen", sagte der Mann hartnäckig. „Wir haben uns längst auseinandergelebt, Elisabeth. Erinnerst du dich an das letzte halbe Jahr in Paris? Wir sprachen kaum noch miteinander."

Eine selbstquälerische Lust schien ihn zu treiben, im Korridor des Nürnberger Gefängnisses, zwischen Todeskandidaten und Lebenslänglichen, an eine Steinwand gelehnt, mehr als zwei Schritte von seiner Frau entfernt und der Bewegungsfreiheit beraubt, gezwungen, so laut zu sprechen, daß seine Nachbarn ihn hören mußten — ein unbegreiflicher Drang schien ihm die Worte einzugeben, die er in den Jahren der Freiheit nie ausgesprochen hatte.

„Ich will dein Opfer nicht", sagte er. „Ich war selbstsüchtig genug, es anzunehmen, solange ich dir etwas bieten konnte. Ich werde dir eine liebende Erinnerung bewahren, Elisabeth. Aber auf einen einzigen Besuch im Jahr zu warten . . ., es ist auch für mich besser, nicht zu warten."

„Es ist jetzt nicht der Moment . . .", stammelte die Frau.

Lachen schlug an ihr Ohr. Der Reichsmarschall, nebenan, lachte. Zu seiner Frau, die neben Elisabeth stand, sagte er lachend:

„Immer habe ich mich bemüht, abzunehmen. Jetzt, da es zu spät ist, ist es mir gelungen."

Und mit der typischen Geste der Männer, die sich einer erfolgreichen Abmagerungskur rühmen, zupfte er an der weitgewordenen grauen Uniformjacke.

Seine Frau warf einen Blick auf ihre halbwüchsige Tochter, die neben ihr stand und sagte:

„Sei immer stolz auf deinen Vater!"

Es klang nicht heroisch, sondern eher pedantisch, und es klang zugleich erschreckend komisch, weil es beinahe so war, als forderte die Frau des zum Tode Verurteilten ihre Tochter auf, stolz zu sein auf die Abmagerungskur ihres Vaters.

„Bitte sorge dafür, daß Mamas Grab in Ordnung gehalten wird", sagte Kurt von Zutraven. „War Dr. Kresse beim Begräbnis?"

„Ja, die ganze Familie war da", sagte Elisabeth.

„Du kannst die Bücher abholen", sagte Kurt von Zutraven. „Wenn ich wieder Bücher haben darf, schicke mir den Band Hölderlin."

„Ich hoffe, ihr werdet weiter Freunde bleiben" – dieser Satz wieder drang von rechts an Elisabeths Ohr.

So sprach der Zwangsarbeiter-Kommissar zu den Frauen, die am Ende des Korridors standen, gleich neben Elisabeth, ihr näher als die vorgeschriebenen drei Meter, denn es war nicht genügend Raum vorgesehen für zwei Frauen und fünf Kinder. Das sechste Kind, vielleicht ein Jahr alt, schlief im Arm der einen Frau. Sie war, damals schwanger, mit Elisabeth in der Nürnberger Vernehmungsvilla gewesen. Drei Kinder dieser blonden, robusten Landschönheit drängten sich um sie; zwei Kinder, dunkelhaarig, von der Noblesse florentinischer Pagen, versteckten sich hinter der eleganten, bleichen Frau im schwarzen Kleid, an die der Verurteilte gerade seine Worte gerichtet hatte. Die üppige Blondine war die Frau des Kommissars, die schwarze Gräfin seine langjährige Geliebte und Mutter seiner beiden außerehelichen Kinder. Aus Hohn oder Humanität, wer weiß, hatten die alliierten Behörden beiden Frauen den gleichzeitigen Abschiedsbesuch gestattet, und das Geheimnis, von der versunkenen Hierarchie zur Kenntnis genommen, aber immer stillschweigend gehütet, wurde jetzt zu einem einzigen Knäuel blonder und dunkler Kinder, Knaben und Mädchen, halb verständnislos und halb erregt um eine aufrechtstehende Gattin und eine schluchzende Geliebte gruppiert.

„The time is up!" rief der Sergeant am anderen Ende des Korridors – seine Stimme kam als Echo zweimal von den engen Wänden.

Elisabeth sah sich noch einmal um. Die Männer rührten sich noch nicht, aber es war doch, als träten sie hervor aus dem grauen Relief. Wie die Bürger auf Rodins zeittrotzendem Denkmal standen sie nebeneinander, zu Stein geworden. Die nervenzerreißende Anstrengung, ihre Todesangst oder ihre Verzweiflung zu verbergen, vertrieb alle anderen Gefühle aus ihren Gesichtern. Dann, als die Mahnung des weißbehelmten Soldaten noch einmal ertönte, begann einer zu lächeln; einer betete laut; einer sprach schnell, die letzte Minute hastig nützend; einer lachte schallend; ein einziger weinte.

Und ihnen gegenüber war die Reihe der Frauen und Kinder in Bewegung. Das Schoßkind, neben Elisabeth, wachte auf und begann im Arm seiner Mutter zu heulen; ein kleines Mädchen, vielleicht zweieinhalb Jahre alt, lachte; ein großer Junge preßte seine jüngere Schwester schützend an sich; am unheimlichsten aber war Elisabeth ein etwa neunjähriges Mädchen, das vor ihrem Vater einen artigen Knicks machte. Jetzt fiel es Elisabeth auch auf, daß die meisten Frauen tiefes Schwarz trugen, verfrühte und taktlose Trauerkleidung: wie eine lange, schwarze Korallenkette war die Kette der Frauen an der Wand. Auch ob ihre Männer zum Tode verurteilt waren oder zu langjähriger Kerkerhaft sah man jetzt deutlich, und wie ein böser Funke sprang Haß und Neid der Hoffnungslosen hinüber auf die sinnlos Hoffenden. Auf das Geheiß der Soldaten, die in den Korridor schwärmten, herumtrampelnd auf der unsichtbaren Grenze, wandten sich die Verurteilten nach rechts, und als sie wie eine marschierende Kompagnie abzuziehen begannen, hob eine Frau winkend den Arm; eine rief mit gellender Stimme einen Vornamen; eine Greisin brach zusammen – sonst aber war es, als führe ein Militärzug aus der Bahnhofshalle, die Witwen von morgen allein zurücklassend.

„Tue, was ich von dir verlangt habe", sagte Kurt von Zutraven.

„Ich werde dich besuchen, sobald ich darf", sagte Elisabeth.

Dann verschwand ein aschgrauer Kopf, als vorletzter, durch die eiserne Tür.

Elisabeth fürchtete die Frauen, die von ihrem Prozeß gelesen und sie mißtrauisch oder haßerfüllt oder voll Neid gemustert hatten. Sie eilte, so schnell sie konnte, durch den Korridor, den Wartesaal, neue Korridore und über endlose Treppen dem Ausgang zu. Ein letztes Mal mußte sie ihren Besuchsschein vorweisen. Dann stand sie vor dem Tor.

Es war gut, daß es regnete, denn der einförmig graue Himmel kontrastierte wenig mit dem einförmigen Grau des Gefängnisses, das sie verließ. Ein vergitterter Gefängniswagen stand vor der Einfahrt, und Elisabeth wußte, daß viele der Frauen in den Trauerkleidern schon in wenigen Minuten wieder zurückgebracht würden in ihre eigenen Lager und Gefängnisse. Mit aller Anstrengung, mit zusammengebissenen Zähnen und geballten Fäusten versuchte sie an Kurt von Zutraven zu denken, der für immer von ihr Abschied genommen hatte; an die Männer, um deren Hals sich zwei Tage später der Henkerstrick legen würde; an die Frauen und an die Kinder. Sie wollte nicht an Schuld und Sühne denken; sie wollte mitleiden mit ihnen allen. Aber sie konnte es nicht. Jetzt erst, empfand sie, war das alles vorbei: die Irrungen und Wirrungen, die falschen Siege und die bitteren Niederlagen, die zwölf gespenstischen Jahre und die gespenstische Zeit nachher. Mächtiger als jedes andere Gefühl war die Gewißheit: was immer kommen möge, jetzt war sie frei.

So stand sie eine Weile, barhaupt; der Regen schlug ihr ins Gesicht und benetzte ihre Haare. Der Regen tat ihr gut. Dann begann sie zu gehen, immer schneller, bis sie endlich lief. Sie lief, ziellos, in den Oktobermittag.

Als das Jahr 1946 zu Ende ging ...

Als das Jahr 1946 zu Ende ging, lebte Elisabeth von Zutraven bei Frau Müller, der Hausmeisterin des Hauses neben der Wohnung Adam Wilds. Frau Wilds Überredungskünste hatten die Witwe Müller, deren Mann vor einigen Monaten gestorben war – an Lungenentzündung oder an Unterernährung oder an beidem – bewogen, Elisabeth bei sich aufzunehmen. Sie schlief auf einem Diwan im Wohnzimmer der Müllers, die eine Zweizimmerwohnung im Parterre besaßen; den größten Teil des Tages aber verbrachte sie bei Dr. Wild, der sie als seine Assistentin beschäftigte und bei dem sie, mit viel Geschick und noch mehr Eifer, das medizinische Handwerk lernte.

Die Scheidung von Kurt von Zutraven hatte sie nicht eingeleitet. Sie hatte mehr als einen Grund, einen Beschluß zu verzögern, am meisten verzögerte ihn jedoch ihre Scham vor ihren eigenen Gefühlen. Der Mann, mit dem sie mehr als ein Jahrzehnt verbracht hatte, saß hinter den Mauern von Spandau, von Soldaten der vier Siegermächte bewacht, ohne Hoffnung, die Freiheit je wiederzusehen. Er hatte im grauen Nürnberger Korridor die Wahrheit gesprochen, als er sagte, daß ihre Ehe seit langem keine Ehe gewesen sei;

nur die Konvention des zusammenbrechenden Reiches hatte sie zusammengehalten. Auch wenn ihre letzten Jahre kein Kampf gewesen wären, hätten sie sich nichts zu sagen gehabt – es war vielmehr so, daß der Kampf das letzte Glied der Kette war, die sie einst verbunden hatte. Dennoch plagte sich Elisabeth mit dem Vorwurf, daß sie dem lebendigen Leichnam im Korridor des Abschieds jenes Mitleid versagt hatte, das sie ihm schuldig war. In den Nächten der Schwabinger Hausmeisterwohnung versuchte sie, das bleiche Gesicht des Gefangenen heraufzubeschwören; sie zwang ihre lahme Phantasie zum Flug über dem Kerker; statt Vergessen im Schlaf sehnte sie den Alptraum herbei. Aber die Phantasie versagte; der Alptraum blieb aus; es blieb nur die Qual, nicht leiden zu können. So bestrafte sich Elisabeth für ihre Rückkehr ins Leben und für ein kommendes, vorgeahntes Glück.

Sie sah Frank selten. Er war jetzt häufig in Frankfurt und Berlin; wenn er in München war, unternahm er schüchterne, zuweilen rührend ungeschickte Versuche, sie bei Adam zu sehen, aber sie wich dem Alleinsein mit ihm um so mehr aus, als sie sich ihrer Liebe in wachsendem Maße bewußt wurde. Selbst wenn zu überwinden gewesen wäre, was zwischen ihnen stand und woran ein Spruchkammerurteil nichts zu ändern vermochte: das Gefühl stand wie ein verirrtes Kind im Dschungel der Wirklichkeit. Das Urteil der Welt, über das sie sich nicht auch in seinem Namen hinwegsetzen konnte; seine Karriere als Offizier und seine amerikanische Zukunft; seine jüdischen Freunde, die nie aufhören würden, sie zu hassen; die allzu offensichtliche Konvenienz ihres Frontwechsels – das waren die Schlingpflanzen, Weglosigkeiten und lauernden Bestien des Urwalds, das war das Sichtbare und Konkrete, worüber das Wissen, daß alles anders war, nicht hinweghalf.

Als das Jahr 1946 zu Ende ging, hatte auch Frank jenen Tiefpunkt erreicht, den man Resignation nennt. Seine Beförderung zum Oberstleutnant, die auf einem Fest, das Colonel Hunter zu seinen Ehren gab, gefeiert wurde, ließ ihn kalt: immer mehr beschäftigte ihn der Gedanke, nach Amerika zurückzukehren und seine Universitätslaufbahn wieder zu beschreiten. Sein Wirkungskreis war größer geworden und damit auch die Möglichkeit, das Rechte zu tun im Kleinen – aber eben doch nur im Kleinen und Kleinsten. Man sprach jetzt offen von einem „kalten Krieg" zwischen den ehemaligen Verbündeten, und in Berlin, wo er die Hälfte des Monats verbrachte, ergriff auch ihn die Unruhe der Vier-Mächte-Stadt. Er hatte sich wenig mit angewandter Politik beschäftigt, nicht aus mangelndem Interesse, sondern weil der Kampf gegen den Nationalsozialismus seine ganze Jugend beherrscht hatte und weil sich ihm der Begriff des Feindes mit dem erst vor kurzem geschlagenen Feind identifizierte. Die marxistische Weltanschauung, der russische Bolschewismus waren ihm fremd und abstoßend, aber sein eigener bedächtig langsamer Rhythmus und der rapide Rhythmus neuer Feindlichkeit ergaben in ihrer Vermischung keinen ebenmäßigen Takt, sondern eine übelklingende Kakophonie. Seine Sorge galt, und auch dies stürzte den Amerikaner Frank Green in verwirrenden Konflikt, mehr und mehr seinem ehemaligen Vaterland: das aber sah er klar, daß der „kalte Krieg", was immer er für Amerika bedeuten mochte, die Katastrophe bedeuten mußte für Deutschland.

Das Methodische war beherrschend in seinem Wesen: über die Zahl der Schuldigen und das Maß ihrer Strafe war er bereit, seine vorgefaßten Meinungen zu ändern, aber er konnte nicht verstehen, daß der Prozeß der Rehabilitierung begann, ehe der Prozeß der Bestrafung abgeschlossen war. Hundert neue Fehlerquellen entdeckend, wenn er einen Fehler notdürftig repariert hatte, konnte er sich mit den Fehlern der Besatzung nicht abfinden. Diesem oder jenem ehemaligen Widerstandskämpfer oder schweigend Widerstehenden verschaffte er Brot und Position: inzwischen aber wandten sich hundert Enttäuschte von der enttäuschenden Demokratie ab. Irene Gruß, die Massenmörderin, wurde zum Tode verurteilt, aber die Strafe wurde in lebenslänglichen Kerker verwandelt, weil sie mit einem wachsenden Bauch vor Gericht erschien: ein Soldat der Kerkermannschaft hatte sie geschwängert. Die Entnazifizierung wurde zur Farce. Ursprünglich als eine zukunftsfrohe Befreiung Deutschlands vom Nationalsozialismus gedacht, dann mit viel Schärfe und wenig Unterscheidungsvermögen gehandhabt, wurde sie nunmehr zu einer Befreiung der Nationalsozialisten vom Makel ihrer Vergangenheit. Generalleutnant Stappenhorst residierte in einem von amerikanischen Soldaten bewachten Palais bei München: kurz und bequem schien der Weg vieler aus den Gefängnissen Entlassenen zu den Amtsräumen des geheimen Abwehrchefs. Zu Hunger und Delogierung gesellte sich die Demontage; Hunderte von Arbeiterfamilien wurden arbeitslos in Salzgitter, an Rhein und Ruhr, aber Ruhr- und Rheinindustrielle verhandelten schon mit England und Amerika über neue und bessere Kriegsmaschinen. Den Platz des Majors William S. O'Hara hatte ein Captain Oliver Y. Yates aus Boston eingenommen, einer jener jungen liberalen Studenten der Harvard-Universität, die für Frank das beste Amerika verkörperten; aber die Schiffe, die neue Besatzungsoffiziere aus den Staaten herüberbrachten, führten mit gutem Willen und beflissenem Wissen auch rücksichtslose Freibeuterei und krasse Ignoranz mit sich.

Daß ihn noch seine Liebe zu Elisabeth in Deutschland zurückhielt, wollte sich Frank nicht eingestehen. Er wußte zwar, daß das „non-fraternization"-Gesetz Anfang 1947 aufgehoben würde, aber von dort bis zur Erlaubnis, eine Deutsche zu heiraten oder sie gar mitzunehmen nach Amerika, war noch ein unübersehbar weiter Weg. Auch geschah es mehr als einmal, daß Frank in seinen Gesprächen mit Elisabeth das Gefühl überkam, sie redeten zwei verschiedene Sprachen; wenn sie „wir" und „uns" sagte, meinte sie nicht das gleiche „wir" und „uns", das Frank gebrauchte; immer wieder geriet er in die Versuchung, vor der deutschen Frau die alliierten Maßnahmen zu rechtfertigen, die er, im Kreise seiner Kameraden, schärfer verurteilte als sie; ein unerklärlicher Zwang beherrschte ihn, ihr gegenüber kollektive Beschuldigungen aufzustellen, deren er sich, allein geblieben, schämte; wie eine Schlange, die ihren Kopf zwischen den Blumen des Waldes hervorstreckt, zischte in ihre privaten Gespräche das giftig Allgemeine.

Als das Jahr 1946 zu Ende ging, wartete Colonel Graham T. Hunter immer noch vergeblich auf seine Beförderung zum Brigadegeneral. Sein Vorgesetzter tat alles, um sie in Washington durchzusetzen; Hunter leistete immer noch die Arbeit eines Brigadiers, aber er hatte zuweilen das Gefühl, als wüßte man in Washington ganz genau, daß er die Befehle, die ihm übermittelt wurden, nur zögernd und ohne Begeisterung durchführte. Die Schwierigkeiten, seinen „job" zu seiner eigenen Zufriedenheit zu bewältigen, wuchsen beinahe stündlich. Seine Abwehrtätigkeit, ursprünglich auf nationalsozialistische Umtriebe eingestellt, richtete sich immer mehr gegen die Kommunisten: um Personen, die kommunistischer Gesinnung oder Aktivität verdächtig waren, überwachen und überführen zu können, bedurfte er aber der Hilfe jener Nationalsozialisten, die ihrerseits auf einer der vielen schwarzen Listen standen. Auch stürzte der Konflikt zwischen der politischen Vergangenheit und der beruflichen Befähigung der Deutschen den Colonel in dauernde Verwirrung, denn die Weisungen aus Washington widersprachen sich fortwährend – einmal sollte, angesichts eines beschleunigten Wiederaufbaus des besetzten Landes, nur die professionelle Eignung gelten, dann wieder sollten Lizenzen ausschließlich nach Gesichtspunkten politischer Ethik gewährt werden. Die Politik, in die der alte Soldat solcherart hineingeriet, hatte völlig andere Gesetze als das Militär, dessen Handwerk er erlernt hatte: Kriegführung war ein Wechselspiel von Strategie und Taktik, die Etappe und der Generalstab fügten sich den Notwendigkeiten der Front, zumindest aber richteten sie ihre Entscheidungen nach Informationen aus den ersten Linien: in der Politik jedoch schien die Front mit ihren Erfahrungen und Forderungen ohne Bedeutung, strategische Gesichtspunkte oder Bedenken des fernen Hinterlandes waren allein entscheidend.

Damals, nach dem Ball beim Gouverneur, vermochte es Hunter nicht, die Worte des Generals für sich zu behalten: nach einigem Zögern hatte er zu Betty doch von der bevorstehenden Beförderung gesprochen. Sie hatte die Nachricht, auf die sie so lange gewartet hatte, mit Skeptizismus aufgenommen, und je mehr sich ihr Skeptizismus zu bestätigen schien, desto mehr gewann sie wieder die Oberhand über Hunter. Sprach er zu ihr von seiner Arbeit, brachte er Samstag, wie es unvermeidlich war, Hausarbeiten für Sonntag mit, dann fand er bei Betty keine Unterstützung – ausgesprochen oder unausgesprochen hing immer die Frage zwischen ihnen, warum er Zeit, Gesundheit und Ehrgeiz verschwende, ohne dafür je belohnt zu werden.

Kam sich der Colonel in steigendem Maße lächerlich vor, so entging auch Betty in seinen Augen nicht der Lächerlichkeit. Das Harlachinger Haus glich mehr und mehr einem Museum des schlechten Geschmacks. Zuerst fand sie an Bierkrügen, „bavarian mugs", Gefallen, und Tonkrüge aller Größen und mit abscheulicher Verzierung häuften sich im Salon auf einem eigens aufgestellten Tisch; dann entdeckte sie ihre Leidenschaft für Landschaftsbilder und kaufte Ölgemälde, die ihr teils unbegabte Maler, teils gewissenlose Händler aufschwatzten; schließlich interessierte sie sich nur noch für „Antiquitäten", unter welchem Begriff sie hauptsächlich Gegenstände der Jahrhundertwende verstand. Marianne von Artemstein förderte auch weiterhin die grotesken Leidenschaften Mrs. Hunters, aber sie verstand es gleichzeitig, dem Colonel zu bedeuten, was sie von ihnen hielt.

Ihre Anwesenheit war Hunter unerträglich und unentbehrlich. Sie verstand es immer wieder, wenn auch nur für Minuten, mit ihm allein zu bleiben, und was sich in jener Frühlingsnacht abgespielt hatte, wiederholte sich fünf- oder sechsmal und stets unter Umständen, die Hunter überraschend scheinen wollten, obwohl er sie herbeizuführen bewußt mithalf. Er hatte im Sommer nun doch, genau wie sie es angeregt hatte, eine Villa in Tegernsee bezogen, und das Leben am See brachte Gelegenheit und Versuchung mit sich. Wenn sie zusammen baden gingen, konnte es Hunter nicht vermeiden, die Frau ausgezogen zu sehen, und vor ihren schlanken und doch üppigen Formen, vor der strahlenden jugendlichen Weiße ihrer Haut, die selbst auf Entfernung Elektrizität auszustrahlen schien, vor ihrer selbstverständlichen und doch verschämten Nacktheit, ergriff ihn eine turbulente Erregung. Trotzdem blieb es bei verstohlenen Küssen und hastigen Umarmungen, aber gerade sie führten Hunter in ein ausweglose Dickicht: die Erregung, die sich nie befriedigte, wurde zu einem permanenten Zustand; die Last seines Gewissens wurde um nichts leichter, weil er seine Frau in des Wortes strengstem Sinne nicht betrog, während er sich andererseits, den Weg des vermeintlichen Lasters vermeidend, der Feigheit bezichtigte. Er kam sich wie ein unreifer Collegeboy vor und gerade deshalb auch wie ein Greis, aber er hatte nicht die Kraft, dem schwebenden Zustand, sei es durch die Vollendung, sei es durch Abbruch der gefährlichen Beziehung, ein Ende zu bereiten.

Als das Jahr 1946 zu Ende ging, konnte Hans Eber einen Gewinn buchen, der sich auf sein ganzes künftiges Leben auswirken sollte: eine enge Freundschaft verband ihn mit Dr. Adam Wild.

Der Arzt hatte Inge Schmidt bei sich aufgenommen und Hans ging im Haus Adams aus und ein. Inge arbeitete als Verkäuferin im P.X., eine Stellung, die ihr Frank auf Adams Ersuchen verschafft hatte und die sich günstiger gestaltete als alle Beteiligten anzunehmen wagten. Die Verkäuferinnen im P.X. hatten keinen guten Ruf, wie die meisten deutschen Frauen, die mit den Siegern in täglichem Kontakt standen, aber die üble Nachrede erwies sich im Falle Inge bald als ungerechtfertigtes Vorurteil. Daß hie und da ein demütigendes aber unabweisbares Geschenk für Inge abfiel; daß sie manchmal unter den Zudringlichkeiten oder Ungehobeltheiten der Soldaten zu leiden hatte; daß die Versuchungen, die an sie herantraten, weil sie von morgens bis abends unter Schätzen weilte, die sie nicht anrühren durfte und dergleichen es außerhalb der Geschäftsräume nirgends gab, größer waren als in einem anderen Beruf – das alles wäre einem weniger erfahrenen Mädchen gefährlich geworden, aber Inge begegnete den Erniedrigungen und Lockungen mit der Würde, die aus ihrer überwundenen Würdelosigkeit floß. Langsam schwand die Furcht, die sie anfangs gepeinigt hatte, einem der Soldaten zu begegnen, die auf dem Diwan mit den Löwenköpfen ihre Gäste gewesen waren, aber sie begegnete keinem, mit Ausnahme von Lincoln Washington Haymes, der ihren sozialen Aufstieg nicht nur gutmütig, sondern mit Herzenstakt und Freude diskret zur Kenntnis nahm. Hans holte sie fast jeden Abend von der Brienner Straße ab, und so frei von hemmenden Unaufrichtigkeiten war nun ihre Beziehung, daß sie sich verblüfft dabei ertappte, wie sie ihm sogar ohne falsche Scham von der zufälligen und glücklichen Begegnung mit dem Negersoldaten berichtete.

Wie froh und unbeschwert seine Beziehung zu Inge auch war, und wie fruchtbar auch seine stundenlangen Diskussionen mit Adam waren, zu denen sich immer wieder eine abendliche Gelegenheit bot, so schwierig war das Dasein Hans Ebers in seinem eigenen Heim. Ihm fiel die Aufgabe zu, Dr. Eberhard Eber von der Schwangerschaft Karins Mitteilung zu machen. Er verstand Schmerz und Empörung des alten Mannes, der in seiner beleidigten Vaterwürde die eigenen persönlichen Interessen zu vergessen schien – aber er billigte nicht Dr. Eberhard Ebers Verhalten gegenüber Karin, der ihr Vater nicht das geringste Verständnis entgegenbrachte. Auch die allzu reifliche Überlegung, mit der Dr. Eber schließlich seinen Zorn meisterte, enttäuschte Hans: der Bankier wich einem Gespräch mit Captain Green aus und beschritt den vermeintlich klügeren, in dieser privatesten Privatangelegenheit jedoch merkwürdigen Amtsweg. Colonel Hunter, der Dr. Eber empfing, versprach, eine Untersuchung einzuleiten und seinen Untergebenen zur Rede zu stellen, aber der Herbst hatte sich zum Winter gewandelt, Karins Schwangerschaft trat in den siebenten Monat und Captain Green lebte immer noch, offenbar unbehelligt, mit der Familie Eber. Es war nun eine seltsame Gemeinschaft, die in dem eleganten Haus wohnte – Dr. Eberhard Eber, der sich auf den Verkehr mit seinem Bruder Oskar beschränkte; Hans, der zwar mit Karin sprach, aber der Begegnung mit dem Captain auswich; Karin, die ihren Vater mied und sich in ihrer Not, hoffend, wo keine Hoffnung war, beinahe hündisch dem Vater ihres künftigen Kindes anschloß; die alte Wirtschafterin Anna, die allen zu gefallen versuchte und Tag und Nacht zwischen den feindlichen Parteien unterwegs war. Keine der einfachen Lösungen, die sich in verwickelten Situationen zumeist als die einzig möglichen erweisen, war denkbar, und das bedrückte Hans am meisten: Man konnte sich nicht trennen, weil es keine Unterkünfte gab; eine gerichtliche Austragung verhinderte die alliierte, die Geschlechtsfreiheit ihrer Soldaten schützende Gesetzgebung; an eine Heirat war nicht zu denken, denn ein Heiratsverbot lieferte dem Fehlenden willkommene Ausflucht; nicht einmal aus dem Hause entfernen konnte man die werdende Mutter, denn ihr Verführer allein konnte sie mit Milch, Lebensmitteln und anderen Dingen versehen, deren ihre schwankende Gesundheit bedurfte. Die individuellen Entscheidungen, die Hans immer wieder erwog, prallten von der Wand der Zeit zurück. Gegen das Ungeheuer, das sich „Umstände" nannte – die von dem kollektiven Schicksal der Besetzten geschaffenen Umstände –, erwies sich der Widerstand als hoffnungslos.

Wäre Adam Wild nicht gewesen, Zeit und Umstände hätten Hans Eber zweifellos auf jenen Pfad geführt, den so viele seiner Landsleute jetzt gingen. Den Amerikanern, mehr noch als ihren Verbündeten, lag missionarhaftes Bestreben und missionarhafte Rede im Blut: Verkündung und Tat kontrastierten in der amerikanischen Besatzungszone also noch krasser als in den anderen Landstrichen der Besatzung. Persönliche Erfahrung vom Prinzip zu trennen ist nicht des menschlichen Wesens, und wenn das Prinzip auch nicht unbedingt schlecht sein muß, weil es von schlechten Botschaftern vertreten wird, so wäre es zuviel verlangt gewesen, hätte man von den Besiegten fordern wollen, an ein Heil zu glauben, das von so evident sündigen Missionaren verkündet wurde. Daß ein Mädchen geschwängert worden war, sprach nicht gegen den Kreuzzug, aber dem Bruder des Mädchens fiel es schwer, an den Kreuzzug zu glauben: nur weil Hans Eber den Arzt kennengelernt hatte, der mit ordnender Hand den Weizen des Gedankens von der menschlichen Spreu sonderte, ging Hans nicht in der Masse der konfus Enttäuschten unter.

Als das Jahr 1946 zu Ende ging, hatte der ehemalige Generalstabsoberst Achim von Sibelius den Warnungen und Anträgen des früheren Regimentskommandeurs Werner Zobel, vor allem aber seiner immer bedenklicheren Bitterkeit erfolgreichen Widerstand geleistet. Dies war um so schwieriger, als Sibelius seine Stellung in der „Mücke" verloren hatte. Kurz nach seinem Besuch bei Oberst Zobel hatte ihm Wedemeyer mit dem Ausdruck äußersten Bedauerns mitgeteilt, daß sich die Nützlichkeit des neuen Oberkellners erschöpft habe. Zu vielen Gästen, meinte Wedemeyer, sei es zu Ohren gekommen, daß der kleine, grauhaarige Herr kein anderer sei als der ehemalige Mitverschworene des Grafen Stauffenberg und des Oberbürgermeisters Gördeler: gewisse Gäste hätten ihre Bedenken gegen einen Mann von so zweifelhafter Vergangenheit laut werden lassen, während andere einfach Hemmungen empfanden, sich von einem Baron und ehemaligen Oberst bedienen zu lassen. Auch er, gestand Wedemeyer schließlich, sei Gegenstand ziemlich eindeutiger Drohungen geworden, sollte er den Oberst von Sibelius weiter beschäftigen; ein Held sei er, Wedemeyer, noch nie gewesen, und auf einen „Unfall" in seinem Lokal könne er sich nicht einlassen. Gewiß, er könnte vielleicht an die Hilfe der Amerikaner appellieren, fuhr Wedemeyer fort, aber daß die Amerikaner unsichere Patrone seien, das müsse doch Sibelius am besten wissen. Indessen hatte Wedemeyer keine Absicht, sich Sibelius zum Feind zu machen, und so empfahl er seinen ehemaligen Kellner an einen Freund, den Direktor einer neuerstandenen Versicherungsgesellschaft, der dem Oberst eine Chance als Versicherungsagent gab.

Die Chance, das fand Sibelius bald heraus, war nicht groß. Das Vertrauen zu allen öffentlichen Institutionen, denen man die Versicherungsgesellschaften gewissermaßen zurechnen konnte, war erschüttert und niemand stand der Sinn danach, Wechsel auf die Zukunft zu ziehen. Anderthalb Jahre nach Kriegsschluß hatte das Wort „Lebensversicherung" einen höchst ironischen Klang; nur der Begriff „Erlebensversicherung" klang noch ironischer. Da Sibelius kein festes Gehalt bezog, sondern nur an den Policensummen beteiligt war, fristete er seit seinem Abschied von der „Mücke" ein kümmerliches Dasein, und wenn er nach einem Tag, an dem er sich die Füße abgelaufen und an vielen Türen vergeblich gepocht hatte, in seiner Kammer ein spärliches Abendbrot verzehrte, zog es ihn oft nach der Zobelschen Wohnung hin, wo man – manche Zeichen deuteten darauf hin – immer noch bereit war, einen einträglichen Pakt mit dem Eigenbrötler zu schließen. Daß es den meisten seiner Freunde nicht besser ging – einer der Verschwörer hatte eine Lizenz als Zeitungsherausgeber in der Provinz erhalten, die ihm aber wieder, als sich die Opposition der Stadt in allerhand Intrigen äußerte, entzogen wurde; ein anderer war, von den Engländern unfreundlich behandelt, zu den Russen gegangen, die ihn ihrerseits als Militaristen internierten – daß es auch andere gab, denen ihr Verhalten wenig Anerkennung eingetragen hatte, bot Achim von Sibelius keinen Trost: es überzeugte ihn vielmehr, daß sich vom Hintergrund seines Schicksals eine gewisse düstere Systematik abhob.

Daß er sich Zobel und vielleicht auch Stappenhorst dennoch nicht anschloß, vorderhand auf keinen Fall, lag seltsamerweise gerade daran, daß er seine durch die amerikanischen Zigarettentrinkgelder nicht uneinträgliche Stellung in der „Mücke" verloren hatte. Es war Sibelius klar, daß die Intervention der Stappenhorst-Leute zu seiner Entlassung geführt hatte und daß sie damit einen Druck wirtschaftlicher Natur auf ihn auszuüben beabsichtigten. Auf den Druck aber reagierte der Oberst von Sibelius, wie er es nannte, sauer, was er in einem Gespräch mit Adam Wild in der ihm eigenen Formulierung folgendermaßen zusammenfaßte: „Siehst du, mein lieber Adam", sagte er, „die Ethik eines Regimes wird weniger durch das Maß der Nötigung bedingt, welche sie ausübt, denn die Untertanen zu nötigen, ist jedes Regime bestrebt – vielmehr kommt es darauf an, wie groß die Gefahren sind, denen man sich, ihnen widerstehend, aussetzt. Die Freiheit, in Freiheit verhungern zu dürfen, ist, ich gebe es zu, von relativem Wert; aber einmal muß die Probe aufs Exempel gestellt werden, und solange mich zur Gesinnungslumperei nichts zwingt als mein knurrender Magen, will ich sehen, ob und wie lange ich mit ihm fertig werde." Das war die Philosophie des Barons Sibelius; und so kam es, daß man auch noch am Neujahrstag 1947 in der inzwischen wieder aus drei nicht beschlagnahmten Zimmern bestehenden Wohnung des Obersten Werner Zobel vergeblich auf die Einkehr des Verschwörers wartete.

Als das Jahr 1946 zu Ende ging, begannen sich um Adam Wild die Konturen eines eigenartigen Kreises abzuzeichnen. In dem Antiquitätensalon der kleinen Frau Wild versammelte sich jetzt an Sonntagnachmittagen eine bunte und in ihrer Buntheit dem Außenstehenden unverständliche Gesellschaft. Während Frau Wild zusammenbraute, was sie sich unter der Woche vom Munde abgespart hatte, oder aus Frank Greens mitgebrachten Rationen allerhand Köstlichkeiten hervorzauberte, an die kein Armeekoch je gedacht hätte, leistete ihr in der Küche Inge Schmidt, die Tochter des Rentners und ehemalige Bummlerin am Sendlinger-Tor-Platz, behende Hilfe; Elisabeth von Zutraven, einst eine der hohen Frauen des Dritten Reiches und Witwe eines Mannes, der nicht tot war, unterhielt sich mit dem ehemaligen Offizier des 20. Juli, Militärinterniertem, Oberkellner und gegenwärtigem Versicherungsagenten Achim Freiherr von Sibelius; der Student Hans Eber, Sohn des Führer-Bankiers und früherer Landser, brachte alte und neue Freunde mit, Stefan Lester und andere; angemeldet und unangemeldet kamen Bekannte, Freunde und Patienten Adams; und mindestens einmal im Monat, wenn er gerade in München war, erschien schon am frühen Nachmittag der Oberstleutnant Frank Green, der zwanglosen Versammlung den Farbfleck einer amerikanischen Uniform verleihend. Man sprach oft, aber durchaus nicht immer, von politischen Fragen, von Ereignissen der jüngsten Geschichte oder des Tages; und im ursprünglichen Sinne des Wortes hatten die Zusammenkünfte keinen Zweck

– einmal, weil hier Menschen ohne Einfluß nichts taten als ihre Gedanken auszutauschen; zum zweiten, weil sie zwar alle um Klarheit rangen, aber im Grunde selbst nicht annahmen, gültige Lösungen finden zu können. Was sie einander nahebrachte, so nahe in der Tat, daß sie einander unentbehrlich wurden, wußte keiner – mit Ausnahme des Gastgebers vielleicht, der nicht häufig und nicht viel sprach und den diese Zusammenkünfte doch am tiefsten beglückten, weil er ahnte, daß es keine Dunkelheit gibt, solange auch nur eine Kerze brennt, irgendwo.

SECHSTES KAPITEL

Der schwarze Markt regiert

„Sie sollen sofort zu Colonel Hunter, Colonel", meldete an diesem Februarmorgen des Jahres 1947 sein Sergeant dem Oberstleutnant Frank Green. „Der Colonel scheint einem Schlaganfall nahe."

Frank indes fand den Colonel durchaus gefaßt; nur seine ungewöhnliche Blässe verriet Hunters Erregung.

„Frank", begann Hunter sofort, „wann haben Sie Ihren Bruder zum letztenmal gesehen?"

„Ich weiß nicht genau", erwiderte Frank, „vor vierzehn Tagen etwa, in der Offizierskantine."

„Das hilft gar nichts", sagte der Colonel. „Wollen wir es kurz und schmerzlos machen: Captain Green ist verschwunden!"

„Verschwunden?"

„Sie scheinen nicht sonderlich überrascht."

„Doch", sagte Frank schwach.

„Es kommt aber gleich noch bunter", sagte Hunter. „Der Pfc. Harry S. Jones, der frühere Fahrer O'Haras, ist auch weg."

„Seit wann?"

„Sie sind genau vor fünf Tagen, am dreißigsten Januar, um drei Uhr nachmittags, nach Regensburg abgefahren."

„War Jones meinem Bruder zugeteilt?"

„Er hatte ihn für diese Fahrt angefordert. Das tat er übrigens schon mehrere Male; er hat keinen eigenen Fahrer. Die beiden sind nie in Regensburg eingetroffen. Wir haben keine wie immer geartete Unfallsmeldung. Sie haben sich einfach in Luft aufgelöst. Ich muß bis heute abend die AWOL-Meldung erstatten. Bis auf weiteres muß ich sie als Deserteure betrachten." Er sah Frank prüfend an. „Sagen Sie, Frank, wann werden Sie eigentlich beginnen, sich aufzuregen?"

„Ich weiß nicht", sagte Frank. „Vielleicht, wenn ich mehr erfahre."

„Das können Sie", sagte der Colonel. „Mein Lieber, wir sitzen in einer Patsche, an der alles dran ist."

„Sie wissen also mehr, Colonel?"

„Nichts Erfreuliches", sagte Hunter. „Das Dezernat des Lieutenant-Colonel Wallace hat vor einigen Monaten einen Devisenschieber festgenommen, einen gewissen ..." – er blickte in die vor ihm liegenden Papiere – „einen gewissen Jakob Steiner. Jetzt soll der Prozeß stattfinden. In seiner Not hat der Mann, offenbar Rettung in letzter Minute erwartend, angegeben, daß er mit Ihrem Bruder in Verbindung stand. Sie sollen zusammen Geschäfte von über hunderttausend Dollar gemacht haben."

„Wann hat Steiner diese Angaben gemacht?" fragte Frank.

„Sie haben schon richtig geraten", sagte der Colonel. „Am Abend bevor Captain Green verschwunden ist. Selbstverständlich mußten Steiners Angaben erst überprüft werden. Wallace hat mir die Meldung erst gestern weitergegeben."

„Sind Steiners Behauptungen erhärtet?"

„Sie würden vorderhand zu einer Verfolgung nicht ausreichen. Ich möchte auch nicht unbedingt den Zusammenhang als gegeben annehmen. Es kann sein, daß wir Ihrem Bruder unrecht tun. Er hat, wie Sie wissen, außerordentlich vertrauliche Angelegenheiten behandelt." Er sprach noch leiser als sonst. „Er könnte in die Hände der Sowjetabwehr geraten sein."

„Hatte er vertrauliches Material bei sich?"

„Nur im Kopf", sagte Hunter. „Aber das genügt."

Frank überlegte. „Vielleicht ist es noch harmloser, Colonel", sagte er. „Wissen Sie, wo sich die Tochter des Bankiers Eber gegenwärtig aufhält? "

„Von der Sache wissen Sie also?"

„Ja."

„Wir haben sie bereits ausfindig gemacht. Sie befindet

sich bei einer Eber befreundeten Familie in Wasserburg am Inn. Sie erwartet das Kind heute oder morgen. Aber Captain Green hat sie seit mindestens drei Wochen nicht gesehen." Er stand auf, ging um seinen Schreibtisch herum und blieb, Frank gegenüber, an seinen Tisch gelehnt stehen. „Frank", sagte er, „ich bin nicht auf diesen Posten gestellt, weil ich nichts von Menschen verstehe. Ich muß Sie bloß ansehen . . ."

„Sie brauchen mich keinem Kreuzverhör zu unterziehen, Colonel", sagte Frank. „Ich will Ihnen sagen, was ich weiß. Am vierzehnten September vorigen Jahres kam mein Bruder zu mir und erzählte mir die Sache Eber. Er bat mich, bei Ihnen zu intervenieren, weil er fürchtete, die Geschichte könnte ihm beim General schaden. Gleichzeitig bat er mich, Erkundigungen einzuziehen, ob dieser Schwarzhändler Steiner seinen Namen genannt habe. Ich lehnte beides ab. Seither mied er mich. Das ist alles, was ich weiß."

„Wieso erinnern Sie sich an das genaue Datum?"

„Er war mir nach Augsburg nachgefahren. Dort wurde an diesem Tag das Spruchkammerurteil gegen Elisabeth von Zutraven gefällt."

„Immerhin", sagte Hunter, „das beruhigt mich ein wenig, denn es scheint auf den schwarzen Markt hinzuweisen. Es wäre mir lieber, als daß ihn die Russen geschnappt hätten."

„Was gedenken Sie zu tun, Colonel?" fragte Frank.

„Sie müssen ihn finden, Frank, und zwar schleunigst."

„Warum gerade ich?"

„Es scheint Sie überhaupt nicht zu interessieren, ob er gefunden wird."

„Sie müssen verstehen, Colonel, ich erwarte mir nichts Gutes von dem Ergebnis der Nachforschungen."

„Gutes oder nicht", sagte Hunter, „er muß her."

Frank, der bisher vor dem Schreibtisch gesessen hatte, stand auf. „Colonel", sagte er, „ich weiß nicht, warum Sie darauf bestehen, mich mit den unmöglichsten Aufgaben zu betrauen. Ich bin der denkbar ungeeignetste Mann, meinen Bruder zu suchen. Stellen Sie sich meine Lage vor, wenn ich ihn finde und ihn irgendeines Verbrechens oder auch nur Vergehens überführen muß. Und wenn ich ihn nicht finde, wird es heißen, daß ich ihn nicht finden wollte. Betrauen Sie doch Captain Yates mit der Sache. Er ist einer unserer fähigsten Offiziere."

„Ich verstehe Sie vollkommen, Frank", sagte Hunter. „Wenn ich auch nur halbwegs überzeugt wäre, daß Captain Green getürmt ist, weil er eine Verfolgung in der Sache Steiner befürchtete, würde ich Ihnen diese Sache keinen Moment zumuten. Aber es ist, trotz allem, nicht wahrscheinlich. Versuchen Sie einmal als amerikanischer Offizier, von einem Armeefahrer begleitet, in einem offiziellen Fahrzeug – vom Jeep fand sich keine Spur – ohne die Hilfe einer Organisation einfach zu verschwinden."

„Sie halten also an der Sowjet-Version fest . . ."

„An der wahrscheinlichsten Vermutung."

„Ich sehe nicht . . ."

„Sie werden gleich sehen. Dem Offizier, dem ich die Angelegenheit anvertraue, muß ich das notwendige Handwerkszeug zur Verfügung stellen." Er wandte sich von Frank ab, dem Schreibtisch zu und legte seine Hand auf eine grüne Mappe. „Das ist top secret. Es enthält unter anderem die Namen sämtlicher Agenten und Verbindungsleute, mit denen Captain Green in Verbindung stand. Es enthält auch seine Berichte. Captain Yates kann ich die Sache schon deshalb nicht anvertrauen, weil er nicht die besondere Genehmigung hat, in höchstklassifizierte Dokumente Einsicht zu nehmen. In meinem ganzen Stab sind dazu nur vier berechtigt, außer dem General, den ich nicht gut auf die Jagd nach Captain Green schicken kann. Oberstleutnant Steele ist in London, Major Kovalsky hat anderes zu tun und Major Torreani ist zu dumm."

„Torreani ist ein Prachtkerl", warf Frank ein.

„Das überlassen Sie doch bitte mir", sagte Hunter. „Und außerdem . . ."

Frank wußte sogleich, was dieses „außerdem" bedeutete. Steele konnte aus London zurückberufen werden; Kovalskys gegenwärtige Aufgabe war nicht so wesentlich, und Torreani war nicht dumm. Jetzt würde Hunter sagen, worum es wirklich ging.

„Außerdem", fuhr Hunter fort, „habe ich keine Absicht, das ganze Hauptquartier zu alarmieren. Ich habe meine Gründe, die Sache in aller Stille zu erledigen – auch wenn es sich nur um eine Affäre des schwarzen Marktes handelt."

„Sie wollen sie doch nicht vertuschen, Colonel!" sagte Frank.

Hunter nahm ein Militärtelegramm in die Hand, das auf dem Tisch gelegen hatte. Er reichte es wortlos dem Oberstleutnant.

Frank las: „Von: Verteidigungsministerium, Generalmajor John T. Payne, Adjutant Generals Office. An: Generalleutnant Theodore F. MacCallum, Militärgouverneur, Bayern. Beförderung Oberst Graham T. Hunter, M.I., zum Brigadegeneral mit permanentem Rang heute 4.15 P.M. von Verteidigungsminister genehmigt. Unterbreitung an gesetzgebende Körperschaft erfolgt baldmöglichst."

„Ich gratuliere, Colonel", sagte Frank.

„Gratulieren Sie nicht zu früh, mein Junge", sagte Hunter, ohne seine Rührung ganz verbergen zu können. „Verstehen Sie jetzt?"

„Ich verstehe", sagte Frank. Aber es klang nicht ganz aufrichtig.

„Ich bin überzeugt, es wäre schon im Vorjahr geschehen", sagte Hunter. „Dann ist die Sache O'Hara dazwischengekommen."

„Ich habe nun einmal keine glückliche Hand."

„Es hatte nichts mit Ihnen zu tun, Frank. Jedenfalls nicht, wie Sie es meinen. Wem soll ich mich anvertrauen? Wir werden nichts vertuschen, Frank. Aber wir werden taktvoll vorgehen. Nehmen Sie eine Woche Urlaub. Suchen Sie Ihren Bruder! Sie suchen ihn nicht als Offizier der Military Intelligence, sondern als Bruder, der den verschollenen Bruder finden will. Sie haben keine Mission und erstatten keinen schriftlichen Bericht. Zugleich haben Sie meine volle Unterstützung. Sie referieren mir persönlich. Wenn wir soweit sind, werden wir die notwendigen Schritte gemeinsam besprechen."

Frank zögerte. Dann sagte er:

„Colonel, Sie wissen was renitente G.I.s sagen, wenn sie

etwas nicht ausführen wollen. Sie fragen den Sergeant: ‚Is that an order?' Ist das ein Befehl, Colonel?"

Hunter runzelte die Stirne.

„Ersparen Sie es mir, Ihnen einen Befehl zu erteilen, Frank."

„All right, Colonel", sagte Frank.

Der Colonel reichte ihm die grüne Mappe. Um seine Verlegenheit zu überbrücken, sagte er:

„Sie können mich jederzeit auch zu Hause erreichen."

Trotz allem, was ihm Hunter gesagt hatte, war Frank überzeugt, daß das Verschwinden Georges mit dem schwarzen Markt und nicht mit der Abwehr-Tätigkeit seines Bruders zusammenhing. Es gab, das wußte auch er, bedeutendere Agenten als George, wertvollere Opfer für die östliche Gegenspionage, und wenn der Colonel behauptete, nur eine mächtige Organisation hätte einen amerikanischen Offizier zu entführen vermocht, so unterschätzte er offenbar die Organisation, über die der schwarze Markt verfügte.

Er ließ vorderhand die grüne Mappe mit der Aufschrift „Top Secret" ruhen und drang mit der ihm eigenen Systematik in die Geheimnisse des schwarzen Marktes ein. Oberstleutnant Wallace, der das Dezernat zur Bekämpfung des schwarzen Marktes leitete, im Zivilberuf ein erfolgreicher Exportkaufmann aus Oregon, war ein fähiger Mann von jener gesunden Moralität, die sich nicht aus weltfremder Empörung, sondern aus der Erkenntnis nährt, daß das Böse meistens praktisch ist und mit nüchterner Praktikalität bekämpft werden muß. Als er Frank die Kanäle seiner Verbindungen öffnete, vermochte der Abwehroffizier in Gebiete einzudringen, die ihn in Erstaunen versetzten.

Ein schwarzes Netz lag um das besetzte Land. Schwerarbeiter, die im Monat sechstausendsiebenhundert Gramm Brot, vierhundertvierzig Gramm Fett und hundertfünfzig Gramm Käse bekamen, die Privilegierten also, versuchten, ihre Kinder vor dem Hunger zu bewahren, indem sie ihre Rationen mit ihnen teilten; Schnürsenkel, Packpapier, Streichhölzer und Kämme waren Wertgegenstände,

aber als man in Nürnberg einen Schwarzhändler fest-
nahm, fand man in seinem Magazin zweihundert Kilo ver-
dorbene Butter und bei einem Müller in Ulm tausend
Zentner schwarzes Mehl. Das schwarze Benzin floß, einem
ununterbrochenen Strom gleich, aus Armeebeständen in
zivile Bezirke: eine in Kassel stationierte Panzereinheit
entdeckte eines Tages, daß ihre gesamten Vorräte von spe-
kulierenden G.I.s verschachert worden waren. Monatelang
war die Armee hinter einem Deserteur her, einem Neger,
der auf einer verfallenen Burg in den bayerischen Bergen
sein Hauptquartier errichtet hatte und dort, einem schwarzen König gleich, ein Heer von Deserteuren, D.P.s und
allerhand kriminellen Elementen befehligte: als die „Con-
stabulary" die Festung mit Waffengewalt eroberten, fanden sie Zentner von Mehl, Kaffee, Zucker und anderen
Lebensmitteln. In Frankfurt wurde ein Sergeant verhaftet, der sich auf falsche Zähne spezialisiert hatte, eine der
vielen deutschen Mangelwaren: zu Tausenden ließ er sich
in Lebensmittelpaketen falsche Zähne aus Amerika liefern, die er an deutsche Zahnärzte und Dentisten abgab.
Das Tragische und Groteske wohnte auch hier beisammen:
ein amerikanischer Major erschien eines Nachts im Berliner Offizierskasino ohne Hemd und Hosen unter seinem
Trenchcoat; er hatte beide an einen deutschen Chauffeur
verkauft; am gleichen Tag wurde ein Militärwagen an der
österreichischen Grenze festgenommen, dessen notdürftig
überstrichener Kotflügel aus purem Gold bestand. Die
Wertlosigkeit der eigenen Währung führte zu einem hektischen Reigen um die Währung der Währungen, den Dollar. Zehntausende wollten auswandern, fliehen aus dem
elenden Land, zu Flucht und Auswanderung bedurften sie
aber der grünen Währung: für einige Dollar hatte ein
Sammler einen Rembrandt verkauft; ein zweiter handelte
gestohlene Kronjuwelen ein, der dritte wieder das Silber
seiner Familie. Wer leben wollte, mußte, als Käufer oder
Verkäufer, den Anschluß an den schwarzen Markt finden
– ein Münchner Arzt, dem als Pg die Ausübung seines Berufes untersagt worden war, wurde Großbankier in schwarzen Dollars; das Atelier eines Berliner Bildhauers diente

den Mehlhändlern als Aufbewahrungslager; schwarzes Penicillin bekam man bei der ehemaligen Besitzerin eines Modehauses in Düsseldorf.

Am meisten frappierte Frank die Tatsache, daß Deutschland zwar von der Welt isoliert war, der schwarze Markt jedoch keine Grenzen zu kennen schien: Verbrecher bauten die erste Brücke Nachkriegs-Deutschlands zur Welt. Es gab Transportorganisationen, die Dollars, Juwelen, Gold und Kunstschätze nach Mailand brachten; Schwarzhändler in Frankfurt konnten Waren, die sie benötigten, waggonweise aus Kopenhagen beziehen; im „Café Royal", in der Nähe der Münchner Möhlstraße, wurden Börsengeschäfte „getätigt", deren Auswirkungen bis zur Wallstreet reichten.

Die Möhlstraße, beinahe zur Legende geworden, war kein Zufallsprodukt. Noch im Jahre 1947 hatten die deutschen Bauern nur rund fünfunddreißig Prozent des Brotgetreides, dreiunddreißig Prozent der Gerste, zwölf Prozent des Hafers und sechsundzwanzig Prozent des Heus, das sie erzeugten, wirklich abgeliefert, und wohin der Rest gekommen war, vermochte niemand zu sagen. In der Möhlstraße jedenfalls konnte man Mehl und Teppiche erwerben, französischen Cognac und spanische Orangen, Silberkannen und Zigaretten, englisches Tuch und deutsche Kameras. Bei den Ostjuden, Griechen, Ungarn, Tschechen und Polen der Möhlstraße, deren armselige Holzhütten mit dem Reichtum der verborgenen Waren kontrastierten und wo man, wie zwischen den Bazaren Konstantinopels auf- und abpromenierend, beinahe jede Bestellung mit guter Aussicht auf prompte Lieferung aufgeben konnte, herrschte kein Mangel – aber die heraufgespülten Profiteure profitierten in erster Linie von der Korruption der Sieger und von der mangelnden Solidarität der Besiegten.

Der schwarze Markt ließ die deutsche Welt in einem Zerrspiegel erscheinen. Ehemalige Insassen von Konzentrationslagern behaupteten mit ernster Überzeugung, daß sie sich schließlich nur rechtens, wenn auch mit unrechten Mitteln, zurückholten, was man ihnen geraubt hatte: es kümmerte sie wenig, daß der unterdrückte Antisemitismus

433

willkommene Rechtfertigung aus ihrer Tätigkeit schöpfte. Die Fäuste ballten sich, wenn man von der Möhlstraße sprach, aber viele Opfer des schwarzen Marktes priesen die Möhlstraße, weil die um Wucherpreise erworbenen Waren ihre Kinder vor dem Hungertod bewahrten: zuweilen wurden die Ausbeuter zu Rettern. Ein Polizist, der die Maffia photographiert hatte, verkaufte ihren Mitgliedern den verräterischen Film, weil seine Familie darbte; der Bauer, der sein Getreide versteckt hatte, fluchte über die „Galizianer", bei denen er Sprit für seinen Traktor kaufen mußte; bei einem ehemaligen Zwangsarbeiter aus dem Baltikum, dem Dokumentenlieferanten unter den Lebensmittelhändlern, erwarb ein steckbrieflich verfolgter Parteiführer den falschen Paß für seine Flucht nach Süd-Amerika; patrouillierende M.P.s besorgten sich ihre „Leicas" in der Budenstraße, die sie überwachen sollten. Das Unglück war, so empfand Frank, daß die Sieger besaßen, woran es den Besiegten mangelte, und daß die Besiegten bieten konnten, woran es den Siegern fehlte. Die siegreiche Armee hatte zuviel Nahrungsmittel, zuviel Tabakwaren, zuviel Kleidungsstücke, zuviel Verkehrsmittel, zuviel Treibstoff: die Besiegten aber besaßen noch einen dahinschwindenden Rest von Gegenständen einer reichen Tradition und einer spät zerschlagenen Industrie. Nicht nur das deutsche Volk wußte nicht, warum es in den Krieg gezogen war: auch die Völker der Alliierten wußten es nicht. Die Völker hatten gekämpft wie sie immer kämpfen, aber da sie den Zweck ihres Krieges nicht kannten, waren sie unwürdig geworden in Sieg und Niederlage.

All dies kam Frank Green mehr und mehr zum Bewußtsein, obschon er in seinen Untersuchungen einem einzigen konkreten Ziel zustrebte und keine Zeit fand, über Geschichte, Wesen und Soziologie des schwarzen Marktes Spekulationen anzustellen. Er handelte nicht aufs Geratewohl. Er betrachtete vielmehr die von Hunter nur nebenbei erwähnte Tatsache, daß George für seine rätselhafte Fahrt den Pfc. Harry S. Jones, ehemaligen Fahrer des Majors O'Hara, angefordert hatte, als die wesentlichste Spur, die ihm geboten war. Der ehemalige „stunt-man", der zu

Hause Automobile in kühnen Versuchen auszuprobieren pflegte, war im Budenviertel von Bogenhausen eine bekannte Figur. Aus seiner Einvernahme des inhaftierten Jakob Steiner entnahm Frank, daß Steiner gerade durch Jones die Verbindung mit George aufgenommen hatte; so eng waren die Kreuzverbindungen, daß der Schwarzhändler sich auch noch des verunglückten Majors bestens erinnerte. Als Frank schließlich erfuhr, daß der Jeep, der dem Armeechauffeur Jones zugeteilt war, zu der regulären Schmuggler-Flotte gehörte, der sich die Möhlstraße bediente – mehr als einmal hatte der Wagen die österreichischen und italienischen Kontrollen passiert –, zweifelte er nicht, daß er die richtige Fährte aufgenommen hatte.

Dann, schon am dritten Tag seines „Urlaubs", wurde Franks gesamtes detektivisches Konzept über den Haufen geworfen. An diesem Morgen teilte ihm Colonel Hunter mit, daß auch ein zweiter Mann, der mit Captain Green zusammengearbeitet hatte, ein deutscher Abwehragent von einiger Bedeutung, als vermißt gemeldet wurde. Der Name war Frank nicht unbekannt; er hatte sich des Mannes selbst wiederholt bedient. Es handelte sich um den ehemaligen Gefreiten der Wehrmacht Josef Maurer. Den Namen Maurer aber hatte Steiner nie gehört. Die Spuren deuteten nun unmißverständlich in die Richtung, die Colonel Hunter am meisten befürchtete.

„Ich war immer ein guter Vater"

„Herr Doktor, ich muß Sie einen Moment stören", sagte Elisabeth, als sie das Ordinationszimmer Adams betrat.

Sie trug einen weißen Ärztekittel. Auch Adam hatte seinen weißen Ärztemantel an: er hatte gerade einer Patientin eine Injektion gegeben. Etwas ungeduldig fragte er: „Was ist los?"

Elisabeth zog ihn in eine Ecke des Zimmers.

„Alois Schmidt ist hier, Inges Vater", sagte sie leise, ihre

Erregung schwer meisternd. „Er gebärdet sich ziemlich gewalttätig."

„Wo ist Inge?"

„Noch im P.X."

„Warten Patienten?"

„Der alte Weghaus. Aber er ist bereit, morgen wiederzukommen."

„Gut. Ich stehe Herrn Schmidt gleich zur Verfügung."

Er fertigte die Patientin ab, so schnell er es vermochte. Dann ließ er Alois Schmidt eintreten.

Der Rentner, mit Adam allein gelassen, blieb einen Augenblick verblüfft stehen, als er sich dem imposanten Mann mit dem blonden Schnauzbart gegenübersah. Er raffte sich jedoch bald zusammen und sagte ohne weitere Umschweife:

„Ich bin gekommen, um meine Tochter abzuholen, Herr Doktor. Sie wissen ja, wer ich bin. Sie verstecken meine Tochter."

„Nehmen Sie Platz", sagte Adam. „Im übrigen verstecke ich niemand."

„Aber Sie leugnen nicht, daß sie hier ist?"

„Ich leugne gar nichts", erwiderte Adam, immer noch ruhig.

„Alsdann", sagte Schmidt, ohne sich niederzusetzen. „Sie soll ihre Sachen zusammenpacken und mitkommen."

„Sie denkt gar nicht daran", sagte Adam.

Alois Schmidt wurde bleich. „Mit welchem Recht", sagte er, „halten Sie meine Tochter zurück?"

„Ich halte sie nicht zurück, Herr Schmidt. Sie ist mein Gast und wird es so lange bleiben, wie ihr beliebt."

„Sie ist minderjährig", sagte Schmidt. „Ich werde Ihnen die Polizei auf den Hals hetzen."

Adam ging zum Waschbecken und wusch sich die Hände.

„Das werden Sie nicht tun, Herr Schmidt", sagte er. „Sie haben Inge auf die Straße geschickt, und es sollte mich nicht wundern, wenn Sie es wieder tun wollten. Wenn Sie zur Polizei gehen, wird man Sie einsperren, Herr Schmidt, und damit ist, soweit ich es übersehen kann, niemand gedient."

„Erst jetzt geht sie auf die Straße", erwiderte Schmidt. „Ich weiß genau, wo sie arbeitet."

„Nun?"

„Im P.X. arbeitet sie. Nur Ami-Huren arbeiten im P.X. Kein anständiges deutsches Mädchen arbeitet für die Amis."

Adam hatte seine Hände getrocknet und wandte sich jetzt dem Rentner zu. Er sagte:

„Als empörter deutscher Vater spielen Sie eine komische Rolle, Herr Schmidt. Spielen Sie diese Rolle lieber bei jemand, der weniger von Ihnen weiß."

Zu seiner Überraschung setzte sich Schmidt zögernd nieder. In verändertem Ton sagte er:

„Ich war immer ein guter Vater, Herr Doktor." Und er begann nochmals: „Als deutscher Vater . . ."

Adam unterbrach ihn. „Haben Sie Inge auf die Straße geschickt, oder nicht?"

„Sie ging von selbst, glauben Sie mir, Herr Doktor. Sie war immer ein schlechtes Mädchen, es ist nicht mein Fehler, Herr Doktor."

„Wie lange ist Inge von Ihnen fort, Herr Schmidt?"

„Es wird bald ein Jahr", antwortete Schmidt, und seine Stimme klang weinerlich.

„Und bis jetzt haben Sie nichts unternommen, um sie zurückzuholen?"

„Ich habe erst gestern erfahren, daß sie im P.X. arbeitet und bei Ihnen wohnt. Wenn sie nicht bei den Amis arbeiten würde . . ."

„Sie brauchten nur zum Meldeamt zu gehen", sagte Adam. „Ich frage mich, warum Sie sich plötzlich Ihrer Vaterliebe besinnen. Meinen Sie vielleicht, daß im P.X. etwas für Sie abfiele?"

„Sie wollen mich beleidigen, Herr Doktor. Sie tun mir schweres Unrecht. Ich habe vor einigen Tagen meine Rente zurückerhalten." Er richtete sich in seinem Sessel auf. „Es ist eine Hungerrente. Aber ich kann wieder für mein Kind sorgen, das ist der Grund, Herr Doktor."

Adam musterte nachdenklich den kleinen Mann mit dem alkoholgeröteten Gesicht. Er konnte der Versuchung, herauszufinden, was die Menschen bewegte, auch jetzt nicht ganz widerstehen.

„Wie kam es, daß Inge auf die Straße ging?" fragte er.

„Seit ich meine Frau verloren habe", sagte Schmidt in einer gespreizten, um Ebenbürtigkeit bemühten Sprache, „war Inge mein ein und alles. Die Amis haben uns alles genommen. Inge war verwöhnt. Im Haus gab es mehrere Mädchen, die mit schlechtem Beispiel vorangingen. Aber", fügte er schnell hinzu, „ich werde es sie nicht entgelten lassen. Ich bin bereit, zu vergessen und zu verzeihen."

Adam setzte sich nieder. „Nun", sagte er, „wir können sie ja fragen ..."

„Es gibt nichts zu fragen", erwiderte Schmidt. Nochmals änderte er seine Taktik. „Sie ist noch nicht achtzehn und sie hat zu gehorchen. Wo soll es hinführen, wenn jedes achtzehnjährige Mädchen tut und läßt, was ihm gefällt."

„Herr Schmidt", sagte Adam, „die Geschichte, die Sie mir erzählen, stimmt vorn und hinten nicht. Trotzdem bin ich nicht ganz abgeneigt, Ihnen gewisse gute Absichten zuzusprechen. Ich habe in letzter Zeit mit allerhand Leuten zu tun gehabt wie Sie, Herr Schmidt. Der Zusammenbruch erfolgte vor mehr als zwei Jahren und wir beginnen uns allmählich zu erholen. Manche bekommen sogar schon wieder ihre Renten. Mit den Renten stellt sich das Gewissen ein, das hat das Gewissen so an sich. Aber es ist zu spät. Die Zeit, ich weiß nicht, ob Sie mich verstehen, entschuldigt vieles, aber sie entschuldigt nicht alles. Zuerst mußten Sie ein Nazi werden, Herr Schmidt, weil Deutschland nationalsozialistisch wurde. Dann mußten Sie ein Schurke werden, weil es die Besatzungszeit so erforderte. Jetzt werden Sie vielleicht für eine Weile, wer weiß, ein Ehrenmann; es sieht ja ganz so aus, als kämen die Ehrenmänner wieder in Mode. Was Sie nachher werden, kann ich nicht voraussehen, ich bin kein Prophet. Setzen Sie sich schön wieder nieder: Ihre Empörung beeindruckt mich nicht. Ein Kind, und das ist Inge, trotz allem, ist ein zerbrechliches Instrument. Tun Sie, was Ihnen gutdünkt, Herr Schmidt, werden Sie, was Sie wollen – aber Sie haben sich vor der Zeit so tief verbeugt, daß Ihnen das Rückgrat gebrochen ist. Man kann Ihnen kein Kind mehr anvertrauen. Wenn Sie zur Polizei gehen, ist das Ihre Sache, aber ich verspreche Ihnen, daß ich Ihnen einen Kampf liefern werde, der ziemlich hart werden kann."

Alois Schmidt sprang auf.

„Ich wollte vernünftig mit Ihnen sprechen", sagte er. „Sie können Gift darauf nehmen, daß ich zur Polizei gehe. Sie sprechen von Nazis? Sie stecken mit dem Obernazi Eber unter einer Decke! Die Kleinen hängt man und die Großen läßt man laufen."

„Es handelt sich hier nicht um Nazis", sagte Adam, sich nur noch mühsam beherrschend. „Obschon mir die ständige Berufung darauf, daß man nur ein ganz kleiner Nazi gewesen sei, allmählich zum Hals herauswächst. Gewiß, gewiß. Aber darauf kommt es jetzt nicht an. Es gibt keine Sippenhaftung mehr, das scheint Ihnen entgangen zu sein. Herrn Dr. Eber kenne ich nicht. Sein Sohn ist ein anständiger junger Mann, ohne ihn wäre Inge nicht am Leben."

„Ein anständiger junger Mann!" höhnte Schmidt. Sein Kopf war rot angelaufen. „Ein Zuhälter ist er!"

Adam stand auf.

„Herr Schmidt", sagte er, „mir reißt jetzt sicher bald die Geduld. Wenn Sie mich nicht in gewisser Hinsicht interessierten, hätte ich Sie längst die Stiegen hinunterbefördert. Wenn es ihnen gerade in den Kram paßt, schreien die Halunken vielleicht überall nach der Polizei, aber bei uns tun sie es besonders laut. Manchmal habe ich das Gefühl, daß es gewissen Menschen gegenüber tatsächlich kein vernünftigeres Argument gibt als eine Tracht Prügel, und ich weiß nicht, ob Ihnen der erste, den Sie in Ihrem Block denunzierten, nicht einen großen Gefallen getan hätte, wenn er Sie rechtzeitig in den Hintern getreten hätte. Vielleicht erscheint Ihnen das nicht sehr demokratisch, Herr Schmidt, aber das ist mir egal. Auf jeden Fall verlassen Sie jetzt mein Haus, ehe ich mich an Ihnen vergreife."

Alois Schmidt trat den Rückzug in der Richtung der Tür an. Als er bei der Tür angelangt war, begann er zu schreien: „Sie werden dafür bezahlen, Sie . . . ich rufe die Polizei . . . ich weiß, was Sie mit meiner Tochter machen, Sie und ihr Zuhälter! Ich weiß, daß sie Ihnen abführt, was sie im P.X. verdient; ich werde dafür sorgen, daß man Ihnen die Lizenz entzieht, Sie ..."

Er tastete, mit dem Rücken zur Tür stehend, nach der Klinke, aber er hatte nicht damit gerechnet, wie ernst es Adam war. Elisabeth und Frau Wild, vom lauten Streit herbeigerufen, sahen einen Augenblick später mit Entsetzen, wie der Riese im Ärztemantel das zappelnde Männlein an Kragen und Hosenboden hochhob, einer Marionettenpuppe gleich durch die Wohnung trug, mit dem Ellbogen die Tür öffnete und dann, allerdings beinahe zärtlich, das menschliche Bündel auf der obersten Treppe niedersetzte.

„Ich muß sofort zum P.X.", sagte Adam, in die Wohnung zurückkehrend. „Ich weiß nicht, ob Hans sie heute abholt." Er streifte seinen weißen Mantel ab.

„Ich bereite mich inzwischen auf den Besuch der Polizei vor", sagte Frau Wild ohne Vorwurf. „War das unbedingt notwendig, Adam?"

„Notwendig oder nicht", brummte Adam, während ihm Elisabeth in sein Sakko half, „was bleibt einem übrig, wenn die Zuhälter moralisch werden ...?"

Mehr verzeihen und weniger vergessen

Als der Jeep München verließ und die Autobahn erreichte, wich die Hitze, die seit Tagen über der Stadt gelastet hatte. Ein leichter Wind griff in Elisabeths Sommerkleid. Sie saß neben Frank, schweigsam, den Anblick der üppigen Landschaft genießend, die sich zu beiden Seiten der Straße in einem warmen, friedlichen Nachmittagsschlaf wiegte.

Es bedurfte der vorsichtigen und beharrlichen Überredung Frau Wilds und Adams, um Elisabeth zu diesem Ausflug an den Chiemsee zu bewegen. Während des Winters war Frank fast nie in München gewesen, und wenn sie ihn auch bei seinen kurzen Besuchen herzlich empfing, hatte sie doch seine Einladungen bisher stets abgelehnt.

Das „non-fraternization"-Gesetz war schon Anfang 1947 gefallen. Ohne viel Aufsehens war das Gesetz begraben worden, das die Propheten der Kollektivschuld mit barbarischem Unverstand ersonnen hatten und dem sich das Leben von Anbeginn höhnisch widersetzte. Die „Normalisierung der Beziehungen", wie die offizielle Entschuldigung lautete, war noch keine offene Abkehr von der Politik der Sieger, verpönt blieben immer noch die Menschen des verpönten Landes: sie war bloß die Legalisierung eines Zustandes, der illegal im Augenblick begonnen hatte, in dem die Menschen miteinander sprachen, weil die Kanonen schwiegen. Sinnbilder in diesem Augenblick waren die Soldaten, Neger insbesondere, die, neben deutschen Frauen einhergehend, Kinderwagen schoben: die Kinder, die in den Wagen lagen, waren die schreienden Beweise, daß man das weltfremde Gesetz ein Jahr oder mehr vor seiner Aufhebung verletzt hatte – illegal war die Zeugung gewesen, legal promenierte man mit ihren Früchten in der Sommersonne. Im beschlagnahmten Restaurant „Seehaus" am künstlichen Wasser des Englischen Gartens zu München tanzten jetzt allabendlich amerikanische Offiziere mit deutschen Mädchen zu den Klängen eines deutschen Jazzorchesters, und daß diese Mädchen eines „Sittlichkeits-Passes" bedurften, war kaum noch als Demütigung der Deutschen gedacht: ein Schwächebekenntnis der siegreichen Armee war es eher, die sich in ihrem schwankenden Kahn vor jeder Loreley der Straßenecken fürchtete. Daß freilich gerade diese Loreleys den „Sittlichkeits-Paß" erhielten – es ging der schwache Scherz um, daß V.D., die Abkürzung für „venereal desease", Geschlechtskrankheit, eigentlich „Veronika Dankeschön" bedeute – war selbstverständlich, weil sich Mädchen und Frauen von einiger Haltung nicht um solche gestempelte Bescheinigung ihres Anstandes bewarben. Zudem hatten zwei Jahre der von den Alliierten dekretierten „non fraternization" ein ablehnendes Ressentiment unter den deutschen Frauen geschaffen; und schließlich hielten die Sieggewohnten ohnedies nur nach leichter Beute Ausschau.

Hätten sie keine persönlichen Motive bewegt, so wäre Elisabeth schon aus diesen Gründen, aus der Befürchtung, der zweifelhaften Gesellschaft zugezählt zu werden, den Einladungen Franks ausgewichen. Sie hatte aber auch andere Motive, triftigere, und das wesentlichste war, daß sie, Kurt von Zutravens Drängen nachgebend, in aller Stille die Trennung ihrer Ehe eingeleitet hatte. Jeden zweiten Monat durfte ihr Kurt von Zutraven aus Spandau schreiben, und der Wunsch, das Verlangen beinahe, sie möge dem verlogenen Zustand ein Ende bereiten, sprach aus jeder Zeile. Sie prüfte sich reiflich, ehe sie den Schritt unternahm, und sie tat ihn erst, als sie sich der Beweggründe ihres Mannes ganz und gar bewußt wurde. Kurt von Zutraven lechzte danach, wenigstens sein privates Dasein mit einer generösen Geste zu beschließen; seine Briefe waren nicht selbstquälerisch, sondern von jenem Stolz, an den er sich jetzt wie ein Ertrinkender klammerte; auch seine politische Haltung, im Dritten Reich schwankend wie sein Charakter, versteifte sich zu selbstgefälliger Bitterkeit und äußerte sich in Vorwürfen gegen seine Frau, der er die Freiheit großzügig schenkte und von der er zugleich eine wenn auch irreale Freiheit forderte. Die Scheidung, von der Elisabeth nicht sprach, von der Frank jedoch durch eine zufällige Bemerkung Adams erfahren hatte, ebnete nicht ihren Weg zu Frank; sie befürchtete, im Gegenteil, daß er einen Zusammenhang zwischen ihrem Beschluß und der Beziehung zwischen ihnen beiden vermuten könnte. Erst als Frank vorschlug, sie sollten an den Chiemsee fahren, wo die „fraternization" sich noch nicht in ihrer entfesseltsten Form äußerte, erst als Adam darauf bestand, daß sie nicht den ganzen Sommer über in der Schwabinger Hausmeisterwohnung und in seiner Ordination „versauern" dürfe, sagte sie endlich zu.

Nun hatten sie seit München beinahe kein Wort gesprochen. Atemberaubend war für Elisabeth die erste, lang vermißte Begegnung mit der Natur, der überwältigende Kontrast zwischen der zerstörten Stadt und dem unberührten Land. Zwischen den Häuserruinen gingen ruinierte Menschen, gesenkten Blicks und vorsichtigen Schritts, staubig und zerbröckelt und grau wie die Wände. Die Stadt war voll Zeugen der Zeit: zerlumpte Heimkehrer mit den schwarzgewordenen weißen Mützen der Afrikakämpfer; Krüppel mit notdürftigen Prothesen; einsame Frauen mit bitterem Witwenblick; altgewordene Kinder voll tragischem Raffinement; verzweifelt um Würde bemühte Bettler und hundert Gestalten, die unter den Toren lebten. Immer hatte die Natur Elisabeth besänftigt und mit guter Heiterkeit erfüllt: nie war ihr aber der Unterschied zwischen Stadt und Land deutlicher zum Bewußtsein gekommen. Die Erde war nicht zerstört, und nicht zerstört waren die Menschen, die über sie gingen. Das Gras stand hoch und grün; voll reicher Überflüsse waren die Bäume; schwarz und saftig war das Ackerland. Hier war nichts zerschlagen, besetzt oder beschlagnahmt; die geschäftig summenden Bienen und die faul flatternden Schmetterlinge schienen nicht zu wissen, daß sie verdammte Menschen umschwirrten; mit ruhiger Kraft führte der Landmann den Pflug, und wenn sich die Bauersfrauen pflückend beugten, so war in ihrer Geste nichts von der liebedienernden Verbeugung der Städter. In dem großen Glück, das Elisabeth überkam, war, sie gestand es sich, auch das Glück über Deutschland, das sie liebte: in den Städten, den düsteren Krankheitsflecken auf dem Röntgenbild des Daseins, war es, als läge Deutschland im Sterben, aber man mußte nur hinwegblicken über diese Täler, Wälder und Seen, um zu wissen, daß die Wüste nur in den Oasen war.

Der Nachmittag ging zur Neige, als sie sich – es war ein Wochentag – auf der beinahe menschenleeren Terrasse des Offiziershotels am See niederließen. Die Spannung, die während der ganzen Fahrt zwischen ihnen geherrscht hatte, ließ indes auch hier, auf der stillen, von der späten Nachmittagssonne milde beschienenen Terrasse, nicht nach. Daß sie beide das gleiche wollten, daß sie sich begehrten, im hellen Sommertag, mit jener gewaltigen Nüchternheit, die gewaltiger ist als jeder dunkle Rausch, das brachte sie einander nicht näher: es war vielmehr so, daß jeder sein

Geheimnis doppelt schamhaft hütete, weil er wußte, daß es auch das Geheimnis des anderen war. Das war so schwer, daß es ihnen nicht mehr um Eroberung ging und Versagen, sondern um die Furcht, ein einziges Wort könnte alles verraten; denn nur eines Schlüssels bedurfte es, um Räume zu erschließen, die man kannte, ohne sie je betreten zu haben.

Frank endlich brach das Schweigen, oder vielmehr den Fluß eines Gespräches, das alltäglich und deshalb für beide voll heuchlerischer Töne dahingeplätschert war.

„Elisabeth", sagte er abrupt, „wir haben nur wenige Stunden. Wir müssen miteinander sprechen."

Sie unterdrückte die konventionelle Ausflucht, daß sie die ganze Zeit miteinander gesprochen hätten.

„Ich weiß von deiner Scheidung", sagte er. „Willst du mich heiraten?"

„Welch ein Überfall!" sagte sie und versuchte zu lächeln.

Er sagte schnell: „Ich kenne alle Hindernisse. Wir können hier nicht heiraten. Ich muß nach Amerika. Aber ich könnte dir innerhalb eines Jahres ohne große Schwierigkeiten die Einreise beschaffen. Drüben würden sie uns keinen Stein in den Weg legen." Er hatte den Blick gesenkt; nun sah er sie an. Auch er versuchte zu lächeln, als er sagte: „Fragt sich nur, ob du es willst."

Sie saß ihm gegenüber. Sie ergriff seine Hand, die auf dem Tisch lag.

„Ich würde dich lieber heute als morgen heiraten, Franz."

Er drückte ihre Hand. „In deiner Stimme ist ein aber", sagte er.

„Hundert aber", sagte sie, ihm sanft ihre Hand entziehend. „Ich habe es so oft überlegt, Franz. Die äußeren Umstände sind es nicht allein. Stelle dir bloß vor ... du und die geschiedene Frau Kurt von Zutravens in Amerika! Merkwürdig genug – hier ist alles viel einfacher. Hier bin ich, wer ich bin, und wer immer ich bin, ich bin ein Mensch mit seinem eigenen Gesicht. Drüben kennt man nur Namen. Ich weiß, Franz, du würdest mich beschützen, du würdest erklären und verteidigen. Aber weißt du, wie müde man wird, die Menschen zu überzeugen, daß alles ganz anders ist? Ich habe es zu oft versucht, ich weiß es. Die Zeit würde kommen, da würde dich nichts an mich binden, als daß du recht behalten mußt vor den anderen und vor dir selbst."

„Du hältst mich für schwächer, als ich bin", sagte er.

„Nein", sagte sie. „Ich weiß, wie stark du bist, Franz. Und das allein ist es auch nicht. Die Menschen hier ... aber auch das ist nicht so wichtig, obwohl ich nicht leugne, daß sie mir nicht gleichgültig sind. Ich liebe dieses Land, Franz, und ich liebe es nicht weniger, weil es in Not ist und seine Not wahrscheinlich verdient hat." Sie blickte hinaus über den See, der so still war, als wollte er ihr zuhören. „Deutschland ... es würde immer zwischen uns stehen, Franz. Ich bewundere, daß du es verstehst, zuweilen wirklich verstehst ... und du wirst es eines Tages ganz verstehen. Ich werde es vielleicht weniger verstehen, aber ich werde es immer lieben. Es muß immer eine große Kälte zwischen uns entstehen, so oft das Wort Deutschland fällt ... ich habe sie gefürchtet, diese Kälte, wenn wir von Deutschland sprachen, schon in den letzten Monaten. Drüben, ich weiß es, würdest du versuchen, großmütig zu sein, aber die Großmut würde mich schmerzen." Sie ergriff wieder seine Hand. „Franz ... verzeih, wenn ich wieder von Kurt von Zutraven spreche ... der Vergleich ist schief, wie alle Vergleiche. Aber ich habe gelernt, welche Verheerung das Nichtverstehen anrichtet, auch wenn es nur ein Nichtverstehen von Dingen ist, die mit der Beziehung zwischen einem Mann und einer Frau eigentlich nichts zu tun haben. Trotzdem, Franz, würde ich es wagen, wenn ..."

„Sprich zu Ende", sagte er. „Wenn du mich nachher anhörst ..."

„Das sind alles Ausflüchte", sagte sie. „Die Wahrheit ist schlimmer."

„Ich kann sie ertragen", sagte er.

„Die Gespenster sind die Wahrheit", sagte sie. „Die Wahrheit ist der Gefangene in Spandau. Ich bin vor ihm sicher, solange ich sicher bin, daß ich ihn nicht verließ, weil es nützlich für mich war, ihn zu verlassen. Aber wenn ich deine Frau würde, eine amerikanische Frau, eine Siegerfrau plötzlich ... ich weiß, daß mich sein Gespenst bedrängen würde, bis ich es nicht mehr aushielte. Ich war seine

Frau. Ich marschierte neben ihm. Ich bekämpfte ihn, aber ich bekämpfte ihn nicht in allem. Als wir Stalingrad verloren, weinte er. Und ich saß neben ihm und weinte mit ihm. Am gleichen Tag hast du einen Toast getrunken, in deinem Offizierskasino, du erzähltest es selber, auf den Sieg von Stalingrad. Darüber kommt man schwer hinweg. Man würde drüben von Stalingrad sprechen, und ihr würdet anstoßen, und hundertdreißigtausend Soldaten, die mit erfrorenen Füßen in die Gefangenschaft marschierten, wären für euch hundertdreißigtausend Sprossen auf der Leiter des Sieges. Ich verstehe es. Für mich aber wären es hundertdreißigtausend Menschen. Dann würde Kurt von Zutraven vor mir stehen und zu mir sprechen, und ich würde ihn weinen sehen, wie er damals geweint hat, und vergessen, wie sehr ich ihn oft gehaßt und wie sehr ich ihn verachtet habe."

Sie hielt inne. So plötzlich war der Abend über den Chiemsee gefallen, daß die Dämmerung auf einmal zwischen ihnen stand, ohne daß sie ihr Kommen wahrgenommen hatten. Hinter den milden Hügeln, auf der anderen Seite des Sees, ging die Sonne unter, wie die letzten Masten eines brennenden Schiffes, dessen Feuer ins andere, siegreiche Element sinkt.

Elisabeth lehnte sich unwillkürlich zurück, als suchte sie sicheren Schutz in den steigenden Schatten.

„Und dann", sagte sie mit einer Stimme, die um Härte rang, „deine Mutter!" Jetzt hatte sie das Wort ausgesprochen, das sie beide gemieden hatten seit ihrem Wiedersehen in der Nürnberger Villa. Schnell fuhr sie fort: „Sie wird ewig zwischen uns stehen, Franz. Ich hätte sie retten können. Ich weiß nicht wie, aber ich hätte sie retten können. Ich wußte, daß sie im Konzentrationslager war, Dr. Wild hatte es meinem Vater gesagt. Deine Mutter würde dich verachten, Franz, wenn du mich zu deiner Frau machtest. Du würdest die Tote verraten. Heute nicht und morgen ... aber eines Tages würde sie dich daran mahnen. Ich liebe dich zu sehr, um es nicht zu wissen. Man kann darüber nicht hinweg ..."

Er antwortete nicht sogleich. Er wartete. Sie hatte von

den Gespenstern gesprochen und von der Kälte, welche die Gespenster nach sich zogen wie weiße Schleppen. Kamen die Gespenster, weiß und kalt, durch den lauen Juliabend? War diese Laune geschaffen von den Gespenstern, damit seine Freiung töricht erscheine, oder gar niedrig und verräterisch? Sollte er nicht nur auf seine Liebe verzichten, sondern sich ihrer auch schämen? Aber es geschah nichts: in ihm war keine Kälte und keine Gespensterstimme. Er sagte leise:

„Man kann darüber nicht hinweg ... immer wieder sagst du das, Elisabeth. Aber gerade das ist es: man muß darüber hinweg und man kann es. Es ist die große Trägheit, die an allem Schuld ist, im Großen wie im Kleinen, im Persönlichen und im Allgemeinen. Völker kommen nicht darüber hinweg, daß ihnen ein anderes Volk, vor hundert Jahren, ein Stück Erde wegnahm, und hundert Jahre später müssen sie deshalb noch Krieg führen. Ein Mann kommt nicht darüber hinweg, daß seine Frau einmal einen anderen liebte, und an diesem Wahngebilde geht ihre Ehe zugrunde. Nationen kommen nicht über ihre Vorurteile hinweg und Menschen nicht über erlittene Beleidigung. Niemand scheint bereit zu sein, über irgend etwas hinwegzukommen; wehleidig und eitel betrachtet jeder seine eigenen Wunden; wie ein schlechtes Pferd steht die Menschheit vor ihren Hürden, und als Narren gelten alle, die über ihren Schatten springen wollen. Ich sage nicht, daß die Liebe alles besiegt, Elisabeth, und ich bin nicht einmal sicher, ob es wahr ist. Aber man kann darüber hinweg, daß man dies oder jenes zu spät gesehen hat; daß man beleidigte und beleidigt wurde; daß man selbst irrte oder daß der andere fehlging; daß man einen anderen Pfad einschlug als einem vorgeschrieben. Ich glaube nicht an Gespenster, Elisabeth; ich glaube nicht, daß es Pietät ist gegen die Toten, sie aus den Gräbern zu rufen. Dich hat oft verletzt, was ich sagte, weil du vergessen willst, aber ich glaube, daß zuviel vergessen wird und zuwenig verziehen ... mehr verzeihen und weniger vergessen schiene mir richtiger. Ich kann über alles hinweg, das du mir eröffnetest und das ich ohnedies wußte, und du kannst es auch, wenn du den Mut findest.“

Auf der Terrasse gingen die Lichter an.

„Wollen wir etwas spazieren gehen", sagte sie.

Sie schlugen einen schmalen Weg ein, der am See entlang führte. Frösche und Grillen überboten sich in einem sommerlichen Nachtkonzert. Es roch nach Wasser und nasser Erde.

Sie nahm seinen Arm und sagte: „Ich kann dir jetzt nicht antworten, Franz. Ich weiß nicht, ob du recht hast. Ich weiß nur, daß ich dich liebe."

Sie blieb stehen, wandte sich ihm zu und bot ihm ihren Mund. Ihr Kuß war nicht leidenschaftlich und auch nicht keusch: als wollten zwei Menschen das Feuer, das in ihnen brannte, nicht anfachen, sondern als bemühten sie sich eher, die Flammen zu löschen, die in ihnen loderten. Es war der erste Kuß nach tausend ungeküßten Küssen.

Arm in Arm gingen sie weiter, sich abwendend vom Pfad, wo der Wald begann.

„Wir sind erwachsene Menschen", sagte sie, vergeblich bemüht, das Beben in ihrer Stimme zu beherrschen. „Wir lieben uns, Franz, und wir brauchen keine Pläne zu machen."

Tiefer im Wald ließen sie sich nieder. Die Nacht deckte sie zu: aber das einzig Dunkle in ihrer Liebe war die Nacht. Das Überwältigendste in ihrer Leidenschaft war das beglückende Wissen um das, was ihnen geschah; das Bewußtsein, das sie auch jetzt nicht verließ und dem sie nicht auswichen; der Stolz eines gereiften Entschlusses, der keiner Entschuldigung bedurfte; das ruhende Gewissen in ihren pulsierenden Körpern, und der letzte Sieg ohne Besiegte.

Als sie spät zurückfuhren nach München, im offenen Wagen durch die heiße Nacht, in der sich kein Hauch regte, war es ihnen nicht, als hätten sie jetzt ein Geheimnis vor der Welt. Es war ihnen, als gäbe es keine Geheimnisse mehr.

Sibelius geht einen schweren Gang

Das Jahr 1947 war kein ereignisreiches Jahr in der Geschichte der Besatzung Deutschlands, und in mancher Hinsicht war es doch das ereignisreichste.

Noch herrschte große Not in dem besetzten Land; langsam nur stieg hier und dort ein Haus aus dem Trümmerfeld; die hundertzweite Tabelle der Lebensmittelzuteilung wurde veröffentlicht; mit Galgenhumor parodierte man das Horst-Wessel-Lied: „Die Preise hoch! Die Zonen fest geschlossen! / Die Kalorien sinken Schritt für Schritt! / Es hungern stets dieselben dummen Volksgenossen, / Die andern hungern nur im Geiste mit." Der „Combined Travel Board" der Alliierten erteilte Erlaubnisscheine für Auslandsreisen immer noch, als wären sie seltene und hohe Orden; es wurden immer noch Fragebogen ausgestellt, ehemalige Parteigenossen entlassen, schwarze Geschäfte betrieben und Häuser beschlagnahmt. Aber Deutschland im Jahre 1947 war wie eine Drehbühne: auf offener Szene rollte noch der erste Akt ab, während rückwärts schon an einer neuen Dekoration gezimmert wurde. „Arm wie eine Kirchenmaus" hätte man das Spiel nennen können, das vorderhand noch über die offene Bühne ging: wie in der erfolgreichen Komödie der Zwanzigerjahre sollte sich im zweiten Akt das arme Mäuschen in eine noble Dame verwandeln.

Das war das bezeichnendste an diesem Jahr 1947, daß sich alles Entscheidende hinter den Kulissen abspielte. Dort wurde der kalte Krieg vorbereitet, und wie es im Theater zuweilen geschieht, drang das hintergründige Hämmern schon von Zeit zu Zeit in den Zuschauerraum. Im Vordergrund stand Deutschland nach wie vor als besiegtes Land, aber in den Garderoben schminkte man dieses Deutschland schon auf einen Alliierten um, damit er im zweiten Akt seine Rolle als Partner des kalten Krieges zu spielen vermöchte. Die Währungsreform wurde vorbereitet, viel früher als ursprünglich geplant; der Morgenthau-Plan wurde außerhalb der Friedhofsmauer verscharrt, damit nichts von seiner einstigen Existenz künde; ein Auge wurde geschlossen vor den getarnten Veteranenvereinigungen; die vor kurzem noch mit Kerkerhaft bestrafte Kritik an den östlichen Alliierten wurde nicht nur geduldet, sondern unterirdisch geschürt; Industriellen, die man aus ihren Fabriken vertrieben hatte, wurden ihre Villen unter der Hand zurückgegeben; graue Westen, wenn auch noch nicht schwarze, kamen blütenweiß geputzt aus der alliierten Wäscherei. Auf der Bühne schien sich die Misere, die Demütigung und Verfolgung zu einem dauernden Zustand zu versteinern, und die Massen verzweifelten – hinter der Bühne aber war alles im Fluß.

Am schlimmsten war es um jene bestellt, die nicht zu der schweigenden Menge gehörten, die ihr eigenes Schicksal immer im verdunkelten Zuschauerraum bestaunten, und auch nicht zu den Akteuren, die Dialog, Entwicklung und Ausgang des Spieles kennen. Der Oberst Achim von Sibelius, der sich seit über neun Monaten in allerhand Berufen versuchte, nachdem ihm seine Tätigkeit als Versicherungsagent nicht einmal genug eingetragen hatte, um seine Lebensmittelkarten in Lebensmittel umsetzen zu können, hegte erhebliche Zweifel an der Echtheit und Dauerhaftigkeit dessen, was er sah, aber seine Einblicke in das Verschleierte waren nur sporadisch und nicht unbedingt überzeugend.

Es war auch nicht die Überzeugung, in diesem oder jenem Sinne, die Sibelius an einem naßkalten Septembernachmittag des Jahres 1947 bewog, den Gang anzutreten, den er immer wieder aufgeschoben hatte; an diesem Tag stattete er Oberst Werner Zobel endlich seinen Besuch ab.

Den Baron trieb ein ebenso beredter wie übler Berater – der Hunger. Er hatte seit vier Wochen, abgesehen von seinen Sonntagsbesuchen bei Adam Wild, wo er sich jedoch auch, anerzogener Schicklichkeit halber, Mäßigung auferlegte, um nicht heißhungrig die gebotenen Speisen zu verzehren, seit Wochen also hatte er nicht mehr ordentlich gegessen. Seine Lungen, von einer schweren Krankheit seiner frühen Jugend geschwächt, und später, wie er glaubte, vollkommen kuriert, machten sich auf einmal wieder bemerkbar, und Adam, von dem er sich untersuchen ließ, meinte: „Mein lieber Achim, du mußt einfach anständig essen, was beinahe ein frivoler Rat ist – genau wie der Rat an die Herzleidenden, sie mögen sich nicht aufregen."

Dennoch ging Sibelius von Adam nicht etwa direkten Wegs zu Oberst Zobel: ein Ereignis, mit seiner Notlage nur unmittelbar zusammenhängend, mußte sich erst begeben, um Sibelius zu seinem Entschluß zu bewegen. Es war in der Tat ein höchst paradoxes Ereignis – drei oder vier Tage nach dem ärztlichen Verdikt bot ihm ein ehemaliger Leutnant, dem er schon in der „Mücke" begegnet war, ein fettes Schwarzmarktgeschäft an. Entkleidete man den Antrag seiner tarnenden Hüllen, dann lief er darauf hinaus, der politisch unbelastete ehemalige Oberst möge sich ein Reisepapier beschaffen und für ein Konsortium von Valutenschiebern zwischen München und Mailand hin- und herpendeln. Der ehemalige Leutnant, nun florierender Schwarzhändler, lud Sibelius zu einem opulenten Mahl ein, und als sich der Oberst, nach dem ungewohnten Genuß von mehreren bauchigen Gläsern französischen Cognacs, aus dem behaglichen Heim seines früheren Untergebenen entfernte, hatte er einen Vorschuß von zwanzig knusprigen Dollarnoten in der Tasche.

Mit diesen Dollarnoten nun hielt der Oberst noch in der gleichen Nacht ein seltsames Gespräch, oder einen Monolog richtiger, denn die grünen Noten, die er auf seinem Nachtkasten ausgebreitet hatte, sahen ihn nur schweigend an. Ich habe, so ähnlich sprach Baron Sibelius, und vor seinen alkoholvernebelten Augen nahmen die Dollarnoten die Formen glotzender grüner Frösche an, nur noch die Wahl zwischen euch, ihr Guten, und dem Gang, den ich so lange vertagt habe. Sich auf redliche Art sein Brot zu verdienen, scheint hierorts der Brauch wohl nicht mehr zu sein, und mir eine kranke Lunge herauszuhusten oder Hungers zu sterben, widerstrebt mir wie jede Art des unsinnigen Todes. Ich habe, was ihr nicht wissen mögt, denn ihr gingt damals wohl noch in eurem geschäftigen und lebensfrohen Vaterland beliebt von Hand zu Hand, die Uniform nicht ungern abgelegt, und wenn ich bald darauf meine Träume, einer übertragenen Uniform gleich, ebenfalls ablegte, so nahm ich doch an, daß ein Mann nicht notwendigerweise verkommen müsse, nur weil er an eine zivilistische Welt glaubt. Nun seid ihr mir zwar als Beweis geboten, daß man auch in unserer neuen Demokratie durchaus existieren kann, aber ich habe nun einmal meine Vorurteile und würde nicht gern euresgleichen zwischen den Grenzen hin- und herschieben. Ich gebe zu, meine lieben Frösche, daß dies meiner konventionellen Erziehung entspricht und nicht unbedingt gerechtfertigt ist, denn wer sollte behaupten, daß es moralischer sei, sich zum Zwecke oder im Dienste eines neuen Weltbrandes zu verschwören als mit Schiebern und Händlern einen vorübergehenden Pakt zu schließen. Aber es scheint sich nun wieder einmal zu erweisen, daß es verhältnismäßig ungefährlicher ist, Militär zu spielen, als sich auf solche zivilen Wagnisse einzulassen, ganz abgesehen von der Tatsache, daß ich als Valutenmakler voraussichtlich doch keine glückliche Figur abgeben würde. Daß ihr zu mir gekommen seid, scheint mein Problem recht symbolhaft auf die Wahl zwischen Schwarzmarkt und Geheimbündelei zu beschränken, alles andere habe ich vergebens versucht, und so werdet ihr es mir nicht verübeln, wenn ich mich doch, ein Sklave meiner Tradition vielleicht, für letzteres entscheide. Ich danke euch für euren freundlichen Besuch, aber ich werde euch bitten, nicht von meinem Nachtkasten zu hüpfen, denn morgen früh werde ich euch dorthin zurückbringen, von wo ihr kamt, und mir so meine freilich recht relative Freiheit zurückkaufen.

Am Morgen des nächsten Tages brachte der Baron dem überraschten Schwarzhändler die zwanzig Dollar zurück; am gleichen Nachmittag fand er sich bei Oberst Zobel ein.

„Was lange währt, wird gut", sagte der Oberst, Sibelius freundschaftlich um die Schulter nehmend, „gerade Ihr Zögern, mein lieber Baron, beweist mir, daß Sie sich Ihren Schritt weidlich überlegt haben. Ich betrachte es als gutes Omen, daß Sie heute kommen, an einem für mich besonders glücklichen Tag." Er ging zum Klavier und reichte dem Besucher eine Postkarte, die darauf gelegen hatte. „Mein Sohn Jochen, Kriegsgefangener seit über fünf Jahren, ist in Frankfurt an der Oder eingetroffen; der Russe hat ihn endlich entlassen. Er scheint wohlbehalten zu sein, und meine Tochter und ich hoffen, ihn bald bei uns zu haben. Meine beiden älteren Söhne habe ich im Krieg verloren; Sie können sich unsere Freude vorstellen, Jochen halbwegs gesund wiederzusehen."

„Meinen Glückwunsch, Herr Oberst", sagte Sibelius.

Der Oberst sah nach der Uhr. „Ja, in jedem Sinne günstig, daß Sie heute kommen, Baron. Wir haben eine kleine Sitzung, in einem Separatzimmer beim ‚Augustiner'; es wird mich freuen, Sie den Kameraden vorzustellen."

Sibelius wollte etwas erwidern; vielleicht, daß es ihm so eilig nicht wäre, daß er vorerst nur seine prinzipielle Bereitschaft habe kundtun wollen und daß er gerne das nächste Mal die Bekanntschaft der Herren vom Kriegerverein machen würde.

Zobel ließ ihn nicht zu Wort kommen. „Wir können uns unterwegs unterhalten, wenn es Ihnen nichts ausmacht, etwas durch den Regen zu marschieren", sagte er mit einem Blick auf das Fenster.

Sibelius nahm seinen dünnen Trenchcoat; Zobel ließ sich von Martha, die mit den Herren gleichzeitig im Vorzimmer erschien, in seinen Wintermantel helfen.

Dann gingen die beiden Männer vom Marienplatz, die Kaufingerstraße entlang, dem Stachus zu. Wer sie so nebeneinander gehen sah, den älteren rechts, den jüngeren links, konnte sie für nichts anderes halten, als was sie waren: zwei Offiziere in Zivil. Beide gingen aufrechter als notwendig, forsch ausschreitend und unbekümmert um den Regen, der langsam aber ständig auf sie herabrieselte.

„Ich freue mich, daß Sie den Posten in der ‚Mücke', so heißt das Lokal ja wohl, aufgegeben haben", sagte Zobel, „aber ich nehme an, daß es Ihnen seither nicht allzu gut ergangen ist."

„Sie sind, wie immer, vorzüglich informiert, Herr Oberst", sagte Sibelius lächelnd.

„Nun", meinte der Oberst, so beiläufig, daß es nicht verletzend wirken konnte, „Sie werden einige Kameraden kennenlernen, die vielleicht guten Rat wissen. Ich selbst bin seit einigen Monaten in einem Bauunternehmen der

Amerikaner tätig, ein nicht allzu einträglicher, aber ordentlicher Posten, solange zumindest, bis wir unsere Pensionsansprüche durchgesetzt haben."

„Besteht eine Aussicht ...?" fragte Sibelius ohne aufrichtiges Interesse.

„Im Moment natürlich nicht. Lohnte sich auch gar nicht, in der gegenwärtigen Währung. Aber gut, daß Sie es erwähnen, Herr Oberst. Die Amerikaner haben uns geraten, den Akzent unserer Bestrebungen vorerst einmal auf das Finanzielle zu legen. Sie werden finden, daß heute abend unverhältnismäßig viel von Pensionsansprüchen, Witwenpensionen und dergleichen gesprochen werden wird. Wir müssen immer mit der Anwesenheit einiger amerikanischer Einflüsterer rechnen. Im übrigen haben die Amerikaner, praktisch wie sie nun einmal sind, nicht unrecht. Unsere Gruppe, wie alle anderen im Lande, leidet an Kopfschwere, wie ich das nenne: zuviele Offiziere, zuwenig Unteroffiziere, fast keine Mannschaft. Es ist an und für sich kein Unglück, besonders was die Truppe anlangt, die läßt sich gegebenenfalls immer rekrutieren. Aber sobald wir auftauchen, öffentlich und politisch, meine ich, nächstes Jahr spätestens, darf nicht der Eindruck einer Offiziersclique erweckt werden, Sie wissen ja, wie die Leute sind. Ich habe deshalb auch einen alten Feldwebel meines Regiments zum Vizepräsidenten gemacht. Anständiger Kerl, wenn auch etwas dumm und gesprächig. Aber was ich sagen wollte ... ja, das Finanzielle also: das mit den Pensionen und Witwen, das zieht eben doch, wir bekommen immer mehr Zulauf aus den unteren Schichten, den Amerikanern imponiert das besonders. Sollten sich also unter Ihren Leuten Mannschaftsgrade befinden – eine etwas aristokratische Angelegenheit war ja Ihr 20. Juli wohl – dann zögern Sie nicht, Baron, wir sind betont demokratisch eingestellt."

„Meine Leute?" sagte Sibelius. „Ich hoffe Sie nicht zu enttäuschen, Herr Oberst. Die Männer des 20. Juli sind keine geschlossene Gruppe; die meisten werden nach wie vor zögern ..."

„Ich weiß, ich weiß", unterbrach ihn Zobel, „wir erwarten keine Wunder von Ihnen. Der Anfang nur muß gemacht werden, Sie verstehen."

Sie waren, völlig durchnäßt, vor dem Bierkeller angelangt: Sibelius, der keinen Hut trug, trocknete sich mit dem Taschentuch die an seiner Stirne klebenden, weißen Haare. Als sie das Lokal betraten, kam ihm die dunstige Wärme so plötzlich entgegen, daß er zu husten begann; er mußte stehen bleiben, ehe er Zobel folgte, der über eine steile Treppe zum Separatzimmer hinunterstieg.

Sein Hustenanfall hatte ihm die Tränen in die Augen getrieben, und er konnte den Raum nicht gleich übersehen. Als sich sein Blick endlich klärte, sah er an einem langen Tisch acht Männer; in der Mitte stand ein Stuhl leer, offenbar für den Oberst freigehalten. Die acht Männer, die Eingang zugekehrt, erhoben sich bei Zobels Anblick; nun wandten sich auch die übrigen um und standen auf. Leger oder stramm, wie sie so dastanden, vermochte es Sibelius, in den Zivilisten nicht nur zu erkennen, ob sie Offiziere oder einfache Soldaten gewesen waren; er hätte beinahe ihre einstigen Dienstgrade zu erraten gewußt.

Sibelius nahm auf dem letzten freien Stuhl neben dem Tisch des Vorstandes Platz. Er war froh, daß ihm Zobel keine besondere Beachtung schenkte; während der Oberst die Sitzung eröffnete und die Punkte der Tagesordnung monoton abrollten, konnte er die Vorstandsmitglieder und die Versammelten näher betrachten.

Zur Rechten des Obersten saß ein Mann, der häufiger als die anderen das Wort ergriff und mit „Herr General" angesprochen wurde; er war, Sibelius glaubte ihn von Photographien zu erkennen, ein ehemaliger General der Fallschirmjäger, fünfundfünfzig etwa, mit dem Gesicht einer mißgelaunten Bulldogge. Die Soldatenehre schien sein Steckenpferd zu sein, denn so oft das Wort fiel, ließ er sich vernehmen, und in seinen eigenen Ausführungen kehrte die Soldatenehre wie ein ewiger Refrain wieder. Ob es sich um die Entschädigung der Witwen handelte, um die Frage der Kriegsgefangenen, oder die Freilassung irgendwelcher höherer Offiziere: der General berief sich immer wieder auf die verletzte Soldatenehre. Zu Zobels

Linken saß sein ehemaliger Feldwebel, ein Mann von abgemagertem Aussehen, mit fiebrigen Augen und hervorstehenden Backenknochen, der stets eifrig nickte, wenn der General oder der Oberst sprachen und erschrocken zusammenzuckte, als er einmal, an der falschen Stelle wohl, seine Faust allzu energisch vor Zobel auf den Tisch niedersausen ließ. Am meisten interessierte Sibelius aber ein verhältnismäßig junger Mann, der am Ende des Tisches saß, eifrig notierend, wahrscheinlich der Schriftführer, ein dünner Mensch mit dem Gesicht eines asketischen Karpfens, von dem Sibelius wußte, daß er ihn kannte, ohne sich besinnen zu können, woher die Bekanntschaft stammen mochte. Immer wieder blickte auch der Schriftführer, ein „Herr Hauptmann", nach dem Gast, mit einem forschenden, feindlichen und langsam erkennenden Blick.

Man war in der Tagesordnung zu dem letzten Punkt gekommen: zu der Besprechung des bevorstehenden Prozesses gegen den der Kriegsverbrechen angeklagten Feldmarschalls August Kadonitz. Eine Schande ohnegleichen sei der in der britischen Zone stattfindende Prozeß, meinte der Fallschirmjäger-General: seine soldatische Pflicht nur habe der Herr Feldmarschall erfüllt, getreu seinem Eid habe er gehandelt, wie alle deutschen Soldaten, deren Ehre jetzt in den Staub getreten werde. Selbstverständlich stünde das Urteil von vornherein fest, das nenne sich ja alliierte Justiz, dennoch sei es Gebot der Soldatentreue, alles Menschenmögliche für den Herrn Feldmarschall zu tun. Kurz und gut, es handle sich darum, Zeugen zu finden, welche die untadelige Haltung des Herrn Feldmarschalls bestätigen können – sollten solche Zeugen anwesend sein, so möchten sie sich nach der Sitzung unverzüglich beim General melden. Auch nach anderen ehemaligen Soldaten, die unter dem Herrn Feldmarschall dienten, möchten sich die Anwesenden umsehen: für etwa anfallende Ausgaben, die Reisespesen nach Hannover in jedem Fall, werde die Vereinsleitung sorgen.

Was für ein seltsames Spiel wird hier getrieben? fragte sich Sibelius, während der General unter allgemeinem Beifall die Kriegsverbrecherprozesse als einen Hohn auf die

Demokratie brandmarkte – ein hundertköpfiges „Nein"
erscholl in der Tat, als er die Frage aufwarf, ob es ein sogenanntes Kriegsverbrechen gäbe, das die Alliierten nicht
selbst begangen hätten. War es seine Krankheit, fragte
sich Sibelius, das Fieber, das ihn jetzt zuweilen wie aus
dem Hinterhalt überfiel, oder lag wirklich ein Schleier gespenstischer Unwirklichkeit über der Versammlung? Oben,
auf der Kaufingerstraße, marschierten amerikanische Soldaten; „Off Limits" stand auf jeder zweiten Tür; hurtige
Jeeps sausten hin und her zwischen altersschwachen deutschen Wagen – hier aber, im Bierkeller, wetterte ein Fallschirmjäger-General gegen die Alliierten und verteilte
Geld für Entlastungszeugen im Prozeß des Feldmarschalls
August Kadonitz. Das Geld konnte nur aus amerikanischer
Quelle fließen – in Hannover wurde von den Alliierten
einem „Kriegsverbrecher" der Prozeß gemacht, in München finanzierten sie Zeugen, um ihn zu entlasten. Vor
einigen Monaten noch hatte der Gouverneur des besetzten
Landes von der endgültigen Zertrümmerung des deutschen Militarismus gesprochen: hier aber sprachen sich die
Herren schon wieder mit „Herr Oberst" und „Herr Hauptmann" und „Herr Feldwebel" an, grüßten zackig und standen stramm – alles unter den Augen „amerikanischer Einflüsterer", die den Spuk förderten und sich um ihre eigene
Verhöhnung nicht zu kümmern schienen.

Und er selbst, der Oberst Achim von Sibelius? Er, der
sich einst verschworen hatte, sein Land ein für allemal von
diesen treuen Dienern ihres jeweiligen Herrn zu befreien,
von diesen Mitschuldigen durch Gehorchen und diesen Ge-
horchenden aus Überzeugung; er, der seine ganze militärische Gehorsamstradition über Bord zu werfen bereit
war, weil er erkannt hatte, daß Gehorchen und Sklaverei
in Deutschland allzu leicht ein und dasselbe bedeuteten –
auf welch verworrenen Umwegen hatten ihn die vermeintlichen Befreier hierher gedrängt, damit der gescheiterte
Totengräber des Gehorsams zum Geburtshelfer neuer Unfreiheit werde?

Verzweifelt bemühte sich Sibelius, diese Widersprüche
und Rätsel aufzulösen, und in diesem Augenblick seiner

letzten Kraftanspannung war es auch, daß er dem Blick des schriftführenden Hauptmanns wieder begegnete, und daß er den Hauptmann nun allsogleich erkannte. Damals, als in Berlin alles auf dem Kopf stand und ein gewisser Oberst Remer die Reichskanzlei besetzte, im Generalstab aber noch die Hoffnung bestand auf Errettung in letzter Minute; damals, als der Oberst von Sibelius mit zitternder Hand nach dem Telephonapparat griff, um die letzten Meldungen von dem gelungenen oder gescheiterten Anschlag zu vernehmen – damals ging ein junger Hauptmann und Ritterkreuzträger, ein asketischer Fisch von Anblick, mit einigen Unteroffizieren von Zimmer zu Zimmer, als selbstbestellter Polizist schon Ausschau haltend nach unverläßlichen Elementen, Abspringern und Verschwörern. Ein Zufall nur, daß er, Sibelius, damals dem eifrigen Hauptmann nicht in die Hände gefallen war, dem gleichen, der jetzt am Ende des langen Tisches saß und Schrift führte über eine Versammlung so ganz anders gearteter Verschwörer.

Einem Impuls folgend, dem ersten lebendigen Impuls seit Wochen, stand Sibelius auf.

Gleich darauf sank er aber auf seinen Stuhl zurück. Oberst Zobel hatte sich erhoben und sagte:

„Kameraden! Ich möchte die heutige Sitzung nicht schließen, ohne Ihnen eine Mitteilung zu machen, die Sie alle, ich hoffe es, mit der gleichen Freude und Genugtuung erfüllen wird wie mich selbst. Ich darf als unser neues Mitglied den Herrn Oberst im Generalstab Achim Freiherr von Sibelius begrüßen, der heute zum erstenmal unter uns weilt." Ein leises Murmeln ging durch das rauchverhüllte Zimmer. „Herr Oberst von Sibelius, Träger des Ritterkreuzes mit Eichenlaub, ein hochverdienter Offizier der Wehrmacht, war, wie einigen von Ihnen bekannt sein dürfte, in einer, wenn auch nicht wesentlichen Funktion, in den unseligen 20. Juli verwickelt." Das Murmeln im Saal wurde lauter. „Kameraden!" fuhr der Oberst unbeirrt fort, „– ich kenne und teile Ihre Einwände. Aber eines erschien mir stets am entscheidendsten: Wer ist ein Mann und wer ist keiner?" Der Oberst pausierte; hier und dort wurde ein beifälliger Laut vernehmbar. „Der Oberst von Sibelius ist ein Mann, dafür stehen wir Ihnen alle ein. Er hat geirrt, aber zu irren ist menschlich – seine Irrtümer zu bekennen, ist Sache des Mannes. Wir wollen als Männer dem Mann Sibelius nicht nachstehen. Er hat uns die Hand gereicht, und ich persönlich stehe nicht an, einzuschlagen. Wie Herr Oberst von Sibelius denken viele, welche die Folgen ihrer Schritte seinerzeit nicht richtig bedacht haben. Wir hoffen und glauben, daß manche, die heute noch abseits stehen, dem Oberst von Sibelius folgen werden." Er setzte ab und wartete. Als er jedoch keine zustimmende oder ablehnende Reaktion wahrzunehmen vermochte, schloß er: „Ich bitte nun all jene, welche der Aufnahme des Obersten Achim von Sibelius zustimmen, ihre Hand zu erheben."

Durch den dichten Rauch blickte Sibelius in den Saal. Alle am Tisch des Vorstandes, und etwa zwei Dutzend Männer um die Biertische, erhoben die Hände.

„Spricht sich jemand gegen die Aufnahme des Oberst von Sibelius aus?" fragte Zobel.

Fünf oder sechs Hände streckten sich in die Luft.

Zobel wandte sich Sibelius zu.

„Ich freue mich, Herr Oberst", sagte er, „Ihnen als einem der Unsrigen die Hand drücken zu dürfen."

Sibelius stand auf. Er ging zum Tisch, wankend, beinahe wie ein Betrunkener. Wie durch einen dichten Nebel hörte er die Stimme des Feldwebels:

„Ich schließe die Sitzung mit der Absingung des Deutschlandliedes."

Alle erhoben sich. Zobel ließ die nasse, lahme Hand Sibelius' los. Wie ein Vater, der seine Kinder anspornt, ein frohes Lied mit ihm zu singen, nickte Zobel ermunternd seinem Schutzbefohlenen zu, als er selbst mit tiefer Stimme anhob:

„Deutschland, Deutschland, über alles . . ."

Man muß einen guten Magen haben

An diesem Tag hatte Inge Schmidt nur vormittags Dienst im P.X. und als sie um zwei Uhr noch nicht zu Hause war, begannen sich Adam und Frau Wild um sie zu sorgen. Um halb drei endlich läutete es an der Wohnungstür, aber als Frau Wild aufmachte, stand Hans Eber vor ihr, aufgeregt fragend, ob auch sie nichts von Inge vernommen hätten.

„Ich habe sie um halb eins abholen wollen", berichtete Hans, ohne Platz zu nehmen, „aber sie kam nicht heraus. Ich wandte mich schließlich an eine ihrer Kolleginnen, die mir zögernd gestand, man habe Inge ‚hinausgeworfen'. Warum, das konnte sie nicht sagen ... oder sie wollte es nicht, schien es mir. Was sollen wir tun, Dr. Wild?"

Adam griff sogleich nach seinem Mantel.

„Kommen Sie", sagte er, „wir müssen vorerst feststellen, was im P.X. geschehen ist."

Eiligen Schrittes gingen sie durch den nebelschweren Oktobernachmittag der Briennerstraße zu.

„Es wird nicht leicht sein, hineinzukommen", sagte Hans.

„Irgendwo müssen wir anfangen", sagte Adam.

Hans' Prophezeiung traf ein: geraume Zeit verging mit den Verhandlungen, die sie mit den Negersoldaten führen mußten, welche das amerikanische Warenparadies bewachten. Frauen, Mädchen und Kinder, auch einige Männer, standen wartend auf der gegenüberliegenden Straßenseite, und während Hans, der englischen Sprache zum Glück kundig, seine Überredungskünste spielen ließ, bot sich Adam, der diese Gegend sonst mied, auferzwungene Gelegenheit, sie zu betrachten.

Das Wort „Ami-Hur'", das jetzt immer häufiger an den Wänden der Stadt auftauchte, erfüllte ihn mit Abscheu, aber ebensowenig konnte er sich eines Gefühls des Abscheus erwehren, als er diese Frauen um sich sah, die hier der vollbepackten Sieger harrten. Es waren zum großen Teil Frauen, die niemand, außer fremden Soldaten im fremden Land, begehrenswert erscheinen mochten: früh gealterte, vernachlässigte, ungekämmte junge Frauen, mit schlechten Zähnen und lückenhaften Goldplomben, mit

hungrig aufgedunsenen bleichen Gesichtern und rot ge-
schminkten Lippen, mit schlecht gefärbten Armeedecken
um die Schultern, von denen jetzt die blaue oder grüne
Farbe floß, so daß das ursprüngliche Braun wie ein sich
ausbreitender Aussatz sichtbar wurde. Am meisten beeindruckte Adam jedoch das uniforme Lächeln, das um den
Mund dieser Frauen stand, ungewiß, wohin es gehen sollte,
und in jede Richtung konnte es gehen – entschuldigend
war es, wenn andere Frauen vorbeieilten; anklagend, herausfordernd und in der Verteidigung, wenn deutsche Männer sie ansahen; einladend, wenn ein reicher Soldat das
Schlaraffenland verließ. Die charakterlose Verwandlungs-
bereitschaft dieses Lächelns schmerzte Adam, und die Tatsache, daß diese Frauen unbekümmert aushielten, obwohl
sich der tiefe Himmel jetzt in einem peitschenden Regen
entlud. Wie sie triefend dastanden, Kinder beiseite schie-
bend, weil sie ihre Konkurrenz fürchteten; oder Kinder
vorschickend, damit sie allzu eilige G.I.s aufhielten; andere
wieder in lautem Handel mit den Schwarzhändlern, die auf
ihre alten oder neuen Kunden warteten – da waren sie
Bettlerinnen eher als Huren, oder eine Mischung aus beiden, bereit, sich zu demütigen oder sich zu verkaufen, je
nach Bedarf der Besitzenden. Eines Tages, sehr bald vielleicht, dachte Adam, wird der Spuk verfliegen – wie aber
werden diese Bettlerinnen zurückfinden zu sich selbst, zur
harten Arbeit des Tages, zu heimkehrenden Männern oder
wahren Geliebten; wie werden sie die Menschen hassen,
die sie jetzt um Almosen anflehen, und sich selbst, und uns
alle, die sie nicht beschützen konnten.

Während Adam das Treiben um das P.X. beobachtete,
hatte Hans einen der riesigen Negersoldaten überredet,
seinen unmittelbaren Vorgesetzten, einen Amerikaner in
Ziviluniform, herbeizurufen; der verhandelte hinter der
Glastür des langen und breiten mit einem Leutnant; der
Leutnant wieder führte ein ausgedehntes Telephonge-
spräch, und nachdem Adam und Hans die entsprechenden
Formulare ausgefüllt hatten, wurde ihnen schließlich der
Weg zum deutschen Geschäftsführer freigegeben.

Wie durch das Schlaraffenland, so gingen die Besucher

nun, von einem wachsamen Soldaten eskortiert, durch den amerikanischen Laden. Sie kamen an Ständen vorbei, hinter denen sich die weißen, gelben und roten Zigarettenstangen zu Bergen häuften; Türme von Konservendosen säumten ihren Weg; die Zahnpasten, Papierschnupftücher, Füllfederhalter, Gesichtswasser und Herrenhemden bildeten Pyramiden; in großen quadratischen Blöcken waren die Schokoladenschachteln aufgestapelt. Zwischen den Tischen tummelten sich Soldaten und amerikanische Frauen, mit Paketen und Papiersäcken beladen, dazwischen auch Kinder in blauen Texashosen und mit kurzen, wohlgefütterten Wintermänteln. Die deutschen Mädchen, die in ihren schwarzen Taftuniformen hinter den Kontors standen, hatten etwas von der amerikanischen Färbung angenommen, nicht nur, weil sie ihre geringen Englischkenntnisse mit besonderem Eifer vortrugen, sondern weil sie auch gepflegter aussahen als die übrigen deutschen Frauen und weil sie sich in Haartracht und Gehaben überraschend schnell dem Geschmack der Kunden angepaßt hatten.

In seinem überheizten Büro empfing der deutsche Geschäftsführer, Herr Fröhlich, die Gäste mit einer Miene, die seinem Namen wenig Ehre machte. Er war ein säuerlicher Mann von pedantischem Aussehen: ich würde ihm, dachte Adam, die Kasse mit ungezähltem Inhalt anvertrauen, aber vermutlich eben nur die Kasse. Immerhin zeigte sich Herr Fröhlich, der Typus des Halbgebildeten, vom Doktorgrad Adams einigermaßen beeindruckt, und nachdem er sich über das blitzblanke Haustelephon versichert hatte, daß ein gewisser Captain Mariani nichts dagegen habe, ließ er sich zu einer Erklärung über die fristlose Entlassung Inge Schmidts herbei.

„Ein Major", sagte er, den Offiziersgrad englisch aussprechend, „ist heute gegen halb elf Uhr morgens bei mir erschienen; er sagte, daß er in der jungen Schmidt, die am Seifenkontor tätig war, eine ehemalige Prostituierte erkannt habe. Als Offizier und Familienvater verwahrte er sich energisch dagegen, daß wir Mädchen dieser Art anstellen. Ich war, meine Herren, natürlich aus allen Wolken gefallen und ließ sofort die Angestellte kommen."

„War der Major noch anwesend?" warf Adam ein.

„Nein, er hatte sich entfernt", fuhr der Geschäftsführer schnell fort, „aber einer Konfrontierung bedurfte es nicht. Fräulein Schmidt kam bereits weinend herein und gestand auf meine Frage sofort, daß sie – vor ihrer Anstellung, behauptete sie allerdings – eine Dirne gewesen sei."

„Wieso wußte sie im Vorhinein . . .?" fragte Adam.

Der kleine Mann im schwarzen Anzug begann mit allzu großem Eifer seine ungefaßte Brille zu putzen.

„Bitte, Herr Doktor", sagte er scharf, „ich habe mich bereit erklärt, Ihnen gewisse Auskünfte zu erteilen, aber ich muß doch darauf bestehen, daß Sie mich nicht unterbrechen. Denken Sie, was Sie wollen, jedenfalls wußte Fräulein Schmidt bereits, als ich sie rufen ließ, daß sie entdeckt war. Sie benahm sich im übrigen äußerst ungehörig, indem sie, kaum daß sie sich einigermaßen erholt hatte, unflätige Bemerkungen über den Major ausstieß, die mir nur bewiesen, daß die Klage zurecht bestand. Nur um einen weiteren Skandal zu vermeiden, den ich ihr durchaus zutraute, ließ ich ihren Lohn bis heute, einschließlich des begonnenen Tages, auszahlen; sie dürfte uns kurz vor Mittag verlassen haben." Er stand auf. „Ihr Interesse an der jungen Dame", fuhr er sarkastisch fort, „ist nicht meine Sache, aber ich bin sicher, daß sie bald heimkehren wird, denn Unkraut verdirbt bekanntlich nicht. Good bye, meine Herren."

„Good bye", sagte Adam, und auch sein Englisch war nicht ohne Ironie.

Der Soldat, der vor der Tür des Geschäftsführers auf sie gewartet hatte, nahm sie wieder in Empfang und geleitete sie durch das Lokal dem Ausgang zu. Adam vermied es, seinen jungen Freund anzusehen. Erst als sie auf der Straße standen, sagte er:

„Wir wollen zum Ostfriedhof hinausfahren. Sie kann in ihrer Verzweiflung imstande gewesen sein, zu ihrem Vater zu gehen."

An der Straßenbahnhaltestelle mußten sie lange warten. Adam machte seinem Ärger Luft:

„Der Herr Major! Jetzt ist seine Frau da: er hatte Angst vor Inge. Kreuzfahrer, wie sie im Buch stehen."

„Ob es sie je loslassen wird . . .", sagte Hans.

„Das hängt von Ihnen ab", sagte Adam beinahe grob.

Der Rentner Alois Schmidt lag auf dem Diwan mit den Löwenköpfen, als Adam und Hans das Zimmer betraten. Er war in Hemdsärmeln und Pantoffeln; seine Hosenträger hingen lose an seiner offenen Hose. Das Zimmer roch wie eine einzige Alkoholflasche, und es war offenbar, daß Schmidt im Begriffe gewesen war, seinen Rausch auszuschlafen. Beim Anblick Adams richtete er sich auf: er wollte wohl aufspringen, um den frechen Eindringling sofort aus seinem Haus zu weisen, aber sein Kopf war zu schwer und er sank auf den Diwan zurück. Im übrigen konnte sich Adam, der unterwegs allerhand Finten ersonnen hatte, um nicht mit der offenen Frage ins Haus zu fallen, seine taktischen Manöver ersparen – trunken wie er war, erriet Schmidt doch sogleich den Zweck des Besuches.

„Ist sie Ihnen also auch davongelaufen?" sagte er. „Bei mir brauchen Sie die Hur nicht zu suchen, zu mir ist sie nicht gekommen." Er lachte. „Was haben Sie von ihr erwartet? Ein Mädchen, das ihrem Vater davonläuft . . ." Er stützte sich auf den Ellbogen auf. „Ihrem Vater ist sie davongelaufen!" Mit der Beharrlichkeit der Betrunkenen klammerte er sich an den Gedanken, der ihm neu erschien. „Ihren Vater hat sie verlassen, der für sie gesorgt hat! Jawohl, davongelaufen ist sie mir, auf meine alten Tage, jetzt, wo sie endlich meine Stütze hätte sein müssen." In seine geröteten Augen traten Tränen. „Undankbar ist sie, Ihnen ist sie auch undankbar . . ." Bei diesem Gedanken verweilte er für einen Moment. Dann blickte er Adam an und Erinnerung leuchtete auf in seinen Zügen. „Sie . . . Ihnen mußte sie ja davonlaufen . . . Sie sind daran schuld, Sie haben mir meine Tochter gestohlen, und jetzt ist sie weg . . ."

Es gelang ihm endlich, aufzustehen; wankend, aber entschlossen ging er auf die beiden Männer zu, und da er nicht sogleich eine andere Waffe fand, begann er wütend seine schleifenden Hosenträger abzuknöpfen: er konnte seine Absicht jedoch nicht ausführen, weil er sich hoffnungslos in die Enden der Hosenträger verwickelte. Es blieb ihm nichts anderes übrig als „Hinaus! Hinaus!" zu brüllen, und die beiden Männer traten den Rückzug an, weil es ihnen nicht auf eine neue Auseinandersetzung mit Alois Schmidt ankam, sondern nur darauf, Inge zu finden.

Draußen war es inzwischen dunkel geworden, aber es hatte aufgehört zu regnen.

„Wir wollen bei mir anrufen", sagte Adam. „Vielleicht ist sie inzwischen doch nach Hause gekommen."

Aus einem Restaurant rief er an. Nein, sagte er, als er sich wieder zu Hans gesellte, Frau Wild hatte nichts von Inge gehört.

„Ich fürchte ..." begann Hans, als sie wieder der Straßenbahnhaltestelle zustrebten.

„Ich weiß", unterbrach ihn Adam, „aber Sie haben unrecht, Hans. Ich bin überzeugt, daß sie keine Dummheit macht ... jedenfalls nicht die, die Sie befürchten."

Hans lachte bitter. „Dann eine andere", sagte er. „Vielleicht ist sie bei der ‚großen Blonden'."

„Sie meinen die Prostituierte ...?"

„Genau die meine ich."

„Dann gehen wir eben dorthin", sagte Adam. Und nach einem kurzen Zögern: „Das ist alles nicht sehr schön, Hans. Die Zeit, in der wir leben, erfordert einen guten Magen. Das vor allem, einen guten Magen."

„Es ist mehr als das", sagte Hans. „Wird die Vergangenheit sie je loslassen?"

„Sie haben es schon vorhin gefragt. Verfallen Sie bloß nicht in die deutsche Krankheit, ein einaktiges Schauspiel in ein Shakespearesches Drama zu verwandeln. Wir haben alle unsere Misere mit der Vergangenheit. Inges ist dramatischer, dafür aber auch kürzer. Kommen Sie! Mein Magen ist noch ganz gut, und der Ihre ist jünger."

Es war gegen sieben, als sie vor dem Haus am Sendlinger-Tor-Platz eintrafen. Im Fenster Ilse Joachims brannte Licht. Sie stiegen die Nottreppe hinauf. Als sie läuteten, öffnete ihnen ein junges Mädchen mit einem seltsam unschuldigen Gesicht. Sie trug einen Schlafrock und sah aus, als wäre sie gerade aus dem Bett aufgestanden.

„Zu Ilse können Sie jetzt nicht hinein. Sie hat einen Gast. Aber wenn Sie warten wollen ... bei mir drin."

„Danke", sagte Hans, „wir warten hier."

Das Mädchen zuckte mit den Achseln und verschwand in ihrer Kammer.

Die beiden Männer standen unschlüssig im schlecht beleuchteten Vorraum. Aus Ilses Zimmer kam Lachen. Irgendwo im verfallenen Haus wurde die Wasserspülung einer Toilette betätigt: das ganze Haus zitterte. Hinter einer der drei Türen, die sich aus dem Vorzimmer öffneten, krachte ein Bett.

Plötzlich ging die mittlere Tür auf, die Tür Ilses. Ein amerikanischer Soldat kam heraus. Er blieb stehen und zog den Gürtel unter seiner kurzen Eisenhower-Jacke zurecht. Er sah die Männer an und sein gutmütiges Gesicht verzog sich zu einem Grinsen. Mit dem Daumen über die Schulter auf die Tür hinter sich deutend, sagte er:

„Prima Fräulein!"

Hans klopfte an.

Die große Blonde war, zur Überraschung der Besucher, vollständig bekleidet. Sie war im Begriffe, ein Leintuch, das sie auf dem Kanapee ausgebreitet hatte, sorgfältig zusammenzufalten.

Adam brachte schnell, ehe Ilse den Zweck des Besuches hätte mißverstehen können, ihr Anliegen vor.

„Sie sind das also", sagte die große Blonde, Hans von Kopf bis Fuß musternd.

„Und Sie haben gar nichts von ihr gehört?" fragte Adam.

Ilse verstaute das Leintuch im Schrank, auf dem, wie immer, eine Batterie pausbäckiger Äpfel aufgereiht war.

„Zweimal", sagte sie. „Aber nicht persönlich. Sie hat mir einmal eine halbe Stange Zigaretten geschickt, einmal drei Tafeln Schokolade. Daß sie im P.X. arbeitet, hat sie mir sagen lassen. Sie ist ein gutes Mädchen."

„Und Sie haben keine Ahnung, wohin sie gegangen sein könnte?" sagte Hans.

Ilse setzte sich aufs Kanapee.

„Ins Wasser gegangen könnte sie sein", sagte sie. „Ihre Generation hat Bombennerven. Geschwächt von den Bom-

466

ben, meine ich. Sie könnten abgehärtet sein, aber es ist das Gegenteil. Je mehr sie erleben, desto schlechter werden die Nerven." Sie musterte wieder Hans. „Aber nett, daß Sie Inge suchen. Hätte ich Ihnen nicht zugetraut."

Hans wollte das Gespräch nicht verlängern, unwillkürlich sah er sie aber fragend an.

„Sie gehören ja auch zu der Bombengeneration", sagte sie verächtlich. Sie stand auf und ging zu dem Waschbekken, um das schmutzige Wasser auszuleeren. „Sie hat nicht hierher gepaßt", sagte sie. „Sie sollten sie heiraten, Herr Eber, wenn sie nicht ins Wasser gegangen ist. Aber wahrscheinlich haben Sie keine Courage dazu ... je jünger die Männer, desto feiger." Sie hielt auf einmal in ihrer Tätigkeit inne. „Da fällt mir etwas ein ... waren Sie schon in der ‚Mücke'?"

„Nein", sagte Adam, „warum gerade in der ‚Mücke'?"

„Wenn sie Geld hat ... dort ist sie ganz gerne hingegangen, wegen der feinen Atmosphäre."

„Gehen wir", sagte Hans, „wir können es versuchen. Und sollten Sie von ihr hören ..." Er gab Ilse die Adresse Dr. Wilds.

Sie gingen schnell und schweigend zum Nachtlokal hinter dem Hofbräuhaus. Als sie vor dem erleuchteten Lokal angelangt waren, sagte Adam:

„Haben Sie etwas Geld? Ich habe nichts bei mir."

„Es dürfte reichen", sagte Hans.

Die „Mücke" war überfüllt. Sie drängten sich an den tanzenden Mädchen und Soldaten vorbei, warfen einen Blick in das Nebenzimmer, und stellten sich endlich, ohne Inge gefunden zu haben, an die Bar.

„Vielleicht hat sie der Barmann gesehen", sagte Hans.

Er ging um die Theke herum, wo er mit dem Barmann ungestört ein paar Worte zu wechseln hoffte.

Adam sah ihm nach. Wenn sie nicht ins Wasser gegangen ist, dachte er. Und wenn wir sie finden. Und wenn es sein Magen durchhält, dann ... dann wird vielleicht alles gut.

Er fühlte, daß sich ein schwerer Arm um seine Schultern

legte. Als er sich umwandte, erblickte er einen Mann, der auf dem hohen Barstuhl neben ihm saß und aus einem großen Glas große Züge tat. Auf dem Wasserglas stand in blauen Buchstaben „Odol", aber die weiße Flüssigkeit im Glas war nicht Wasser, sondern Schnaps. Auch die Augen des Mannes schwammen in Schnaps. Er war ein Mann von etwa fünfunddreißig; seine schütteren Haare hingen in ein Gesicht, das wirkte, als wäre es tagelang dem Regen ausgesetzt gewesen. Seine langen Beine hingen wie die eines müden Hampelmannes knochenlos vom Barstuhl.

„Willst du einen Schnaps?" fragte der Fremde.

„Nein, danke", sagte Adam freundlich, „ich muß gleich gehen."

„Einen Doppelten für den Herrn", rief der Mann über die Theke. Adams Weigerung schien ihn nicht zu beeindrucken. „Du willst ja bloß nichts nehmen", sagte er lallend, „weil du glaubst, ich habe kein Geld. Aber du irrst dich, du irrst dich ganz gewaltig."

Er begann in seinen Taschen zu kramen. Jetzt erst bemerkte Adam, daß der Mann eine Wehrmachtsuniform trug, ohne Rangabzeichen, zum Teil ohne Knöpfe, eine zivilistisch bankrotte, zerschlissene Uniform.

„Kamerad", sagte der Mann, sich auf Adams Schulter stützend, „Geld habe ich haufenweise" – aber zugleich gab er die Suche in seinen Taschen auf. „Ich bin nämlich tot, und wenn man tot ist, braucht man kein Geld, das wirst sogar du zugeben."

„Gewiß", sagte Adam, nach Hans Ausschau haltend.

Der Fremde ließ ihn nicht los. „Du glaubst natürlich, daß ich betrunken bin, was aber eine optische Täuschung ist; ich bin nicht besoffen, denn ich bin tot, und einen besoffenen Toten hast du noch nicht gesehen, auch wenn du noch so gescheit bist." Er begann wieder in seinen Taschen zu kramen. „Ich kann es dir beweisen, schwarz auf weiß, Kamerad, ich bin tot . . . die Wehrmacht hat es meiner Frau bestätigt, schwarz auf weiß. Der Führer und Reichskanzler bedauert . . ." Er begann laut zu lachen; das Lachen schüttelte ihn; eine Weile konnte er vor Lachen nicht sprechen.

„Bedauert hat er es, der Führer und Reichskanzler. Unteroffizier Karl-Heinz Simmel tot ... ganz traurig war er, der Führer. Und meine Frau erst!" Er verzog das Gesicht zu einer Fratze karikierter Trauer. „Hat die geweint, hast du eine Ahnung, Kamerad! Sechs Wochen hat sie geweint. Dann hat sie einen anderen geheiratet, aus lauter Trauer natürlich, was tut man nicht alles in seinem Schmerz! Führer bedauert, Frau bedauert, Unteroffizier Simmel tot." Er drängte Adam sein Glas auf. „Trink', ich brauche es nicht mehr, du kriegst ja doch nichts."

„Und jetzt?" fragte Adam. Er mußte näheres von Unteroffizier Karl-Heinz Simmel erfahren.

„Jetzt hat sie zwei Männer", sagte der Mann. „Die meisten haben keinen, sie hat zwei."

„Das gibt es doch nicht", sagte Adam. „Die zweite Ehe ist ungültig."

Der Fremde lachte. „Du gefällst mir. Du sprichst wie die Behörden. Ungültig. Zweite Ehe – ungültig." Er beschrieb mit der Hand einen Kreis, wie um anzudeuten, daß die Behörden die zweite Ehe im weiten Bogen zum Fenster hinauswerfen wollten. „Aber meine Frau sagt: die erste Ehe ist ungültig. Ich bin ungültig. Zu-Spätheimkehrer, sagt sie. Sie muß es wissen. Sie sagt: tot ist tot." Er zuckte mit der Achsel. „Eigentlich hat sie recht. Tot ist tot. Wer tot ist, soll nicht nach Hause kommen." Er packte Adam noch fester an der Schulter. „Und du? Du bist nicht tot, was? Du bildest dir ein, du bist nicht tot." Und mit dem Zeigefinger einen Halbkreis beschreibend: „Die glauben alle, sie sind nicht tot. Saufen und wissen nicht, daß sie tot sind." Endlich ließ er Adam los und wandte sich an einen Mann, der neben ihm saß: „Er glaubt, er ist nicht tot", sagte er, höhnisch auf Adam weisend.

Im gleichen Moment gelang es Adam, Hans zu entdecken, der ein eindringliches Gespräch mit dem Barmann geführt hatte. Hans winkte ihm zu, und Adam bahnte sich einen Weg zum anderen Ende der Theke.

„Er hat sie gesehen", sagte Hans atemlos. „Er kennt sie.

Sie war vor einer Stunde hier. Sie kann nicht weit sein. Gehen wir!"

Der Regen hatte nicht wieder eingesetzt, aber der Nachtnebel lag feucht über den Straßen. Systematisch begannen die beiden Männer die Umgebung des Nachtlokals abzusuchen. Jetzt, da Hans wußte, daß er sie finden konnte, war er von neuer Energie beseelt. Adam beobachtete seinen jungen Freund und ein beinahe fröhliches Gefühl überkam ihn vor dieser Liebe, die sich so schnell zu regenerieren wußte und mit so sicherem Instinkt die Fallen umging, die ihr die Zeit stellte. Warum nur, dachte er jetzt mit doppelter Intensität, war Inge aus dem P.X. nicht heimgeeilt zu ihm und Frau Wild und Hans? Wie tief mußte in den kurzen Jahren ihres Lebens das Mißtrauen Wurzel geschlagen haben, daß sie, nach all den Monaten, die sie in seinem Haus verbracht hatte, doch nicht wußte, wie sie alle zu ihr standen. Und dennoch war es nicht verwunderlich, denn selbst Hans hatte zweimal an diesem Abend gefragt, ob sie loskommen könnte von der Vergangenheit, und er meinte damit wohl, ob er es könnte – wer in diesem Land lebte noch ohne das gestrige Gespenst, und wenn es nicht das Gespenst der zwölf Jahre war, dann war es das Gespenst der Jahre, die nach den zwölf kamen.

Hans hatte Adam am Arm gefaßt und zog ihn mit sich, als führte ihn ein Instinkt, der dem anderen fremd war. Eine Stunde war in vergeblicher Suche vergangen; nun bemerkte Adam, daß ihn Hans, still geworden und voll innerer Spannung, in der Richtung der Isar lenkte.

„Es gibt ein kleines Restaurant", sagte Hans endlich, „dort saßen wir, als wir uns kennenlernten; wir haben es vor einigen Tagen wieder besucht . . ."

Sie gingen schnell, der Jüngere immer voran, Adam mühsam mit ihm Schritt haltend.

Als sie den Viktualienmarkt überquerten, zwischen den geschlossenen Verkaufsständen, die sich aus dem Nebel hoben wie die großen Grabsteine eines nächtlichen Friedhofs, blieben sie beide auf einmal stehen. Nur wenige Schritte vor ihnen ging eine schmale Mädchengestalt, schwankend, stehenbleibend, wieder weitergehend.

„Ich lasse Sie jetzt lieber allein", sagte Adam leise, obwohl ihn niemand hören konnte. „Bringen Sie sie gesund nach Hause. Wir werden warten."

Hans wollte noch Danke sagen, ehe er der einsamen Gestalt folgte. Aber Adam Wild war zwischen den Buden verschwunden.

Der Colonel hat drei Unterredungen

Die Villenstraße in Harlaching bei München wirkte, eine Woche vor Weihnachten 1947, wie die Straße der „residential section" einer amerikanischen Provinzstadt. „Jeder Engländer ist eine Insel", hatte der deutsche Romantiker Novalis einst geschrieben; mit den Amerikanern hatte er offenbar wenig Erfahrungen. Im fast gänzlich beschlagnahmten Villenviertel in Harlaching, wie überall, wo sie sich zu dauerndem Aufenthalt niederließen, hatten sich die Söhne der großen Insel ihre kleine Insel geschaffen.

Was die Deutschen für Hochmut hielten, für die Verachtung des besetzten Landes, seiner Leute und Sitten, war nicht Hochmut, sondern der absonderliche Mangel an Assimilationsfähigkeit, welche die Inselbewohner auszeichnete. Es war ein falscher Schluß, den die Europäer, auch außerhalb Deutschlands, zogen: daß die Amerikaner etwa besonders anpassungsfähig sein mußten, weil sie selbst, ihre Eltern oder ihre Vorfahren, aus Europa ausgewandert waren. Das Gegenteil war der Fall. Nicht als eine überseeische Fortsetzung Europas empfanden die Amerikaner ihr eigenes Reich, sondern als die Fortentwicklung des „old country", eines verwesenden Erdteils, dem man sich so wenig anpassen konnte oder sollte wie dem Friedhof, in dem die Vorfahren ruhten. Es gab, wie dies in der Beziehung der Menschen zu Friedhöfen ja allgemein ist, Leute, welche die Grabesstätte mieden; oder solche, die ihr zuweilen einen makabren Reiz abgewannen; oder solche, die sich vor ihr, von Zeit zu Zeit, pietätvoll verneigten. Nur wenige jedoch empfanden Lust, sich im Friedhof häuslich einzurichten. Dazu kam Unsicherheit und mangelnde Stabilität der jungen Bürger, die sich sogar in Amerikas Gesetzen offenbarte – den neuesten Bürgern verboten sie, für mehr als drei Jahre in ihre einstige Heimat zurückzukehren. Die Versuchungen, die an den Franzosen in Deutschland, den Italiener in Norwegen oder den Deutschen in England herantraten, waren gering: die amerikanischen Gesetzgeber, die Amerikaner selbst, fürchteten aber, vielleicht nicht mit Unrecht, der sterbende Erdteil könnte seine verlorenen Kinder locken, aufnehmen und schließlich aufsaugen. Die Amerikaner wollten sich nicht anpassen, weil sie Europa verachteten und weil sie es liebten, beides uneingestanden und beides in hohem Maße.

Mit äußeren Mitteln, man hätte sie auch oberflächlich nennen können, die sie unbewußt und ohne bösen Willen anwandten, wehrten sich die Amerikaner gegen die Verführung der „alten Heimat". Der Oberkommandierende der amerikanischen Besatzungstruppen, der jetzt in der zerrissenen Hauptstadt Berlin saß, rühmte sich, seines Eingeständnisses nicht bewußt, daß er kein einziges deutsches Wort kannte; kaum war eine amerikanische Siedlung bezogen, als sich die Frauen der Sieger schon geschäftig in Frauenvereinen organisierten; demonstrativ – und daß solche Demonstration ein Schwächebekenntnis war, konnten die Besiegten nicht verstehen – wurden die amerikanischen Kinder in unpassende Wildwest-Kleidung gesteckt; die P.X. und Commissaries und Restaurants der „dependents" lieferten in verräterischem Überfluß die gewohnten Genüsse des Gaumens, solcherart auch der verlockenden europäischen Küche kulinarischen Widerstand entgegensetzend; amerikanische Rundfunkstationen boten dem Ohr aufdringlich die Nahrung amerikanischen Sentiments – den Besiegten mußte es so scheinen, als wollten die Sieger um jeden Preis „besser" sein, während die sich nur krampfhaft an ihr in wenigen Jahrzehnten mühsam erworbenes Anderssein klammerten.

Vor Weihnachten äußerte sich dieses Anderssein in seinen vielleicht drastischsten Formen, denn wie die Menschen nichts so sehr unterscheidet wie ihre Fröhlichkeit und die Ursache ihres Lachens, so trennt sie nichts mehr als die Stimmung ihrer Feste. Hartnäckig bestanden die Amerikaner darauf, ihr Weihnachten auch im fremden Land am Morgen des 25. Dezember zu feiern; ebenso hartnäckig stellten sie ihre Weihnachtsbäume in die Gärten vor ihren Häusern, hingen sie Adventskränze an die Türen ihrer Wohnungen, zündeten sie ihre Bäume schon Wochen vor dem Heiligen Abend an – nicht allein feuertechnischen Sicherheitsmaßnahmen war es zuzuschreiben, daß die M.P.s in diesen Tagen ununterbrochen durch die amerikanischen Viertel streiften, um zu verhindern, daß an den Christbäumen feuergefährliche deutsche Kerzen statt moderner elektrischer Girlanden angebracht werden.

Eine Woche vor dem heiligen Fest brannten die bunten elektrischen Birnen auch auf dem Weihnachtsbaum, den Betty Hunter am Gartenzaun des Hauses in der Harthauserstraße angebracht und mit Hilfe der Kinder liebevoll ausgestattet hatte. Einen wohlgefälligen Blick auf diesen Baum warf der Colonel, als sein Wagen am 17. Dezember, um sechs Uhr abends, durch das Parktor in sein beschlagnahmtes Grundstück einfuhr.

Betty, seit Tagen mit Weihnachtseinkäufen beschäftigt, war mit den Kindern noch unterwegs: daß Marianne im Hause war, überraschte den Colonel. Er hatte es sich gerade in dem schon weihnachtlich geschmückten Salon bequem gemacht und war im Begriffe, sein abendliches Glas Whisky zu leeren, als Marianne das Zimmer betrat.

„Ich möchte mit Ihnen sprechen, Colonel", sagte sie, „wenn Sie einige Minuten Zeit haben."

„Selbstverständlich", sagte Hunter, „nehmen Sie Platz."

Er bot ihr ein Glas Whisky an; sie lehnte ab. Er setzte sich, ihr gegenüber, an den Kamin und wartete.

Das Gefühl des Unbehagens, das ihn in ihrer Nähe stets beschlich, blieb auch jetzt nicht aus. Seltsamerweise mußte er in ihrer Anwesenheit, besonders wenn sie allein blieben, wie dies immer noch zuweilen geschah, oft an seine Tante Geraldine denken. In seiner Kindheit in Columbus, Ohio, spielte Aunt Geraldine, die Schwester seiner Mutter, eine besondere Rolle. Eigenartig, exotisch und aufregend wie ihr Name war sie selbst. Sie kam nicht oft, ein- oder zweimal im Jahr, auf dem Weg von New York nach Kalifornien, oder umgekehrt, mit unzähligen Koffern und Hutschachteln und Kleidern und Geschenken. Hunter wußte nicht mehr, wie sie ausgesehen hatte, und ob ihr Marianne äußerlich ähnelte: nur vage war seine Vorstellung von einem dunklen und feurigen Elementarereignis, das wie ein sommerliches Gewitter an dem Haus des Generals Hunter vorbeizog. Daran aber erinnerte er sich ganz genau, daß ihn in ihrer Anwesenheit stets ein Schuldgefühl beschlichen hatte, oder ein Minderwertigkeitsgefühl vielmehr: seine ordentlichen Anzüge erschienen ihm plötzlich plump und kindisch, seine Rede ungehobelt und unreif und er selbst kam sich immer um einige Jahre jünger vor, als er in Wirklichkeit war. Er wich ihr aus oder versuchte in ihrer Anwesenheit aufzutrumpfen, und als sie einmal, gelangweilt und nur auf Zureden seines Vaters, einem Baseballspiel beiwohnte, versagte Graham, der Star seines Vereins, so vollständig, daß er sich monatelang von seiner Niederlage nicht erholen konnte. An diese Tante, die man später übrigens nie erwähnte – ihrem dritten Mann war sie davongelaufen und unter mysteriösen Umständen bei einer Kahnfahrt im Lake Michigan ertrunken –, mußte Colonel Hunter in Anwesenheit Mariannes mehr als einmal denken, nur daß er sich heute, am Rande des Alters, nicht jünger, sondern älter vorkam, wenn sie ihn prüfend, wie es Aunt Geraldine einst getan hatte, ansah.

„Colonel", sagte das Mädchen, „ich will es kurz und schmerzlos machen. Ich möchte meine Stellung kündigen und, wenn möglich, schon vor Weihnachten gehen."

„Aber Marianne", sagte Hunter betroffen, „– es kommt so überraschend. Ist irgend etwas geschehen?"

„Nein", sagte Marianne, „es ist nichts geschehen."

„Also ...?"

„Wenn Sie unbedingt einen Grund haben wollen, Colonel ... mein Vater ist entnazifiziert worden. Wir haben zwar nichts mehr, aber wir können immerhin wieder anfangen. Er ist alt und will mich um sich haben."

„Ich verstehe", sagte Hunter. Er verstand nicht. Er wußte, daß sie nicht die Wahrheit sprach, auf keinen Fall die ganze Wahrheit. „Ich freue mich für Sie", fuhr er fort, „aber es wird ein schwerer Schlag für Mrs. Hunter sein. Für uns alle ..."

„Es wird kein schwerer Schlag für Mrs. Hunter sein", sagte Marianne. Ihre dunklen Augen wurden hart. „Es wird ein Triumph für Mrs. Hunter sein."

„Was meinen Sie ... ?"

„Sie wissen genau, was ich meine, Colonel", sagte sie. „Und heute macht es mir nichts mehr aus, meine Niederlage zu bekennen."

„Es tut mir leid, Marianne", sagte er, weil er nichts anderes zu sagen wußte.

„Es braucht Ihnen nicht leid zu tun, Graham", sagte sie. Sie nannte ihn plötzlich Graham, wie sie ihn in den Stunden oder Minuten genannt hatte, in denen alles anders hätte kommen können, als es gekommen war. „Ich habe ein großes Spiel gespielt und ich habe es verloren. Ich möchte nicht, daß Sie glauben, ich wollte etwas von Ihnen ... ich wäre auch ohne amerikanische Konserven ausgekommen. Ich wollte auch nicht die Frau eines Amerikaners werden ... in ein paar Jahren wird unser Reisepaß so gut sein wie der Ihre. Ich weiß nicht, ob ich Sie geliebt habe, Graham. Aber ich wollte Sie dieser Siegerfrau wegnehmen. Bitte, unterbrechen Sie mich nicht; ich gehe, und zum Abschied habe ich das Recht, alles auszusprechen." Sie lachte kurz auf. „Ich hätte Sie ‚verführen' können, damals, im Sommer; bevor Ihre Familie kam. Sie sehen, ich bin ‚fair', wie Sie das nennen. Ich gäbe sonst nicht zu, daß die Lust, Sie ihr wegzunehmen, erst erwachte, als sie hier war. Dann erst sah ich, was eine amerikanische Frau mit einem Mann zu tun imstande ist. Sie sind ein Mann und Sie sind jung, wenn Sie auch beides vergessen haben. Diese Frau hat Sie in Ihren besten Jahren zum Greis gemacht, Graham, damit Sie so werden, wie sie ist, alt und häßlich und unbegehrt. Es macht mir nichts aus, daß Sie jetzt aufspringen und sich ritterlich entrüsten. Ich gehe lieber heute als morgen, aber ich werde zu Ende sprechen.

Ich habe beinahe zwei Jahre meines Lebens verschwendet. Ich habe versucht, Ihnen die Augen zu öffnen. Ich habe versucht, Ihnen die Lächerlichkeit dieser Frau zu demonstrieren. Sie haben es nicht gesehen, oder Sie haben es nicht sehen wollen." Sie stand auf. „Schauen Sie sich einmal in diesem Haus um. Dort drüben, die Sammlung von Bierkrügen. Diese Sammlung von grauenvollen Bildern an der Wand. Ihre häßliche, kleine, bebrillte Frau im Dirndl. Ihre Kinder, verzogen und verwöhnt, zu Verbündeten Ihrer Frau gegen Sie verschworen. Was hat sie Ihnen je gegeben als nagenden Ehrgeiz? Diese Frauen heiraten halbe Kinder, damit sie Greise werden im Mannesalter. Sie glauben, daß ich bitter bin, Graham, weil Sie mich nicht genommen haben. Es ist wahr, ich habe mich Ihnen angeboten. Aber ich habe gesehen, wie Sie gezittert haben, Graham, wenn ich auch nur einen anliegenden Pullover oder ein Badekostüm trug. Sie haben nicht widerstanden, weil Sie mich nicht wollten, auch nicht aus Puritanismus, sondern weil man Ihnen abgewöhnt hat, etwas zu wollen."
Sie hielt inne, aber nicht lang genug, um ihm die Möglichkeit zu einer Erwiderung zu bieten. Viel stiller sagte sie: „Ich wurde besiegt, Graham, und es ist höchste Zeit, daß ich meine Zeit nicht mehr verliere. Sie hat mich nicht besiegt. Besiegt hat mich der fürchterliche amerikanische Applepie mit Käse, der Sie an die Küche Ihrer Mutter erinnerte; das Whisky-Trinken Ihrer Frau um sechs Uhr nachmittag; das Erkennen der barbarischen Cowboy-Lieder im Rundfunk; die Tatsache, daß diese gräßlichen Maßkrüge auch Ihnen ganz gut gefallen, und da draußen, dieser Jahrmarktsbaum mit den elektrischen Lichtern. Bleiben Sie so glücklich wie Sie sind, Graham, und wenn Sie Ihren Generalsstern endlich bekommen, kaufen Sie ihr einen rosa lackierten Wagen und einen hellblauen Oster-Hut."

Vielleicht wollte sie noch etwas sagen, aber nun gelang es Hunter endlich, sie zu unterbrechen. Seine Stimme vibrierte vor verhaltener Erregung, als er sagte:

„Es tut mir leid, Marianne, daß Sie Ihre Bitterkeit zu Äußerungen hingerissen hat, die weder Ihrem Charakter noch Ihrer Erziehung entsprechen. Ich wäre Ihnen dankbar, wenn Sie das Haus verließen, ehe Mrs. Hunter zurückkehrt. Ich werde eine Erklärung finden. Ihr Gehalt steht Ihnen in meinem Büro zur Verfügung."

Sie ging zur Tür. Dort wandte sie sich noch einmal um; sie wollte etwas sagen, aber die bislang unterdrückten Tränen liefen jetzt uneingedämmt ihre Wangen hinunter. Sie hatte Mühe, sie zu verbergen, als die alte Wirtschafterin eintrat und Oberstleutnant Green anmeldete.

„Komme ich zu früh?" fragte Frank, als er des verwirrt dastehenden Colonels gewahr wurde.

„Nein, nein", sagte Hunter. „Es ist nur ... nun, gleichgültig. Scotch oder Bourbon, Frank?"

„Scotch, wenn ich bitten darf."

Der Colonel reichte ihm ein Glas und frischte seinen eigenen Whisky auf.

„Ich werde Sie nachher einen Moment allein lassen müssen", sagte er. „Unser Kindermädchen hat gerade gekündigt. Ich muß es Betty schonend beibringen."

„Die Gräfin Artemstein?" sagte Frank. „Ihr Vater wurde, soviel ich weiß, neulich entnazifiziert."

„Kennen Sie sie?"

„Ich habe seinerzeit ihren Akt überprüft", sagte Frank. „Es war mir schon damals klar, daß er unschuldig war."

„Ja", sagte der Colonel geistesabwesend. „Ich nehme an. Damit hängt wohl auch ihre Kündigung zusammen."

Kurz darauf hörte man Lärm und Kinderlachen aus dem Vorzimmer. Der Colonel entschuldigte sich.

Das Abendessen, das sie zu dritt einnahmen – der Colonel, schweigsam; Frank, sich des schleichenden Unbehagens bewußt; Betty lebhaft und aufgeräumt – ging endlich vorbei. Aber auch als sich Mrs. Hunter zurückgezogen hatte und die beiden Männer im Salon allein blieben, kam der Colonel nicht gleich zum eigentlichen Zweck seiner Einladung.

Sie sprachen ausführlich über George Green. Nicht nur der „Urlaub" Franks – so lange her, daß sie ihn beinahe vergessen hatten – war erfolglos verlaufen; viele Monate waren ins Land gegangen, aber George Green, sein Fahrer Jones und der ehemalige Gefreite Maurer blieben verschollen. Die amerikanischen und deutschen Steckbriefe wurden alle drei Monate erneuert, die Untersuchung war jedoch längst im Sande verlaufen. Hie und da wies ein Ereignis in die Richtigkeit der Theorie Franks, daß George ein Opfer des schwarzen Marktes geworden sei; ein anderes wieder schien zu beweisen, daß die politischen Befürchtungen des Colonels zutrafen. Bei einer umfassenden Schwarzmarktrazzia in Rom hatte die Polizei einen Mann verhaftet, der genau der Beschreibung Maurers entsprach, aber ehe man die Angaben aus Italien überprüfen konnte, war der Schwarzhändler aus dem Polizeigefängnis entsprungen. Andererseits waren in der deutschen Ostzone, Hunter hatte es Frank vertraulich mitgeteilt, vier Agenten der Amerikaner festgenommen worden: sie waren Leute, mit denen gerade George in engem Kontakt gestanden hatte.

„Verzeihen Sie, wenn ich das sage", meinte der Colonel, „aber ich fürchte, wir werden noch von Ihrem Bruder hören. Indessen habe ich Sie nicht deshalb zu mir gebeten."

„Hoffentlich keine neue O'Hara-Mission", versuchte Frank zu scherzen. Er hatte während des ganzen Abends das Gefühl gehabt, daß der Colonel einer Aufheiterung bedurfte.

„Nein", sagte Hunter, sich eine Zigarre anzündend, „die delikate Mission habe heute ich übernommen. Und es ist eine Mission, die Sie betrifft, Frank. Lassen Sie mich gleich zum Gegenstand kommen, so peinlich er mir ist." Er blickte den Rauchringen seiner Zigarre nach und vermied es, Frank ins Gesicht zu sehen. „Seit geraumer Zeit sind anonyme Anzeigen gegen Sie eingelaufen, die ich, schon ihres anonymen Charakters halber, in den Papierkorb habe wandern lassen. Nun sind sie, wahrscheinlich weil ich sie ignoriert habe, direkt an den General gelangt."

„Anonyme Anzeigen?" fragte Frank verblüfft.

„Anonym oder nicht, darauf kommt es jetzt nicht mehr an", sagte der Colonel. „Die Frage ist, was an ihnen wahr ist, und was nicht. Sie betreffen Ihr Privatleben, Frank, deshalb ist mir die Angelegenheit so peinlich. Es war immer mein Prinzip, mich, sofern sie den Dienst nicht unmittelbar betrafen, nicht um die Privatangelegenheiten meiner Offiziere zu kümmern. Leider sind in diesem Fall die Grenzen nicht leicht zu ziehen."

„Sie sprechen von Elisabeth von Zutraven, Colonel", sagte Frank.

Der Colonel blickte ihn an. Auf seinen Zügen stand ein Lächeln der Anerkennung.

„Das sieht Ihnen ähnlich, Frank", sagte er herzlich. „Sie ersparen mir sogar die Unannehmlichkeit einer Anklage gegen Sie."

„Sie überschätzen mein Entgegenkommen, Colonel", sagte Frank. „Ich bin nur geständig, weil ich mich nicht schuldig fühle."

„Mit anderen Worten, Besatzungsklatsch."

„Durchaus nicht. Ich weiß nicht, was in den anonymen Briefen steht, aber ich würde mich nicht wundern, wenn sie ausnahmsweise die Wahrheit sagten. Ich liebe Elisabeth von Zutraven und werde sie heiraten, sobald es die Gesetze gestatten."

Der Colonel sprang auf. „Sie sind wohl nicht bei Trost, Frank!"

„Warum nicht?" fragte Frank ruhig. „Seit wann haben wir die Sippenhaftung eingeführt? Außerdem ist sie von Zutraven geschieden. Sie selbst stand vor der Spruchkammer und wurde freigesprochen."

„Ich bitte Sie, Frank!" sagte der Colonel. „Sprechen Sie doch nicht mit mir, als stünden Sie vor einem Militärgericht. Ich habe Ihren Fall nicht auf den Wortlaut des Gesetzes hin geprüft und fühle auch nicht die geringste Veranlassung, es zu tun. Aber Sie können doch nicht die Augen verschließen. Die Frau war eine der prominentesten Damen des Dritten Reiches. Sie sind nicht nur amerikanischer Offizier, ein mit der Untersuchung nationalsozialistischer Umtriebe betrauter Abwehroffizier, Sie sind auch ..."

„Jude", ergänzte Frank.

„Nun ja", sagte Hunter, „wenn Sie es schon ausgesprochen haben. Die Sache ist einfach grotesk."

„Gibt es ein Gesetz, das Juden verbietet, zu verzeihen?"

„Gesetz, Gesetz ... ich sage Ihnen ja, daß ich nicht von Gesetzen rede. Sie können doch nicht einfach die sechs Millionen Juden vergessen ..."

„Seien Sie beruhigt, Colonel", sagte Frank, „ich vergesse sie nicht. Aber wenn Sie unbedingt von meinem Judentum sprechen wollen ... es ist da allerhand, was ich im Laufe der Zeit erkannt habe. Seit beinahe zweitausend Jahren leiden die Juden unter der größten und gröblichsten Kollektivschuldlüge, welche die Geschichte je gekannt hat. Das allein sollte sie lehren, einer neuen Kollektivschuldlüge nicht die Hand zu bieten. Das sagt mir die Vernunft ... das Gefühl sagt mir noch einiges mehr. Ich weiß, daß Sie der letzte sind, Colonel, der sich dessen bewußt wird, aber die Verpflichtung zum Haß, die man den Juden auferlegt, entspringt einer im Grunde antisemitischen Empfindung. Die Christen sollen verzeihen, die Juden hassen ... das ist ein unchristlich-christliches Konzept. Der alttestamentarische Gott der Rache ist eine antisemitische Erfindung. Wenn ich eine spezifisch ‚jüdische' Beziehung zu den besiegten Deutschen habe, dann höchstens in dem Sinne, daß ich sie besser verstehe als die meisten Amerikaner. Leidende Völker, es ist ein merkwürdiges Phänomen, sind den Juden immer ähnlich; das Leid, scheint mir, ist charakteristischer als die Charakterzüge, die den Völkern eigen sind. Ich kann nicht auf Schritt und Tritt die Gründe untersuchen, die zum deutschen Elend geführt haben – als Jude, wenn auch als amerikanischer, ist mir das Elend verwandt." Er leerte das Cognacglas, das der Colonel vor ihn hingestellt hatte. „Im übrigen hat das alles mit Elisabeth von Zutraven wenig zu tun. Verzeihen Sie, wenn ich vom Thema abgewichen bin."

„Ja", sagte Hunter, „wir sind vom Thema abgekommen. Ihre Beziehung zu Frau von Zutraven ist mit Ihrer Position unvereinbar. Ich verstehe nicht, daß Sie das nicht sehen."

„Ich sehe es ganz und gar nicht", sagte Frank. „Irgendwo muß unserer Politik doch eine gewisse Logik innewohnen. Wir können nicht einen Mann wie den SS-Obersturmbannführer Gert Mante freilassen – das ist gestern geschehen, höre ich – und einem amerikanischen Offizier verbieten, eine deutsche Frau zu heiraten."

„Das sind hochpolitische Ausflüchte, Frank. Ihr Aufgabenkreis umfaßte bisher ausschließlich Naziumtriebe. Sie können angesichts dieser Beziehung unmöglich unbeeinflußt bleiben. Genau das sagen die anonymen Briefe, und das ist bedauerlicherweise durchaus logisch."

„Und wer will beweisen, oder auch nur behaupten, daß mich Elisabeth von Zutraven im nationalsozialistischen Sinn beeinflußt?"

„Sie können doch nicht so verblendet sein, die Vergangenheit dieser Dame einfach zu negieren", sagte Hunter. „Ich will es Ihnen nicht schwer machen, Frank." Er ging langsam zum Fenster und blickte in den dunklen Garten hinaus. „Sie sind jung und unverheiratet", fuhr er fort, „und können tun und lassen, was Sie wollen. Ich verstehe die fatale Anziehung der deutschen Frauen. Man muß nicht hier geboren sein, um sie zu verstehen. Es gibt kaum noch einen Besatzungssoldaten, der ihrem Reiz nicht verfallen wäre. Wir kommen aus einem Land, das von Frauen beherrscht wird, und es beeindruckt uns tief, daß uns diese Frauen die Hausschuhe vor den Kamin stellen. Unsere Frauen haben das Stadium der Emanzipation übersprungen: sie sind von der Sklaverei gleich zur Diktatur übergegangen. Glauben Sie nicht, Frank", sagte er warm, „daß ich zu alt oder zu verknöchert bin; auch an mich ist die Versuchung herangetreten. Es gibt keine größere Versuchung als das Wiederfinden der Normalität in einer abnormalen Zivilisation wie es die unsere ist." Er wandte sich wieder Frank zu. „Aber es ist Ihr besonderes Unglück, Frank, daß die Frau, die Sie gefunden zu haben glauben, einen der prominentesten Namen des besiegten Regimes trägt. Ich will nicht zweifeln, daß sie persönlich einwandfrei ist; zu wenig weiß ich von ihr. Aber es gibt so etwas wie eine Konvention, selbst in einer Besatzungsarmee." Und, als sich Frank erhob: „Ich will Sie nicht drängen, Frank. Sie müssen sich jedoch innerhalb der nächsten Wochen entscheiden. Der General ist in diesen Fragen äußerst intolerant. Es würde mir aufrichtig leid tun, Sie zu verlieren."

„Ich kann Ihnen meine Antwort jetzt schon geben, Colonel."

„Ich bitte Sie, es nicht zu tun, Frank", sagte Hunter.

„Wie Sie wünschen, Colonel."

Er wollte gehen, aber Hunter hielt ihn zurück. Es kam dem Colonel nicht nur darauf an, das Gespräch um keinen Preis mit einem Mißton enden zu lassen. Er wollte auch nicht allein bleiben. Es war nicht zu vermeiden gewesen: Marianne war noch im Haus, als Betty von ihrem Stadtbesuch zurückkehrte. Das Mädchen hatte schnell eine Ausflucht gefunden: ihr Vater sei schwer erkrankt, ihre Anwesenheit habe sich als unerläßlich erwiesen. Der hastige und ungerührte Abschied jedoch, Bettys vorzügliche Laune, die eine oder andere Bemerkung, die sie bei Tisch fallen ließ, überzeugten Hunter, daß Marianne nicht unrecht hatte, als sie von einem kommenden Triumph seiner Frau sprach. Der diabolische Zufall, daß er mit Frank Green gerade heute Abend diese Unterhaltung hatte führen müssen, die ihn ununterbrochen an ihn selbst gemahnte; der Schmerz, den ihm die Abwesenheit der Frau mit Sicherheit bereiten würde und der von dem Abscheu vor ihrer plötzlichen Enthüllung nur im Augenblick unterdrückt wurde; das unvermeidliche Gespräch mit Betty über Mariannes unerwarteten Entschluß – das alles ließ Hunter die nächsten Tage fürchten. Noch über eine Stunde lang verwickelte er Frank in ein allgemeines, aber besonders freundschaftliches Gespräch, und es hatte Mitternacht geschlagen, als sein Untergebener ging und er selbst die Stufen zum ehelichen Schlafzimmer emporstieg.

Er entkleidete sich in der Dunkelheit; mit Erleichterung hatte er festgestellt, daß Betty schlief. Vorsichtig, um sie nicht zu stören, legte er sich in sein Bett. So lag er auf dem Rücken, wie er es seit seiner Jugend gewohnt war, die Hände hinter dem Kopf gefaltet, die Augen geschlossen: er versuchte sogar, nicht nachzudenken, weil er befürchtete, seine lauten Gedanken könnten die Schlafende wecken.

Mariannes Abschied im vorweihnachtlichen Wohnzimmer zog noch einmal an ihm vorbei, und je mehr er trotz seines Widerstrebens über ihre Worte nachdenken mußte, desto tiefer geriet er in das Gestrüpp von Lüge und Wahrheit. Er klammerte sich an ihre überraschende Vulgarität, weil er von der plastischen Erinnerung an das sich ordinär gebärdende Weib endgültige Ernüchterung erhoffte. Aber in ihren von Vorurteil und Enttäuschung entstellten Worten war eine gute Portion Wahrheit gewesen, und in ihrer Maßlosigkeit, die sie zur Gewöhnlichkeit verleitete, war jene Leidenschaft, die Hunter in seiner Ehe vermißt und die zu kosten er nun endgültig versäumt hatte.

Der Schlaf wollte nicht kommen und er war schon im Begriffe, behutsam nach einer Zigarette zu tasten, als er die Stimme seiner Frau neben sich vernahm.

„Tut es dir leid, Graham?" fragte Betty leise.

„Was?"

„Daß sie weg ist."

„Gewiß", sagte er, und ein Knoten schien seine Stimmbänder abzuschnüren.

„Hast du sie geliebt, Graham?"

„Ich weiß nicht."

„Aber ich habe es gewußt. Sie war schön und jung und sie war eine Deutsche."

„Ist das ein Vorteil?" fragte er, sich seiner Heuchelei bewußt.

„Ja", sagte Betty. „Für eine Frau ist es ein Vorteil, zu den Besiegten zu gehören."

„Gleichgültig", sagte Hunter. „Sie ist fort."

„Es wird eine andere kommen", sagte Betty.

„Es ist nichts zwischen uns geschehen."

„Ich weiß. Aber du bedauerst es."

„Willst du mich quälen?"

„Nein, Graham. Ich bewundere dich. Es muß schwer gewesen sein. Ich habe viel von ihr gelernt. Nur schön und jung kann ich nicht mehr werden."

„Du brauchst dich nicht zu ändern, Betty."

„Ich war nicht immer fair, Graham. Sie war zu Hause; ich mußte so tun, als wäre auch ich zu Hause."

Er suchte in der Dunkelheit ihre Hand.

„Wir wollen nicht mehr darüber sprechen", sagte er.

„Gäbe es keine Möglichkeit, heimzugehen, Graham?" sagte sie.

„Fliehen?"

„Meinethalben."

„Sie haben meine Beförderung wieder hinausgeschoben", sagte er. „Wenn ich noch eine Weile bleibe ..."

„Es wird genau so sein wie immer."

„Diesmal vielleicht nicht."

Ihre Hand war eiskalt. Sie sagte:

„Es ist zu verwirrend hier, Graham. Auf den Philippinen war es leichter. Die Menschen sahen wenigstens anders aus als wir. Hier sehen sie aus wie wir und sind uns fremder als die Philippinos."

„Weil sie besiegt sind, Betty."

„Vielleicht", sagte sie. „Ich hasse es, unter diesen Besiegten zu leben. Ich habe Angst vor ihnen."

Von einer benachbarten Kirche schlug es eins.

„Wir wollen jetzt schlafen", sagte er. „Es ist spät."

„Warum sie auch nachts von den Kirchen läuten müssen", sagte Betty.

Er hielt ihre Hand und überlegte, ob er sich ihr nähern sollte. Seine Gedanken waren kalt wie ihre Hand. Vielleicht später, dachte er. Vielleicht fern von hier, dem schrecklichen, besiegten Land. Vielleicht zu Hause, wo nachts die Glocken schweigen. Er drückte liebevoll ihre Hand.

„Gute Nacht, Betty", sagte er.

„Gute Nacht, Graham", sagte sie.

Bankhaus Eber zieht die Fahne hoch

Die feierliche Eröffnung des „Bankhauses O. Eber" fand mitten im Fasching 1948 statt.

Der Fasching 1948 unterschied sich vom Fasching 1946 und 1947 ebenso erheblich wie vom Fasching 1949, der auf ihn folgen sollte.

Die ersten beiden Münchner Faschingszeiten nach Beendigung des Krieges waren von heimlicher, doch intensiver Fröhlichkeit. Der Krieg war vorüber, aber das Elend hatte erst begonnen. Im ersten Jahr wurden nur private Feste gefeiert, denn sich öffentlich zu amüsieren, stand den geschlagenen Deutschen nicht zu: die Alliierten wachten in der Tat darüber, daß sich das Gefühl der Erlösung von Bombennächten, OKW-Meldungen und bei manchen auch von Gestapo-Terror, nicht in ausbrechender Heiterkeit offenbare. Noch regierte die Polizeistunde, und wer ein abendliches Fest gab, der mußte sich darauf einrichten, daß die Gäste blieben, bis sie in den frühen Morgenstunden wieder unbehelligt heimkehren konnten. Die Kohlenzuteilung reichte selbstverständlich nicht aus, um mehr als einen engen Raum zu heizen, und wenn man auch damit rechnen durfte, daß sich die Tanzenden gegenseitig mit körperlicher Wärme versahen, so erwarteten die Gastgeber doch, daß die Eingeladenen einige Stücke Kohle oder etwas Brennholz als Gastgeschenk mitbrachten. Nicht anders war es um die unerläßlichen Getränke bestellt, die ebenfalls von den Gästen beigesteuert werden mußten, so daß jede neue Flasche, die ein Gast unter seinem Mantel hervorzauberte, mit entsprechendem Hallo begrüßt wurde. War der Münchner Fasching immer ein Fest der Phantasie gewesen, so waren nun an den Erfindungsgeist besondere Ansprüche gestellt, denn in einer Zeit, in der man jeden Fetzen in ein Kleidungsstück verwandelte und die Maskerade zu alltäglicher Bekleidung wurde, war es nicht einfach, Maskeraden zu ersinnen. Im zweiten Jahr der Besatzung gab es schon vereinzelt öffentliche Faschingsfeste, aber auch bei ihnen mußte die Stimmung der Besucher einen guten Teil jener Stimulantia ersetzen, die zur Stimmungsmache sonst wesentlich beigetragen hatten.

Dennoch blieb den Teilnehmern an der Münchner Fastnacht 1946 und 1947 das Karnevalserlebnis für immer im Gedächtnis eingeprägt. Nicht ohne Verwunderung, und mit Mißbilligung zuweilen, sahen die Sieger die Äußerungen der Lebenslust, welche die Besiegten an den Tag, oder vielmehr an die Nacht legten. War auch öffentlich verkündet worden, daß die Deutschen besiegt und nicht befreit worden waren, so äußerte sich doch überall ein unstatthaftes Gefühl der Befreiung. Nie zuvor wurde so viel getanzt, gescherzt, geflirtet und sogar getrunken, wie bei den privaten und später beschränkt öffentlichen Veranstaltungen: das negative und deshalb umso größere Glücksgefühl, vom Tanzsaal nicht in den Bombenkeller flüchten zu müssen, beherrschte die Feste; die Ungesetzlichkeit der Freude, die Lust, den Behörden ein Schnippchen geschlagen zu haben, trug zur Stimmung bei; der Zwang, die Schwierigkeiten der Zeit zu überwinden, malte in jede Dekoration, nähte in jedes Kostüm, träufelte in jeden Tropfen ein Stück triumphierender Befriedigung. Auch makaber waren die Feste nicht, wie man vielleicht hätte annehmen können, denn fanden sie auch in Ruinenwohnungen statt, gemahnte auch alles an Verluste von Mensch und Gut, so war doch das Gefühl stärker, daß man Drohung, Gefahr und Katastrophe überlebt hatte. Am unklarsten und doch am deutlichsten vielleicht empfanden dies die Kinder, von denen viele noch an keiner Fastnacht teilgenommen hatten. Tagelang, nicht bloß im ausklingenden Fasching, tummelten sie sich jetzt verkleidet zwischen den zerstörten Häusern; nicht nur an einem einzigen kostümierten Umzug nahmen sie teil, sondern ganze Räuberburgen standen dem kleinen Räuberhauptmann zur Verfügung, und die weiten Trümmerfelder wurden dem notdürftig kostümierten Cowboy zur Prärie. Wie geringer Mittel es bedurfte, um den hartnäckigen Geist des Vergnügens heraufzubeschwören, das verzeichneten die Sieger mit Verblüffung und nicht ohne Neid. Sie standen kopfschüttelnd vor einem Volk, dessen zäher Lebenswille sich auch in papiernen Texashüten, fadenscheinigen ungarischen Bauernkleidern, alten Zylinderhüten und angeklebten Nasen äußerte.

Der Fasching 1948 war von völlig anderer Art. Noch herrschte Mangel an Wein, Heizmitteln, Nahrung und Material, noch war Phantasie der einzige Luxus, den sich die Besiegten leisten konnten, aber es gab keine Polizeistunde mehr und nur noch wenige leere Fensterhöhlen, jedermann hatte Beziehungen zu einem Bauern oder einem Schwarzmarkt-Lieferanten; die Lebenslust hatte sich, wie das Leben selbst, beruhigt und organisiert. Man hatte sich an die überraschende Tatsache gewöhnt, daß man nicht tot war. Die Fröhlichkeit war nicht mehr ganz bedingungslos, die Gleichheit, die das Elend geschaffen, wich allmählich nüancierteren Klassenunterschieden. Einzelne Frauen, die Frauen der von Schmuggel, Schiebung und Auslandsbeziehungen heraufgeschwemmten Neureichen insbesondere, besaßen schon Abendkleider; einzelne wohnten noch in Kellern, während andere schon wieder über Weinkeller verfügten; die Gesellschaft von ehedem, herausgefordert von der neuen Gesellschaft, versuchte eine wenn auch schäbige Eleganz zur Schau zu tragen. Am deutlichsten jedoch war dies: daß der Fasching in den beiden vergangenen Jahren ein Salut gewesen war an die Überwindung der Vergangenheit, der Fasching 1948 aber schon ein Gruß an die Zukunft. Daß eine Währungsreform bevorstand, noch im Jahre 1948, daran zweifelten wenige: im Hintergrund der Fastnacht hatte die Umstellung auf die Normalität begonnen. Die neuen Träger von Würde und Ansehen, lizenzierte Bankiers, Zeitungsherausgeber, Fabrikanten oder Kaufleute trugen zwar immer noch „Konfirmationsanzüge", wie sie ihre dürftige Kleidung selbst spottend nannten; per Straßenbahn oder Fahrrad kamen sie zu Veranstaltungen und Bällen; ihre Wohnungen waren eng und bescheiden, aber viele von ihnen wußten, daß das Wunder bevorstand – so sicher würde es eintreffen wie die Gaben des Weihnachtsmannes unter dem Christbaum. Armut von gestern und Reichtum von morgen walzten zusammen durch den Münchner Fasching.

Die Eröffnungsfeier des Bankhauses Eber fand am 4. Februar, auf dem Höhepunkt des Faschings, statt. Darauf war es auch zurückzuführen, daß viele der über hundert geladenen Gäste, obschon der Umtrunk für fünf Uhr dreißig am Nachmittag angesetzt war, in Abendkleidung erschienen; manche trugen größere Pakete unter dem Arm, die sie in der Garderobe abgaben und aus denen Masken und Faschingskostüme hervorlugten.

Das neu errichtete Bankhaus befand sich in der Theatinerstraße, einer der einst belebtesten Straßen der bayerischen Hauptstadt, und bot einen beinahe drastischen Kontrast zu seiner Umgebung. Ein großer Teil der Theatinerstraße war zerstört; nur an ihrer Mündung in den Odeonsplatz ragte der edle gelbe Barockbau der Theatinerkirche in den grauen Februarhimmel. Zwischen der Theatinerkirche, vom Odeonsplatz gesehen auf der rechten Straßenseite, und dem neuen Bankhaus gab es, neben säuberlich aufgeräumten Trümmerhaufen, nur einige jener ebenerdigen Notbauten, die den deutschen Städten des Jahres 1948 ihr Gepräge verliehen. Unter diesen Buden – denn Buden waren es, wenn auch in deutscher Manier nicht balkanisch schmutzig oder aus Holz, sondern aus Stein, säuberlich in provisorischer Stetigkeit errichtet – wirkte das zweistöckige, deutlich umbaufähige Haus wie ein Palais von unglaublichem Luxus. Schlicht und von bestem Geschmack, besaß das Bankhaus Eber sogar ein Marmorportal, als wollte es sagen: Habet alle Hoffnung auf die Währungsreform, Ihr, die Ihr hier eintretet. Aus Marmor waren übrigens auch die gerade noch diskreten, aber nicht allzu kleinen Buchstaben über dem Eingang, „Bankhaus O. Eber" – aus kaufmännischen Ersparungsgründen und weiser Voraussicht war der Name Oskar nicht ausgeschrieben, denn nur völlig Ahnungslose konnten zweifeln, daß das „O" bald durch ein „E" ersetzt werden würde.

Wer an diesem dunklen Faschingsnachmittag die Räume des Bankhauses betrat – und sie waren alle, Kassenräume, Direktionsräume, Büroräume, dem visitierenden Publikum geöffnet –, mußte im übrigen feststellen, daß die Besitzer des Privatbankhauses aus der künftigen Buchstabenänderung kaum noch ein Hehl machten. Zwar war der grauhaarige O. Eber anwesend, und im schwarzen Anzug mit graugestreiften Hosen machte er die Honneurs, aber der kahlköpfige Herr mit dem Kneifer, der wie eine volkstümlichere Ausgabe seines Bruders wirkte, bewegte sich unter den Gästen, von denen er kaum ein Drittel kannte, wie ein zu besonderem Anlaß gemieteter Kammerdiener. Wurde er von dem einen oder anderen uniformierten Gast in ein Gespräch, besonders geschäftlicher Natur, verwickelt, dann beeilte er sich, den Besucher unauffällig aber schnell zu seinem Bruder „hinüberzuspielen", der sich dann seinerseits lächelnd, weltmännisch und selbstbewußt des Gastes annahm. Über Zahl und Rang der Anwesenden konnte sich Dr. Eberhard Eber übrigens nicht beklagen: zwei Mitglieder der Landesregierung, zahlreiche Angehörige der Aristokratie, Präsidenten und Generaldirektoren alter und neuer Unternehmungen, drei ehemalige Generale der Wehrmacht und ein halbes Dutzend höhere Offiziere der Besatzungsarmee sprachen, zusammen mit ihren Damen, dem Sekt zu, den unbekannte Keller rechtzeitig erschlossen hatten.

Auch Hans Eber war dem Drängen seines Vaters gefolgt und nahm an dem Fest teil, wenn ihn auch andere Absichten, als die Eröffnung der Bank zu feiern, hierher geführt hatten. Allein und unerkannt, ein Sektglas in der Hand, streifte er durch die Räume. Auch bevor er in den Krieg zog, hatte er wenige Freunde seines Vaters gekannt; die alten Freunde waren ihm jetzt so fremd wie die neuen. Er hatte von dem ungewohnten Getränk ausnehmend viel getrunken und er sah die Menschen um sich mit der messerscharfen Klarheit, die Alkoholgenuß oft verleiht, ehe er die Sinne trübt und verwirrt.

Er sah vor allem Karin. Ein Jahr war es jetzt beinahe her, seit Karin aus der Provinz, wo sie ihr Kind zur Welt gebracht hatte, ins väterliche Haus zurückkehren durfte. Daß ihr Dr. Eber verzieh, verzeihen konnte, hing wohl mit dem Verschwinden des Captain George Green zusammen; der eigentliche Stein des Anstoßes hatte sich sozusagen selbst aus dem Weg geräumt, und als sich Karin bereiterklärte, ihr Kind für immer Fremden anzuvertrauen, nahm Dr. Eber sie großmütig auf. Ihr Kind, einen gesunden Knaben, hatte Karin nie wiedergesehen, und ohne Schmerzen schien sie sich über den Verlust hinwegzusetzen. Ja, als Hans eines Tages das Gespräch, einem ihm selbst unerklärlichen Impuls folgend, auf das uneheliche Kind lenkte, stellte er fest, daß Karin alles andere als mütterliche Gefühle empfand: mit Entsetzen und Abscheu sprach sie von ihrem Sohn, der seinem Vater wie aus dem

Gesicht geschnitten war. Obschon sie immer noch unter dem gleichen Dach lebten, sprachen Hans und Karin seitdem kaum noch miteinander. Nur ganz beiläufig hatte er vernommen, daß sich Friedrich Stettinus, der Sohn eines Kölner Bankpräsidenten, um Karin bewarb; dies fand er heute bestätigt, denn sowohl der junge Mann wie sein Vater waren eigens zum Einweihungsfest aus Köln eingetroffen. Wie Karin nun, in einem neuen weißen Kleid, mit geröteten Wangen, zwischen Vater und Sohn Stettinus saß, ein Bild züchtiger Mädchenhaftigkeit; scherzend, ohne laut zu sein; kokett, ohne herausfordernd zu wirken; da kam Hans die Spukhaftigkeit der vergangenen Jahre mit konturscharfer Deutlichkeit zum Bewußtsein, und das Vorgestern schien ihm viel näher als das Gestern, das man eben zu Grabe trug. Er bewegte sich durch die pompösen Räume des neuen Bankhauses wie durch ein lebendig gewordenes Panoptikum. Er kannte zwar die meisten Besucher nicht, aber der kahle, stiernackige Herr, der mit einer eckigen Geste seines Ellbogens das Glas hob und Dr. Eber zutrank, erinnerte ihn an all jene Finanzgrößen, die in seiner frühen Jugend das Ebersche Haus bevölkert hatten; der schmale Herr mit dem nackten Gesicht, im straff anliegenden Anzug, von dem man wispernd erzählte, er sei General Stappenhorst, der künftige Abwehrchef, gemahnte ihn an uniformierte Besucher aus vergangenen Tagen; die höflichen Herren mit den schwarzgeränderten Hornbrillen in den schwarzen Sakkos schienen aus den gleichen Ministerien zu stammen, die ihre Boten früher regelmäßig zu Dr. Eber entsandt hatten. Karin, sein heute bei aller Würde charmierend bemühter Vater, sein dienender Onkel, die gelben Gesichter aus dem Wachsfigurenkabinett, der ganze gestrige Fasching verfolgten Hans von Raum zu Raum, und wie ein Fliehender, der seinen Verfolgern mit Mühe entkommen ist, atmete er auf, als er sich im großen Konferenzzimmer endlich allein fand.

Er trat an eines der vier gewölbten Fenster und blickte hinaus. Der Mond war früh aufgegangen und beschien die Ruinen auf der anderen Seite der Straße. Der Schnee lag auf den geborstenen Mauern und bildete weiße Stufen von

Ruine zu Ruine. Eine Faschingsgesellschaft tauchte im Mondlicht auf, zwei Männer und drei Frauen: kostümiert wirkten sie in dieser Umgebung und in diesem Licht wie Gestalten vom Mars.

Hans wandte sich um und setzte sich – er war müde und sein Kopf begann schwer zu werden – an den Konferenztisch. Es war ein langer Tisch, glänzend neu, von vierzehn oder achtzehn Fauteuils aus hellgelbem Leder umstellt. Durch die gepolsterten Türen kam leise das monotone Geräusch von Stimmen. Die Gäste Dr. Eberhard Ebers waren im Aufbruch. Hans stellte sein Glas nieder, faltete die Arme und beugte den Kopf auf den Tisch. Er wußte nicht, ob er vielleicht einige Minuten gedöst hatte, als ihn das Knarren der noch sehr neuen Tür aufscheuchte. Sein Vater war ins Zimmer getreten.

„Nun, du scheinst dich ja nicht sehr gut zu amüsieren", sagte Dr. Eber und lächelte.

„Ich wußte nicht, daß ich mich zu amüsieren habe", sagte Hans.

Dr. Eber setzte sich nieder. Sie saßen, einander gegenüber, am langen Konferenztisch. Dr. Eber tat so, als hätte er nicht gehört. Er sagte:

„Es war ein schönes, man möchte sagen erhebendes Fest. Morgen freilich beginnt der Ernst des Lebens. Heutzutage ein Bankhaus zu eröffnen, ist ein gewagtes Unterfangen. Indessen steuern wir besseren Zeiten entgegen, und die banale Weisheit, daß zuerst mahlt, wer zuerst kommt, wird sich auch diesmal bestätigen. Wenn du in anderthalb Jahren deinen Doktor gemacht hast ..."

Hans unterbrach ihn: „Ich denke nicht daran, in das Bankhaus O. Eber einzutreten. Übrigens in das Bankhaus E. Eber auch nicht."

Dr. Eber nahm seinen Kneifer von seiner kleinen, stumpfen Nase.

„Was soll dieser Ton?" fragte er.

„Verzeih", sagte Hans. „Ich möchte deine Feststimmung nicht stören."

„Du störst sie durchaus nicht. Die Gelegenheit ist so günstig wie irgend eine ..."

„Nun", sagte Hans, einem Gespräch immer noch ausweichend, „ich will nicht Bankier werden."

„Der Rechtsanwaltsberuf ist nicht sehr aussichtsreich. Rechtskenntnisse im Bankwesen dagegen ..."

„Willst du mich wirklich nicht verstehen, Papa?"

Dr. Eber setzte seinen Kneifer wieder auf und sah ihn fragend an.

„Ich habe nichts für oder gegen den Bankiersberuf. Ich habe etwas gegen das Bankhaus Eber", sagte Hans.

„Bitte", entgegnete Dr. Eber, „ich höre."

„Du glaubst wahrscheinlich, daß ich betrunken bin, Papa", sagte Hans. „Aber wenn ich betrunken hierher gekommen wäre, das Fest hätte mich ernüchtert. Vielleicht bin ich überhaupt nur gekommen, um den Mut zu finden, dir die Wahrheit zu sagen. Ich bin entschlossen, dein Haus zu verlassen, Papa, und zu sehen, wie ich allein weiterkomme. Das Fest ist freilich nur ein äußerer Anlaß. Es hat an dem Tag begonnen, als ich aus der Gefangenschaft kam ..."

Dr. Eber musterte ihn ohne Erregung: er war sichtlich entschlossen, seine Ruhe um jeden Preis zu bewahren.

„Was hat an dem Tag begonnen?" fragte er.

„Der Ekel", sagte Hans. „Ich konnte es mir nicht vorstellen, daß gerade das Haus Dr. Eberhard Ebers von der Beschlagnahme verschont bleiben sollte; daß wir keine Not leiden sollten, mitten in dem Elend, das du mitverschuldet hast; daß die Spruchkammer, die irgendwelche harmlosen, mitschreienden Dummköpfe für zehn Jahre ins Arbeitslager schickte, dem Bankier des Führers den Weg ebnen sollte, damit er wieder als erster kommen und als erster mahlen könne. Ich konnte es mir nicht vorstellen, die Totengräber hier Sekt saufen zu sehen, unter der eifrigen Assistenz unserer sogenannten Umerzieher. Vielleicht behältst du wieder recht, Papa, aber wenn es geschieht, muß es ohne mich geschehen."

Er erwartete einen heftigen Ausbruch seines Vaters, der seit jeher auf strenge Disziplin gesehen, Widersprüche nie geduldet und jede Revolte im Keim erstickt hatte. Dr. Eber indes schien eine andere Methode gewählt zu haben. Er sagte:

„Mit anderen Worten, du würdest mich lieber im Arbeitslager sehen."

„Du mißverstehst mich absichtlich", sagte Hans. „Ich habe keine Beziehung zur Vergeltung. Hätte ich eine gehabt, die Sieger hätten sie mir verleidet. Ich weiß überhaupt nicht, ob man strafen soll ... sicher bin ich nur, daß man verhindern soll. Mit der Einweihung des Bankhauses Eber beginnt es und im Schützenloch endet es."

„Du sprichst wie ein Kommunist."

„Das sagt ihr prompt, wenn euch etwas nicht in den Kram paßt. Wenn ich ein Kommunist wäre, müßte ich gegen die Banken sein. Ich bin nicht gegen die Banken: ich bin gegen deine Bank."

„Es wäre wohlfeil", sagte Dr. Eber, „wenn ich dich daran erinnern würde, daß du in der Notzeit ..."

„Ich weiß", sagte Hans. „Es tut mir leid, daß ich von deinem Tisch gegessen habe. Ich brauchte Zeit ..."

„Um dich zu dem ‚Ohne mich'-Programm durchzuringen? Ist das alles, was du und deine Freunde zu bieten haben? Soll das Deutschlands Zukunftsprogramm sein?"

„Wir haben es mit dem Programm nicht so eilig. Vorderhand reicht es. Ihr habt es ja nur so eilig, vorwärts zu streben, weil ihr Angst habt, nach rückwärts zu blicken. Ihr müßt um jeden Preis vergessen, denn blicket ihr zurück, würdet ihr nur euch selbst sehen und was ihr getan habt. Wir können zurückblicken, ohne vor Scham zu versinken. Ihr müßt auf Trümmern bauen, wir möchten sie zuerst wegräumen."

Dr. Eber sah sich in dem stillen, vornehm behaglichen Konferenzsaal um. Es roch nach frischem Leder. Immer noch beherrscht, sagte er:

„Du sprichst wie unsere Feinde. Auch ihnen geht der Aufbau zu schnell. Schon fürchten sie uns wieder."

„Mir kann der Aufbau nicht schnell genug gehen", erwiderte Hans. Auch er sah sich im Raum um. „Aber mir graut davor, Gespenster aufbauen zu sehen."

„Sprichst du von mir?"

„Auch von dir."

„Was gibt dir dazu das Recht? Der verlorene Krieg? Würdest du ebenso sprechen, wenn wir ihn gewonnen hätten?"

„Wir konnten ihn nicht gewinnen. Und das Recht? Das Recht der Opfer, Papa. Eurer Opfer."

„Noch eine Frage. Angenommen, du hättest recht ... in diesem oder jenem. Willst du die Möglichkeit völlig bestreiten, daß auch ich gelernt habe?"

„Ja", sagte Hans, „solange du annimmst, daß Größe darin besteht, gefürchtet zu werden."

Von draußen hörte man gedämpftes Lachen, Klirren von Gläsern, eine Frauenstimme.

„Du hast noch Gäste", sagte Hans.

„Es sind die letzten. Es ist mir wichtiger, mit meinem Sohn zu sprechen." Es klang herzlich, als er fortfuhr: „Ich hatte nie viel Zeit, mich mit dir zu beschäftigen, Hans. Wenn du in die Gesellschaft geraten bist, die aus dir spricht, so bin ich daran mitschuldig. Deine Generation kommt aus dem Chaos. Ihr seid nicht fähig, Ordnung zu schaffen; wir müssen es für euch tun. Wenn ihr wieder mit beiden Beinen auf sicherem Boden steht ..."

„Lassen wir das, Papa", sagte Hans. „Das Chaos, das uns gebar, habt ihr geschaffen. Aus der Ordnung, die ihr schafft, wird ein neues Chaos entstehen. Ihr nennt das Chaos immer Ordnung und die Furcht der anderen nennt ihr Größe ... wir wollen daran keinen Anteil haben."

„Ich habe dich geduldig angehört", sagte Dr. Eber und lehnte sich zurück in seinem Fauteuil. „Nun höre mir zu! Sollte ich gefehlt haben, so habe ich dafür hundertfach gebüßt. Ich hätte lieber den Rest meiner Tage im Arbeitslager verbracht, als miterleben zu müssen, was in meinem Haus, unter meinen Augen, geschah. Meine Tochter, deine Schwester Karin, ist zur Hure geworden. Zur Hure eines Amerikaners und eines Juden. Wenn du glaubst, daß ich nicht weiß, welchen Weg du gegangen bist, bist du in einem Irrtum befangen. Ein gewisser Alois Schmidt hat mich neulich, natürlich in erpresserischer Absicht, aufgesucht. Ich glaube, das genügt. Du hast dich mit einer Prostituierten eingelassen und, wenn mich nicht alles täuscht, hast du die wahnwitzige Absicht, sie zu heiraten. Da kann auch ich nur sagen: ohne mich. Wenn ich auch Karin gegenüber meine Pflicht erfüllt habe, indem ich sie wieder in mein Haus aufnahm; wenn ich auch dir, in voller Kenntnis der Verwirrung, vor wenigen Minuten noch den Weg zu ebnen trachtete – es ändert doch nichts daran, daß ich meine Kinder verloren habe. Du siehst nur dieses Haus mit seinen Lederfauteuils und seinem Marmorportal. Ich bin ein alter Mann; ich hätte mich lieber längst zur Ruhe gesetzt. Mir bleibt nichts als Pflicht und Arbeit. Diese Arbeit freilich gedenke ich, über alle persönliche Bitternis hinaus, nach bestem Wissen und Gewissen zu tun, damit in unserem Land wieder stabile Verhältnisse herrschen – jene stabilen Verhältnisse, die es unmöglich machen, daß eine Karin Eber zur Mätresse eines amerikanischen Gangsters und ein Hans Eber zum Anarchisten werden. Wie einer deiner Freunde, die sich ihrer Toleranz rühmen, auf die Anwürfe geantwortet hätte, die du heute gegen mich vorgebracht hast, weiß ich nicht, aber ich will dich nicht entlassen, ohne dir zu sagen, daß dir mein Haus immer offen steht, wenn du dich besonnen hast. Das ist alles, was ich zu sagen habe."

„Danke, Papa", sagte Hans. Es klang abschließend. Und es klang nicht ironisch.

Er stand auf; Dr. Eber blieb sitzen. Einen Augenblick lang wußten sie beide nicht, wie sie Abschied nehmen sollten. Dann ging Hans zur Tür und sagte leise: „Gute Nacht."

Nun waren auch die letzten Gäste gegangen. Nur Karin stand in der Vorhalle und unterhielt sich lachend mit dem Bankier aus Köln und dem jungen Stettinus. Sie warteten offenbar auf Dr. Eber. Hans zog seinen Mantel an und hastete mit einem schnellen Gruß an ihnen vorbei.

Es schneite in großen, bedächtigen Flocken. Zwei Betrunkene nahmen Hans für einen Augenblick in die Mitte. Der eine war als Kasperl verkleidet, mit einer großen, roten Nase und einer Harlekinmütze. Der andere trug die Maske Charlie Chaplins, aber er torkelte, statt zu watscheln.

Hans schüttelte sie ab und eilte davon, an den Buden

vorbei, in der Richtung der Kirche, auf deren Turm der Halbmond wie ein Wetterhahn saß. Er floh vor dem beleuchteten Bankhaus, dem einsamen Mann im Konferenzzimmer, dem lachenden Mädchen in der Marmorhalle. Er floh vor den Gefühlen, die ihn einen Moment lang bedroht hatten; vor dem Chaos, das wie Ordnung wirkte; vor der falschen Größe, die in den Trümmern stand; vor den Gespenstern, die sich der Lebenden bemächtigten. Er wußte nicht, wohin er ging. Aber es war Deutschland, im Jahre 1948, und es war gut, daß er wußte, wohin er nicht ging.

Schwarzer Vogel zwischen den Ruinen

Mit achtzig Meilen Stundengeschwindigkeit raste der Jeep des Oberstleutnants Frank Green in der Richtung Berlin.

Offizieren der U.S.-Armee war es, aus Gründen, die ihnen selbst unbekannt waren, verboten, ihre Wagen selbst zu steuern. Im Falle des höheren Abwehroffiziers war eine Ausnahme gemacht worden. Seine Mission erforderte äußerste Diskretion.

Am 12. Juni 1948 hatte Oberstleutnant Green einen aus Berlin datierten Brief erhalten, der jedoch in Frankfurt abgesandt worden war. Der Brief lautete:

„Lieber Frank!

Es wird Dich wahrscheinlich wundern, nach so langer Zeit von mir zu hören. Aus Gründen, die ich brieflich nicht näher erklären kann, möchte ich Dich sprechen – in unserem gemeinsamen Interesse. Ein Freund, der sich entsprechend zu erkennen geben wird, ist bereit, Dich am 17. Juni zu mir zu bringen. Finde Dich an diesem Tag um Punkt sechs Uhr abends im ‚Café‘ Bremer ein. So viel kann ich Dir verraten, daß es sich um Möglichkeit und Bedingungen meiner eventuellen Rückkehr handelt. Deshalb wäre es nicht angezeigt, wenn Du besondere, im übrigen völlig überflüssige ‚Vorsichtsmaßnahmen' triffst. Ich bitte Dich, mir, wenigstens in diesem Fall, zu vertrauen.

Dein George."

Frank ließ sich sogleich bei Colonel Hunter melden und übergab ihm den Brief.

„Das ist ja hochinteressant", sagte Hunter erregt. „Ich wollte Sie gerade rufen lassen, Frank. Gestern nacht ist ein Bericht von Captain Symington eingetroffen, wonach er die Suche nach dem Agenten G-101 einstellen mußte. Das ist ein deutscher Agent, an dessen Namen Sie sich vielleicht aus dem Akt erinnern, den ich Ihnen seinerzeit in Sachen Ihres Bruders übergab. Der Mann arbeitete mit Captain Green zusammen. Vor einigen Wochen ist er aus dem Ostsektor nicht mehr zurückgekehrt. Die Nachforschungen sind ergebnislos geblieben. Glauben Sie, daß zwischen dem Verschwinden des Agenten und diesem Brief ein Zusammenhang besteht?"

„Ich halte es nicht für ausgeschlossen."

„Glauben Sie, daß Ihr Bruder imstande wäre, als Köder für Sie zu fungieren?"

„Eventuell."

„Zweifeln Sie an der Echtheit des Briefes?"

„Nicht im geringsten. Ich kenne Georges Handschrift genau. Unter welchen Umständen der Brief geschrieben wurde, weiß ich allerdings nicht."

„Was wollen Sie tun?"

„Ich werde natürlich hinfahren."

„Einverstanden", sagte der Colonel. „Holen Sie in einer Stunde Ihre Instruktionen ab. Ich werde durch Symington die notwendigen Maßnahmen veranlassen. Good luck!"

Nun hatte der Jeep Kassel hinter sich gelassen, und wie unendliche Streifen von Spaghetti im Mund eines Riesen, verschwand das Band der Landstraße unter der kilometerfressenden Kühlerhaube des kurzen, massiven Militärwagens.

Es war ein sonnig klarer Junitag. In der Vorahnung eines heißen Mittags nahmen die Felder ein taufrisches Morgenbad. Die hessischen Tannenwälder wirkten wie grüne Sonnenschirme, die man in einem sommerlichen Garten für den kommenden Mittag aufgespannt hat.

In dieser heiter morgendlichen Landschaft fiel es Frank schwer, an seine Berliner Mission zu denken. Er dachte an Elisabeth, mit der er jede freie Stunde seiner letzten Tage in München verbracht und von der er sich am vergangenen Nachmittag zwanglos verabschiedet hatte, ohne ihr freilich die Ursache seiner Reise auch nur anzudeuten.

Ebensowenig hatte er ihr damals, als ihm Hunter das hochnotpeinliche Ultimatum stellte, von seiner Unterredung mit seinem Vorgesetzten gesprochen. Daß er, nach der abgelaufenen Bedenkzeit, nicht seine Demission einreichte, wie er es angesichts des seit Beendigung des Krieges herrschenden Punkte-Systems hätte tun können, hatte gute Gründe – Gründe vielmehr, die Frank nicht als gut bezeichnen wollte. Wenige Wochen nach dem Gespräch mit Hunter hatte ihn der Colonel nochmals zu sich beschieden. In der Unterhaltung, die sich um eine dienstliche Angelegenheit drehte, flocht Hunter, ein schlechter Schauspieler, mit schlecht gespielter Beiläufigkeit die Bemerkung ein, Frank möge seine Worte über Elisabeth von Zutraven einfach „vergessen". So leicht allerdings wollte es Frank dem Colonel nicht machen. Was hat sich, fragte er, seit dem Ultimatum geändert, und warum erscheint den vorgesetzten Militärstellen eine Beziehung statthaft, die sie noch vor einigen Wochen bewog, die Entlassung eines verdienten Offiziers ins Auge zu fassen? Statthaft wäre nicht das richtige Wort, meinte Hunter, tolerabel sollte man eher sagen. Aus Washington seien neue Weisungen eingetroffen, wie gewöhnlich nicht gerade präzis, aber doch deutlich genug, um aus ihnen ein „Umschlagen des Windes" zu entnehmen. Man erwäge, unter gewissen Bedingungen, Ehen zwischen Amerikanern und Deutschen zu gestatten; die „Geselligkeit" zwischen Besatzungssoldaten und deutschen Frauen solle nicht mehr ausdrücklich entmutigt werden; den Begriff „Nazi" vor allem, solle man ferner etwas weitherziger handhaben. Noch seien, wiederholte Hunter, diese Richtlinien vage und allgemein gehalten, und ganz ließe sich nicht übersehen, worauf sie abzielten, aber als eine

„cause célèbre" würde der General den „Fall Elisabeth von Zutraven" heute sicher nicht mehr betrachten. Frank nahm, nicht ohne sich selbst der Bequemlichkeit zu zeihen, die plötzlich geänderte Haltung des Colonels zur Kenntnis, aber das beängstigende Gefühl, daß sich die Moralität der Sieger den Notwendigkeiten der Stunde anpaßte, noch dazu mit apportierender Hurtigkeit, ließ ihn nicht mehr los. Hätte der Colonel eine Untersuchung über Elisabeth von Zutraven angeordnet und sich zur Erkenntnis ihrer Unschuld durchgerungen, Frank wäre befriedigt gewesen: an Hunters Meinung über Elisabeth schien sich aber nichts geändert zu haben – geändert hatte sich nur der Wind. Nutznießer dieser neuen Tendenz zu sein, wenn auch sehr indirekt und ohne sein Zutun, mißfiel Frank: es war ihm wie einem Seefahrer, der aus Seenot von überraschenden Winden in einen sicheren Hafen getrieben wird, jedoch nicht in den Hafen, den anzulaufen er geplant hatte.

Hinter Kassel indes nahmen die Ereignisse der Straße Franks Aufmerksamkeit so vollständig in Anspruch, daß er weder an Elisabeth denken, noch sich, wenigstens unmittelbar, seinen Berliner Plänen widmen konnte.

Schon in Kassel, wo er übernachtet hatte, teilte sich ihm die Unruhe mit, die an der Zonengrenze herrschte. Seit Tagen waren Gerüchte verbreitet, daß die Russen einen Handstreich in Berlin, vielleicht sogar eine Blockade der viergeteilten Stadt, planten.

Was sich im Jahre 1947 vorbereitet hatte, nahm in diesem Frühjahr 1948 deutliche Konturen an. Der stellvertretende sowjetische Außenminister Andrei Wyschinski hatte von „kriegerischen Absichten der Reaktionäre, Kapitalisten und Imperialisten" gesprochen; der amerikanische Außenminister George C. Marshall nannte Europa die „erste Verteidigungslinie der USA". Bei der 82. Sitzung des Alliierten Kontrollrates zu Berlin hatte Sowjetmarschall Sokolowski seinen Kollegen, den Generalen Clay, Robertson und Koenig, bedeutet, daß dies vielleicht die letzte Zusammenkunft der alliierten Befehlshaber gewesen sei. War am 5. Januar der bayerische Ministerpräsident Dr. Hans Ehard von den Amerikanern noch scharf kritisiert worden, weil er den Vertrag von Jalta mit der gegenseitigen Auslieferungsverpflichtung von Kriegsverbrechern als ein „Abkommen über Menschenhandel" bezeichnet hatte, so wurde die Auslieferung an die Sowjets nun offiziell eingestellt; eine amerikanische Note an die Sowjet-Union sprach von der Verletzung der Potsdamer Beschlüsse und der „Unterdrückung der Menschenrechte in Osteuropa"; die Einfuhr der sowjetisch lizenzierten Zeitungen nach Westdeutschland wurde untersagt; die sowjetische Garnison in Potsdam verkündete säbelrasselnde „Alarmbereitschaft"; die drei Westmächte riefen in Berlin eine Koordinierungsbehörde zu „gemeinsamem Widerstand" ins Leben. Die Zensurbeschränkungen, die es den westdeutschen Zeitungen verboten, den östlichen Verbündeten zu kritisieren, waren stillschweigend aufgehoben worden; am 23. März erschien die „Süddeutsche Zeitung" mit der Schlagzeile: „In Berlin: Kalter Krieg – heiße Köpfe", und einige Tage später sprach ein Leitartikel offen von „Nervenkrieg und Kriegsgefahr". Aus der Nachkriegsepoche schien, beinahe über Nacht, eine Vorkriegsepoche geworden zu sein.

Franks Wagen geriet immer wieder in militärische Geleitzüge, die auf die Zonengrenze zustrebten. Man war auf den verlassenen Autobahnen Deutschlands schon früher oft genug endlosen Kolonnen von Panzern, schweren Lastwagen und motorisierten Patrouillen begegnet, aber dem Offizier im Jeep war der Unterschied zwischen diesen harmlos promenierenden Demonstrationszügen und den sich jetzt drohend und gravitätisch auf die Zonengrenze bewegenden „Convoys" sogleich klar. Manche Äußerlichkeit war bezeichnend – die amerikanischen Soldaten trugen nicht mehr die lackierten, federleichten Innenteile ihrer Stahlhelme, sondern ihre schweren, runden Eisenhüte; auf den Kanonenrohren waren nicht mehr, wie auf den Möbeln eingemotteter Salons, friedliche Häubchen angebracht; die G.I.s waren nicht in ihre hellgrünen „Fatigues", schlafanzugartige Overalls, gekleidet, sondern hatten feldmäßige Ausrüstung angelegt – mehr als solche militärischen Symptome beeindruckte Frank jedoch der

Ernst, mit dem sich die stumme Bewegung an der Grenze abspielte. Der Erfahrene kannte genau den Unterschied zwischen dem Ernst-mimenden Manöver-Gesicht der Soldaten und der Spannung, der Bereitschaft und wohl auch der Sorge, die sich jetzt auf den Zügen der jungen Männer in den Beobachtungswagen, Jeeps und Transportfahrzeugen spiegelten.

Steckten sich die Offiziere und Soldaten gegenseitig mit ihrem unsicheren, aber um so beängstigenderem Wissen an, so war es um die Ansteckung unter den deutschen Grenzbewohnern nicht anders bestellt. Die auf ihren sommerlichen Feldern vielbeschäftigten Bauern blieben am Wegrand stehen und folgten mit verwunderten und furchtbeladenen Gesichtern dem steten Zug nach Osten. In den Ortschaften standen, auf ihre Fahrräder gestützt, diskutierende Gruppen beisammen: voll dumpfer und verblüffter Passivität – um Deutschland mochte dieser Feldzug gehen, aber Deutschland war besiegt und das Land ein willenloser Spielball in der Hand der feindlichen Verbündeten. Die Menschen, um die es ging, bezogen noch keine Stellung: so groß war ihre Demütigung gewesen, daß sie den Zerfall der großen Allianz, der sie erlegen waren, demütig und jedem kommenden Schicksal ergeben, nur vom Wegrand aus beobachteten.

Durch den wolkenlos blauen Junihimmel aber zogen immer wieder, über Franks Kopf hinweg, hochfliegend dunkle Geschwader der westlichen Luftwaffen, in der Richtung der früheren Reichshauptstadt; bestimmt zu der Verteidigung dessen, was sie dereinst zerstört hatten; tief brummende, blitzschnell fliegende Beweise menschlicher Schwankung; vielleicht, so dachte Frank, die motorisierten Kraniche des Ibykus.

Je näher er der Grenze bei Helmstedt kam, desto mehr befürchtete Frank, daß er sie geschlossen finden werde. Mit Erleichterung stellte er fest, daß es nicht der Fall war. Zwar standen die deutschen Lastwagen, die Militärtransporte, die verstreuten Privatwagen zu Hunderten entlang der Grenzstraße, aber Frank, der seinen Jeep hinter einem Geleitzug geparkt hatte, wurde bedeutet, daß sich die Abfertigung zwar äußerst schleppend, aber ohne Zwischenfall vollziehe. Während er in seinem Wagen wartete, um sich jederzeit schrittweise vorwärtsbewegen zu können, beschäftigte er sich nochmals mit dem Brief Georges: was immer das Motiv von Georges Verschwinden und seltsamem Auftauchen gewesen sein mochte, er war jetzt überzeugt, daß das Rendezvous, dem er entgegenfuhr, mit den Ereignissen auf der Straße zwischen dem Westen und Berlin zumindest mittelbar zusammenhing.

Höflich, aber mit außerordentlicher Sorgfalt wurden Franks Papiere von den amerikanischen Grenzern überprüft. Einige Minuten später vollzog sich die gleiche Prozedur, ebenfalls höflich, aber mit noch größerem Mißtrauen und versteift bürokratischer Genauigkeit, auf der sowjetischen Seite. Während Frank auf seinen bisherigen Reisen von russischen Soldaten immer schnell und gleichgültig abgefertigt worden war, verschwanden jetzt die Grenzposten in ihren schmutzigen grauen Blusen unter den Dutzenden von ordensgeschmückten Offizieren, die in tadellos sitzenden olivgrünen Uniformen amtierten. Ein Leutnant der Sowjet-Polizei, mit dem Frank, obschon sie sich nicht verstanden, gelegentlich seiner zahlreichen Grenzübertritte beinahe eine Freundschaft der Gewohnheit geschlossen hatte, händigte ihm jetzt seine Papiere aus, ohne Franks Gruß zu erwidern oder ein Zeichen des Erkennens zu geben.

Auf der Autobahn, die sich durch den Sowjetsektor nach Berlin zog, hatte Frank Gelegenheit, den krassen Gegensatz der amerikanischen und der russischen Methoden zu studieren. Den Demokratien fiel es schwer, ein Geheimnis zu wahren, selbst das geheimste Militärgeheimnis; den Sowjets war die Wahrung des Geheimnisses zur Natur geworden. Dem amerikanischen Offizier war es nicht gestattet, von der Autobahn auch nur um Haaresbreite abzuweichen oder auf der Strecke zwischen Helmstedt und Berlin auch nur für einen Augenblick zu halten, aber daß er nach rechts und links blicke, konnte ihm keine auf russisch, englisch, französisch und deutsch verfaßte Reiseorder verbieten. Die Wälder zu beiden Seiten der Autobahn starrten von Lastwagen, Panzern und Spähwagen – die Automobile übrigens zum größten Teil deutschen und amerikanischen Fabrikats –; bewegliche Rundfunkstationen hatten in den Dörfern ihre Antennen hochgezogen; auf den Hügeln waren Geschütze in Stellung gegangen, die ihre Rohre gegen Westen richteten. Alle Bewegungen aber mußten sich bei Nacht vollzogen haben, denn camoufliert waren die Panzer in dem sommerlichen Laub; Reisig bedeckte die Militärautos und Kanonen; nur mit Mühe entdeckte man hie und da einen russischen Soldaten, so daß beinahe der Eindruck entstand, Waffen und Wagen wären in Position gebracht und dann verlassen worden. Frank hatte den Eindruck, obwohl er wußte, daß er nicht richtig sein konnte, als ob auf dieser Seite auch die Bauern ihr Land bei Nacht bestellt hätten, denn nur selten sah man einen Bauern oder eine Bäuerin auf den Feldern; die Dörfer wirkten, als wären die Einwohner geflüchtet, Häuser und Vieh und Handwerkszeug zurücklassend, und wenn der amerikanische Offizier in seinem Jeep einer Gruppe von Deutschen begegnete, senkten sie den Blick und hasteten eilends davon. So fuhr Frank, mitten durch den kalten Krieg, der vom Krieg zerstörten Hauptstadt zu.

Er stieg nicht im Hauptquartier ab, sondern nahm, seinen Weisungen folgend, in der Dahlemer Villa eines Artilleriemajors Quartier. Die nervöse Spannung, die in Berlin herrschte, teilte sich ihm mit, obwohl er nur für eine Stunde in die Stadt ging, um die Lage des „Café Bremer" festzustellen. Auch der traditionelle Witz und die bombenerprobte Kaltblütigkeit der Berliner täuschte über die gewitterschwere Atmosphäre nicht hinweg. Vor den Kaufläden und Lebensmittelgeschäften waren die Schlangen so lang, daß sie sich zuweilen um einen ganzen Häuserblock zogen; überall bildeten sich diskutierende Gruppen von Menschen, die nicht allein bleiben wollten; die amerikanischen, französischen und englischen Jeeps rasten durch die Westsektoren, als wäre Berlin ein einziger Gefechtsstand. Immer wieder wurde der Oberstleutnant von Frauen angesprochen, die sich an eine ermunternde Erklärung zu klammern hofften; man munkelte, daß die Sowjets den

Strom für den Westsektor gesperrt hätten; niemand schien schlafengehen zu wollen, in der abergläubischen Furcht, daß einen im Schlaf überraschen könnte, was nicht zu geschehen vermochte, wenn man die Ereignisse wach hypnotisierte. Die schwindsüchtigen Zeitungsblätter wurden den Verkäufern aus der Hand gerissen; um Rundfunkgeschäfte und Rundfunkwagen staute sich die stumm wartende Menge; der Tiergarten, wo sich sonst handelnde Deutsche, Russen und Westalliierte in schwarzen Geschäften verbrüderten, wirkte wieder wie ein Park oder eine Mistablagerungsstätte; am Brandenburger Tor standen sich russische und englische Soldaten stur und abwartend gegenüber. Den Alliierten in Uniform, den zu Verteidigern gewordenen Siegern aber, so empfand Frank, flogen die Herzen der Westberliner zu. So lastend auch die Vorahnung des Kommenden über der heißen Großstadt brütete, so fand Frank auf der belagerten Insel doch nicht die Passivität, die ihn auf dem Weg nach Berlin, auf beiden Seiten der Grenzen, beeindruckt hatte. In der Bedrängnis war hier auch Zuversicht und in der Machtlosigkeit auch Wille. In den Ruinen standen die Trümmerfrauen, wie man Berlins wahre Heldinnen nannte, ihre mühsame Arbeit gleichmäßig verrichtend – und das schien Frank das verheißungsvollste Zeichen, daß es noch Menschen gab, die meinten, es lohne sich, Trümmer fortzuräumen.

Zur vorgeschriebenen Stunde fand er sich am nächsten Abend um sechs im „Café Bremer" ein. Das Kaffeehaus lag, nicht gerade zum Behagen Franks, in der unmittelbaren Nähe der Sektorengrenze, in einer Nebenstraße des Potsdamer Platzes. Obschon sich die Bewohner der Westsektoren noch nicht so deutlich wie später von denen des Ostsektors unterschieden, war es Frank doch klar, daß er sich in einem Lokal befand, das in erster Linie von Bewohnern des östlichen Berlin besucht wurde. In dem schäbigen Lokal mit den ungehobelten Holztischen entdeckte er keinen einzigen amerikanischen Soldaten.

Das Kaffeehaus war überfüllt; kein Tisch war frei. Eine Kellnerin jedoch, mit einer schmutzigen Schürze angetan, trat an den zögernden Offizier heran und sagte leise:

„Sie werden erwartet."

Sie wies unauffällig auf einen kleinen Ecktisch, an dem ein Mann saß, der einen für die Jahreszeit durchaus nicht passenden hochgeschlossenen Sweater trug. Er hatte eine dunkelblaue Schildmütze auf dem Kopf, wie sie gewöhnlich Seeleute tragen. Als sich Frank neben ihm niederließ, blickte er zu seiner Überraschung in ein schmales, bleiches, höchst intellektuelles Gesicht.

„Guten Abend, Herr Green", sagte der Mann.

„Guten Abend."

„Wollen wir gleich zum Gegenstand kommen?"

Frank nickte.

„Ihr Bruder möchte Sie sprechen", sagte der Fremde, ohne sich vorzustellen. Er sprach Hamburger Deutsch.

„Ich weiß."

„Wollen Sie mich begleiten?"

„Wohin?"

„Er erwartet Sie auf dem Alexanderplatz."

„Ich habe nicht die Absicht, in den Ostsektor zu gehen."

Ein feines Lächeln ging über die Züge des Mannes mit der Chauffeurkappe. Mit tadellos englischer Aussprache sagte er:

„‚East and West will never meet', wie es im Lied heißt. Ihr Bruder kann nicht herüber; es läuft ein Steckbrief gegen ihn. Aber Sie können ruhig mitkommen."

„Wer sagt mir, daß ich ‚ruhig' in den Ostsektor gehen kann? Es sind zuviele nicht zurückgekommen."

„Nur solche, die nicht eingeladen waren. Sie sind höflichst eingeladen."

„Das muß ich mir erst überlegen", sagte Frank.

In Wirklichkeit überlegte er längst nicht mehr, oder hatte sich vielmehr schon in München alles überlegt. Er hatte nie gezweifelt, daß das Stelldichein nur im Ostsektor stattfinden konnte. Er hatte sich mit Hunter geeinigt, das Wagnis auf sich zu nehmen.

„Es geht nur jetzt oder gar nicht", sagte der Fremde. Und als Frank nach wie vor zu zögern schien: „Wir können keine internationalen Verwicklungen brauchen. Wir" – er betonte das Wort – „wollen keinen Krieg. Nicht einmal der

Brüder Green halber. Ich werde Sie unversehrt wieder hier abliefern."

„Gut", sagte Frank und stand auf.

„Gleich um die Ecke wartet mein Wagen", sagte der Mann. „Ein Taxi. Kommen Sie mir in ein paar Minuten nach."

Das klapprige, vorsintflutliche Gefährt, ein Ostsektoren-Taxi mit einer Nummer, die sich Frank sogleich ins Gedächtnis einprägte, stand an der Ecke. Frank nahm im Innern des Wagens Platz. Er stellte mit Erleichterung fest, daß er allein im Wagen war; daß ihn der Fahrer ruhig hinter sich sitzen ließ, schien ihm gleichfalls ein gutes Zeichen. Nur daß die an der Sektorengrenze, unmittelbar hinter dem Kaffeehaus, postierten Polizisten den Wagen ohne weiteres passieren ließen – sie fragten Frank nicht einmal nach seinem ordnungsgemäß ausgestellten Interzonenschein –, fiel Frank unangenehm auf.

Es war Abend geworden, als der Wagen auf dem Alexanderplatz hielt. Der Platz war leer. Zwei oder drei Straßenlaternen verbreiteten ein gelbes, krankes Licht.

Der Fremde, der während der Fahrt stumm geblieben war, deutete auf eine Ruine neben dem ehemaligen Polizeipräsidium. Frank stieg aus.

Die Gestalt Georges tauchte aus der Ruine auf. Er trug, so weit Frank es beurteilen konnte, einen gut sitzenden hellgrauen Zivilanzug und kam gemessenen Schrittes auf seinen Bruder zu.

„Guten Abend, Frank", sagte George.

„Guten Abend, George."

„Wenn es dir recht ist", sagte George, „können wir hier auf- und abgehen und uns unterhalten. Das wird dir vielleicht am besten beweisen, daß wir nichts gegen dich vorhaben. Der Wagen wird inzwischen auf dich warten."

Frank nickte zustimmend. Sie traten ihren Rundgang um den Platz an.

„Ich muß dir vor allem danken, daß du gekommen bist", sagte George. Er versuchte zu sprechen, als hätte er Frank zuletzt gestern gesehen und als wären die Umstände keineswegs außergewöhnlich. Aber seine Stimme klang heiser und unsicher. „Daß du kamst, ringt mir noch mehr Respekt für dich ab, als ich schon immer, wenn auch nicht unbedingt eingestandenermaßen, für dich empfunden habe."

„Was willst du von mir?" fragte Frank.

„Vor allem einige Worte über mich selbst", sagte George, unbekümmert um Franks abweisenden Ton. „Was immer du glauben magst ... ich bin aus Überzeugung übergelaufen. Wollen wir das als gegeben annehmen ..."

Frank unterbrach ihn. „Ich weiß nicht, ob es von Wichtigkeit ist: aber ich glaube es nicht."

„Warum nicht?"

„Weil du zuviel andere Gründe hattest. Du wußtest von dem Geständnis Jakob Steiners. Die Affäre mit Karin. Deine Schwarzmarkt-Geschäfte, die in die Hunderttausende gingen. Überläufer aus Überzeugung sind selten, und zwar in beiden Richtungen. Die Menschen haben vor allem ein Privatleben. Die Politik ist für sie oft nur eine Konvenienz, die sich ihm anpaßt. Aber ich wollte dich nicht unterbrechen: mich von deiner Moralität zu überzeugen, dürfte kaum der Grund für dein Schreiben gewesen sein."

George blieb stehen. „Du irrst dich. In gewissem Sinne war es der einzige Grund meines Briefes."

„In welchem Sinne?"

„Ich gebe zu, daß ich drüben krumme Geschäfte gemacht habe, Frank. Aber hast du dich je gefragt, warum ich krumme Geschäfte machte? Weil ich, zuerst instinktiv, dann bewußt, die Welt verachtete, in der ich lebte. In einer Welt von Dieben wird nur ein Narr nicht zum Dieb."

Er begann wieder zu gehen; Frank folgte ihm.

„Weltanschaulicher Diebstahl", sagte Frank, „ist bestenfalls eine nachher ersonnene Rechtfertigung. Du denkst jedenfalls nicht daran, zurückzukehren."

„Nein."

„Warum hast du es mir geschrieben?"

„Ich mußte es schreiben." Es war nicht klar, was oder wer ihn dazu gezwungen hatte.

„Ich glaube nicht, daß du hier hart arbeitest", sagte Frank. Er deutete in der Richtung des Taxis, das mitten auf dem veröcten Platz stand. „Du hast mit den hiesigen

Machthabern einen Pakt geschlossen. Wen hast du dieses Paktes halber verkauft?"

„Daß sie mit den Westspionen aufräumen, ist nicht meine Schuld", sagte George. „Wenn ich auch keine Hand rührte, um sie zu retten. Aber du wolltest ja wissen, warum ich dich bat, hierher zu kommen."

„Ich höre."

„Ich spiele mit offenen Karten, Frank. Ich möchte dich überzeugen, hier zu bleiben."

Jetzt blieb Frank stehen.

„Du bist verrückt geworden", sagte er.

Ein Radfahrer fuhr quer über den nächtlichen Platz. Es schien Frank ziemlich sinnlos, daß der Mann zweimal um den Platz kreiste, ehe er in eine Nebenstraße einbog.

George berührte Franks Arm. Sie nahmen ihre Wanderung wieder auf.

„Du mußt mich anhören, Frank", begann er. „Du bist blind. Siehst du denn nicht, daß drüben der Krieg vorbereitet wird? Drei knappe Jahre nach dem Krieg steht der Krieg wieder vor der Tür. Die Amerikaner wollen ihn, wollen ihn um jeden Preis." Er senkte die Stimme. „Das hätte ich vielleicht hinnehmen können, Frank. Aber denke an deine neuen Verbündeten! Drei Jahre nach unserem großartigen Kreuzzug verbünden wir uns mit Henkern und Mördern. Du weißt so gut wie ich, daß die Amerikaner in nächster Zeit die Deutschen in Uniform stecken werden. Erinnerst du dich an unser Gespräch im Haus Eber? Alles, was ich dir gesagt habe, traf ein. Drüben werden wieder die Stappenhorsts regieren. Wenn sie in den Krieg ziehen, werden sie auch wieder Juden verbrennen."

Ihre Schritte widerhallten auf dem Asphalt. Unter einer Lampe tauchte ein Polizist auf. Er schien sich nicht um den einsamen Wagen zu kümmern.

„Angenommen", fuhr George fort, „der Krieg könnte diesmal noch vermieden werden – willst du in einer Welt leben, in der Konzentrationslagerwärter befehlen? In einigen Jahren ist die deutsche Industrie wieder in der Hand der Kriegsverbrecher. Leute wie du müssen dann verschwinden. Heute machen sie dich zum Oberstleutnant, morgen werfen sie dich zum alten Eisen." Er streckte den Arm aus und wies auf die Ruinen, die den Alexanderplatz umstanden wie die Skelette einen großen, leeren Anatomiesaal. „Die Währungsreform, drüben, ist eine Frage von Tagen. Dann beginnt erst richtig der deutsche Wiederaufbau. Siehst du nicht, daß der prächtige Marshall-Plan nur dazu bestimmt ist, das Haus der Verbrecher wieder aufzurichten? Ich war auch verblendet, Frank. So verblendet, daß ich begann, auf den deutschen Wiederaufbau stolz zu sein. Glaubst du, daß man im Osten mit seinem gesunden Wirtschaftssystem nicht zehnmal so schnell aufbauen könnte? Vielleicht hältst du das für Phrasen. Meinetwegen. Aber das mußt du mir glauben – hier, und hier allein, weiß man, wie man die Deutschen ewig zu Sklaven machen kann. Sind wir wirklich so weit, du und ich, daß wir das einem Sieger verübeln? Sind wir, du und ich, nicht mit dem Willen ausgezogen, dieses Volk für ewig zu unterwerfen? Sind wir ausgezogen, um die Mörder zu füttern, ihre Kinder zu säugen und ihre Heime aufzubauen? Wer desertiert, frage ich, du oder ich?"

Sie waren wieder vor dem ehemaligen Polizeipräsidium angelangt. Eine Straßenlaterne stand rechts vom verfallenen Bau. Frank erblickte zwei Männer, die aus den Trümmern aufgetaucht zu sein schienen. Sie gingen auf den Wagen zu und blieben im Gespräch mit dem Fahrer stehen.

„Wer sind diese Leute?" fragte Frank.

„Ich weiß nicht", sagte George. „Passanten. Sie suchen vielleicht ein Taxi."

„Sprich weiter", sagte Frank.

„Ich habe keinen Auftrag", sagte George, „dich herüberzubringen, und nichts wird es dir besser beweisen als das, was ich noch zu sagen habe. Ich bin kein Kommunist, zumindest noch nicht. Was mich ihnen verbindet", fuhr er beinahe flüsternd fort, „ist die Tatsache, daß sie lügen. Sie wollen Deutschland nicht aufbauen. Sie behandeln die Deutschen, wie die Deutschen es verdienen – als Schweine. Man erhebt jetzt ein großes Geschrei, weil die Russen ein paar tausend deutsche Weiber geschändet haben. Ich habe das Nazimädchen drüben geschwängert – hier machten sie es im großen Maßstab. Was weiter? Sie führen aus, was wir auszuführen geplant haben. Nicht ich bin Amerika untreu geworden, sondern Amerika mir. Der Krieg, du mußt es zugeben, Frank, war das große Erlebnis unseres Lebens. Können wir uns leisten, vergeblich Krieg geführt zu haben? Es ist, als hätten wir vergeblich gelebt. Das wachsende Gefühl der Vergeblichkeit ... das hat mich zum Verbrecher gemacht, wenn du mich so nennen willst, Frank. Blicke in dich, ich beschwöre dich, und du wirst entdecken, daß dir das Gefühl so unerträglich ist, wie es mir unerträglich wurde. Nur hast du es besser als ich, viel besser. Du bist rein geblieben. Aber selbst ich habe mich in dieser sauberen Atmosphäre gefunden. Ich mache dir keine andere Versprechung als die, daß du hier nicht mit Mamas Mördern paktieren mußt. Hier mußt du nicht korrupt werden, nicht mit Mamas Mördern unter einer Fahne in einen neuen Krieg marschieren. Hier darfst du bleiben, wer du bist. Leg diese besudelte Uniform ab! Vergiß unsere Differenzen, Frank. Du hast mich nie geliebt, während ich dich immer bewundert habe. Du mußt mich auch morgen nicht lieben. Mich haben sie nur akzeptiert, dich werden sie mit offenen Armen aufnehmen. Es ist deine letzte Gelegenheit, Frank."

Er hatte eindringlich gesprochen, mit jener Überzeugungskraft, in der sich seine gestrige Übung als tüchtiger Verkäufer schon mit dem Feuer des zukünftigen Fanatikers vermengte. Nur der letzte Satz klang hart und, wie Frank vermeinte, sogar drohend.

„Ist das alles, was du mir zu sagen hast?" fragte Frank.

„Ja."

„Gut. Ich habe dir aufmerksam zugehört, George. Ich weiß nicht, ob du dir deine Rede zurechtgelegt hast; ich will es nicht behaupten. Es war jedenfalls eine effektvolle Rede, weil du an dies und jenes, das mich zutiefst berührt, appelliert hast. Es war eine besonders effektvolle Rede, weil du, kalkuliert oder spontan, Wahrheit und Lüge mit instinktivem Geschick vermischt hast."

Er blieb abrupt stehen. Die zwei Männer, die am Taxi gestanden hatten, stiegen in den Wagen ein.

„Was bedeutet das?" fragte er, seinen Bruder auf das überraschende Schauspiel hinweisend.

George zuckte mit den Achseln.

„Vielleicht Freunde von ihm", sagte er. Es klang nicht glaubwürdig.

„Es würde zu nichts führen, wenn du ein schmutziges Spiel spielst", sagte Frank.

„Warum sollte ich?" sagte George. „Komm' ... du hast erst begonnen."

„Ich will versuchen", fuhr Frank fort, „vom Persönlichen abzusehen – davon also, daß ich an deine Motive nicht glauben kann. Wie immer man zur Rache stehen mag – dein Motiv war nicht Rache, George. Du wolltest die Deutschen nicht bestrafen, sondern ausbeuten; sie nicht besiegen, sondern vergewaltigen. Als man im Begriffe war, dir das Handwerk zu legen, nahmst du Kontakt mit dem Osten auf. Wenn es eines Beweises bedürfte, dann erbrächte ihn dein Komplizentum mit Private Jones und dem Schwarzhändler Maurer, die beide von den Motiven, die du mir vorgegaukelt hast, nichts wissen. Aber sprechen wir nicht von dir. Was drüben, in dem von den westlichen Alliierten besetzten Land vorgeht, treibt mir von Zeit zu Zeit den Ekel in die Kehle. Die Besetzung eines fremden Landes ist ein schwieriges Geschäft, vielleicht ein unmögliches. Amerika ist der Aufgabe nicht gewachsen; vielleicht ist ihr überhaupt kein Volk gewachsen. Du wirfst mir vor, daß sich meine Beziehung zu den Deutschen gewandelt hat ... ich bin stolz darauf. Ich durfte mich revidieren und ich habe es getan. Das, mehr als alles andere, verhindert meine Korruption, die du angeblich verhindern möchtest. Es gibt keine tiefere Korruption als die Verpflichtung, sich nicht revidieren zu dürfen."

Immer noch um den verwaisten Platz kreisend, beobachtete er aus einem Augenwinkel den Wagen, der wie ein häßlicher schwarzer Vogel zwischen den Ruinen saß. Die Männer im Wagen schienen sich nicht zu rühren. Er legte seine Hand mit einer unauffälligen Geste auf seine

Pistolentasche und knöpfte sie auf, während er weiter-
sprach. Er sagte:

„Das Gefühl der Vergeblichkeit beschleicht auch mich
zuweilen, George. Doch nicht in jenem Maße, in dem du
sie empfindest ... wenn du sie empfindest. Das kommt daher, daß ich nicht mehr an Siege glaube, weder im Krieg
noch im Frieden. Ich glaube nur noch an den permanenten
Widerstand. Oder, wenn du so willst, an permanente Re-
vision. Unsere Besatzungspolitik ist so unvollkommen wie
unser System. Aber es ist nicht lebensgefährlich, ihm nicht
bedingungslos zu gehorchen. Es gibt zweifellos auf beiden
Seiten eine Kriegspartei: ich kann ihr widerstehen, du
mußt dich ihr beugen." Er versuchte, sich auf den Gegenstand zu konzentrieren, aber er ließ den Wagen nie aus
dem Auge. „Keine Versuchung", sagte er, „ist so groß wie
die, das Wesentliche des Unwesentlichen halber zu verraten. Es gibt bessere Deserteure als du, George, jene nämlich, die uns wirklich deshalb untreu werden, weil wir uns
selbst in diesem und jenem untreu geworden sind. Das
Enttäuschende ist ihnen nahe und greifbar, sie können
nichts anderes mehr sehen – auch nicht, was sie hier erwartet. Ich bleibe drüben, nicht aus Gleichgültigkeit oder
aus Begeisterung, sondern weil mit jedem, der desertiert,
ein Funke des Widerstandes erlischt. Dir mag es so scheinen, als machte jeder, der mit den Stappenhorsts in einem
Raum bleibt, einen faulen Kompromiß. Ich bleibe mit
ihnen, um sie zu bekämpfen ... so gut ich kann."

Sie waren an jener Straßenecke des Alexanderplatzes
angelangt, die von dem wartenden Wagen am weitesten
entfernt war. Frank wandte sich um.

„Ich werde jetzt gehen", sagte er.

Er begann langsam und ruhig auf den Wagen zuzu-
gehen. Da ergriff George seinen Arm – mit einem Griff,
der hart und entschlossen war.

„Nein", sagte George flüsternd, „geh nicht."

Frank blieb stehen.

„Sie bringen dich nicht zurück", sagte George.

„Was heißt das?"

George lachte leise. „Sie glauben nicht an das Mißlingen einer Mission."

„Das heißt ..."

„Sie haben Weisung, dich in die Zone zu bringen, wenn meine Mission scheitert."

„Hast du das gewußt?"

„Ja."

„Warum ... ?"

„Ich hatte keine Wahl." Und schnell fügte er hinzu: „Geh weiter, sie werden sonst aufmerksam."

Frank gehorchte. „Und jetzt ... ?" fragte er.

„Ich kann es nicht", sagte George.

„Was wollen sie von mir?"

„Du weißt viel."

„Ich werde es nicht sagen."

„Doch, du wirst es."

Sie wichen dem Licht der Straßenlaterne aus, aber sie bewegten sich langsam auf den Wagen zu.

Eine große Ruhe, ihm selbst unverständlich, überkam Frank. Merkwürdig genug: er dachte jetzt weniger an sich als an seinen Bruder. Zum ersten Mal seit vielen Jahren mischte sich in seine Gefühle für George Mitleid, und mit dem Mitleid auch Wärme. Armer, verwirrter, verirrter George, Gefangener seiner selbst, Lügner und sich belügend, Schwächling ohne Konsequenz, zur Katastrophe verurteilt, was immer kommen mochte. Was werden sie mit ihm tun? dachte er. Er glaubte ihm, daß er den Mut zum letzten Schritt, zur Auslieferung seines Bruders, nicht fand. Er hörte Georges Stimme:

„Sag ihnen, du willst zu Fuß mit mir zu meiner Wohnung gehen."

„Werden sie das glauben?"

„Ich wohne gleich nebenan. Ich weiß sonst nichts."

Sie konnten ihre eigenen Schritte hören. Sie waren beinahe bei dem wartenden Taxi angelangt.

„Gut", sagte Frank, „ich versuche es."

„Du mußt mich nachher niederschlagen", sagte George schnell.

Nun waren sie beim Wagen. Der Chauffeur saß am

Steuer und rauchte eine Zigarette. Ohne sich Frank zuzuwenden, sagte er:

„Zwei Freunde wollen mitkommen."

Frank sagte: „Ich möchte zu meinem Bruder gehen."

„Gut", sagte der Chauffeur. „Steigen Sie ein."

„Ich dachte, er wohnt gleich um die Ecke", sagte Frank.

„Steigen Sie ein!" wiederholte der Chauffeur. Diesmal klang es wie ein Befehl.

Die beiden Männer stiegen, wie einer sorgfältigen Vorbereitung folgend, aus dem Wagen aus. Sie pflanzten sich neben Frank auf. George stand abseits, er sagte nichts.

„Einsteigen!" sagte der Chauffeur. Er stieg aus.

„Was soll das?" sagte Frank. „Darf man hier nicht zu Fuß gehen?"

Er beobachtete sich selbst, wie er es in gefährlichen Situationen immer getan hatte. Er wollte Zeit gewinnen, ohne genau zu wissen, weshalb.

Er trat einen Schritt zurück und griff nach seiner Pistole. Die beiden Männer packten ihn. Der Chauffeur drehte sich um und griff unter den Führersitz. Er brachte einen riesigen Schraubenschlüssel hervor.

Er kam nicht dazu, zuzuschlagen. Um die Ecke hinter dem Polizeipräsidium war ein Wagen hervorgebogen. Er beschrieb eine scharfe Kurve und kam neben dem Taxi zum Stehen. In Frank tauchte eine Kindheitserinnerung auf. Im Zirkus hatte er einmal eine Clownnummer gesehen – ein winziger Wagen rollte in die Arena, zum fröhlichen Erstaunen des Publikums turnten jedoch mindestens ein Dutzend Clowns aus dem Gefährt. Daran mußte er jetzt denken, als die vier hastig geöffneten Türen sechs, sieben oder mehr Männer auf die Straße spien. Sie trugen Zivilkleidung, aber jeder hatte eine Pistole in der Hand.

Der Chauffeur ließ den Schraubenschlüssel fallen. Einer der beiden Männer, die Frank hielten, griff nach seiner Rocktasche, aber der Lauf eines Revolvers traf ihn auf die Schläfe. Er sackte zusammen. Wo George war und was er tat, konnte Frank nicht sehen.

„Let's go", sagte einer der Männer mit der Pistole.

Zwei andere schleppten Frank zum Wagen. Sie warfen

den nun Willenlosen ins Innere des Automobils, zwängten sich selbst, so gut sie es vermochten, auf die Sitze. Dann raste der Wagen über den Alexanderplatz der Sektorengrenze zu.

An der Stimme hatte Frank den jungen Offizier erkannt, der O'Hara seinerzeit abgelöst hatte, Captain Yates.

„Ihr seid nicht einen Moment zu früh gekommen", sagte Frank.

„Wir haben die Entwicklung abgewartet", sagte einer der Männer. „Sie waren keinen Moment in Gefahr, Frank."

Ein dritter meinte: „Wir hätten sie gleich mitnehmen sollen."

„Der Colonel ist komisch", sagte Yates. „Er ist gegen Menschenraub."

Ein anderer meinte: „Wir müssen schnell machen, ehe sie die Leute an der Grenze alarmieren."

„Bei den Telephonen!" sagte Yates verächtlich.

Der Wagen hielt an der Sektorengrenze. Ein russischer Soldat und ein deutscher Polizist kamen langsam auf sie zu.

Yates wies seine Papiere vor. Das Licht einer Taschenlampe strich über das Innere des Wagens. „Einer zu viel", sagte der Polizist.

Frank kramte seinen Passierschein hervor. Eine endlose Minute lang besahen der Deutsche und der Russe zusammen den Schein. Dann gab der Deutsche ein Zeichen. Wenige Minuten später rollte der Wagen über den finsteren Kurfürstendamm.

„Das ist noch einmal gut gegangen", sagte einer der Männer.

„Schade, daß wir den Wagen hier lassen müssen", meinte Yates trocken.

„Den Wagen hierlassen?" fragte Frank.

„Was, Sie wissen noch nicht, Colonel?" sagte Yates. „Wir müssen morgen früh hinausfliegen. Die Russen haben Berlin blockiert."

Einen Abend, nachdem Frank Green mit knapper Not aus Ost-Berlin entkommen war, saßen in der Münchner Wohnung des ehemaligen Obersten Werner Zobel drei Männer und eine Frau um den gedeckten Tisch – der Oberst selbst, seine Tochter Martha, ihr Verlobter Gert Mante und ihr Bruder Jochen.

Es war, äußerlich gesehen, eine Familienidylle. Der Oberst rauchte eine dicke amerikanische Zigarre; Martha hatte ihren üppigen Arm unauffällig auf den Schenkel ihres Bräutigams aufgestützt; Gert Mante sprach dem vorzüglichen Mosel zu, und der heimgekehrte Jochen Zobel trank eine Schale lang vermißten Bohnenkaffees.

Das äußere Bild täuschte über die inneren Spannungen hinweg. Einige schwere Wochen lagen hinter dem Oberst, von denen er sich noch nicht ganz erholt hatte. Im Mai hatte sein Soldatenbund die Heimkehr des Feldmarschalls Joachim Sturzenbach aus alliierter Haft festlich begangen. Der wegen angeblicher Kriegsverbrechen inhaftierte Feldmarschall war von den Amerikanern entlassen worden; schon wenige Tage später führte ihn sein alter Kamerad, der General der Fallschirmjäger, im Augustinerkeller ein. Oberst Zobel, der seinen ehemaligen Feldwebel zum Vize-Präsidenten gemacht hatte, wurde in seinem demokratischen Glauben bitter enttäuscht, als sich General und Feldmarschall verbündeten, um ihn zu stürzen. Sein eigener Förderer, General Stappenhorst, bei dem er sich nach einigem Zögern beschwerte, bedauerte die undankbare Behandlung, die dem verdienten Oberst zuteil wurde, meinte aber doch, daß ein leuchtender Name wie der des sieggewohnten Feldmarschalls Joachim Sturzenbach der Sache überaus dienlich sein könnte. Zobels Einwand, daß der verhältnismäßig junge Feldmarschall doch keineswegs zur „alten Schule" gehöre, daß er vielmehr ein typisches Produkt der Hitlerschen Wehrmacht sei, erregte das kaum noch zurückhaltende Mißfallen Stappenhorsts. In der Annahme, die zum größten Teil von ihm rekrutierten Offiziere und Soldaten würden ihm zweifellos die Treue halten und keine Führerschaft des hochgeschätzten, aber immerhin kompromittierten Feldmarschalls wünschen, ließ es Zobel unvorsichtigerweise zu einer Kampfabstimmung kommen, die mit einem überwältigenden Sieg des Sieggewohnten endete. Zobel, seinerseits wohlgerüstet in taktischen Rückzügen oder Absatzbewegungen, wie man sie taktvoller nannte, akzeptierte nach anfänglichen Bedenken die ihm großzügig angebotene Stelle eines Vize-Präsidenten. Sein alter Feldwebel wurde mit dem Inkasso der Mitgliedsbeiträge betraut. So löste sich die Krise zwar in scheinbarem Wohlgefallen auf, aber so recht wollte Zobel seitdem seiner Tätigkeit nicht mehr froh werden.

Auch die Freude über die Rückkehr seines Sohnes Jochen war nicht ungetrübt. Jochen, der erst Anfang 1948 in München eintraf, zeigte Symptome, die der Oberst nur als eine Psychose des nach beinahe sechsjähriger Gefangenschaft Heimgekehrten auffassen konnte.

Der dreißigjährige ehemalige Leutnant in einem Panzerjäger-Regiment, der einst ein lustiger und unternehmungslustiger Jüngling gewesen war, legte, obschon körperlich in guter Verfassung, ein absonderliches, ja schrullenhaftes Benehmen an den Tag. Er trug, wiewohl ihm sein Vater finanzielle Hilfe anbot, ausschließlich einen alten, überaus schäbigen Anzug, den er auf dem Dachboden gefunden hatte; weigerte sich beharrlich und ohne Angabe von Gründen, seinen Vater zu den jetzt allwöchentlich stattfindenden Versammlungen zu begleiten; behandelte seine Schwester Martha, die er zärtlich geliebt hatte, mit frostiger Höflichkeit, und trieb den Zobelschen Haushalt zur Raserei, weil er oft fünf, sechs und auch mehr Stunden am Tag Schach spielte, und zwar stets mit sich allein. Auch als er sich endlich eine Stellung suchte, tat er es, ohne die Hilfe seines Vaters in Anspruch zu nehmen, und erst nach mehreren Wochen erfuhr Oberst Zobel, daß sich sein Sohn als Gepäckträger im Hauptbahnhof verdingt hatte.

Peinlich, wenn auch nicht überraschend, hatte sich auch das Verhältnis des Obersten zu seinem aus dem Gefängnis entlassenen Schwiegersohn in spe gestaltet – wenn man überhaupt noch von der Hoffnung sprechen konnte, daß Gert Mante die verliebte Martha je heiraten würde. Der ehemalige Obersturmbannführer, jetzt einer der intimsten Mitarbeiter des Generals Stappenhorst, wohnte nicht mehr bei Zobel; er besaß vielmehr eine mit allem Komfort ausgestattete Junggesellenwohnung in der Tengstraße. Seine Einstellung dem Oberst gegenüber war nicht mehr feindlich, dafür aber von einer verletzenden Herablassung, die den alten Mann schmerzlicher als offene Hostilität berührte. Zobel, der seine Tochter immer wieder beschwor, ihre Beziehungen zu Mante endlich zu lösen, erlitt auch dann Schiffbruch, als er ihr klipp und klar nachweisen konnte, daß ihr Verlobter mit zumindest einer, wahrscheinlich aber zwei von den Sekretärinnen des Generals Stappenhorst ein Verhältnis unterhielt.

An diesem Tag hatten Extra-Ausgaben die Berliner Blockade verkündet, und das Gespräch im Zobelschen Wohnzimmer drehte sich um die Ereignisse in der belagerten Festung.

„Es scheint, daß die Amerikaner die Stadt über eine Luftbrücke verproviantieren wollen", sagte der Oberst. „Ein schwieriges Unternehmen. Der Stadtkommandant Oberst Howley meint, Berlin habe Nahrungsreserven für bloß dreißig Tage."

„Der ganze Schwindel dauert keine dreißig Tage", erklärte Mante.

„Meinen Sie, die Amerikaner könnten keine Luftbrücke errichten?" fragte Zobel.

„Das können sie natürlich. Material und Nahrung haben die Leute zum Schweinefüttern. Aber nach ein paar Wochen wird es dem Russen zu dumm werden. Er wird ein paar Ami-Flugzeuge herunterholen und dann geht es los."

„Das wäre ein Unglück", sagte der Oberst. „Wir haben nichts; die Amerikaner haben abgerüstet, und der Russe steht Gewehr bei Fuß."

„Spielt keine Rolle", erwiderte Mante. „Nach Pearl Harbour waren die Amis auch völlig fertig ..."

„Sie haben also unbedingtes Vertrauen zu den Amerikanern?"

Mante zuckte mit den Achseln. „Als Menschen und als Soldaten sind sie ein Sauhaufen. Aber technologisch sind und bleiben sie unübertrefflich. Sie werden den Russen ein paar Atombomben um die Ohren knallen."

Nur der Oberst und der Obersturmbannführer unterhielten sich; Martha und Jochen schwiegen. Hie und da warf Zobel einen Blick auf Jochen, aber er vermochte die Gedanken seines Sohnes nicht zu lesen.

„Sie halten den Krieg für unvermeidlich?" fragte der Oberst.

„Völlig klar", antwortete Mante. „Und wer hat die ganze Schweinerei vorausgesehen? Der Führer. Wäre Washington nicht total verjudet gewesen, hätten sie noch 1944 mit uns einen Separatfrieden schließen und nach Moskau marschieren können. Jetzt müssen sie natürlich ihren eigenen Dreck fressen. Aber wir haben nun einmal keine andere Wahl als zwischen dem Amerikaner und dem Iwan; da müssen wir notgedrungen eben mit dem Amerikaner marschieren. Das Wesentliche ist bloß, daß wir nicht für andere die Kastanien aus dem Feuer holen ..."

Der Oberst nickte. „Gewiß", sagte er, „wenn wir dabei nicht wieder das Schlachtfeld abgeben müßten ..."

„Lieber heute als morgen", entgegnete Mante. „Atombomben hat der Russe nicht, das steht fest. Industrie haben wir keine, dafür hat schon Herr Morgenthau gesorgt. Werden halt höchstens noch ein paar Wohnhäuser zerschmissen. In einem Jahr nach dem Krieg bauen uns die Russen den ganzen Laden wieder auf."

Der Oberst wollte nichts erwidern, obwohl es ihm schien, daß es manches zu erwidern gab. Martha hatte ihre Hand kosend auf Mantes Knie gelegt und blickte ihn so bewundernd an, als sähe sie in dem Helden von gestern schon den Helden von morgen. Jochen Zobel saß nach rückwärts gebeugt und hatte die Augen geschlossen. Er schien nicht zuzuhören.

Jetzt öffnete er die Augen und lehnte sich vor. Seine Stimme zitterte vor Erregung, als er, an seinen Vater gewandt, sagte:

„Papa – wie lange willst du diesen Blödsinn noch anhören?"

Mante, der auf dem Kanapee saß, richtete sich auf. Der Oberst sagte beschwichtigend:

„Was meinst du, Jochen?"

„Wie lange du dir den Blödsinn anhören willst", wiederholte Jochen.

„Bitte, Jochen!" mahnte der Oberst.

Mante hatte sich inzwischen gefaßt. „Lassen Sie ihn doch", sagte er herablassend. „Was halten Sie denn für so blödsinnig, Herr Leutnant?"

Jochen blickte ihn endlich an.

„Lassen Sie den Leutnant, Herr Mante", sagte er. „Ich habe den Leutnant abgelegt und keine Macht der Welt wird ihn mir wieder anziehen."

„Das ist Ihre Sache", sagte Mante. „Sie können sich ja wieder freiwillig in Sklaverei begeben."

„Herr Mante!" versuchte ihn der Oberst zu besänftigen.

„Sie sprechen von Sklaverei?" sagte Jochen, seinen Vater nicht beachtend. „Wer hat hier die Sklaverei eingeführt? Wer hat Hunderttausende geopfert, um die Sklaverei aufrechtzuerhalten?"

Mante nahm einen Schluck Wein und sagte zum Oberst:

„Die gefeierten Heimkehrer! Den Rucksack voll bolschewistischer Ideen!"

„Mit dieser Lüge haben Sie und Ihresgleichen immer schon operiert. Natürlich sind wir Ihnen unbequem. Sie haben Angst vor den Gespenstern, Herr Mante, denn die Gespenster können erzählen, wie sie für Ihre Lügen gestorben sind."

Mantes Kopf lief rot an. Er wollte aufspringen, aber Martha zwang ihn sanft auf den Diwan zurück.

„Gert ... du siehst doch, er ist krank", sagte sie.

Es war ein beschwichtigender Satz, wohl nicht böse gemeint, aber es war der unglücklichste Satz, den sie aussprechen konnte. Jochen stand auf. Seine Schwester nicht beachtend, sprach er zu Mante:

„Ja, Herr Obersturmbannführer, ich bin krank. Ich bin so hoffnungslos krank, daß ich, drei Jahre nachdem dieser

Massenmord zu Ende gegangen ist, an keinem Komplott zu einem neuen Massenmord teilnehmen möchte. Ich bin so krank, so geistesgestört wahrscheinlich, daß ich nicht hoffe, man werde morgen irgendwelche Flugzeuge ‚herunterholen‘ und irgendjemand ein paar Atombomben ‚um die Ohren knallen‘. So krank bin ich, Herr Mante, daß es mir nicht gleichgültig ist, ob ein paar hunderttausend Wohnhäuser ‚zerschmissen‘ werden. Aber das ist nicht alles. Ich bin so krank, daß ich mich dagegen wehre, die Waffen gegen Deutsche zu ergreifen, wie ich es tun müßte, wenn Ihre herrlichen Pläne Wirklichkeit würden. Ich bin noch kränker, Herr Mante. Mich hat Ihr ‚Iwan‘ sechs Jahre lang von einem verlausten Lager zum anderen geschleppt, während Sie sich mit Ihren Huren herumtrieben. Trotzdem habe ich keine Lust, den ‚Iwan‘ mit Krieg zu überziehen, und zwar einfach deshalb, weil der Krieg nichts beweist ... nicht einmal, wenn uns nachher irgend ein neues Sklavenvolk unsere ‚zerschmissenen‘ Häuser wieder aufbaut. Ich bin so krank, Herr Obersturmbannführer, daß ich mich noch an die Worte Ihres verewigten Führers erinnere, der in seinem Bunker, ehe er sich umbrachte, sagte, das deutsche Volk möge verrecken, wenn es ihn verrate ... ich bin so krank, zu glauben, daß Sie und Ihresgleichen immer noch darauf aus sind, sich am deutschen Volk für den Verrat am Führer zu rächen. Ich war vielleicht nicht ganz so krank, als ich vor einigen Monaten aus der Gefangenschaft kam, in der eitlen Hoffnung, mein krankes Volk genesend zu finden, meinen Vater zur Besinnung erwacht, und Sie tot oder hinter Kerkermauern. Seither hat sich mein Zustand erheblich verschlechtert. Seither habe ich Deutschland gesehen, nach dem ich mich sechs Jahre lang jede Minute sehnte, zum Krankwerden sehnte, Herr Mante, dieses Land so voll Lebenslust, daß es ihrethalben wieder sterben muß; dieses Land, das baut, ehe es wegräumt, und das vor der Erinnerung in die Tat flieht. Der alte Mann hier nickt zustimmend, wie er sein Leben lang zustimmend genickt hat, wenn aus hohlen Köpfen hohle Worte kamen; statt sein Gehirn lüftet er schon wieder die Uniform; die dummdreisten Mantes schmeißen schon wieder ungestraft mit Worten und demnächst mit Bomben, und mein unglückliches Volk geht wieder den leichten Weg in den Abgrund. Ich war einmal achtundzwanzig Tage in Dunkelhaft, Herr Mante, bestraft für etwas, was ich nie begangen habe, und als ich aus der Blindheit kam, da war ich sehend – da war ich Deutschland, Herr Mante, verantwortlich für die Verbrechen von einigen und sehend offenbar nur, wenn es aus der Dunkelhaft kommt. Krank? Krank ist nicht genug, ich bin gemeingefährlich. Denn nun kommt es, und nun passen Sie gut auf, Herr Mante! Das Land ist voller Kranker wie ich. Sie können uns auch Gespenster nennen. Noch haben wir uns nicht gesammelt; Sie haben, wie immer, den Vorsprung. Aber gefährlich sind wir deshalb nicht minder – denn jeder von uns, jeder einzelne, ist entschlossen, Ihnen das Handwerk zu legen, auch mit Gewalt, wenn es sein muß. Ich werde heute aus diesem Haus gehen, das die Bomben verschont haben, das aber vernichtet ist, weil es einen Mörder aufnahm, der morgen wieder morden will. Ich werde nicht wiederkommen, solange ich krank bin, und ich werde krank sein, so lange ich die Pest in meines Vaters Haus weiß."

Gert Mante war aufgesprungen, während Jochen sprach, und nun standen sich die beiden Männer gegenüber – so nahe, daß jeder Versuch, sie zu trennen, vergebliches Bemühen gewesen wäre. Sie waren etwa gleich hoch, blond der eine, dunkelhaarig der andere; im Alter nicht sehr verschieden, aber sehr verschieden ihre Gesichter: der jetzt gerötete, längst wieder satte Totenkopf Gert Mantes, der knochige, ausgehöhlte, fiebernde Kopf Jochen Zobels.

„Verräter! Lump!" zischte Mante zwischen den Zähnen hervor. „Ich werde dir ..." Er packte Jochen am Kragen.

Weiter kam er nicht: Jochen schlug ihm mit der geballten Faust ins Gesicht. Mante torkelte zurück und fiel. Hinter ihm stand der rote Lehnstuhl des Obersten, leer, denn auch Zobel war aufgesprungen. Mit dem Hinterkopf fiel Mante gegen die Kante der einen Lehne. Das Blut ergoß sich über sein Gesicht und den roten Plüsch. Er versuchte sich aufzurichten, aber er sank ohnmächtig zurück. Sein Blut rann über den Teppich.

„Schnell, Wasser!" rief der Oberst, sich neben Mante niederkniend.

Martha vermochte es nicht, den Befehl auszuführen.

„Er ist tot! Er ist tot!" schrie sie. „Du hast ihn ermordet!"

Jochen wandte sich ab.

„Er ist nicht tot", sagte er trocken.

Einen Moment lang stand er über dem Blutenden. Wie er so dastand, mit einem fernen Blick, den ohnmächtigen Mann, den er niedergeschlagen hatte, gar nicht beachtend, mit leeren Augen und eingefallenen Wangen, wirkte er in der Tat krank und hilfloser als sein Opfer. Dann drehte er sich stumm um und ging ins Nebenzimmer. Er warf eilig und zugleich ruhig seine spärlichen Habseligkeiten in seinen Rucksack.

Als er in das Wohnzimmer zurückkehrte, saß Gert Mante, weiß im Gesicht, den Kopf notdürftig verbunden, auf dem Kanapee. Martha wand kühlende Handtücher über einer Waschschüssel aus. Der Oberst stand mitten im Zimmer, unentschlossen, ob er seinem verlorenen Schwiegersohn zusprechen, oder seinen wiedergefundenen Sohn zurückhalten sollte.

Jochen verweilte eine Minute lang an der Tür. Dann nickte er seinem Vater zu und ging. Die drei sahen ihm nach. Es war, als zöge wirklich ein Gespenst durch den Raum.

Herrlichen Zeiten entgegen

„Wir gehen herrlichen Zeiten entgegen", sagte Adam, und die Männer und Frauen, die sich an diesem Sonntag um ihn versammelt hatten, wußten nicht, ob es aufrichtig oder ironisch gemeint war.

Das Wunder hatte sich beinahe über Nacht vollzogen.

Wie die Nacht am tiefsten ist vor der Dämmerung, so war auch die deutsche Nacht vor der Dämmerung am dunkelsten. Noch wenige Tage vor der Währungsreform meldeten die Zeitungen, daß es, selbst gegen Bezugscheine, unmöglich sei, Waren zu erhalten – Beziehungsscheine statt Bezugscheine müsse man haben, um sich auch nur ein Paar Strümpfe oder eine neue Hose zu kaufen. Der Warenumsatz war innerhalb von wenigen Wochen auf ein Drittel gefallen. Die Ziffern klagten und klagten an – die Normalverbraucherration wurde auf eintausend Hungerkalorien herabgesetzt; in der hundertzehnten Versorgungsperiode wurde die monatliche Käsezuteilung von zweiundsechzig Gramm gestrichen; der Fettgehalt der sogenannten Vollmilch betrug nur noch zweieinhalb Prozent; fünfzigtausend Münchner hatten Fahrräder beantragt und nur achtzehnhundert erhielten das lebensnotwendige Beförderungsmittel; statt zwanzigtausend Paar Schuhen wurden im Ruhrgebiet achthundertachtzig ausgegeben. In Berlin starben von zweitausendsechshundert Neugeborenen siebzehnhundert wegen Milchmangel; im Ruhrgebiet traten hunderttausend verzweifelte Arbeiter in Streik; in Bayern lagen zweitausend Brauereien mit dreißigtausend Arbeitern brach; in Erlangen hielt der Direktor des Wirtschaftsrates eine Rede, in der er den Alliierten vorwarf, nur „Hühnerfutter" zu liefern und in der er seine Landsleute „Hungerkünstler" nannte; in Köln erschien der Karnevalsprinz in ein Hungertuch drapiert. Der schwarze Markt feierte schwarze Messen – der Preis eines Anzugs schnellte auf viertausend Mark, eines Paares von Kinderschuhen auf vierhundert Mark empor; in München allein wurden in einer Woche hundertacht Fälle von Milchfälschungen erwiesen; in Berlin wurden einzelne Ziegel wie Goldbarren gehandelt. Die Erbitterung begann stärker zu werden als die Furcht – in der Münchner Möhlstraße mußte die Polizei antisemitische Kundgebungen unterdrücken; in Essen wurden die wenigen existierenden Schaufenster eingeschlagen, und als, wenige Wochen nur vor der Währungsreform, die „Süddeutsche Zeitung" eine Rundfrage unter dem Motto: „Glauben Sie, daß es besser wird?" veranstaltete, antworteten acht von zehn Befragten mit einem deutlichen nein.

Wer die Zeichen zu deuten verstand, der ahnte freilich, daß sich Misere und Ausbeutung nur so orgiastisch benahmen, weil das Ende der großen Orgie nahte. Es mußte aufwärts gehen, da es nicht mehr abwärts gehen konnte. Niemand wußte, wie viel man von der neuen Deutschen Mark für hundert Reichsmark erhalten werde, aber hätte man eine Umfrage unter den Profiteuren veranstaltet, sie hätten, acht zu zwei, auf eine Besserung der Zeiten getippt. Auch die Bauern, Fabrikanten und Kaufleute sparten, was sie erzeugten und besaßen, für das neue goldene Zeitalter auf, und selbst die Schwarzhändler legten sich abwartende Zurückhaltung auf. Das Leben hielt den Atem an – es wurden keine Verträge mehr geschlossen; die von der Justiz verhängten Geldstrafen wirkten wie Hohn auf die Justiz; niemand dachte ernstlich daran, eine Rechnung zu präsentieren oder zu bezahlen, und wie Leichenhallen waren die Schalterräume der Banken. Am besten drückte sich die Stimmung in der Reportage einer der sporadisch erscheinenden Tageszeitungen aus, in der es, unter dem neckischen Titel „An Clay persönlich" hieß: „Da stehen die Kisten mit dem Aufdruck ‚Clay AX 13689 C'. Hier also ruht das Kapital von morgen, die noch bandeisenverschnürte Macht, die eingekastelte Währungsreform. Es ergeht uns in diesem Augenblick, wie in herzdurchklopften Momenten des Lebens: die Nähe des Mammons, des Teufels in Bündeln, steigert die erwartungsvoll-bange Spannung der letzten Monate und Wochen und Tage zur erregten Gewißheit: Nun ist es endlich so weit! Hier ist das Geld, das einen neuen Beginn bringen und uns in die immer noch ungewisse Zukunft begleiten wird. Diese Kisten bergen den Teil unserer künftigen Tage, dessen Realität unser Wirken, Streben und Hoffen mitbestimmen und uns erlauben wird, endlich einmal von neuem anzufangen und – so hoffen wir – aufzubauen." Die Meldung war nicht zufällig ein Hymnus voller Sprachdummheiten: keine große Liebe, keine erotische Leidenschaft, kein hehrer Gedanke, keine erschütternde Entdeckung hätten den Zeitungsschreiber zu so ekstatischen Ausdrücken wie „bandeisenverschnürte Macht", „Teufel in Bündeln" oder „herzdurchklopfter Moment" verleitet – nur „die Nähe des Mammons" machte den sonst vermutlich nüchternen Reporter zum stammelnden Troubadour.

Dann, am 19. Juni, wurde plötzlich über alle deutschen Sender eine wichtige Bekanntmachung der Militärregierungen verkündet, mehrere Male und im Stile der „Sondermeldungen", wenn auch diesmal mit deutlich ausländischem Akzent. Niemand ahnte, daß die Währungsreform, einem kriegerischen Überfall gleich, Monate zuvor beschlossen worden war – am 20. April waren die deutschen Währungsexperten von Bad Homburg in einem Autobus auf den ehemaligen Flugplatz Rothwesten bei Kassel entführt worden, wo sich die Tore des von Stacheldraht umgebenen amerikanischen Lagers hinter ihnen schlossen, und wo sie, in Kasernen untergebracht, über die kommende Geldschlacht beraten sollten. Es war unmöglich, nicht in Sinnbildern zu denken – die Entführung in Autobussen, das Schweigen unterwegs, der Stacheldraht, die amerikanischen Armeerationen, welche Deutschlands Finanzexperten wochenlang heißhungrig verschlangen; die erste Konferenz, die bis sechs Uhr früh dauerte und der doch Dutzende von Konferenzen folgten, die Tatsache schließlich, daß das neue deutsche Geld in Amerika gedruckt und in Kisten für Heeresnahrung über den Ozean in das beglückte Land verschifft werden sollte. Dann aber war es, um in der Sprache des Reporters zu bleiben, „endlich so weit." Wie es Hitler liebte, seine Samstags-Überraschungen zu verkünden, damit Volk und Ausland am Ruhetag nicht organisiert zu reagieren vermöchten, so tönte diese Entscheidung am Samstag aus den Rundfunkapparaten. Am Sonntag wurde in einer Kölner Kirche ein Dankgebet gesprochen, wie für die Erlösung von der Pest; von Jeeps mit Maschinengewehren gefolgt, flitzten die amerikanischen Tonnenwagen, mit dem neuen Geld beladen, über die Autobahnen; die Polizei hatte höchste Alarmstufe verkündet; in den Banken sammelten sich Beamte und Tausende von Hilfskräften zum Angriff im Morgengrauen – das ganze deutsche Volk aber hielt, zwischen zwei Epochen, den Atem an.

Als am Montag die „Neuordnung des deutschen Geldwesens" durch das Währungsgesetz Nr. 61 der westlichen Militärregierungen endgültig in Kraft trat, welche die Reichsmark, die Rentenmark und die Alliierte Militärmark außer Kurs setzte und – zehn zu eins – die Deutsche Mark als einzig gültige Währung etablierte, da schien es Siegern und Besiegten, als hätte sich die Unsitte über den Sonntag in Sitte verwandelt. Niemand stand der Sinn danach, tiefer zu blicken und die schreckliche Verlotterung zu erkennen, die sich in Wirklichkeit erst jetzt offenbarte. Es war ein frohes Erdbeben, und den Dreck, den die bebende Erde auswarf, wollte niemand sehen. Im Elend gab es eine gewisse Verschämtheit, verschämt war noch der Handel unter dem Tisch – nun aber tobte die Schamlosigkeit. Der Kaufmann, der seine Waren versteckt hatte, lebensnotwendige, lebensrettende Waren oft, wartete nicht ein paar Wochen, oder auch nur einige Tage, um sie zum Kauf anzubieten: vierundzwanzig Stunden nach der Verkündung hüpften die Waren wie Kobolde in Schaufenster und auf Verkaufstische. Hundertmal am Tag hörte man den stereotypen Satz: „Das gibt es wieder ...": Verkäufer und Käufer hatten ein stillschweigendes Komplott geschlossen, nicht zu forschen, warum es „das" gestern nicht gegeben hatte. „Wächst jetzt mehr Gemüse?" wagte eine tapfere Zeitung zu fragen, als auf dem bis dahin verödeten Viktualienmarkt in München schon am Montag Kohlrabi, Blumenkohl, Gurken, Rüben, Erbsen und „schöne Herzkirschen für siebzig bis achtzig Pfennig" angeboten wurden. „Jetzt auf einmal", schrieb der erstaunte Reporter, „gibt es Aktenmappen (15 – 28,75 Mark), Glühbirnen (40 Watt, 1,15 Mark), farbige Wolle (gegen Lumpenmarken), Bürsten, Druckknöpfe, Thermosflaschen, Schuhbänder, Werkzeug, Milchtöpfe, Taschenmesser, Gummibänder, Bohnerwachs, Lederhandschuhe, Krawatten, Bestecke, Wecker in Friedensqualität, Babywäsche in bester Ausführung und sogar Romane und Operntexte." Vor den Häusern saßen Kinder in der Sonne und spielten mit „blauen Lappen", wertlos gewordenen Hundertmarkscheinen; vor den Banken bildeten sich lange und scherzende Menschenkolonnen; in Packpapier, ja in Seidenpapier gewickelt, trugen die

Leute ihre Schätze heim; an den Straßenecken zeigte man das Gekaufte, Gurken oder Uhren, Hemden oder Radiogeräte. In schamloser Hast vollzog sich auch die Umstellung auf das übliche Verhältnis zwischen Anbietenden und Nachfragenden – Höflichkeit, Entgegenkommen, sogar Devotion waren auf einmal vom Raum vor dem Ladentisch auf ihren Platz hinter den Ladentisch gesprungen. Die Moralität schrieb ihre eigene Parodie. Unter der Marke: „Zur Nachahmung empfohlen!" verkündeten Geschäfte, Unternehmungen, Verlage und Institute in Zeitungsannoncen, daß „der schwarze Markt der Feind der arbeitenden Bevölkerung" sei und, daß „fristlos entlassen" würde, wer „innerhalb des Hauses als Schwarzhändler festgestellt" werde – warum an so nachahmenswerte Maßnahmen in der Zeit des unsicheren Geldes niemand gedacht hatte, wurde nicht untersucht.

Die Alois Schmidts verschwanden, um die guten Sitten ihrer Töchter waren die Väter wieder streng bedacht; an dem P.X. promenierten die Frauen, die sich hier gestern noch angeboten hatten, mit stolzem Selbstgefühl vorbei; die Polizei verkündete, sie werde die Möhlstraße „ausräuchern". In einem Mieder voll goldener Korsettstangen stolzierte die Ethik durch die deutschen Städte.

„Wir gehen herrlichen Zeiten entgegen", sagte Adam, als genau eine Woche nach dem historischen Sonntag seine Freunde um den ungewöhnlich üppig gedeckten Kaffeetisch saßen.

Sie waren diesmal vollzählig versammelt: Frau Wild, Elisabeth, Hans, Inge, Stefan, Frank, ein halbes Dutzend andere – nur Achim von Sibelius fehlte, der seit Monaten den Zusammenkünften fern geblieben war.

„Meinen Sie das wirklich?" fragte Hans.

Adam stand auf und ging unruhig umher, während ihm die anderen mit ihren Blicken folgten.

„Die Griesgrämigkeit", sagte er, „ist jetzt nicht sehr populär, und griesgrämig möchte ich auch nicht klingen. In mancher Hinsicht kommen herrliche Zeiten, gewiß. Die Trümmer werden verschwinden, dann auch die Ruinen. Die Amerikaner, die sie mit wollüstigem Schauder so gerne aus ihren Autobussen betrachten, werden sich beeilen müssen: es wird bald nichts Makabres mehr zu sehen sein. Wir werden aus unseren Kellern kriechen und die leeren Fensterrahmen werden sich mit Glas füllen. Auch die Anzüge werden sich wieder füllen, und neue Anzüge werden es sein. Wer sollte das alles nicht wünschen? Es ist meine Schuld, ich wäre gerne etwas weniger sehend, ich möchte den fatalen Zusammenhang nicht sehen zwischen stabilem Geld und stabiler Gesundheit. Daß wir es so herrlich weit gebracht haben, nach drei Jahren bloß, wird uns hinwegtäuschen über unser Versagen – oder haben wir nicht versagt in dieser Zeit?"

„Es ist schon vergessen", sagte Stefan Lester.

„Das ist es", sagte Adam. „Wir sind ein vergeßliches Volk. Wie die Kinder sind wir, die schnell lernen und ebenso schnell vergessen."

„Ob es eine Lösung gibt?" meinte Stefan. „Der Konflikt scheint mir zuweilen unüberbrückbar. Wir wünschen ein glückliches Deutschland ... und zugleich ein Deutschland, das nicht vergißt. Aber ein glückliches Deutschland vergißt – wir sind ein Volk für schlechtes Wetter."

Adam setzte sich nieder. „Vergessen ..." sagte er, „auch der Begriff müßte umschrieben werden. Wenn wir noch alles vergäßen ...! Aber unsere Erinnerung ist selektiv. Ich weiß nicht, ob Sie wissen, was ich meine. Wir werden die Möhlstraße nicht so leicht vergessen, aber der Lederfabrikant, der kein Schuhleder ablieferte, wird schon morgen wieder der respektierte Bürger sein; daß man gestern hundert Kilometer radelte, um sich einmal den Magen zu füllen, wird man nicht vergessen, aber daß man vorgestern einem Führer zujubelte, der in den Hunger führte, wird vergessen sein; daß wir vor einem G.I. nicht einmal den Hut ziehen durften, wird noch lange in unserer Erinnerung leben, aber wer wird noch daran denken wollen, warum die G.I.s über den Rhein marschierten? Ich muß mich revidieren – es gilt, scheint mir, weniger dem Vergessen zu widerstehen, als der säuberlichen Sondierung zwischen dem, was wir vergessen und was wir behalten wollen."

„Vielleicht haben Sie recht", sagte Hans, „aber es ist etwas anderes, das ich befürchte. Ich fürchte die Größe. Glauben Sie, Dr. Wild, daß es uns einmal gelingen könnte glücklich zu werden, ohne groß sein zu wollen?"

Ein junger Arzt, der seit mehreren Monaten an den Zusammenkünften am Sonntag teilgenommen hatte, mischte sich ein.

„Warum befürchten Sie die Größe, Herr Eber?" sagte er. „Es gibt doch auch eine, wenn ich so sagen darf, Größe in Güte."

„Ich weiß nicht", sagte Adam nachdenklich. „Gewiß wird noch eine lange Zeit vergehen, ehe wir an Größe denken können, obgleich wahrscheinlich nicht so lang wie wir annehmen. Die Größe ist uns immer gefährlich geworden, aber wir scheinen sie immer wieder zu brauchen."

„So lange wir besetzt sind", warf Stefan ein, „ist an Größe nicht zu denken. Und auch das ist ein Konflikt: wir sehnen das Ende der Besatzungszeit herbei – und ich zumindest fürchte es auch wieder. Ist das nicht eigentlich die deutsche Tragödie, daß einige von uns den diskreditierten Siegern immer noch mehr trauen als uns selbst?" Er unterbrach sich, als müßte er seine eigenen Gedanken erst verarbeiten. Dann fuhr er fort: „Allerdings glaube ich, daß wir noch zu sehr unter dem Eindruck der jüngsten Ereignisse stehen. Sie bedeuten nicht das Ende der Besatzung ... man spricht von fünfzig, dreißig, zumindest zwanzig Jahren."

Frank hatte bisher schweigend zugehört. Nun sagte er: „Die Besatzungszeit ist vorbei, Herr Lester. Ob wir fünf oder zehn Jahre in Deutschland bleiben werden, weiß ich nicht; ich bezweifle, daß es jemand weiß. Ebenso bezweifle ich, ob meine Landsleute wissen, was die Währungsreform bedeutet. Die Besatzung war eine Diktatur" – er lächelte – „wenn auch mit demokratischen Vorzeichen. Daß wir dies nicht offen zugeben, gehört zu unseren schwersten Fehlern. Ein Land demokratisch zu besetzen – das ist paradox und unsinnig. Schließlich ist auch Militärregierung eine Regierungsform, und da es keine vom Volk gewählte oder gewollte Regierungsform ist, ist sie eben eine Form der Diktatur. Hier liegt der vielleicht tiefste Grund unserer Fehlschläge. Wir kamen mit der Bibel in der einen Hand, in der anderen mit der Knute. Wir straften und predigten, rächten und heilten, befahlen und warben. Wir glaubten, Missionare zu sein, aber wir liebten nicht, was uns anvertraut war. Über unserem Streben stand das Wort: „... und bist du nicht willig, so brauch' ich Gewalt' – ein unmögliches Motto der Erziehung."

„Hitler ist damit ganz gut gefahren", sagte Hans.

„Nicht auf die Dauer", sagte Frank. „Und er sprach nicht von Demokratie. Und er war kein Fremder."

„Überdies", meinte Stefan, „hat es sich erwiesen, daß man kein Volk ‚umerziehen' kann. Erziehen vielleicht – wenn es sich um Kinder handelt."

„Wir haben nicht bewußt geheuchelt", sagte Frank, „aber es mußte als Heuchelei wirken. Unsere Absichten waren nicht immer schlecht ... die Verpackung war es auf jeden Fall. Die Verpackung und die Transporteure. Wenn ich an ideale Träger der Demokratie – Träger im ursprünglichen Sinne des Wortes – denke, fallen mir nicht unbedingt Generale ein, nicht einmal amerikanische."

„Sie sagten, Frank", unterbrach ihn Adam, „daß die Besatzungszeit vorbei sei. Warum nehmen Sie an, daß ..."

„Die Besatzung war eine Diktatur, das war schon meine Antwort", sagte Frank. „Es gibt Gewaltherrschaft nur im Elend. Sie beklagten vorhin, Adam, daß der deutsche Stolz erst zu erwachen begann, als man den Deutschen die erste Deutsche Mark in die Hand drückte. Es wäre mit jedem anderen Volk nicht anders gewesen. Zeigen Sie mir ein einziges Beispiel in der Geschichte, daß ein Volk unterdrückt werden konnte, das eine international anerkannte Währung besaß. Hitler siegte in Deutschland erst, als die deutsche Währung außerhalb des Landes unterlag; glauben Sie keinen Moment, daß die Sowjets wirklich eine allgemeine Anerkennung ihres Rubels anstreben. Die ruinierte Währung ist der satanisch konstruierte Pestkordon, mit dem die Diktaturen ihre Länder umgeben. Freiheit und Flucht sind beinahe dasselbe – es gibt keine Freiheit, wenn es keine Flucht gibt aus der Unfreiheit. Wertlose Werte sind, scheint es mir, die Ketten, die den flüchtigen Bürger an sein

Land fesseln. Sehen Sie, das ist das Seltsame, das Unbegreifliche an meinen Landsleuten ... unbegreiflich für alle, die sie nicht genau kennen. Sie wollen Deutschland weiter beherrschen, aber sie prägen die Münzen der Flucht für die Beherrschten. Nehmen Sie das Wort Flucht freilich nicht wörtlich ... ich meine nur die Möglichkeit des Kontakts und der Bewegung und des Glücks und, wenn Sie wollen, der Größe." Er legte seine Hand, zart und ohne daß es jemand bemerken konnte, auf die Hand Elisabeths, die neben ihm saß. „Ich weiß, daß die Besatzungszeit vorbei ist, und wenn ich es auch nicht bedauere, so ziehe ich für mich doch die Konsequenzen." Er lächelte wieder. „Dies soll kein Abschiedsfest sein, Adam, denn ich werde erst im Herbst nach Amerika gehen. Aber ich habe um meine Entlassung angesucht, und im September oder Oktober ..."

Eine große Stille legte sich plötzlich auf den Raum. Es war nicht Franks Absicht gewesen, seinen Abschied so früh anzukündigen. Seine eigene Beweisführung hatte ihn mitgerissen; er wollte sich selbst als das naheliegendste Beispiel seiner Argumente anführen. Nun bedauerte er, was er gesagt hatte. Alle Blicke waren auf ihn gerichtet, und von ihm glitten sie, wenn auch tastend und um Takt bemüht, auf die Frau hinüber, die neben ihm saß. Es fiel Frank schwer, die Rührung zu meistern, die sich seiner bemächtigte, denn die Augen, die ihn ansahen, waren voll Freundschaft und voll Bedauern über seinen Entschluß. Er blickte verlegen nach dem offenen Fenster, durch das die Sommernacht in warmen Wellen hereinströmte.

Wie immer, so war es auch diesmal Frau Wild, die zuerst die Sprache wiederfand.

„Gehen Sie, weil alles vergeblich war, Frank?" sagte sie.

Aber Hans sagte, noch ehe Frank etwas erwidern konnte: „Der Beweis, daß es nicht vergeblich war, ist unter uns ..."

DIE JAHRE NACHHER

SIEBENTES KAPITEL

Colonel Hunter verzichtet

Generalleutnant Theodore E. MacCallum trägt an diesem sonnigen Januartag des Jahres 1949 eine hellgraue Hose aus Kordsamt, hohe Stiefel und dunkelgrüne Uniformjacke. Stiefel und Reithose kann Colonel Hunter nicht sehen, denn der General sitzt hinter seinem Schreibtisch.

„Es ist natürlich äußerste Diskretion geboten", sagt der General. „Stappenhorst wird sich morgen mit dir ins Einvernehmen setzen. Offiziell haben wir mit seinem Dienst weiterhin nichts zu tun, aber der Informationsaustausch muß prompt und in gegenseitigem Vertrauen erfolgen."

Hunter antwortet nicht. Sein Schweigen irritiert den General. Er fährt schnell fort:

„In welcher Form die deutsche Wiederaufrüstung erfolgt, steht nicht fest. Man spricht von einer Europa-Armee. Wenn ich aus Washington zurück bin, kann ich dir wahrscheinlich mehr sagen. Worauf es inzwischen ankommt, ist, einen gesunden Übergang zu schaffen."

„Was verstehst du unter gesundem Übergang?" fragt Hunter endlich.

Der General liebt es, generelle Weisungen zu geben; seine Untergebenen sollen sich um die Einzelheiten kümmern. Er sagt:

„Wir müssen das psychologische Fundament legen. Enge Zusammenarbeit mit den Deutschen; Stärkung des Wehrwillens; stufenweise Rehabilitierung des deutschen Soldaten; keine Todesurteile; Amnestien, so weit sie möglich sind; Appell an den deutschen Patriotismus." Und ungeduldig: „Ich bitte dich, Graham, du weißt genau, worum es geht."

„Ich fürchte, ich weiß genau, worum es geht", sagt Hunter.

„Na also", sagt der General.

„Gar nicht,na also'", sagt Hunter. Es klingt nicht respektierlich. „Willst du mir vielleicht erklären, wie wir diesen ,gesunden Übergang' schaffen sollen? Ich habe eine von dir unterschriebene Weisung, wonach deutsche Polizisten keine automatischen Waffen tragen dürfen. Die Weisung besagt ferner, man möge den Polizisten irgendeine Uniform anziehen, die nicht wie eine Uniform aussieht."

„Ich habe nicht von Polizisten gesprochen", unterbricht ihn der General.

„Es war nur ein Beispiel", sagt Hunter ruhig. „Appell an Patriotismus? Wir haben ihnen den Nationalstolz gerade ausgetrieben. Nazi-Vergangenheit? Ich hatte Weisung, die schärfsten Spruchkammern einzusetzen. Die Weisung kam von dir."

„Die Weisung kam von den Dummköpfen in Washington. Sie haben wieder einmal nichts vorausgesehen."

„Ich erinnere mich, Ted, daß du mir, es war eines Abends in deinem Schloß, erklärt hast, du könntest mit einer deutschen ,Krüppel-Armee' nichts anfangen. Sind ihr inzwischen die Beine nachgewachsen?"

Der General springt auf. Er geht, oder marschiert vielmehr, zum Fenster.

„Bitte, Graham, schau' einmal hinaus. Die Leute hämmern, bis dir der Kopf summt. Was haben sie in weniger als einem Jahr alles zusammengehämmert! Es ist und bleibt das einzige Volk in diesem verrotteten Europa. Greife ihnen unter die Arme, und es wachsen sogar die Beine nach."

Hunter erhebt sich; auch er geht zum Fenster. Gegenüber steht ein Gerüst. Der Winter scheint die Arbeit nicht zu stören: sie arbeiten wie die Bienen im Sommer. Das Haus wächst unter ihren Händen.

„Kommt es zum Krieg?" fragt der Colonel.

„Das hängt von den Russen ab. Sicher ist nur, daß wir die Krauts nicht entbehren können." Er geht zu seinem Schreibtisch zurück. „Ich fliege übermorgen nach Washington." Er lächelt, zum ersten Male. „Du wirst ohne mich feiern müssen."

Hunter, immer noch am Fenster, wendet sich um. „Feiern?" fragt er.

Der General reicht ihm ein Telegramm. „Endlich ist es so weit", sagt er. „Freitag kommt deine Beförderung vor den Senat."

Hunter ist an den Tisch herangetreten. Er nimmt das Telegramm und geht zum Fenster zurück. Es ist ganz still im Zimmer; man hört nur, gedämpft durch die doppelten Fensterscheiben, das Hämmern vom Bau.

Dem General ist die Stille unheimlich. „Na, freust du dich denn nicht?" sagt er.

Hunter schweigt immer noch. Endlich sagt er:

„Ich möchte auf die Beförderung verzichten, Ted."

„Du bist nicht bei Sinnen."

„Die Beförderung legt mir die Verpflichtung auf, hier zu bleiben", sagt Hunter. „Ich möchte meinen Abschied nehmen, Ted."

„Was ist in dich gefahren?" fährt der General auf.

„Es muß nicht der Abschied sein", sagt Hunter. „Wenn man mich verwenden kann, zu Hause, oder auf den Philippinen, oder bei irgend einer Militärmission . . . Vielleicht kannst du es in Washington richten."

Der General versteht immer noch nicht. „Es ist nicht mein Fehler, daß es so lang gedauert hat. Diese Hosenscheißer von Bürokraten . . ."

„Es hat nichts mit der Verzögerung zu tun", sagt Hunter. „Ich bin dir sehr dankbar, Ted. Ich will nur nicht mehr. Sie sollen neue Leute nach Deutschland schicken. Ich käme mir zu lächerlich vor. Zuerst habe ich den Polizisten die Stiefel ausgezogen, jetzt ziehe ich der Jugend die Uniform an. Ich habe eine Zeitung verboten, weil sie einmal das SS-Zeichen in Runen druckte, jetzt soll ich mich mit SS-Offizieren an einen Tisch setzen. Ich bin ein alter Soldat, Ted, ich bezweifle nicht, daß sie für alles gute Gründe haben, im Pentagon. Aber ich habe zuviel gelernt in diesem besetzten Land. Ich habe Hunderte deutscher Offiziere bestraft, nur weil sie nicht gedacht haben. Das gab mir zu denken."

„Ich wußte nie, daß du so radikal gegen die Deutschen

eingestellt bist, Graham", sagt der General. „Man muß ihnen schließlich eine Chance geben."

„Ich habe nichts gegen die Deutschen", sagt der Colonel. „Man hätte ihnen vielleicht am ersten Tag die Möglichkeit geben sollen, aufzubauen ..."

„Es ist keine moralische Frage", unterbricht ihn der General. „Auch keine Geschmacksfrage. Ich persönlich kann sie nicht schmecken. Ich erwarte mir von ihnen auch keinen Dank; ich weiß ganz genau, was sie von uns denken. Aber wir sind für sie das kleinere Übel – und sie für uns. Das ist ein gesundes Verhältnis."

„Sehr vernünftig", sagt Hunter. Und in die Fensterscheibe blickend, als blicke er in einen Spiegel: „Nur muß man mindestens am Morgen, beim Rasieren, in den Spiegel blicken. Der Colonel Hunter, der gestern das eine tat, kann nicht morgen das andere tun. Nicht einmal, wenn er sich als General verkleidet. Sein Spiegelbild würde ihn verhöhnen. Laß' den Entmilitarisierungs-Colonel gehen und hole dir einen Remilitarisierungs-General – ich habe nichts dagegen. Fünf Jahre hatte ich die Aufgabe, die Deutschen zu beschämen; ich habe keine Lust, mich von ihnen beschämen zu lassen."

„Und das ist dir alles nicht früher eingefallen? Stappenhorst, zum Beispiel, ist dir nicht neu ..."

„Leider nicht", sagt der Colonel. „Den Offizieren des 20. Juli war Hitler auch nicht neu. Das Faß muß voll sein, um überzulaufen."

„Du vergleichst uns hoffentlich nicht mit den Nazis", fährt ihn der General an.

„Ich vergleiche mich mit denen, die eines Tages genug hatten."

„Was mißbilligst du eigentlich?" will der General wissen, „– unsere Politik von gestern, unsere Politik von heute, oder nur die Inkonsequenz?"

„Wahrscheinlich alles", sagt Hunter. „Vor allem, daß wir offenbar nur das Nützliche tun und nicht das Rechte."

„Und du weißt, daß du die Beförderung ernstlich aufs Spiel setzt. Ich muß in Washington ..."

Der General spricht, aber der Colonel hört ihm nicht zu.

Er hält das Telegramm noch immer in der Hand. Er denkt an Betty. Sie schritten unter gekreuzten Schwertern aus der Kapelle. Man spielte „Here comes the bride", den Hochzeitsmarsch. „Here comes the bride", und er hatte Betty versprochen, General zu werden. Anfangs geschahen viele Wunder. Und dann wurden die Wunder selten. Sie werden seltener, wenn man älter wird. Wie viele Heime hatten sie? Barackenheime in Fort Dix und auf den Philippinen und in Camp Kilmer und in Honolulu, und ein Landhaus in Puerto Rico und einige andere Häuser und schließlich eine Villa in der Harthauserstraße. In Armeelazaretten wurden die Kinder geboren, Bob und Ruth, nur Beverly kam in einem Sanatorium zur Welt. Am Himmel stand immer der Generalsstern, aber dann bewölkte sich der Himmel. Marianne, denkt der Colonel. „Wenn Sie den Generalsstern bekommen, schenken Sie ihr einen rosa Wagen und einen hellblauen Hut", hatte sie gesagt. Oder so ähnlich. Betty wird keinen rosa Wagen bekommen und keinen hellblauen Hut. Er wird nach Hause gehen und sagen: Ich hatte den Stern schon in der Hand, aber ich ließ ihn wieder fallen. Warum? wird sie fragen. Ich weiß nicht, wird er sagen, vielleicht wegen des Rasierspiegels. Sie wird es nicht verstehen. Sie hat ihm drei Kinder geschenkt, und als er im Lazarett lag, schrieb sie täglich zwei Briefe, aber verstanden hat sie ihn nicht. Es ist auch nicht wichtig; man muß ihr wenigstens nichts vormachen. „Here comes the bride"; es ist ihm, als hämmerten die drüben den Hochzeitsmarsch. Übrigens ist er aus Lohengrin. Ich bin kein Lohengrin, denkt der Colonel, sonst wäre ich längst gegangen; es ist nicht heroisch und nicht logisch, daß ich jetzt gehe. Schade um das schöne Haus mit dem Garten, in Harlaching. Ob Betty alle Maßkrüge mitnehmen will? Fünf Jahre, Ted hat recht. Aber die Jahre zuvor waren genau so vertan, es wurde einem bloß nicht so klar. Es muß die Föhnluft sein, hier wird alles so klar.

Er sagt: „Es ist mir ganz recht, Ted. Ich wäre nie ein guter General geworden. Ich scheue die Verantwortung." In seiner Hand ist das zerknüllte Telegramm.

„Überlege es dir!" sagt der General.

„Es gibt nichts zu überlegen", sagt Hunter, und es klingt fest.

Er geht zum Schreibtisch, auf dem seine Aktentasche liegt. Der General hält ihn nicht zurück. Hunter geht schnell in sein Büro. Dort hört man nicht den Hochzeitsmarsch.

Wedemeyer zaubert wieder

Am Waldrand, zwischen Tutzing und Garatshausen, unweit vom Starnberger See, stehen wieder sieben oder acht Wagen. Jetzt befinden sich mehrere deutsche Privatwagen darunter. Es ist Februar. Der Schnee liegt hoch. Um das Haus Walter Wedemeyers stehen die Laubbäume wie von fröhlichen Engeln gebaute riesige Schneemänner. Im Haus am See wird „Kehraus" gefeiert, das Ende des Münchner Faschings.

Walter Wedemeyer nennt sich wieder Privatier. Er hat die „Mücke" verkauft. Für das Lokal bekam er nichts. Für den Bauplatz bekam er ein kleines Vermögen, in Deutscher Mark. Das Nachtlokal wird verschwinden; an seiner Stelle wird eine Versicherungsgesellschaft ihr neues Bürogebäude errichten.

Wedemeyer hatte mehrere Gründe, das Lokal zu verkaufen. Man muß nicht nur wissen, wann eine Zeit hereinbricht; man muß auch wissen, wann eine zu Ende geht. Es gibt immer noch Schwarzhändler und Agenten, aber sie brauchen die „Mücke" nicht, um sich satt zu essen, ihren Durst zu löschen, Nahrung, Getränke, Zigaretten und Nachrichten auszutauschen. Trotzdem hätte Wedemeyer die „Mücke" nicht so schnell abgestoßen. Aber er ist ein Mann von starken Impulsen. Vierundzwanzig Stunden nach der Währungsreform machte im Lokal ein Besucher aus Berlin einen Skandal, weil das Wiener Schnitzel leicht angebrannt war. Zwei Tage später behauptete jemand, der Sekt sei „verpanscht". So leicht vergessen die Menschen. Als Privatier fährt man besser.

Die Gäste im Haus am See sprechen lebhaft dem Sekt

zu. Trotzdem erinnert nichts mehr an die Ekstase der Faschingsfeste vor dem großen Ereignis. Damals hatte man weniger zu trinken, fast nichts zu essen, und es war kalt. Aber die Erotik machte trunken, satt und warm. Jetzt spielt das Orchester nicht mehr auf einem Schiff in Seenot.

„Unser Wirt muß uns etwas vorzaubern", sagt General Stappenhorst zu Generalleutnant MacCallum. „Wissen Sie, Herr General, daß er ein fabelhafter Zauberer ist?"

MacCallum nickt. Es geht Stappenhorst nichts an, daß er es selbst zu beachtlicher Zauberkunst gebracht hat.

Stappenhorst hebt sein Sektglas. Er hält das Glas am langen Stiel, auf deutsche Art. MacCallum hat sich daran gewöhnt, obwohl er es selbst nicht vermag. Immerhin hebt er sein Glas, nachdem er es geleert hat, nochmals hoch, wie es die deutsche Gewohnheit verlangt.

„Auf Ihr Wohl, Herr General!" sagt Stappenhorst.

„Auf Ihr Wohl, Herr General!" sagt MacCallum.

Die beiden Herren sitzen in dem kleinen, für das Haus eines Junggesellen viel zu zierlichen Arbeitszimmer Wedemeyers. Die weiße Flügeltür steht offen; man blickt in den großen Salon, in dem getanzt wird. Wedemeyer hat sie absichtlich allein gelassen. Überall im Haus haben sich kleine, diskrete Gruppen gebildet. Man muß den Menschen nur einen Raum geben, wo sie zusammenkommen können, dann verständigen sie sich schon von selbst: das gehört zu Wedemeyers Weisheiten.

Ein amerikanischer Offizier kommt aus dem Salon herein. Er ist ein junger Brigadegeneral mit breiten Schultern, einem Collegeboy-Gesicht und Igelhaarschnitt. Über der Uniform trägt er einen schwarz-weißen Domino.

„Sie scheinen sich ja gut zu unterhalten, Brisbane", sagt MacCallum wohlwollend.

„Ich gewöhne mich ein, General", sagt Brisbane. Er setzt sich zu den beiden anderen.

„Ich bin überzeugt, daß Sie mit Brisbane gut auskommen werden", sagt MacCallum zu Stappenhorst.

Stappenhorst verbeugt sich, etwas steif aber höflich.

„Wir haben Ihr Budget gestern nach Washington weitergegeben", fährt MacCallum fort. „Fünfzehn Millionen sind natürlich ein harter Brocken, für den Anfang. Die Politiker müssen zustimmen." Er spricht das Wort Politiker aus, als spräche er von einer häßlichen Krankheit.

„Es ist immer dasselbe", stimmt Stappenhorst zu.

General Brisbane ist einem politischen Gespräch im Moment sichtlich abgeneigt.

„Daisy ist eine glänzende Tänzerin", sagt er, auf den Salon hinweisend.

Die Frau des Generalleutnants tanzt gerade vorbei.

„Sie hätten sie nicht erkennen sollen", lacht MacCallum.

Daisy trägt eine rote Maske. Sie ist als Madame Pompadour verkleidet, in einem weiten, rotseidenen Kleid; auf den gelockten Haaren sitzt ein entzückender Dreispitz. Sie tanzt mit dem Hausherrn, der als Mephisto verkleidet ist, ganz in schwarz. Er hat sogar einen Spitzbart angeklebt, aber seine schwarze Hornbrille mildert sein dämonisches Aussehen. Das nächste Paar sind der Bankpräsident Stettinus aus Köln, mit Karin Eber, seiner künftigen Schwiegertochter. Der alte Stettinus ist als Mönch verkleidet, in einer braunen Kutte. Karin trägt ein tief ausgeschnittenes Abendkleid, das erste, das man wieder aus Paris beziehen konnte. Sie hat die schwarzseidene Maske abgelegt. Die Soubrette des Operettentheaters ist als Währungsreform gekommen, in einem durchsichtigen Kleid aus lauter alten, blauen Geldnoten. Sie tanzt mit einem amerikanischen Oberst.

„Nicht übel", sagt Brisbane, als sie vorbeiwalzt.

„Nicht übel", stimmt MacCallum zu.

„Natürlich läßt sich die Sache auch aus deutschen Geldern finanzieren", sagt Stappenhorst. „Wir könnten nachher kurz mit Dr. Eber sprechen. Er hat mich vorige Woche besucht."

„Das wäre ganz verfehlt", sagt MacCallum schnell. Er weiß genau, worauf Stappenhorst hinaus will. „Ich bin sicher, daß Sie die fünfzehn Millionen bekommen. Es sind schließlich nicht einmal vier Millionen Dollar. Das wird bei uns für Klosettpapier ausgegeben."

„Auf dem schwarzen Markt", sagt Stappenhorst, „bekommt man immer noch sechs bis acht Mark für den Dollar."

„Ein Übergangszustand", sagt MacCallum.

Draußen bricht die Musik ab. Die Herren im Nebenzimmer hören Wedemeyers Stimme:

„Ich möchte meine verehrten Gäste nicht enttäuschen ... auf allgemeinen Wunsch ... eine kleine Vorstellung ..."

„Das muß ich sehen", sagt Stappenhorst. „Wie gesagt, er soll großartig sein."

Es wird noch einmal Sekt herumgereicht. Man gruppiert sich um den Flügel, der auf einem kleinen Podium steht, offenbar eigens für die Darbietungen Wedemeyers errichtet.

Dr. Eberhard Eber sitzt jetzt neben seiner Tochter.

„Ich frage mich, ob er uns die alten Tricks zeigt", flüstert er ihr zu. „Ich habe ihn früher oft gesehen ..."

„Ich weiß", sagt Karin.

Ein amerikanischer Oberstleutnant flüstert der Frau des Generals ins Ohr:

„Als ich das erste Mal hier war, ließ er ‚Mein Kampf' verschwinden. You know, das Buch von Hitler ..."

Aber weder Dr. Eber noch der Oberstleutnant schätzten Wedemeyer richtig ein. Wedemeyer wiederholt sich nicht.

„Unsere amerikanischen Freunde", sagt er, „sind dafür bekannt, daß sie einen Stahlhelm als militärische Kopfbedeckung, als Suppenschüssel und als Waschtopf verwenden können. Wollen sehen, wie es mit unserem Erfindungsgeist bestellt ist."

Er zaubert aus dem Stahlhelm einen Blumenstrauß, eine Sektflasche, den Besen eines Rauchfangkehrers – „Good luck!" – und einen Papagei. MacCallum hat sich neben seiner Frau niedergelassen und erklärt ihr eifrig, wie es Wedemeyer macht. Den Trick mit dem Stahlhelm kann er selbst.

Wedemeyer bemerkt es. Als seine Nummer beendet ist, sagt er, mit der lässigen Nebensächlichkeit des geübten Kabarettisten:

„Ich bin heute natürlich etwas verlegen. Für einen meiner verehrten Gäste ist das alles kein Geheimnis. Wir haben einen der größten amerikanischen Amateurzauberer unter uns."

Ein paar Eingeweihte blicken General MacCallum an. Einige klatschen. Der General schüttelt verlegen den Kopf.

Wedemeyer ist jetzt bei Gedankenübertragungen angelangt. Sein neuestes Kunststück ist hochmodern. Die Soubrette zieht eine Karte aus einem Kartenpaket und zeigt sie den Anwesenden, ohne daß Wedemeyer sie sehen kann. Als er bis zehn zählt, läutet das Telephon, und Mrs. Mac Callum geht auf seine Bitte zum Apparat. Eine Stimme nennt die Karte, Pik As. Ein Murmeln der Verblüffung geht durch den Raum. Der General sagt zu Daisy:

„Das hat er mir nicht verraten, der Teufelskerl."

Dann fordert Wedemeyer einen der Zuschauer auf, eine Ziffer auf eine Schiefertafel zu schreiben. Daß er gerade Stappenhorst Schiefertafel und Kreide reicht, mag Zufall sein. Eine Minute später sagt er, mit verbundenen Augen:

„Der Herr General ist unbescheiden. Fünfzehn Millionen."

„Das hätte ich auch erraten können", wispert Brigadier Brisbane ins Ohr seines Vorgesetzten.

Schließlich greift Wedemeyer wieder nach dem Stahlhelm. Seine Stimme vibriert von Rührung, als er sagt:

„Meine Damen und Herren! Zum Abschluß jene Nummer, mit der wir, Diener der Magie, einst unsere Darbietungen zu schließen pflegten. Daß wir es wieder dürfen ..." Er scheint zu gerührt, um weitersprechen zu können. Er greift nach dem Sektglas, das auf dem Flügel steht.

Dann zaubert er das Sternenbanner der Vereinigten Staaten aus dem Stahlhelm. Er entfaltet die Fahne: allgemein ist der Beifall. Nur MacCallum und Brisbane sehen sich besorgt an. Aber Wedemeyer ist, was er immer war: ein Mann voll Takt. Aus dem leeren Stahlhelm hebt er jetzt die neue, schwarz-rot-goldene Fahne der künftigen Bundesrepublik. Auch sie entfaltet er; dann drapiert er die beiden Fahnen, nebeneinander, auf dem Flügel. MacCallum und Brisbane atmen erleichtert auf.

Wenige Minuten später bezieht das kleine Orchester wieder das Podium. Man tanzt Walzer. Die Gattin des Generals hat ihre rote Maske abgelegt und tanzt mit ihrem Mann. Dr. Eberhard Eber, einen roten Domino über dem altmodischen Smoking, tanzt galant mit der jungen Mrs. Brisbane. Karin hat zu ihrem Verlobten gefunden, der als Richard Wagner gekommen ist. General Stappenhorst tanzt nicht. Mit einem kleinen Lächeln und einem freundlichen „Gratuliere!" händigt er dem Hausherrn die Schiefertafel aus.

Sibelius schreibt an Adam Wild

Am 18. Februar 1949 erhält Dr. Adam Wild den Besuch eines ihm Unbekannten, der sich als Jochen Zobel vorstellt und ihm einen Brief seines lang vermißten Freundes Achim von Sibelius überbringt. Der Brief lautet:

„Mein lieber Adam:

Daß ich München verlassen habe, ohne mich von Dir, Deiner verehrten Mutter und unseren Freunden – wenn ich sie noch so nennen darf – zu verabschieden, hat seine guten Gründe, und selbst jetzt, da ich seit über zwei Monaten in Köln bin, habe ich es immer wieder aufgeschoben, Dir zu schreiben. ‚Epistula non erubescit', sagt Cicero in seinen ‚Briefen an die Freunde'. Das Papier, auf dem man schreibt, mag nicht erröten, aber nicht gering ist die Gefahr, daß der Schreiber es tue, und errötend muß ich gestehen, daß ich dieser Scham vor mir selbst und dem Empfänger immer wieder ausgewichen bin. Ganz unrecht hat Cicero dennoch nicht, in dem Sinne zumindest, als ich seit jenem Herbsttag des Jahres 1947, als ich den schwersten Gang meines Lebens antrat, Dein Haus, ja Deinen Anblick mied – auch jetzt fiele es mir schwer, Dir unter die Augen zu treten, dürfte ich mich nicht zuvor brieflich erklären.

Der ehemalige Leutnant Jochen Zobel, der Dir dieses Schreiben mit meinen Empfehlungen überbringt, wird Dir mehr erzählen können als ich es vermag, und die

Bitte, daß Du meinen jungen Freund herzlich aufnehmen mögest, ist der unmittelbare Anlaß meines Schreibens.

Ungemein viel verdanke ich dem jungen Zobel. Meine Verbindung mit seinem Vater und dem Soldatenbund, dem dieser vorstand, ist Dir, wie ich weiß, nicht unbekannt geblieben – ich verschwand aus Deinem Gesichtskreis genau an jenem Tag, an dem ich Oberst Zobel aufsuchte und mich seinem Verein anschloß: innerlich aber habe ich den Kontakt mit Dir genau an dem Tag wiedergefunden, als ich den aus russischer Gefangenschaft heimgekehrten Sohn des Obersten kennenlernte.

Andere als opportunistische Gründe kann ich für meinen seinerzeitigen Anschluß an den Kreis um Oberst Zobel rechtens nicht anführen. Daß meine Gesundheit ernstlich untergraben war und daß ich Hunger und Not litt, ist Dir bekannt, und nicht wundern würde es mich, wenn Du dies, vor Dir und anderen, zu meiner Entlastung entsprechend angeführt hättest. Ich selbst habe solche Argumente nie als völlig stichhaltig zu akzeptieren vermocht. Es mag eine Tatsache sein, daß das Gewissen erst vernehmbar wird, wenn die Stimme des knurrenden Magens verstummt, aber es ist eine Erkenntnis, die mich mit Widerwillen erfüllt und die ich deshalb als Entschuldigung für mich selbst nicht gern beanspruchen möchte. Auch daß mich die Hoffnungslosigkeit, welche die Sieger geradezu planmäßig wie eine schlechte Saat um sich streuten, daß mich die Sinnlosigkeit des Protestes zu den Zobels trieb, empfinde ich nicht als Entlastung. Hoffnung und Opportunismus wohnen, fürchte ich, enge beisammen, da sich doch beide um zukünftiges persönliches Wohlergehen drehen. Auch daß man die Enttäuschung beinahe allgemein als guten Grund schlechter Handlungen anerkennt, will mir nicht recht behagen; auch auf diese Erklärung muß ich also verzichten. Es ist in der Tat so, daß ich auch heute noch nicht wagen würde, diesen Brief an Dich zu richten, hätte ich zu mir, zu uns, darf ich wohl sagen, erst zurückgefunden, als ich klarer sah, weil ich besser aß; heller hörte, weil ich gesünder atmete, und deutlicher dachte, weil sich das Papier in meiner Tasche zu wertbeständigem Geld verwandelt hatte. So ist es, dem Schicksal sei gedankt, doch nicht gewesen. Lange vor der glorreichen Währungsreform, mehrere Monate früher zumindest, sagte ich Oberst Zobel und seinen Freunden Lebewohl. Der Anlaß freilich, ich muß es gestehen, war persönlicher Natur – wie sehr so ziemlich alles in unserem phantasielosen Dasein erst ad oculos demonstriert werden muß, ehe wir es verstehen, gehört zu den betrüblichsten Erfahrungen meines Älterwerdens.

Der äußere Anlaß des heilsamen Schocks, der elektrisierend auf mich wirkte, war die Entlassung des SS-Obersturmbannführers Gert Mante aus alliierter Gefangenschaft sowie das Erscheinen des Feldmarschalls Sturzenbach im Kreis Zobels. Hier ereignete sich ein bemerkenswert paradoxer Vorgang. Daß die Sieger eine Gestalt wie Mante auf Deutschland losließen; daß sie Sturzenbach eine hilfreiche Hand boten, hätte mich, mehr noch als alles vorher Erlebte, davon überzeugen müssen, daß es zwecklos sei, sich dem Zuge der Zeit zu widersetzen. Gerade, was mich jedoch zur Aufgabe des notwendigen Widerstandes veranlaßte, erweckte in mir kurz darauf jenen Widerstandsgeist, der wohl mit dem Geist überhaupt identisch ist. Die falschen und oft auch die echten Moralisten begehen den Fehler, die Substanz des Übels erst zu entdecken, wenn sie sich ihrer Quantität bewußt werden. Schmutz und Schmutz sind, möchte man glauben, ein und dasselbe, in Wirklichkeit wird uns der Schmutz aber erst unerträglich, wenn er sich in erheblichen Quantitäten ansammelt. Menschen wie Du – und das ist vielleicht der Ethik letzter Schluß – sehen den Schmutz im Körnchen; wir Schwächere erst im Haufen. Der Geheimbund, dem der Oberst Zobel, ein selbst übrigens recht armseliger und ahnungsloser Mann, vorstand, war vor dem Auftreten der Mantes und Sturzenbachs nicht anders als er nachher geworden ist: aber erst in der Quantität entdeckte ich sein Wesen. Leider ist dieser Vorgang in meinem Leben nicht neu, denn auch die Substanz des Nationalsozialismus war bei Geburt nicht anders als in dem Augenblick, in dem ich mich zum Widerstand gegen ihn entschloß. Es wird mir immer klarer, daß unsere Reife mit unserer Phantasie eng verknüpft ist. Kinder handeln, wie sie handeln, weil ihre Phantasie nicht ausreicht, die Folgen ihrer Handlungen ganz zu übersehen; je älter und reifer man wird, desto mehr schärft sich die Voraussicht. In diesem Sinn scheinen wir Deutschen nicht zu den reifen Völkern zu gehören: das Sichtbare zu sehen, dazu bedarf es nicht jener Phantasie, die ich als integralen Bestandteil der Reife erkannt habe.

Wie es auch sein mag: ich habe, was ‚gespielt wird‘, doch vielleicht noch rechtzeitig erkannt. Gespielt, mein lieber Adam, wird dies: Unser Volk wird, unter der Vorspiegelung kommender Größe, wieder einmal zu Taten angetrieben, die es so wenig wie irgend ein anderes Volk der Erde will, für die es aber wie kein zweites Volk verantwortlich gemacht werden wird. Es werden, mein lieber Adam, wieder die Trommeln des Heldentums gerührt werden. Wieder werden einige wenige ihren für sie profitablen Willen durchsetzen, und daß wir uns ihrem eitlen Willen beugten, werden wir wieder zu spät erkennen. Wir werden wieder versucht werden – dort, wo wir am schwächsten sind, an unserem Stolz nämlich auf eine imponierende Betriebsamkeit, einen strotzenden Wohlstand und eine imaginäre Macht. Man wird uns, mein lieber Adam, der Fähigkeiten halber preisen, deren wir uns schämen sollten; man wird uns anstellen für die Tat, die auszuführen wir uns weigern müßten; man wird uns bewundern, damit unsere Eitelkeit bis zur Selbstvernichtung steigt; man wird unsere Gebresten in Tugenden umpreisen und uns verdammen unserer Tugenden halber. Es ist dabei völlig gleichgültig, ob wir vorgeschickt werden, wie die Mißgelaunten behaupten, oder ob wir mit den anderen mitmarschieren werden, wie ich annehme; das Marschieren wird sich jedenfalls als unser nationales Schicksal erfüllen.

Wenn es eine Zuversicht gibt, dann liegt sie bei den Jochen Zobels. Noch liegt über unserer Jugend die Apathie der Menschen, die für die Sünden der Väter unschuldig bestraft wurden. Geben wir ihr aber einige Jahre, fünf oder sechs, dann ist die Chance besser, als die Zyniker heute annehmen möchten. Es scheint mir, daß Du und Menschen wie Du diese Jugend um sich versammeln sollten, um sie vor einer fatalen Tradition, einer vergifteten Überlieferung und einem umgefärbten Gestern zu bewahren.

Ich selbst, mein lieber Adam, arbeite gegenwärtig als Lektor in einem Kölner Verlag, dessen Anschrift Du auf diesem Brief findest. Beinahe täglich treten Männer an mich heran, die mich zu einer aktiven Mitarbeit an der in Bälde zu gründenden deutschen Regierung unseres Rumpflandes bewegen wollen. Ich hege meine Zweifel, nicht als ob ich nicht gerne an einem künftigen Deutschland mitarbeiten würde, sondern weil ich, eine schreckliche Ironie ist es, immer wieder erst mühsam herausfinden muß, ob sie den ehemaligen Offizier des 20. Juli, den ehemaligen Münchner Geheimbündler, oder überhaupt nur den ehemaligen Offizier anwerben wollen. Am liebsten wäre es mir, sie wollten keinen der drei.

Meine Gedanken weilen oft bei Dir und den Freunden in München. Es vergeht kein Sonntag, ohne daß ich in Gedanken bei Euch wäre. Wenn ich etwas wünschen darf – und die falschen Pfade erst, die ich ging, geben mir das Anrecht zu solch aufrichtigem Wunsch – dann ist es dies: daß Ihr nicht verzagen möget, weil Ihr gering seid. Ich verfalle, mein lieber Adam, nicht, wie Du nun lächelnd meinen magst, wieder in jenen Traum, in dem man annimmt, daß aus jeder Flamme ein Feuer werde. Es genügt mir zu wissen, daß selbst Enttäuschungen, wie ich sie Euch bereitete, die Flamme nicht löschen. Und es ist für mich, nicht zuletzt, ein Gefühl guter Ermutigung, daß in Eurem Kreis der junge Jochen Zobel just den Platz einnehmen darf, der seit meiner Desertion leer geblieben ist.

Ich umarme Dich, wie immer, in alter Herzlichkeit
Dein
Achim von Sibelius.“

„Wie lange habe ich dich jetzt nicht gesehen?" fragt die große Blonde und zieht den Vorhang zu.

Inge sitzt am Feuer. „Es scheint Jahre her zu sein", sagt sie.

„Es war nett von deinem Hans, daß er es mich wissen ließ, als sie dich fanden. Er ist ein netter Kerl. Wenn er dich bloß heiratet!"

„Warum soll er mich heiraten?"

„Liebt ihr euch nicht?"

„Doch."

„Will er nicht?"

„Ich will nicht."

Ilse sieht ihre junge Freundin verblüfft an. Gibt es eine Frau, die nicht heiraten will?

„Vor der Währungsreform wollte ich vielleicht", sagt Inge.

„Wovon redest du eigentlich?"

„Vorher war es noch wie im Krieg", sagt Inge. „Wie im Luftschutzkeller war es, nur ohne Bomben. Im Luftschutzkeller waren alle gleich, verstehst du?"

„Aha", sagte Ilse, „jetzt kehrt er den großen Herrn heraus."

Inge wirft die Zigarette mit einer ungeduldigen Geste in den Ofen.

„Er hat sich überhaupt nicht verändert", sagt sie. „Es liegt an mir. Es lag immer an mir. Auch damals, als sie mich aus dem P.X. hinausgeworfen haben. Dr. Wild hat mir Vorwürfe gemacht, in seiner väterlichen Art. Ich hätte ihm mehr vertrauen sollen, hat er gesagt. Niemand nehme es mir übel, daß ich einmal auf die Straße gegangen sei; nur ich selber täte immer so, als ob es mir auf die Stirne geschrieben stehe – hat er gesagt."

Die große Blonde zündet sich eine Zigarette an.

„Was heißt hier ,auf die Stirne geschrieben'?" sagt sie. „Die großen Verzeiher sind mir am widerlichsten. Die meisten Leute verkaufen, was ihnen gar nicht gehört. Ich wenigstens ..."

„Ich weiß", sagt Inge. „Ich habe es ohnedies vergessen. Das ist das Gute an der Währungsreform. Man kann alles vergessen, was davor war. Ich erinnere mich an nichts mehr."

„Na also", sagt Ilse ohne Überzeugung.

„Du verstehst nicht", sagt Inge. „Es ist jetzt alles nur ganz klar umrissen. Neulich habe ich geträumt, daß ein leerer Rahmen an der Wand hing. Wir saßen alle im Zimmer herum, du übrigens auch. Und dann sagte jemand: ‚Alles in den Rahmen!' Wie: ‚Alles einsteigen!', auf der Bahn. Und dann saßen alle im Rahmen, wie auf einem Familienbild, nur ich konnte nicht hinein, ich stand vor dem Bild und weinte. Ich träume immer so blöd, du weißt es ja. Ich kann es dir nicht erklären. Mein Vater hatte keine Rente, und Hans' Vater kam vor die Spruchkammer. Ich hatte nur ein Kleid und er nur alte Schuhe. Bei Dr. Wild sprachen sie von lauter Dingen, die ich verstand. Nicht immer von Schuhen und Essen und Spruchkammern . . . aber man konnte es verstehen. Jetzt ist es auf einmal ganz anders, als hätte jeder wieder seinen Platz gefunden."

„Du mußt halt lernen", sagt Ilse. „Als ich ein Mannequin war, hatte ich einen berühmten Arzt. Ein halbes Jahr hat es gedauert, ich mußte auch allerhand lernen. Besonders zuhören. Das ist das einzige, was eine Frau können muß. Schlafen und zuhören . . ."

„Dir fällt alles leicht", sagt Inge und lächelt.

„Du hast doch eine anständige Stellung", fährt Ilse fort. „In so einem Warenhaus kann man es zu allerhand bringen. Die Amis werden bald verschwinden. Mir wird es auch lieber sein. Nicht, daß ich etwas gegen die Amis hätte, ich habe keine Vorurteile, sie sind auch Menschen. Nur unberechenbar sind sie. Großzügig und knausrig, je nachdem, ob man ihnen schmeichelt, oder ob man ihre Gefühle verletzt. Wenn ein Deutscher herkommt, weiß er, was er kauft. Die Amis wollen gleich Gefühle mitkaufen. Sie sind anstrengend."

„Mir war es früher lieber. Weißt du, manchmal denke ich mir, eigentlich war ich nur im Krieg richtig. Und am Sendlinger-Tor-Platz. Die Leute sind jetzt alle so froh und die Geschäfte sind wie vor Weihnachten ... ich kann mich nicht mitfreuen, verstehst du das?"

„Ja, ja", sagt Ilse. „Wer halt auf dem Bauernhof aufwächst, der glaubt, Düngergeruch sei Parfüm."

„Vielleicht", sagt Inge.

Eine halbe Stunde später verabschiedet sie sich. Sie weiß nicht, warum sie gekommen ist; sie hatte das Bedürfnis, mit jemand zu sprechen, der ihre Sprache spricht. Spricht die große Blonde ihre Sprache? Spricht überhaupt jemand ihre Sprache? Ihr Vater, Hans, Dr. Wild, Ilse? Sie weiß es nicht. Das ist das Schlimmste, daß sie immer nur fragt und nie zu antworten weiß. Warum ist Dr. Wild so nachsichtig, und warum hat der Major sie denunziert? Warum will sie nicht heiraten, und warum schmerzt es sie, daß Hans nicht vom Heiraten spricht? Warum schreit der Geschäftsführer im Warenhaus die Angestellten an, und warum hat Stefan Lester einen Buckel? Warum erinnert sie sich an das Begräbnis eines Kindes, das sie aus dem Fenster der Wohnung am Ostfriedhof sah, und warum hat Hilde, das Nachbarmädchen, einen Ami geheiratet? Warum glaubt Ilse, daß man nur schlafen und zuhören muß, warum weiß sie nicht, daß man auch antworten muß? Es ist nicht wichtig, irgend eine dieser Fragen zu beantworten; aber warum treibt es sie zur Verzweiflung, daß sie keine beantworten kann?

Sie geht über den Marienplatz, die Theatinerstraße entlang, dem Siegestor zu. Es ist fünf Uhr vorbei und vollkommen dunkel. Aber die Straßenlichter sind jetzt viel heller als noch vor einigen Wochen. Warum braucht man so viel Lichter? Sie kommt am Bankhaus Eber vorbei. Das Bankhaus steht nicht mehr allein in einer Wüste. Rechts und links steigen die Gerüste zweier neuer Häuser in den Abend. Ein Neonlicht flattert über den Buchstaben: „Bankhaus O. Eber". Warum ist Hans damals über die Brücke gegangen? Die Schaufenster der Steinbuden sind strahlend erleuchtet; die Waren scheinen beinahe aus den Fenstern zu fallen. Warum ist das Schöne schön und das Häßliche häßlich, und warum sind alle Pläne so undurchsichtig? Sie hat Geld in der Tasche, unglaublich viel Geld, denn sie hat erst vorgestern ihr Gehalt bezogen. Sie könnte sich eine Handtasche kaufen. Warum mußte sie so lange die rote Kinderhandtasche tragen, und nachher die große, schwarze, die ihr Lincoln Washington Haymes geschenkt hat? Warum mußte sie mit Lincoln Weihnachten feiern, und warum hat er nichts mehr von sich hören lassen?

Sie ist auf dem Odeonsplatz angelangt. Sie will hinüber, zur Verkehrsinsel vor der Feldherrnhalle. Ein Straßenlicht fällt schräg auf die beiden Löwen. Sie denkt an die Löwenköpfe auf dem Sofa zu Hause. Warum denkt sie: zu Hause? Ist das Haus am Friedhof noch ihr Heim?

Sie will an der Ecke der Brienner Straße die Straße überqueren. Die ganz feinen Huren bummelten in der Brienner Straße. Ob man sie jetzt verjagt hat, seit es wieder ganz feine Geschäfte in der Brienner Straße gibt?

Das ist ihr letzter Gedanke, bevor es geschieht. Ein Jeep biegt in rasender Geschwindigkeit aus der Brienner Straße in die Theatinerstraße ein. Der Fahrer gibt zu spät das Hupsignal, er tritt zu spät auf die Bremse; Inge springt zu spät zurück.

Ist sie überhaupt zurückgesprungen? Der Fahrer bestreitet es, einige Minuten später, als zwei M.P.-Jeeps mit Sirenengeheul eintreffen, um die Einzelheiten des Unfalls festzustellen. „She wanted to die", behauptet der Fahrer. Sie wollte sterben. Die Zeugen sind anderer Ansicht, einhellig. Sie murmeln: „Verkehrsrowdy!" Einige sagen es ganz laut. Als der Sanitätswagen eintrifft, wird die Sache zu einem kleinen deutsch-amerikanischen Konflikt, denn die Leute – es ist jetzt eine ganze Versammlung – drängen dem Arzt ihre Namen und Adressen auf. Vielleicht läßt sich etwas machen gegen die amerikanischen Autorowdies.

Der Arzt sagt: „Ihr dürfte es egal sein."

Er muß es wissen. Das schmale Mädchen, das nur die Hälfte der schmalen Bahre einnimmt, ist tot.

Am Friedhofstor steht das Abenteuer

Die märzliche Stadt hat ihre eigenen Geräusche und ihren eigenen Geruch. Es sind die Geräusche und der Geruch des Wiederaufbaus. Man wandelt durch die Stadt als ginge man durch die Werkstatt eines Tischlers. Man ist sich des Hämmerns nicht mehr bewußt, so sehr ist das Geräusch des Hämmerns zum Klangklischee geworden. Die ganze Stadt riecht nach Mörtel, Leim, Farbe und Ziegelstaub. Es ist seltsam, daß der Staub zwei Gerüche haben kann, einen toten und einen lebendigen. Nun ist er lebendig. In der Mittagspause sitzen die Arbeiter auf den Gerüsten und machen eine kurze „Brotzeit". Dann mischt sich Biergeruch in den Baugeruch. Man ißt und trinkt unmäßig viel und unmäßig schnell. Und gleich darauf hämmert man weiter, denn man will nicht an die Stille erinnert werden, die so lange geherrscht hat.

Hans betritt das Bankhaus Eber. Wie ein Fremder fragt er nach dem Büro des „Herrn Doktor". Der Portier geleitet ihn zum Aufzug, mit jener Devotion, die Bankportiers kennzeichnet, wenn sie vernehmen, daß ein Besucher mit dem Präsidenten persönlich verabredet ist. Der Portier trägt eine dunkelblaue Uniform mit viel Goldtressen. Es ist, als trüge er einen Teil der Golddeckung der Deutschen Mark.

Das neue, holzgetäfelte Zimmer Dr. Ebers ist klein – sein Chefzimmer war es immer – aber es ist von jener ausgeklügelten Eleganz, die Alter durch Gediegenheit ersetzt. Hinter dem Schreibtisch hängt ein Gemälde, das Dr. Ebers Vater in würdiger Pose darstellt. Früher hing daneben das Bild des Führers, denkt Hans.

„Ich danke dir, daß du gekommen bist", sagt Dr. Eber, formell, aber um Herzlichkeit bemüht. Er bietet seinem Sohn einen Platz an und setzt sich neben ihn an den kleinen runden Rauchtisch. „Zigarre?"

„Nein, danke". Er nimmt eine Zigarette.

„Es ist jetzt über ein Jahr her, seit wir uns gesehen haben", sagt Dr. Eber. „Daß du nicht zu mir gekommen bist, schmerzt mich, erfüllt mich aber auch mit einem gewissen Stolz. Du stehst wohl vor dem Abschlußexamen ..."

Hans nickt bejahend.

Dr. Eber richtet den Kneifer auf seiner kleinen Nase. „Ich habe mit Bedauern gehört ..." sagt er.

Hans zuckt zusammen. „Es war ein Unfall", sagt er.

„Was immer es gewesen ist", sagt Dr. Eber. „Ich dachte, du würdest vielleicht gerne für eine Weile ins Ausland gehen. Wir machen jetzt umfangreiche Geschäfte mit den arabischen Ländern ..."

„Ich hörte, daß du in Ägypten warst."

„Ja", sagt Dr. Eber mit nicht ganz aufrichtiger Bescheidenheit, „Saudi-Arabien steht als nächstes Land auf der Liste. Der deutsche Name hat drüben wieder einen vorzüglichen Klang. Wir sind im Begriffe, in Spanisch-Marokko eine Filiale zu errichten. Madrid kommt uns ganz besonders entgegen." Und nach einer kurzen Pause: „Wenn der Prophet nicht zum Berg kommt ... du weißt schon. Ich wollte dir vorschlagen, vielleicht für ein Jahr nach Marokko zu gehen. Es enthielte keine Verpflichtung für dich. Wenn es dir nicht gefällt ..."

„Sehr liebenswürdig, Papa", sagt Hans. „Aber ich möchte nicht wiederholen, was ich das letzte Mal gesagt habe. Ich bin nach wie vor entschlossen, meinen eigenen Weg zu gehen."

„Schade", sagt Dr. Eber. „Für einen jungen Menschen deiner Intelligenz zeigst du einen beachtlichen Mangel an Voraussicht. Du bist freilich nicht der einzige, der offenbar entschlossen ist, vorderhand noch abseits zu stehen. Es ist und bleibt mir jedoch unbegreiflich, was euch eigentlich bewegt. Die Sieger identifizieren sich nicht mehr mit sich selbst – nur ihr scheint euch noch mit ihnen zu identifizieren. Wollt ihr eigentlich den Zustand der Niederlage verewigen?"

„Nein", sagt Hans, „wir wollen bloß kein neues Abenteuer."

„Ein starkes Deutschland ist der beste Garant des Friedens."

„Mag sein. Ich spreche nicht gern für meine Generation,

denn ich weiß nicht, ob ich sie vertrete. Aber die Jugend ist merkwürdig, oder muß dir merkwürdig scheinen, Papa. Ihr Alten, wenn du den Ausdruck gestattest, seid die Abenteurer – uns Jungen geht die Abenteuerlust ab."

„Das Kriegserlebnis. Durchaus begreiflich", sagt Dr. Eber. „Nichts liegt uns ‚Abenteurern' ferner als der Gedanke an einen neuen Krieg."

„Den Leuten, die mit dem Feuer spielen, liegt auch der Gedanke ferne, sich zu verbrennen. Nein, Papa, wir wollen es gar nicht darauf ankommen lassen. Wir sind eine phantasielose Generation." Und plötzlich: „Hast du einmal die amerikanische Unabhängigkeitserklärung gelesen?"

„Ich verstehe nicht . . ."

„Darin ist dem Bürger, neben Recht auf Leben und Freiheit, das Recht auf ‚pursuit of happiness' gewährleistet. Man könnte es mit ‚Jagd nach Glück' übersetzen. Du wirst entsetzt sein, Papa, aber wir Jungen betrachten die Jagd nach Glück als unser vornehmstes Recht. Wir sind bescheidene Jäger. Ihr jagt schon wieder nach Größe und Macht und Reichtum."

„Genau wie die Amerikaner mit ihrer schönen Unabhängigkeitserklärung", lächelt Dr. Eber.

„Was die Amerikaner tun, ist mir gleichgültig. Ihr möchtet ein großes Deutschland sehen, wir nur ein glückliches. Das ist euer Patriotismus, und das ist unserer."

„Warum könnte ein großes Deutschland nicht glücklich sein? Muß es am Ende besetzt sein, um glücklich zu sein? Uns haben die Amerikaner weder das Leben, noch die Freiheit, noch den Jagdschein für die Jagd nach dem Glück gebracht."

„Ich dachte, du arbeitest eng mit den Amerikanern zusammen", lenkt Hans ab.

„Ich arbeite nur für Deutschland", sagt Dr. Eber.

Warum ließ er mich rufen? denkt Hans. Ein Strahl der Frühlingssonne fällt schräg zwischen Vater und Sohn; Staubkörnchen tanzen im Sonnenstrahl. Der Strahl ist wie eine durchsichtige Wand zwischen den beiden Männern. Wozu reden wir? denkt Hans. Die Wand wird nie schwinden. Wahrscheinlich hat er mich kommen lassen, weil er von Inges Tod erfuhr. Eine große Bitterkeit steigt in ihm auf, in der auch der Schmerz untergeht, den er seit Wochen empfunden hat und der nicht geringer werden wollte. Jetzt fühlt er weniger Schmerz und mehr Bitterkeit. Wie taktvoll von Papa, daß er einige Wochen wartete, ehe er mich rief! Aber Papa war ja immer sehr taktvoll. Es sollte etwas Frühlingsgras über Inges Grab wachsen. Nun ist es aber wohl an der Zeit, daß sich der junge Eber besinne. Das Mädchen aus der Besatzungszeit ist tot. Das war immer schon ihre Stärke, die Stärke der Eberhard Ebers, daß sie hinwegmarschieren konnten über die Gräber. Wie heißt es bei Schiller? „Und der Lebende hat recht." Ein abscheulicher Satz. Nur die Toten haben recht. Er erinnert sich der letzten Toten, an der Elbe, als man nur noch schoß, um die Munition zu verfeuern. Die Toten lagen am Fluß, in der späten Aprilsonne. Inge lag im Totenhaus, als er und Adam kamen, um sie zu identifizieren. Identifizieren ist ein schrecklicher Ausdruck für jemand, der eine Stunde zuvor noch gelebt hat. Sie können leicht in ein neues Abenteuer gehen, die Eberhard Ebers, denn sie wissen nicht einmal, daß sie über Gräber schreiten. Am Friedhofstor steht für sie das neue Abenteuer. Wie soll man sich mit ihnen verständigen? Und warum? Das ist es, denkt Hans, warum? Einige gibt es, die „vorderhand noch" abseits stehen, hatte Papa gesagt. Aber es genügt nicht, abseits zu stehen. Widerstehen müßte man. Nicht müde und apathisch und früh vergreist. Sie sind ja auch nicht müde und apathisch und vergreist, die Eberhard Ebers.

Er zerdrückt seine Zigarette im glänzend polierten gläsernen Aschenbecher, und steht auf.

„Nun", sagt Dr. Eber, „das bedeutet nicht, daß du nicht heimkommen könntest. Ich hindere dich nicht daran, deine eigenen Wege zu gehen, wie du sagst. Wir müssen deshalb nicht Feinde sein. Das Haus ist manchmal unheimlich leer. Oskar baut sich ein Haus im Englischen Garten. Die gute Anna spricht jeden Tag von dir. Seit Karin fort ist . . ."

„Ich habe zu gratulieren vergessen", sagt Hans.

Auch Dr. Eber erhebt sich. „Es hat sie etwas geschmerzt", sagt er. „Aber sie scheint sich in Köln recht wohl zu fühlen. Der Karneval soll noch unseren Fasching übertroffen haben. Der junge Stettinus will für ein Jahr nach London."

„Grüße sie, wenn du ihr schreibst", sagt Hans.

„Nun, wie wäre es . . . ?" sagt Dr. Eber.

„Nein, Papa", sagt Hans. „Wir werden nie Feinde sein. Aber es wäre besser, wenn wir uns nicht darüber hinwegtäuschten, daß wir Gegner bleiben."

„Wie du meinst", sagt Dr. Eber.

Er reicht Hans die Hand; Hans ergreift sie, verbeugt sich und geht.

Zum erstenmal seit Inges Tod überkommt ihn ein Gefühl der Fröhlichkeit. Beglückt es mich, daß ich ihm weh tat? denkt er. Nein, es beglückt mich nur, daß er mich nicht bestechen konnte. Sie reden immer von den Bestochenen und wissen nicht, um wie viel korrupter die Bestechenden sind. Sie glauben, daß ihnen die Zukunft gehört, und auf die Zukunft offerieren sie einen Vorschuß. Wie wäre es, wenn man ihn nicht annähme? Würden sie vielleicht beginnen, an ihrer Währung von morgen zu zweifeln?

Er eilt mit einem kurzen Gruß an dem betreßten Portier vorbei. Draußen, vor dem Bankhaus, steht ein schmales Gerüst. Hans blickt empor. Zwei Männer entfernen den Buchstaben „O" aus „Bankhaus O. Eber". Morgen wird es wieder „E. Eber" heißen, denkt Hans. Aber in ihm ist keine Bitterkeit mehr.

Mante löst die Verlobung

Martha Zobel läutet an der neuen Holztür, die mit dunkelbraunen Intarsien eingelegt ist.

Lange erfolgt keine Antwort. Sie weiß dennoch, daß Gert Mante zu Hause ist. Schwach dringen Stimmen aus der Wohnung an ihr Ohr.

Sie hat sich schön gemacht. Sie trägt ein Sommerkleid, obwohl es draußen noch kalt ist. Den Mantel hat sie im

Stiegenhaus ausgezogen, denn der Mantel ist alt und zerschlissen und winterlich. Das Sommerkleid ist neu. Es ist tief ausgeschnitten und läßt die Schultern frei. Sie trägt auch keinen Büstenhalter. Ihr großer, fester Busen drängt sich aus dem Dekolleté. Sie braucht keine Schminke, denn ihre Wangen sind, wie immer, frisch gerötet. Nur Lippenstift hat sie aufgetragen, viel Lippenstift. Sie weiß, daß Gert Lippenstift liebt, das ist seine Konzession an die neue Zeit.

Endlich wird die Tür geöffnet.

Gert steht in der Tür. Er hat einen alten Schlafrock an, eine fadenscheinige Mischung aus Schlafrock und Bademantel. Seine unbehaarte, weiße Brust ist frei. Auch seine blond behaarten Beine sind unbedeckt. Unter dem geblümten Bademantel ist er nackt. Seine weichen Haare fallen ihm naß in die Stirne; seine sonst bleichen Wangen sind von hektischem Rot. Sie kennt dieses Rot.

„Was willst du hier?" fragt er.

Er will ihr den Weg verstellen, aber die Junggesellenwohnung hat keinen Vorraum: Martha ist mit einem energischen Schritt im Wohnzimmer.

Die Tür zum Schlafzimmer ist angelehnt. Martha überlegt, ob sie sich den Weg ins Schlafzimmer erzwingen soll. Dann geht sie an der Tür vorbei. Sie sieht nur das Bettende und die nackten Beine einer Frau.

Ehe Mante etwas sagen kann, setzt sie sich auf das niedere, moderne Kanapee.

„Sag' deiner Hur, sie soll gehen", sagt sie.

„Benimm' dich nicht wie ein Waschweib", sagt Mante. Er pflanzt sich vor ihr auf. „Ich habe dich nicht eingeladen."

„Sag' ihr, sie soll gehen", wiederholt Martha. „Ich habe mit dir zu sprechen."

„Ein andermal, mein Täubchen", sagt Mante spöttisch. „Ich bin jetzt nicht zu Gesprächen aufgelegt."

„Ich weiß", sagt Martha so laut, daß man es im Nebenzimmer mit Sicherheit vernehmen kann. „Du bist nachher nie zu Gesprächen aufgelegt. Aber mit mir wirst du jetzt sprechen."

„Geh', ehe mir die Geduld reißt", sagt Mante.

„Und was geschieht, wenn dir die Geduld reißt?" sagt Martha.

„Ich werde dich hinauswerfen", sagt Mante, aber etwas in ihrer Stimme bewegt ihn, sich doch niederzusetzen.

„Das wirst du nicht wagen", sagt Martha mit zitternden Lippen.

„Und warum nicht? Wer soll mir Angst einjagen? Dein Vater vielleicht? Ich weiß, warum du gekommen bist. Er hat dich geschickt. Er verträgt keine Aufrichtigkeit. Ich habe ein offenes Wort mit ihm geredet."

„Davon weiß ich nichts", sagt Martha. Es klingt unsicher.

„Er wollte mich zwingen, dich zu heiraten." Er ahmt Zobel nach: „,Wir haben wieder normale Zeiten.' Und deshalb muß ich dich heiraten. Auf Zwang reagiere ich sauer, das solltest du wissen. Ich reagiere überhaupt sauer auf deinen Vater."

„Ich verbiete dir, von Papa zu sprechen", sagt Martha. Aber ihre Blicke strafen ihre Worte Lügen. Sie würde ihm nichts verbieten, wenn er sie in seine Arme nähme.

Mante weiß es. Er sagt: „Ohne deinen Vater, vielleicht. Aber er und seine ganze Clique wachsen mir zum Hals heraus. Dein Vater ist tot und weiß es nicht. Und dein sauberer Bruder! Man will ihnen eine Chance geben und sie versauen es. Ich wollte ja nie mit ihm und seinesgleichen zu tun haben. Wer hat uns diesen Sibelius eingebrockt? Deinen Bruder hätte er uns auch noch angehängt."

„Wir haben uns für Jochen entschuldigt."

„Und ich war dumm genug, die Entschuldigung anzunehmen. Leute wie dein Bruder sollten krepieren. Es sind zu wenig krepiert."

Martha ist bleich. Jochen hat sie längst geopfert. Auch ihren Vater wollte sie opfern. Aber sie weiß auf einmal ganz deutlich, daß Gert sie nicht mehr will. Sie versucht es noch einmal:

„Es ist Jochens Fehler. Aber Jochen ist nicht mehr bei uns. Es ist alles vorbei. Papa ist wieder ganz vernünftig."

„Vernünftig wie ein Blatt im Wind", höhnt Mante. „Heute

hier, morgen dort. Sie können den Verrat nicht lassen, die Zobels. Aber wozu reden wir von deinem Vater?"

„Du hast angefangen. Ich kam nicht deshalb."

„Warum bist du gekommen?"

„Das fragst du, Gert? Ich habe dich seit zwei Wochen nicht gesehen. Hattest du denn gar keine Sehnsucht nach mir?" Es ist etwas Drohendes in ihrer Werbung.

„Ich konnte es ertragen", sagt Mante. Das sagt er auch so laut, daß man es im Schlafzimmer hören kann.

„Du willst also Schluß machen?"

Mante steht auf, ohne sich darum zu kümmern, daß sein Bademantel beinahe offen steht.

„Ich wollte es dir ersparen", sagt er.

„Es ist aus?" wiederholt sie.

„Wenn du es hören willst: ja!" Er geht zur Tür. „Wenn du jetzt gehen willst . . ."

Er will die Tür öffnen und wendet sich von ihr ab.

Als er sich wieder umdreht, steht sie aufrecht vor dem Sofa. Sie hat ihre Handtasche umklammert, und es ist als hielte sie sich an der Handtasche fest.

„Du wirst mich nicht hinauswerfen!" sagt sie.

„Warum nicht?"

„Weil Du ohne mich nicht leben kannst. Du hast es hundertmal gesagt."

„Du hättest es nicht ernstnehmen sollen."

„Du hast mich geliebt", sagt sie, am ganzen Leib zitternd.

„Ich hasse Frauen, die nicht wissen, wann sie verschwinden sollen."

Er hat die Hand auf der Türklinke. Sie öffnet ihre Handtasche. Sie tut es nicht schnell genug – als der Schuß fällt, hat er sich rechtzeitig gebückt. Die Revolverkugel bleibt in der Tür stecken.

Die Frau im Nebenzimmer beginnt zu schreien. Sie schreit nicht um Hilfe; sie schreit hilflose Worte.

Mante ist mit einem Satz bei Martha. Aber es bedarf keines Kampfes: sie läßt sich die Waffe willenlos aus der Hand nehmen. Ihr Entschluß und seine plötzliche Ausführung hat sie vollkommen erschöpft: ihr Gesicht ist verfallen, ihre Schultern sinken herab, und ihre Zähne schlagen aneinander.

„Und jetzt hinaus!" sagt er, zwischen den Zähnen. „Hinaus, ehe ich die Polizei rufe."

Sie schwankt wie eine Trunkene. Dann wirft sie sich vor ihm hin. Sie umklammert seine Knie. Die Tränen strömen über ihr Gesicht. Auf ihren Lippen zerfließt das Rot.

Er befreit sich grob aus ihrer Umklammerung, wirft den Revolver auf das Kanapee, hebt die Kniende hoch und schleift sie zur Tür.

Auf der Stiege begegnet sie dem Hausmeister, den etwas, das wie ein Schuß aus Mantes Wohnung klang, herbeigerufen hat.

„Ist etwas geschehen?" fragt er die Frau, die sich an das Geländer lehnt.

„Nein, nichts . . ." sagt Martha Zobel.

„ . . . und uns fehlt nur eine Kleinigkeit"

Eine Woche lang haben sie sich der Illusion hingegeben, daß die Woche nie zu Ende gehen würde. Nun geht die Woche zu Ende.

Frank und Elisabeth sitzen in der halbdunklen Bar des Reichenhaller Hotels, wo sie eine Woche lang beinahe die einzigen Gäste waren. Morgen früh müssen sie in die Stadt zurückkehren. Am Abend fährt Franks Zug.

Der Oberstleutnant hat nicht, wie er es plante, schon im Herbst, vor mehreren Monaten, seinen Abschied genommen. Immer wieder verzögerte sich seine Abreise: Zuerst bat ihn Hunter zu bleiben, dann bestand der General darauf, daß Frank bleibe, nachdem der Colonel in die Staaten zurückgekehrt war.

Sie sprechen von Hunter.

„Ich hatte einen Brief von ihm", sagt Frank. „Er unterrichtet an der Akademie in West-Point und scheint recht zufrieden. Freilich würde er es, wäre er unglücklich, nicht sagen. Ich freue mich, daß er in der Nähe New Yorks ist."

„Nun wird er wohl nie General werden", sagt Elisabeth.

„Nein. Ich bewundere ihn ..."

„Du hättest genau so gehandelt."

„Ich weiß nicht. Adam hat neulich etwas gesagt, was ich als sehr wahr empfinde. ‚Ob der passive Widerstand nicht heroischer ist als der aktive'? Ob nicht wirklich der Verzicht vor der Tat kommt? Oder ob nicht Verzicht überhaupt die beste Tat ist? Jedenfalls ist Verzicht die Tat mit der geringsten Befriedigung."

Sie sieht ihn an, und weiß, daß seine Gedanken nicht mehr bei Hunter weilen. Er sieht sie an, und auch er weiß, was sie denkt.

„Wir verzichten nicht, Elisabeth", sagt er.

Sie versucht zu lächeln. „Haben wir uns nicht versprochen ...?"

„Es ist unser letzter Abend", sagt er. „Wir müssen darüber sprechen. Du mußt wissen, daß ich den Verzicht nie akzeptiere. Warum bestehst du darauf ...?"

„Haben wir es nicht oft genug ausgesprochen, Frank?"

„Es wurde nicht wahrer dadurch, daß wir es ausgesprochen haben."

Sie legt ihre Hand auf seine Hand, die auf dem Tisch ruht.

„Du kennst das Gedicht von Richard Dehmel", sagt sie. „... und uns fehlt nur eine Kleinigkeit, / um so frei zu sein wie die Vögel sind – / nur Zeit.' Nichts kann sie ersetzen, Frank. Wir brauchen Zeit."

„Ist das nicht Flucht?" sagt er. „Flucht in das Wunder der Zeit. Es ist, als böten wir ihr wehleidig unsere Wunden dar. Komm', Zeit, und heile sie! Sind unsere Wunden wirklich noch so tief? Haben wir sie nicht selbst geheilt?"

„Es ist ganz anders", sagt sie. „Du hast nur die letzte Zeile des Gedichtes gehört, Frank. ‚Um so frei zu sein wie die Vögel sind': das ist die Zeile, die ich liebe. Wir wollen uns nicht begnügen mit der fieberhaften halben Gesundheit. Wir wollen frei sein."

Er küßt ihre Hand.

„Du hast recht", sagt er. „Manchmal ist es mir, als wären um uns lauter Kranke, die sich gesund dünken. Die strotzende Gesundheit scheint mir zuweilen unheimlich, als wäre sie voll von Bazillen des Rückfalls. Das ganze Land besteht aus Menschen, die sich zu früh vom Krankenbett erhoben haben. Es ist etwas Ungesundes um diese große deutsche Gesundheit." Und, nach kurzem Zögern: „Aber das, was ich eben gesagt habe ... das zeigt mir, daß du und ich auf dem Weg sind ... verstehst du, was ich meine? Vor einem Jahr noch, vor einigen Monaten, da hättest du es mißverstanden. Du hättest geglaubt, daß ich die deutsche Genesung nicht wünsche ... und doch wünsche ich die ganze Genesung."

„Das ist es ... die Zeit", sagt Elisabeth. „Aber ich weiß, es wird nicht sehr lange sein."

„Wirst du böse sein, wenn ich wieder frage: wie lange?"

„Bis wir sicher sind, frei zu sein."

„Glaubst du, daß man das weiß?"

„Ja", sagt sie fest.

Aber die letzte Nacht ist dennoch voller Versuchungen, noch mehr als alle vorhergegangenen Nächte. In der Nacht ist der verzweifelte Kampf gegen den Abschied, und nichts ist das Wissen, daß er nicht endgültig ist. Die Sinnlosigkeit des Abschieds macht auch das Versprechen des Wiedersehens sinnlos. In ihrem Flug fragen sie sich, warum zwei Adler noch fliegen lernen müßten; und auf den Höhen, warum sich die Besieger der Berge noch nach Bergluft sehnen sollten; und in ihrem Versinken, warum das Meer, das alle Ströme aufnimmt, noch auf eine Quelle wartet?

Am Morgen aber sprechen sie nicht mehr über ihre Trennung und nicht über ihr Wiedersehen. Sie treten hinaus in eine Welt, die gefesselt bleibt, weil sie so sicheren Schlages zu fliegen glaubt; die stehenbleibt, weil sie sich ihrer Höhen rühmt; die vertrocknet, weil sie sich der Ozean dünkt.

Sie sehen die Welt, aber sie schreckt sie nicht mehr. In Frank und Elisabeth ist keine Resignation, sondern die Ruhe der sicheren Gemeinschaft. In ihrem Warten ist der

Stolz der Demütigen, der über nichts erhaben ist als über den Hochmut. Und in ihrer Liebe die Gewißheit des letzten Genesens.

Der Funke, der nie verlischt

Die letzte Patientin ist gegangen. Dr. Adam Wild hängt den weißen Ärztekittel an einen Haken an der Tür. Als er sich die Hände wäscht, im Waschbecken am Fenster, blickt er hinaus. Gegenüber ist ein Haus aus dem Boden gewachsen. Die sinkende Maisonne spiegelt sich in den glitzernden Fensterscheiben.

Er durchquert das altmodische Wartezimmer und betritt das Wohnzimmer. Frau Wild sitzt in einem hohen Lehnstuhl und liest. Sie liest ohne Brille.

Sie blickt auf und legt den Brief beiseite, den sie las.

„Ein schöner und kluger Brief", sagt sie.

Adam nickt zustimmend. „Er schreibt Elisabeth jeden Tag."

Sie steht auf und öffnet das Fenster. „Ich mußte heute an den Tag denken, als er zum ersten Mal hier war", sagt sie.

„Beinahe fünf Jahre", sagt Adam.

„Sie waren nicht sinnlos", sagt die alte Frau.

„Gibt es sinnlose Jahre?"

„Es gibt Kriegsjahre." Und, übergangslos, wie es ihre Gewohnheit ist: „Ich muß in die Küche. Das Gebäck für morgen."

Er folgt ihr in die Küche; sie lieben es, sich in der Küche zu unterhalten.

„Ob dir diese Sonntage nicht zuviel werden ..." sagt er.

„Hältst du mich für so alt? Glaubst du, daß ich sehr gealtert bin in diesen fünf Jahren?"

Er lacht. „Ich möchte so jung sein ..."

„Das meine ich auch", sagt sie.

„Trotzdem mußt du mich manchmal für verrückt halten", sagt er. „Ich habe sie immer angeschleppt ... die

Studenten von Professor-Huber, und die Dolmetscherkompanie, und die Leute um Sibelius. Und jetzt, diese Verschwörer, die nicht wissen, wogegen sie sich verschwören."

„Unsinn!" sagt sie. „Dir ist es nur nicht romantisch genug. Eigentlich ist es dir gar nicht recht, daß es vorderhand noch gefahrlos ist."

Er runzelt die Stirne. „Du machst dich lustig über mich", sagt er liebevoll. „Es hat nichts mit Romantik zu tun. Ich frage mich manchmal ernstlich, ob ich nicht zu einer Art professionellen Verschwörer werde. Schließlich ist alles in schönster Ordnung. Wir werden reich und mächtig. Und wir haben eine Demokratie, die es sogar wackeren Parteigenossen gestattet, Abgeordnete zu werden. Bald werden wir ein Heer haben, und im Grunde sollte auch dagegen nichts einzuwenden sein – schließlich haben die Schweizer auch eine Armee. Es gibt Leute, die finden, es sei ganz in Ordnung, daß wir die Ostdeutschen abschreiben – hat nicht gestern jemand im Rundfunk so etwas gesagt? Sie haben ohnedies zuviel gegessen und zuwenig geliefert, die Ostdeutschen. Auch mit der Besatzung kann man sich abfinden. Zu Weihnachten haben die G.I.s die deutschen Kinder beschenkt; den Kindern schenken sie Chewing gum und der Regierung Kanonen. Die Russen werben um uns, die Amerikaner werben um uns, sogar die Engländer und die Franzosen finden uns jetzt ganz nett. Nur wir sitzen am Sonntag auf deinen Antiquitäten und hadern mit Gott und der Welt."

„Es muß Föhn sein", sagt Frau Wild, und scheint ganz mit ihrem Kuchen beschäftigt. „So redest du immer, wenn Föhn ist."

„Föhn ist ein Aberglaube", sagt Adam.

„Das kannst du deinen Patienten einreden."

„Nein, ernstlich, Mutter ... glaubst du, daß mich der Teufel reitet? Vielleicht bin ich einfach ein schlechter Deutscher. Warum nehme ich nicht teil an der allgemeinen Freude? Warum jubiliere ich nicht über das Überwundene? Wir sind herrlich weit und hoch gekommen, das läßt sich nicht bestreiten. Wir haben es fertiggebracht, zu vergessen; und auch die Welt vergißt. Nur noch in unserem

Wohnzimmer spricht man von Krieg und Gasöfen und Konzentrationslagern, und daß Dresden noch stünde, wenn Rotterdam nicht zerstört worden wäre. Welchen Grund haben ausgerechnet wir, nicht auch zu vergessen?"

„Das stimmt ja gar nicht", sagt Frau Wild. „Wir sprechen nicht nur von vorgestern. Wir sprechen ebenso auch von den beschlagnahmten Häusern und den amerikanischen Gefangenenlagern und der Aushungerung und den Spruchkammern."

„Was weiter?" sagt Adam. „Macht uns Ressentiment gegen die Besatzung zu besseren Deutschen? Schließlich sind das auch Themen von gestern. Man sollte sie mit den anderen begraben."

Frau Wild versucht, kleine Backformen aus Aluminium von der Wand zu nehmen. Sie ist zu klein; Adam hebt sie hoch; zappelnd wie ein Kind, streckt sie den Arm nach den säuberlich aufgereihten Formen aus.

„Außerdem", fährt er fort, „was soll unser Gerede eigentlich? Manchmal sind wir zehn, manchmal zwanzig. Wir tun nichts als die Überzeugten zu überzeugen. Wir wollen keinen Barras mehr. Wir wollen die alten Feldwebel nicht mehr, und auch nicht die alten Generale. Wir haben keinen Wunsch, uns an einem Komplott zu beteiligen, das damit endet, daß wir gegen Leipzig marschieren, oder die aus Leipzig gegen München. Wir. Wer? Zwanzig Leute in einem Schwabinger Haus, Sonntag auf alten Truhen hokkend, Frau Wilds Kaffee trinkend. Ein amerikanischer Oberstleutnant gehört zu uns, der schreibt Briefe von drüben und versichert uns, daß wir ganz recht haben. Und ein alter Colonel ging nach Hause, weil er unserer Ansicht war. Ein Haufen von Narren, um einen Eigenbrötler versammelt. Um einen Eigenbrötler noch dazu, der störrisch überzeugt ist, daß er recht hat, er und seine zwanzig Getreuen, daß alle anderen aber unrecht haben – der also genau das tut, wogegen er ankämpft. Inzwischen rollt das Rad der Geschichte weiter, wie man so schön sagt. Ein amerikanischer Oberstleutnant, jetzt noch dazu abgerüstet und Professor der Historie an einer kleinen Universität: aber ein paar hundert amerikanische Generale. Die geschiedene

Frau eines Kriegsverbrechers, die in der Hausmeisterwohnung schläft: aber all die anderen Frauen, die nach und nach ihre Juwelen und Schlösser zurückbekommen. Ein Student, der es sich in den Kopf gesetzt hat, mit seines Vaters Vergangenheit zu rechten: aber das Rüstungsgeschäft des Bankhauses Eber. In Köln ein ehemaliger Oberst, der nicht wieder Oberst werden will: aber am Rhein, ein paar Kilometer weiter, Hunderte von Obersten, die einmal noch Feldmarschälle werden wollen. Ernstlich, Mutter, glaubst du nicht, daß ich verrückt bin?"

Frau Wild schlägt die Tür des Backofens zu. Sie wendet sich um und setzt sich auf den rückenlosen Küchenstuhl.

„So", sagt sie, „jetzt habe ich mir den Unsinn lang genug angehört. Nun bist du ausnahmsweise einmal ganz still und hörst mir zu. Neulich, in einem alten Buch, habe ich eine chinesische Legende gelesen." Und sie beginnt zu erzählen, wie Adam sie seit vielen Jahren – Jahrzehnte müssen es vielmehr gewesen sein – nicht mehr erzählen gehört hat. „Von einem Mann handelt die Legende", fährt sie fort, „der nichts besaß als ein Stück glimmendes Holz. Es war ein merkwürdiges Scheit, denn es brannte immer und verbrannte doch nie. Er sprach zu niemand von seinem Schatz, denn er wollte nicht, daß man ihn auslache. Ein glimmendes Stück Holz, das ist kein großes irdisches Gut. Dann traten eines Tages die Flüsse aus ihren Betten und überfluteten die Felder. Die Menschen versuchten ihr Hab und Gut zu retten. Der Mann aber dachte an nichts anderes als an sein Stück Holz. Er watete durch die Wasser, die ihm bis zum Kinn reichten, und hoch erhoben in der Hand trug er noch immer das glimmende Scheit. Dann stiegen die Wasser so hoch, daß er nicht mehr gehen konnte. Er versuchte sich schwimmend zu retten, aber die Wellen schlugen über ihn zusammen, und auch über sein Holz. Auftauchend erblickte er endlich einen Flecken trockenen Landes. Und als er ans Land kam, da glimmte das Scheit noch immer; die großen Wasser hatten sein kleines Feuer nicht gelöscht. Es vergingen Jahre, und der Mann besaß noch immer nichts anderes als das brennende, nie verbrennende

Holz. Da brach eines Tages ein schreckliches Feuer aus. Nun hätte der Mann das Holz wegwerfen können, denn der brennenden Scheite gab es genug; und sollte er, worauf nicht viel Aussicht bestand, die Feuersbrunst überleben, so konnte er hundert glimmende Hölzer auflesen. Aber er war ein hartnäckiger Mann, ein Eigenbrötler wohl, und er hielt fest an seinem Scheit. Die Hütten brannten nieder, das Vieh verbrannte auf dem Feld, auch das Feld verbrannte. Nur das brennende Holz verbrannte nicht." Sie bricht in ihrer Erzählung plötzlich ab. „Weißt du, was das Ende der Geschichte ist, Adam?" fragt sie.

„Nein, Mutter."

„Als der Mann auf seinem Totenbett lag, da ließ er seinen Sohn kommen und vermachte ihm das glimmende Scheit. Und sein Sohn vermachte es seinem Sohn, und dieser wieder seinem Sohn. Und so gibt es, irgendwo in der Welt, auch heute noch ein Stück Holz, das weiterglimmt. Die großen Fluten kommen und die großen Feuer, einer aber hält immer fest an einem Stück Holz, das in Wasser und Feuer nicht untergeht." Sie steht auf und macht sich wieder um den Herd zu schaffen. „Vielleicht glaubst du, daß es eine sinnlose Geschichte ist, Adam", sagt sie. „Weil wir glauben, daß Geschichten ein Ende haben müssen. Die ewigen Geschichten haben kein Ende. Oder ihr Ende liegt im Ewigen. Eines Tages wird der Urenkel eines Urenkels und des Urenkels Urenkel entdecken, warum der Mann festhielt an dem glimmenden Scheit. Ich weiß es nicht, du weißt es nicht, und der Mann, der die Geschichte schrieb, wußte es auch nicht."

Adam geht auf seine Mutter zu. Er nimmt ihr den Löffel aus der Hand, mit dem sie, während sie sprach, einen Teig anzurühren begonnen hat. Er hebt sie hoch und trägt sie ins Wohnzimmer. Die Dämmerung ist gekommen und überzieht die alten Möbel mit einem bleichen Violett. Er hält sie noch immer im Arm, als er sagt:

„Mutter, seit ich ein Kind war, hast du mir keine Märchen mehr erzählt. Damals aber müssen es Märchen gewesen sein wie die Legende vom glimmenden Scheit."

Sie lacht. „Meinst du, daß ich an allem schuld bin?"

Auch er lacht. „Vielleicht. Und deshalb darfst du dich nicht beklagen, wenn ich das Scheit weitertrage."

Er stellt sie zart nieder. Sie blickt zu ihm empor.

„Durch Wasser und Feuer?" fragt sie.

„Durch Wasser und Feuer", sagt Adam.

ENDE

DIE JAHRE 1946 BIS 1948

VIERTES KAPITEL

FÜNFTES KAPITEL

INHALT

DAS JAHR 1945

DIE JAHRE NACHHER

SIEBENTES KAPITEL

HANS HABE

ICH STELLE MICH

Meine Lebensgeschichte

Umfang 544 Seiten · Großformat · Ganzleinen DM 16.80

THOMAS MANN

schrieb spontan nach der Lektüre dieser Autobiographie:

„Ihr Buch ist erstaunlich. Es wird kaum jemanden geben, der damit beginnt, und den es nicht durch alle seine Seiten hinreißen wird bis ans Ende. Ich kenne kaum eine zweite so von Leben starrende, von Leben vollgepfropfte Autobiographie. Sie hatten, wahrhaftig, etwas zu erzählen, und Sie haben mit einer Verve und Brillanz erzählt, die zu bewundern sind. Auch mit Ernst und Betrachtung, moralischer Prüfung Ihres Charakters und Schicksals, einer Selbstkritik, die man sich von aller Kritik, die Sie üben, am gleichmütigsten gefallen lassen wird, obgleich mehr Tapferkeit dazu gehörte, als zu der am Kriege, an Hollywood und anderen Übelständen.

Das Buch eines unterhaltenden Moralisten, ein moderner Abenteuerroman, der über die Sensation hinaus, die er im Augenblick erregen mag, vielleicht - wer weiß - historisch werden wird."

„Habes Buch ist ein Dokument unserer Zeit, mit dem es sich auseinanderzusetzen lohnt." *Mannheimer Morgen*

„Die Ehrlichkeit, die Hans Habe sich vorgenommen hat, macht seine Autobiographie zu einer der aufschlußreichsten Selbstdokumentationen unserer Zeit; sie entschlüsselt so mancherlei, macht die Chiffreschrift des Zeitgeschichtlichen in vielem lesbarer. Und erregend über die Maßen ist sein Buch." *Rhein-Neckar-Zeitung, Heidelberg*

„Ein zeit- und zeitungsgeschichtlich aufschlußreiches Werk, ein faszinierender Abenteurerroman unserer Zeit." *Hamburger Echo*

In jeder guten Buchhandlung zu erhalten

VERLAG KURT DESCH

WIEN · MÜNCHEN · BASEL